Jochen von Lang

DER ADJUTANT

Unter Mitarbeit von Claus Sibyll

80 Abbildungen

Herbig

Bildnachweis

Alle Bilder aus dem Archiv Nicolaus von Gorrisson,
außer:
Zeitgeschichtliches Archiv Heinrich Hoffmann (2)

Umschlaggestaltung: Christel Aumann, München,
unter Verwendung eines Photos aus dem
Archiv N. v. Gorrissen, Hamburg
Verlagsredaktion: R. v. Zabuesnig
Satz: Filmsatz Schröter GmbH, München
gesetzt aus 9.5/11 Times auf Linotron 202 N
Druck: Jos. C. Huber KG, Dießen
Binden: R. Oldenbourg, München
Printed in Germany
ISBN: 3-7766-1368-8

Inhalt

Vorwort

Der Tote hätte es nicht anders gewollt: Als er Mitte Juli 1984 in Prien am Chiemsee begraben wurde, erinnerte ein schwarzes, mit vielen Orden bestecktes Kissen an Verdienste und Würden aus einer unrühmlichen Epoche. Man begrub – laut Traueranzeige – den Generaloberst a. D. Karl Wolff. Der übliche Hinweis auf die Waffengattung fehlte hinter dem Namen. Unterblieb er, weil damit das heikelste Kapitel seines Lebens angedeutet worden wäre? Der Werbekaufmann und Leutnant a. D. war 1931 im Herbst in die NSDAP und in die Allgemeine SS eingetreten, und er war in der Schwarzen Garde des deutschen Faschismus innerhalb eines Jahrzehnts zum Rang eines Obergruppenführers und eines Generals der Waffen-SS aufgestiegen, war die rechte Hand Heinrich Himmlers und ein enger Vertrauter Adolf Hitlers geworden. Glaubt man auch noch seinen durch keinerlei Dokumente belegten Angaben, dann war er sogar noch am 20. April 1945, kurz vor dem Kollaps des Dritten Reiches, zum Oberstgruppenführer und zum Generaloberst der Waffen-SS hochgehievt worden. Höher ging es nun nicht mehr.
Er wollte immer hoch hinaus, von früher Jugend an, und wenn er Erfolg hatte, dann führte er ihn auf die von den Deutschen seit jeher beanspruchten Tugenden zurück: Fleiß, Ehrlichkeit, Gehorsam, Treue. Darüber hinaus verfügte er über viel taktisches Geschick, die Gabe, jemanden zu überreden, und über kräftige Ellenbogen. Er hätte gewiß auch in der Wirtschaft seinen Weg gemacht, aber mit seiner Vorliebe für das Soldatische eignete er sich besonders für das pseudomilitärische Parteimanagement. Anläßlich seines Todes schrieben etliche Zeitungen, daß Karl Wolff in seinen letzten Jahren der Ranghöchste der noch lebenden Hitlergefolgschaft gewesen sei, sofern man von dem im Spandauer Gefängnis lebendig begrabenen Rudolf Heß, dem ehemaligen Stellvertreter des Führers, absähe.
Zu Lebzeiten hätte man Wolff damit geschmeichelt. In Wahrheit war er in Hitlers Reich eine jener unbekannten Größen, die aus dem Hintergrund wirkten. Seinen Namen und seine Funktionen kannten damals nur die obersten Fünfhundert von Partei und Staat. Wohl strebte auch er ins Rampenlicht, aber dort knufften und stießen sich schon ranghöhere »Staats-Schauspieler«. Zwar schmückte ihn eine Uniform voller Lametta, aber man sah solche damals allzu häufig. Er war ja auch kein Akteur in der Öffentlichkeit; er wirkte durch

Gespräche, Befehle, Geschriebenes. Wohl war er Abgeordneter seiner Vaterstadt im Reichstag, aber in diesem Scheinparlament durfte nur einer glänzen; ihm zuzujubeln war Wolffs Aufgabe, wie befohlen mit »Ja« zu stimmen und bei den Nationalhymnen mitzusingen. Nach Veranstaltungen erwähnten die Zeitungen manchmal seinen Namen in der »Bratenliste« der Ehrengäste als ständigen Begleiter des Reichsführers-SS, aber er war stets nur einer unter vielen.
Während der ersten Kriegsjahre wirkte Wolff als Himmlers »Auge und Ohr« im Führerhauptquartier. Was er dort tat, war schon gar nicht geeignet, ihn populär zu machen; entweder leistete er dekorativen Hof-Dienst, oder er war mit Geheimem beschäftigt, wovon die Deutschen erst nach dem Krieg etwas erfuhren. Wenn er sich gelegentlich gestattete, von der Parteilinie abzuweichen, indem er Bedrängten half, dann mußte das erst recht verborgen bleiben. Ein einziges Mal nur nutzte der General Wolff eine Gelegenheit, sich der Öffentlichkeit – und diesmal hätte es die ganze Welt sein können – bekanntzumachen: als er sich mit den letzten noch intakten deutschen Armeen kurz vor Kriegsende in Italien den Streitkräften der westlichen Alliierten ergab und damit im Süden den Zweiten Weltkrieg um einige Tage abkürzte. Was ihn auch immer dazu bewogen haben mag, es bleibt doch eine historisch zu wertende Tat. Die Deutschen konnten sie damals kaum zur Kenntnis nehmen; sie waren in dem nahezu schon völlig vom Feind besetzten Reich mit dem Überleben beschäftigt.
Diese Kapitulation im Süden wurde schon in etlichen Büchern dargestellt und auch kritisch bewertet. Sie kann deshalb nicht mehr der Grund sein, das Leben und Wirken des Generals Karl Wolff zu schildern. Auch der Tod des 84jährigen gab höchstens Anlaß zu Gedenkartikeln in Tageszeitungen. So war denn auch diese Biographie am Tag seines Todes schon geschrieben, mit Ausnahme des letzten Kapitels. Sie kann mit manchen Details ein Beitrag zur Zeitgeschichte sein. Wolff war ja häufig Zeuge historischer Ereignisse. Bruchstückhaft hat er darüber auch in unveröffentlichten Manuskripten und auf Tonbändern berichtet. Er bevorzugte dabei Szenen, in denen er sich selbst als Mittelpunkt darstellen konnte. Hält man die einschlägigen Dokumente dagegen, dann erweist sich seine Darstellung vielfach als geschönt. Statt Beiträge zur deutschen Geschichte lieferte er meistens nur Geschichten. Himmler ist einer der wenigen Nationalsozialisten, die er zwiespältig beurteilt, Hitler erscheint umgänglich, verständnisvoll, wenn auch manchmal staatsmännisch streng. Wolff selbst ist und bleibt auch in dieser Umgebung der Idealist, der stets das Gute will. Und weil er selbst nie etwas Böses erdacht oder geplant hatte, konnten noch so viele Verbrechen rings um ihn geschehen – er hat so gut wie nie etwas davon gemerkt. Wies man ihm nach, daß er sie gar nicht hätte übersehen können und daß er sogar daran mitgewirkt hatte, dann erklärte er mit vielen wohlgesetzten Worten, weshalb er das Geschehen habe für legal halten können, ja sogar müssen. Der blauäugige Parsival war schon sehr früh den Blumenmädchen der Macht in Hitlers Zaubergarten verfallen.
Auch wenn er es nie wahrhaben wollte, so war er doch von der Amoral jenes Systems schlimm infiziert. Auch seine bürgerliche Wohlanständigkeit zerfiel

durch den Krankheitskomplex, dessen Symptome, eine moralische und geistige Verderbtheit, man zusammenfassend als Nazi-Syndrom bezeichnen kann. Wer dieses Übel bekämpfen will, muß es (wie es der Mediziner tut) an einem besonders ausgeprägten Fall studieren. Das ist, das war der General Wolff. Er war von Anbeginn einer der Typen, auf die Hitler seine Hoffnungen gesetzt hatte, wie umgekehrt der Massenfänger im Braunhemd eine Heilsbotschaft verkündete, die den Gymnasiasten, Leutnant a. D., Bankangestellten und Kleinunternehmer Karl Wolff zu einem gläubigen Gefolgsmann machen mußte. Wenn dieser Führer versprach, er werde Deutschland aus Schmach und Not befreien, dann sah Wolff, das Mitglied des gehobenen Bürgerstandes, in ihm den Retter vor der drohenden Deklassierung. Wenn Hitler verkündete, der Frontsoldat und der Offizier würden wieder zu besonderen Ehren kommen, dann durfte Wolff darin die Chance eines persönlichen Aufstiegs sehen. Wenn Deutschland wieder mächtig und reich wurde, dann würden auch Wolff mehr Macht und Reichtum zuteil. Hitlers Verheißung, daß in seinem Reich nur Menschen »deutschen Blutes« zu Ehren, Ämtern und Würden kommen sollten und daß den Deutschen von nordisch-germanischer Rasse die Führung vorbehalten bleibe, bestärkte den blonden Recken in seiner Gewißheit, zur Elite der Nation zu gehören.
Sein Lebenslauf zeigt, wie stark gerade für ihn die Versuchung war, mitzumarschieren in den vom Horst-Wessel-Lied unaufhörlich besungenen »braunen Bataillonen«. Er macht deutlich, weshalb so wenige dieser Marschierer die Kraft zu einer Kehrtwendung fanden. Er erklärt auch, warum so viele die Augen schlossen, wenn Schlimmes geschah, und weshalb sie ihr Gewissen damit beschwichtigten, daß Späne fallen, wenn gehobelt wird.
Um all das am lebenden Objekt zu zeigen, bekam der General Wolff doch noch seine so heiß ersehnte Biographie, wenn auch nur posthum und anders, als er sie seit dreißig Jahren schreiben wollte. Ginge es nach ihm, sollte sie den Deutschen mitteilen, was er für sie geleistet hat und was er ihretwegen erdulden mußte. Statt dessen erfahren sie nun, wie exemplarisch er für eine ganze Generation war. Diesen Dienst darf ein Mann, der sich stets als Patriot bezeichnet hat, seinem Volk auch nach seinem Tod nicht verweigern.

Claus Sibyll

1
»Wo haben Sie gedient?«

Der ehemalige Obergruppenführer der SS und General der Waffen-SS Karl Wolff wurde im September 1964 vom Schwurgericht München zu 15 Jahren Zuchthaus verurteilt. Er wurde für schuldig befunden, an der Ermordung von 300000 Juden mitgewirkt zu haben, als er Güterwaggons beschaffte, in denen die Menschen aus dem Getto von Warschau in die Gaskammern der Vernichtungslager transportiert wurden. Fünf Jahre nach der Verurteilung wurde der Strafgefangene Wolff in die Freiheit entlassen, weil Amtsärzte ihn aufgrund seines schlechten Gesundheitszustandes für haftunfähig erklärten. Seitdem wohnte er in Darmstadt, in München oder in Prien am Chiemsee, wenn er nicht gerade auf Reisen war, die ihn bis nach Südamerika geführt haben. Er hatte nie aufgehört zu beteuern, daß er zu Unrecht verurteilt worden war, weil er erst kurz vor Kriegsende erfahren habe, daß Juden ermordet wurden. Das Gericht glaubte ihm nicht, denn er war mindestens ein Jahrzehnt einer der engsten Vertrauten des Reichsführers-SS Heinrich Himmler, Hitlers oberstem Polizisten und Herrn über alle Konzentrationslager, der ihn »Wölfchen« nannte. Spätestens jedoch während seiner Dienste für Hitler und Himmler im Führerhauptquartier von 1939–1943 dürfte Wolff erfahren haben, was mit den Juden geschah.

Der höchste SS- und Polizeiführer für Italien, zugleich bevollmächtigter General der deutschen Wehrmacht in Italien, der SS-Obergruppenführer Karl Wolff hat andererseits maßgeblich mitgewirkt, daß am 2. Mai 1945 die Heeresgruppe Süd der deutschen Wehrmacht gegenüber amerikanischen und englischen Streitkräften kapitulierte. Damit endete der Krieg an der deutschen Südfront sechs Tage vor der allgemeinen Waffenruhe in Europa. Die Kapitulation war nach dem damals noch geltenden Recht des Hitler-Staates Landesverrat, der nur mit dem Tod bestraft werden konnte. In manchen Orten Südtirols ließ sich Wolff seitdem gelegentlich feiern, weil er damit diesen Landstrich vor Kampf und Zerstörung bewahrt habe. Wolff machte ferner geltend, daß er durch ein vorzeitiges Kriegsende deutschen und alliierten Soldaten den Kampf von sechs mal vierundzwanzig Stunden und damit vielen Männern Wunden und Tod erspart habe.

Wie bei so manchem Zeitgenossen Wolffs schwankt auch sein Charakterbild, von der Parteien Gunst und Haß verzerrt. Er selbst trug dazu bei. Wenn es um die Verantwortung für die Verbrechen des Dritten Reiches ging, beteuerte er, unwissend, unbeteiligt oder zumindest ein machtloser Opponent gewesen zu sein, indessen er sich in Reden, Interviews, Aufsätzen und auch bei Vernehmungen, vom Ehrgeiz getrieben, als eine der wichtigsten Führerfiguren in der SS und sogar des NS-Machtapparates darstellte. Doch wie dies auch zu Hitlers Zeiten gewesen sein mag – Wolffs Bedeutung für unsere Gegenwart ist ganz anderer Art.

Wer Antwort sucht auf die Frage, weshalb die Deutschen vor einem halben Jahrhundert dem genialen Agitator Hitler und seinem plakativen Hakenkreuz verfielen und weshalb sie ihm bis zum bittersten Ende treu geblieben sind, der findet in der Person, im Aufstieg und Fall des SS-Mannes Karl Wolff eine ebenso anschauliche wie weitgehend allgemeingültige Erklärung dieses Phänomens. Er wäre so gern ein (aus der Masse des Volkes) hervorragender Deutscher geworden, aber mit der allgemeinen Katastrophe fand seine Karriere zwangsläufig ein Ende. Dabei war er, ohne es in dieser Form zu wollen, zu einem exemplarischen Deutschen einer ganzen Epoche geworden, exemplarisch für seine Generation.

Begonnen hat diese Karriere am 7. Oktober 1931. An diesem Tag war Karl Wolff aus seiner Sieben-Zimmer-Villa in Münchens vornehmem Stadtteil Bogenhausen, Am Priel 10, in die Innenstadt gegangen, in die nicht minder vornehme Briennerstraße. Dort residierte neuerdings in einer noch viel größeren Villa die Reichsleitung der NSDAP. Von den Parteigenossen wie auch vom Volk wurde Hitlers Residenz »Braunes Haus« genannt, nicht nur des Anstrichs wegen, denn die Uniformen der Partei und ihrer Formationen – übrigens ein Novum in der Parteienlandschaft der Weimarer Republik – waren von der gleichen Farbe. Nur dort, in der Zentrale, und nicht etwa in einem gewöhnlichen Zigarrenladen oder einer völkisch eingefärbten Buchhandlung wollte der Werbekaufmann Karl Wolff der aufstrebenden Partei Hitlers beitreten.

In Berlin regierte in jenen Tagen der Reichskanzler Heinrich Brüning, Chef der katholisch ausgerichteten Zentrumspartei, mehr schlecht als recht. Über vier Millionen Deutsche waren bereits ohne Arbeit und täglich wurden es mehr. Drei Monate zuvor, Mitte Juli 1931, war eine der vier großen Banken im Reich zusammengebrochen. Daraufhin mußten tagelang alle Geldinstitute geschlossen bleiben, weil zu viele ihrer Kunden Guthaben abheben wollten. In einer Welle von Konkursen verschwanden altrenommierte Firmen, fallierten Brauereien von Weltruf, schlossen Versicherungen ihre Kontore und gingen erst recht kleinere Betriebe von Handel und Handwerk unter. Die Mehrzahl der Deutschen hatten das Vertrauen in die Regierung verloren und viele hielten das parlamentarische System für unfähig, mit der Krise fertig zu werden. Bei den Reichstagswahlen vor mehr als einem Jahr waren deshalb die Nationalsozialisten zur zweitstärksten Partei geworden. Aber auch die Kommunisten hatten erheblich an Stimmen gewonnen. Zwischen diesen beiden Extremen, so glaubten viele, müsse sich Deutschland entscheiden, nachdem alle anderen Parteien dem Elend nicht hatten gegensteuern können.

Weil Karl Wolff sein Vaterland – und natürlich auch sich selbst – vor Elend und

Kommunismus retten wollte, »reihte er sich ein in die Kolonnen der braunen Bataillone« (parteiamtliches Pathos). Er war in jenen Tagen nur einer von vielen Neuzugängen. Sein Parteibuch bekam die Nummer 695 131 – eine Zahl, mit der er für Veteranen der NSDAP als Konjunkturritter und als »Septemberling« gekennzeichnet war, weil er erst nach dem sensationellen Stimmenzuwachs bei der Wahl im September 1930 seinen Beitritt erklärt hatte. Als er später zu Amt und Würden gekommen war, glaubte er, sich für dieses Manko entschuldigen zu müssen: Er pflegte zu erzählen, daß er 1922 mit seiner eben angetrauten Frau nach München gezogen sei, weil er damals schon erwartet habe, daß von dieser Stadt und von Adolf Hitler Deutschlands Erneuerung ausgehen werde. Nur sein Versprechen, er werde im ersten Ehejahr um der glückseligen Zweisamkeit willen politisch enthaltsam bleiben, habe ihn verhindert, an dem historisch gewordenen Putsch vom 9. November 1923 und am Marsch zur Feldherrnhalle teilzunehmen. Damit habe er seiner Liebe den »Blutorden« geopfert, mit dem sich die Parteiveteranen schmücken durften.
Seine Karriere begann deshalb erst im Oktober 1931. Nämlich als er außer seinem Antrag auf Mitgliedschaft in der NSDAP auch gleich ein weiteres Formular, zwei Blätter im Format DIN A 4 unterschrieb, einen »SS-Aufnahme- und Verpflichtungsschein«. Diesen hatten ihm junge stramme Leute vorgelegt, die im Foyer des »Braunen Hauses« als Wächter und Portiers zugleich amtierten – bekleidet mit braunem Oberhemd, schwarzen Breecheshosen in schwarzen Rohrstiefeln, behängt mit schwarzem Lederkoppel und schwarzem Schulterriemen, verziert mit einem schwarzen Schlips und mit hohem schwarzem Käppi, über dessen Mützenschild die vernickelte Miniatur eines Totenschädels martialisch glitzerte.
In die Rubrik »2. Beruf:« des Formulars schrieb Wolff: »Leutnant a. D., Kaufmann«. Die umgekehrte Reihenfolge hätte der Wirklichkeit besser entsprochen, denn in der »Annoncen-Expedition Karl Wolff – von Römheld« verdienten er als deren Inhaber und ein paar Angestellte ihr tägliches Brot. Zur Zeit war es gefährdet; die kleine Firma war in den Sog der Wirtschaftskrise geraten, weil etliche ihrer Kunden ihre Anzeigen, die bereits in der Presse erschienen waren, nicht mehr bezahlen konnten und weil die Zeitungen nun von der Agentur die Rechnungen eintrieben. Trotzdem war Wolffs Schreibtisch in der Villa, die als Wohnung der Familie wie auch als Firmensitz diente, für den Lebensunterhalt wichtiger als die sorgsam gepflegte Friedensuniform eines Gardeleutnants des kaiserlichen Heeres dort im Kleiderschrank.
Karl Wolff hatte schon als ABC-Schütze gewünscht, einmal als Offizier hoch zu Roß an der Spitze tapferer Krieger in die Schlacht zu ziehen, nachdem er im hessischen Butzbach, wo sein Vater Amtsrichter war, ein Manöver eines Infanterieregiments gesehen hatte. Doch dieser Wunsch ging nie in Erfüllung. Zwar erreichte Wolff im Ersten Weltkrieg noch den Rang eines Leutnants und damit den Startplatz für eine militärische Karriere, und er beendete sie 1945 sogar als General, aber die romantisch-heldischen Posen blieben immer Wunschträume. Dies macht es verständlich, daß er beim Ausfüllen des Fragebogens seine

bedrohte bürgerliche Existenz zurücktreten ließ, hinter den Offizier außer Dienst.
Nach den Routinefragen Nummer 3 bis 7 (Geburtstag, Wohnung und dergleichen) füllte er genüßlich die nächste Sparte des Formulars aus. Bei »8. im Felde von ... bis ...?« konnte er melden, daß er vom 5. September 1917 an bei der kämpfenden Truppe an der Front war. Zuvor hatte er in Darmstadt, seinem Geburtsort, vier Monate lang seine Rekrutenausbildung durchgestanden; er hatte sie, ohne einen Tag zu verlieren, unmittelbar nach dem letzten Prüfungstag des Notabiturs begonnen, und als er auf der Kleiderkammer seine Uniform gefaßt hatte, war er noch nicht einmal 17 Jahre alt gewesen. Durch Bravour und Eifer fiel der Kriegsfreiwillige Fahnenjunker Wolff so häufig auf, daß er unwahrscheinlich rasch avancierte. Noch ehe der Krieg zu Ende war, trug er die Uniform eines Leutnants mit den Eisernen Kreuzen Zweiter und Erster Klasse als Lohn seiner Tapferkeit.
Wer weiß, wie weit er es damals schon gebracht hätte, wenn nicht die Oberste Heeresleitung angesichts eines drohenden Zusammenbruchs der Westfront einen unverzüglichen Waffenstillstand gefordert hätte und wäre nicht der oberste Kriegsherr, Kaiser Wilhelm II., am 9. November aus Furcht vor meuternden Etappensoldaten ins neutrale Holland ausgerückt.
Die nächste Frage im Formular – »bei welcher Formation« er gekämpft habe – beantwortete Wolff in der durch Tradition geheiligten Schreibweise: »Großherzogl. Hess. Leibgarde-Infanterie Regiment Nr. 115«. Wer das Glück hatte, bei dieser Truppe dienen zu dürfen, konnte sich auserlesen fühlen. Als Mannschaften und für das Unteroffizierskorps waren nur die gesündesten Bauernsöhne Hessens gut genug, und um als Offizier aufgenommen zu werden, bedurfte es in der Regel eines adligen Namens. Das Regiment war so exklusiv, daß sich im Kaiserreich die Sozialdemokraten im Reichstag empört hatten, weil im gesamten Offizierskorps kein Bürgerlicher zu finden war.
Kommandeur dieses Regiments war Seine Königliche Hoheit der Großherzog von Hessen-Darmstadt höchstpersönlich. Er war wie der Kaiser ein Enkel der Queen Viktoria. Doch anders als bei seinem neun Jahre älteren Berliner Vetter, stand Militärisches für Ernst Ludwig nicht unbedingt obenan. Er war ein eifriger Förderer der 17 wissenschaftlichen und musischen Gesellschaften Darmstadts, Gründer der Darmstädter Künstlerkolonie, die mit ihren international beachteten Ausstellungen als Vorläufer des »Bauhauses« gelten darf. Seiner Initiative ist die Ernst-Ludwig-Presse zu danken, deren bibliophile Drucke noch heute unter Kennern gesuchte Raritäten der Buchkunst sind. Er zeigte sich als Mäzen von Malern, Bildhauern und Architekten – rundum ein Schöngeist, mit dem Ehrgeiz, aus Darmstadt ein Weimar des 20. Jahrhunderts zu machen, ein geistiges Zentrum des »anderen Deutschland« der Dichter und Denker. Seine Familienbeziehungen gaben zudem Darmstadt einen Hauch von großer Welt: Onkel und später Cousin waren Könige von Großbritannien, die Schwester Zarin von Rußland, die Schwägerin Königin von Rumänien, eine Cousine griechische Kronprinzessin. Über dem Darmstädter Schloß wehten im Wechsel

die Standarten fast aller europäischer Herrscherhäuser. In diesem Glanz sonnten sich die Darmstädter gerne.

Gleich neben dem Schloß – und dem großherzoglichen Theater – lag die Kaserne des Leib-Garde-Infanterie-Regiments. Dessen Offizierskorps hielt sich nicht nur für den preußischen Gardekameraden ebenbürtig, sondern insgeheim für universeller, weltläufiger, in humanistischem Sinne nobler. Und wenn Karl Wolff das Regiment nurmehr in Feldgrau erlebte, so färbte doch noch genug von großherzoglich hessischer Offiziersselbsteinschätzung auf ihn ab, um das Bewußtsein elitärer Exklusivität zu vermitteln, ohne Protz, in aller humanistisch gebotenen Bescheidenheit, aber deshalb nicht weniger nachdrücklich.

Daß der Abiturient Wolff als Fahnenjunker zugelassen wurde, verdankte er nur besonderen Empfehlungen: einem lobenden Zeugnis der »Nationalen Jugendwehr«, bei der sich der Pennäler zwei Jahre lang in einer vormilitärischen freiwilligen Ausbildung hervorragend bewährt hatte, und einem Bürgen und Fürsprecher in der Person seines Schwagers, eines veritablen Grafen. Dazu kam noch das Familien-Renommee. Wolffs früh verstorbener Vater war Landgerichtsdirektor gewesen und damit gehörte die Familie zu den Darmstädter Honoratioren. Schließlich hatte auch noch ein Großonkel väterlicherseits vor Jahr und Tag in diesem Regiment gedient und hatte es bis zum Obersten gebracht.

In so illustrer Gesellschaft marschierte der Leutnant Karl Wolff im November 1918 nach dem Waffenstillstand in die Heimat zurück. In der Kaserne, die er vor wenig mehr als einem Jahr als einfacher Soldat verlassen hatte, hoffte nun der Leutnant, er könne auch in der kommenden Friedenszeit die Uniform weiter tragen. Doch die alliierten Sieger machten ihm (ebenso wie 25 Jahre später) einen Strich durch Beruf und Karriere. Sie ließen das Heer im Versailler Friedensvertrag auf 100000 Mann schrumpfen. Eine Zeitlang konnte Wolff bei einer Einheit unterkriechen, die sich mit der Bezeichnung »Hessisches Freikorps« am Diktat der Sieger vorbeimogeln wollte, doch sie fand weder eine Aufgabe noch eine legale Begründung. Im Mai 1920, gerade 20 Jahre alt, war er genötigt, Zivil anzuziehen; ihn traf als den jüngsten Offizier des Regiments die Demobilisierung zuerst. Später, im hohen Alter würde er froh sein, sich mit dem Offizierspatent einen Anspruch auf eine bescheidene Rente erworben zu haben, aber wesentlicher für sein ferneres Schicksal war, daß er sich in dem feudalen Regiment die perfekten Manieren und das Gehabe eines aktiven Offiziers angeeignet hatte.

Von nun an war er überzeugt, ein Mensch der Elite zu sein. Hatte es ihn nicht schon immer zu Höherem und zu Höheren hingezogen? Im vornehmsten Gymnasium der Residenzstadt Darmstadt geschult, eng befreundet mit einem Mitschüler aus dem Hause der Grafen Dohna, Tanzstunden bei einer ehemaligen Ballettsolistin des großherzoglichen Hoftheaters, gemeinsam mit den jungen Leuten aus der Darmstädter Crème, darunter auch eine Tochter aus freiherrlichem Hause, die mit ihm die Freuden einer Pennälerliebe teilte – war das nicht schon ein Beweis, daß das Schicksal mit diesem Jüngling viel vorhatte?

Dieses Elitegefühl machte den Kaufmann und Leutnant a. D. Karl Wolff an jenem Oktobertag 1931 im »Braunen Haus« zu einer leichten Beute der auf Kameradenfang dressierten SS-Männer. In ihrer Formation, so erklärten sie ihm, sammle sich die Garde der Partei. Frontkämpfer, noch dazu aus einem Leibgarde-Regiment, seien zur Pflege soldatischer Tugenden besonders willkommen. Der Leibgarde der nationalsozialistischen Bewegung obliege bei Versammlungen und Aufmärschen der leibliche Schutz des Führerkorps und besonders Adolf Hitlers. Sie sei außerdem berufen, die germanisch-nordischen Männer als Elite der Nation zu sammeln und ihnen als »Neuadel aus Blut und Boden« einen bestimmten Einfluß auf die Geschicke des Volkes zu sichern. Er, Wolff, sei mit seiner äußeren Erscheinung – 183 Zentimeter Länge, blondes Haar, blaue Augen, helle Hautfarbe – geradezu ein Mustergermane, und seine soldatischen Verdienste bewiesen, daß er auch charakterlich zur völkischen Elite gehöre.

Hingerissen von dem Gleichklang eines solchen Auftrags und seiner Ideale unterschrieb er das Formular. Auch dieses Mal mußte er Bürgen nennen. Als ersten wählte er wiederum den gräflichen Schwager, nun ebenfalls Leutnant a. D., und als zweiten einen ehemaligen Kameraden vom Leibgarde-Regiment, den Hauptmann Julius von Bernuth, der schon im November 1923 als Reichswehroffizier und Angehöriger der Münchner Kriegsschule bereitstand, mit dem Revoluzzer Hitler nach Berlin zu marschieren. Derzeit amtierte er in einer Dienststelle des Reichswehrministeriums, hatte also wenigstens geographisch sein Ziel erreicht.

Worauf Karl Wolff sich eingelassen hatte, belehrte ihn ein auf dem zweiten Blatt des Formulars mit »Verpflichtung« überschriebener Text, den er noch einmal gesondert unterschreiben mußte. Dort hieß es: »Ich verpflichte mich, für die Idee Adolf Hitlers mich einzusetzen, strengste Parteidisziplin zu wahren und die Anordnungen des Reichsführers der Schutzstaffeln und der Parteileitung gewissenhaft auszuführen. Ich bin Deutscher, bin arischer Abstammung, gehöre keiner Freimaurerloge und keinem Geheimbunde an und verspreche, die Bewegung mit allen Kräften zu fördern.«

Stempel und Notizen auf dem Formular lassen erkennen, daß es den vorgeschriebenen Dienstweg durchlief, von einem Sturmführer über einen Standarten-, einen Ober-, einen Brigadeführer bis zum Reichsführer Heinrich Himmler. Keiner vermerkte diesen Neuzugang als etwas Besonderes. Immerhin wurde damit innerhalb von drei Wochen aus dem SS-Anwärter ein richtiger, wenn auch schlichter SS-Mann des untersten Ranges.

Wolff empfand, daß man ihn unter Wert empfangen hatte. Später beklagte er sich: »Wie 1917 beim Heer haben sie mich ganz unten anfangen lassen, ein zweites Mal!« Er verwies dann auf seinen Kameraden Reinhard Heydrich, der bei seinem Eintritt in die SS gleich drei Sterne auf seinen Kragenspiegel bekommen hatte und damit als Sturmführer in den Offiziersrang aufgenommen worden war.

Gar so stiefmütterlich wurde der SS-Mann Karl Wolff nicht behandelt. Die SS-Stammrolle registrierte die erste Beförderung zum Scharführer zwei Monate nach seinem Eintritt in das Schwarze Korps und schon damit überholte er eine Anzahl Dienstälterer. Nach weiteren fünf Wochen machte ihn ein zweiter Stern auf dem Kragenspiegel zum Truppführer. Gleichzeitig wurde er zum Sturmverwalter einer schwarzen Hundertschaft ernannt, weil kein ranghöherer Führer zur Verfügung stand. Damit war er auch schon für eine weitere Beförderung vorgemerkt, aber weil es dabei um den dritten Stern ging, mit dem auch die Aufnahme in das Offizierskorps der Standarte verbunden war, mußte ein umständliches Ritual in Gang gebracht werden, das die NS-Marschierer der Soldatentradition angepaßt hatten.

Demgemäß verfaßte am 20. Januar der Führer der Standarte 1, der Standartenführer Heinrich Höflich, nicht ohne Mühe (denn er war mit der Faust gewandter als mit der Feder) ein »Dienstleistungszeugnis über den SS-Truppführer Wolff, Karl«, der zu diesem Rang erst am Vortag befördert worden war. Als »persönliche Eigenschaften« werden ihm bescheinigt, er sei »gesetzt im Auftreten, sehr gesellschaftlich in jeder Beziehung gewandt, bei seinen Untergebenen beliebt«. Seine Leistungen im Dienst werden als »bisher sehr befriedigend« gelobt, indessen über seinen politischen Unterricht und über »hervorstehende Kenntnisse« (sic) ». . . noch keine genauen Erfahrungen« gesammelt werden konnten, »da erst kurz bei der SS«. »In bezug auf Manneszucht« wird gesagt: »Seine Abteilung ist sehr gut.« Die Beförderung wird befürwortet.

Abermals, wie schon bei seinem Eintritt in die SS, mußte Wolff einen Lebenslauf abliefern, diesmal etwas ausführlicher. Doch erst zwei Monate nach Höflichs Beurteilung wurde der Vorschlag dem Führerkorps der Standarte zur »Bürgschaftsübernahme« vorgelegt. Da keine »Umstände bekannt sind, die gegen eine Beförderung sprechen«, unterschrieben alle 20 Anwesenden das Protokoll. Das geschah am 22. März 1932. Dann blieb der ganze Akt ein Vierteljahr lang bei Heinrich Höflich liegen. Erst Ende Juni wurde er an den Führer der SS-Gruppe Süd, ebenfalls in München, weitergeleitet. In Höflichs Begleitschreiben steht: »Mitgliedsbuch« (gemeint ist das der Partei) »kann nicht vorgelegt werden, da Wolff nur 1 Mitgliedskarte besitzt.«

Möglicherweise nennt dieser Satz eine Ursache der Verzögerung. Denn wer in jenen Jahren in die NSDAP eintrat, bekam als Ausweis und zum Aufkleben der Beitragsmarken nur eine rote Karte. Erst nach einem Jahr, und wenn der Neuzugang nicht unangenehm aufgefallen war, wurde die Karte gegen das rote Büchlein mit dem eingeprägten Hakenkreuzadler ausgetauscht. Eine weitere Erklärung könnte sein, daß der Standartenführer Höflich und sein Stab in jenen Tagen Wichtigeres zu tun hatten; ab Mitte Februar bis Mitte April 1932 wurden die militanten Verbände stark beansprucht durch zwei Wahlkämpfe, bei denen es um das Amt des Reichspräsidenten ging und bei denen Hitler gegen Hindenburg zweimal erfolglos kandidierte. Wenige Tage nachdem der 84jährige Generalfeldmarschall wiedergewählt wurde, holte sich der Reichskanzler Brüning von ihm die Zustimmung zur »Notverordnung zur Sicherung der Staatsautorität«, mit der die SA und die SS im ganzen Reichsgebiet verboten wurden. Erst als Brüning durch den rechtslastigen Zentrumspolitiker Franz von Papen abgelöst worden war, wurde am 14. Juli 1932 das Verbot aufgehoben. Vielleicht hat diese Höhere Gewalt einer »Systemregierung« (wie Hitler zu sagen pflegte) Wolffs Beförderung bis Ende Juni verzögert. In den Personalakten jedenfalls wurde die Beförderung auf den 18. Februar zurückdatiert.

Jenen 18. Februar, es war ein Donnerstag, verbrachte der künftige SS-Sturmführer in einem zweckentfremdeten, weil leeren Fabrikgebäude an der Münchner Theresienwiese. Es beherbergte die Reichsführerschule der SA, deren Stabschef Ernst Röhm, ehemaliger Reichswehrhauptmann und zwischenzeitlich zum Oberstleutnant in der bolivianischen Armee aufgestiegen, in jenen Tagen auch noch über Heinrich Himmler und die SS gebot. Bisher waren in der Fabrik nur SA-Führer ideologisch getrimmt worden, aber nun stand die Schule erstmalig der SS zur Verfügung. Etwa hundert Mitglieder, die für die Karriere tauglich sein könnten, erhielten drei Wochen lang das Lehrgut der SS eingetrichtert. Sie schliefen auf Feldbetten im Erdgeschoß, wurden im ersten Stockwerk nach Feldküchenart verköstigt und empfingen im zweiten Stockwerk die propagandistische Munition für den bevorstehenden Endkampf um die Macht in Deutschland.

Fast jeden Tag redete zu ihnen ein Mitglied der Parteiprominenz. So Xaver Schwarz, Reichsschatzmeister der NSDAP, der natürlich die Schulden der Partei ebenso verschwieg wie die Namen der Mäzene aus der Schwerindustrie. So der General a. D. Ritter von Epp, Reichsleiter des wehrpolitischen Amtes der NSDAP, der dazu diente, die Reputierlichkeit der Partei sichtbar zu machen. So Richard Walther Darré, Leiter des Agrarpolitischen Amtes der NSDAP, der den Bauernstand als Kraftquelle der Nation pries und das Heil der Welt von den Menschen nordischer Rasse erwartete. Es sprach auch ein junger, noch unbekannter Sturmbannführer, dem einige Kameraden nachsagten, er sei noch keine neun Monate bei der SS; er warb um ehrenamtliche Mitarbeiter für seinen Nachrichtendienst, den er im Auftrag Himmlers zu organisieren hatte. Erstmals begegneten sich so Reinhard Heydrich und Wolff, die wenige Jahre später die engsten Vertrauten Heinrich Himmlers werden sollten.

Natürlich sprach auch Himmler zu den Kursisten – über die unterirdischen Umtriebe der Freimaurer, die überstaatlichen Mächte in der katholischen Kirche, über einige Irrlehren des christlichen Glaubens und über die Verruchtheit der Juden, wie sie schon im Alten Testament geschildert wurde. Als Himmler sich 1939 von seinen engsten Mitarbeitern feiern ließ, weil er zehn Jahre zuvor von Hitler an die Spitze der SS berufen worden war, verfaßte Wolff zu diesem Jubiläum einen Rückblick, in dem er sich voll sakraler Inbrunst der Himmlerreden dieses Schulungskurses erinnerte: »Die weltanschauliche Saat, die damals in unsere gläubig aufgeschlossenen Herzen gelegt wurde, ist später in wunderbarer Weise aufgegangen und hat ihre Früchte getragen.« Schwärmerisch schilderte Wolff in seinem Manuskript, wie Himmler die Front der Kursteilnehmer abschritt und »uns mit seinen selten klaren Augen bis auf den

Grund unserer Seele schaute. Von diesem Augenblick an war die Verbindung da, die . . . jeden von uns ganz in den Bann seiner Persönlichkeit zog.« »Besonders unerwartet und vertieft« wurde das Erlebnis, als »dieser unser höchster SS-Führer an den Kameradschaftsabenden sich mitten unter uns setzte und sich nicht der Mühe verdrießen ließ, sich mit jedem von uns in seiner ungewöhnlich natürlichen und menschlich gewinnenden Art und Weise zu beschäftigen«.
Eine rührende Anekdote beschloß das Manuskript. Es durften am letzten Kameradschaftsabend auch die Ehefrauen der in München beheimateten Kursisten teilnehmen. Als Himmler nach Mitternacht das Zeichen zum Aufbruch gab, war die letzte Straßenbahn von der Theresienwiese längst abgefahren. Wolff, seiner Frau und dem als Gast teilnehmenden Standartenführer Höflich standen sieben Kilometer Fußmarsch durch eine kalte Februarnacht bevor. Ein Taxi zu bestellen wurde – so Wolff – von den dreien erst gar nicht erwogen, »da wir selbst beim Zusammenlegen fünf Mark wahrscheinlich nicht zusammengebracht hätten«. Doch Himmler half. Er verfügte über ein Auto und »ließ es sich nicht nehmen, uns zuerst zu Hause abzusetzen, bevor er selbst in sein Heim nach Waldtrudering fährt«.
Mehrmals sprach Hitler vor den Kursisten. Als er die Reihen der angetretenen SS-Führer abschritt, hielt er vor Wolff. Er fragte: »Wo haben Sie gedient?«, weil er das Eiserne Kreuz Erster Klasse sah. Es war eine Standardfrage, aber Wolff machte sie froh und stolz. Jahre später, so behauptete er, habe sich Hitler dieser ersten Begegnung erinnert. Wolff seinerseits erinnerte sich, daß die SS-Männer am letzten Tag ihrer Schulung ins »Braune Haus« geführt wurden, in den sogenannten Senatorensaal, in dem weder früher noch später ein Parteisenat tagte, weil Hitler ein solches Gremium gar nicht wünschte. Dort habe der Führer versprochen, er werde die Macht im Staat legal erobern und nie wieder putschen. Er habe außerdem feierlich verkündet: »Ich werde euch niemals einen Befehl geben, der gegen euer Gewissen geht!« Somit habe er, Wolff, bis zum Ende des Zweiten Weltkrieges annehmen dürfen, daß kein Führerbefehl die Gesetze der Menschlichkeit oder das Völkerrecht verletzen könne.
Acht Monate lang, bis Ende September 1932, marschierte Wolff an der Spitze von Sturm 2 des II. Sturmbannes der SS-Standarte 1. Es war die Zeit des latenten Bürgerkriegs, in dem Nationalsozialisten und Kommunisten, Marschierer der demokratischen Reichsbannerformation und deutschnationale Stahlhelm-Mitglieder auf den Straßen und in Versammlungssälen, bei Wirtshausprügeleien und bei heimtückischen Überfällen ums Leben kamen. »Schlagt die Faschisten, wo ihr sie trefft«, war die linke Parole. »Die rote Front, schlagt sie zu Brei!« sangen die braunen Krieger. Zwei Reichstagswahlen, die beiden Wahlen um das Amt des Reichspräsidenten und acht Landtagswahlen erzeugten während des Jahres 1932 eine Hochspannung, die sich immer wieder in Gewalttaten entlud. Hitler griff »das System« pausenlos an; er konnte keine Entspannung wünschen, weil der hochgeputschte Fanatismus in den extremen Parteien seine bürgerlichen Gegner demoralisierte. Die Toten seiner Partei feierte er als Märtyrer: »Sie starben, damit Deutschland lebe . . .«

Wer zum Sturm 2/II/1 gehörte, zog zeitweise nur zum Schlafen die hohen Schaftstiefel aus. Die Partei überschwemmte Stadt und Land mit Versammlungen und bei jeder Veranstaltung mußte wenigstens ein Sturm Uniformierter mit einer Fahne aufmarschieren – als Dekoration und als Streitmacht. Gerüchte über Staatsstreichpläne gingen um. Um dabeizusein, wenn die eigenen Leute putschten, oder um gewappnet zu sein, wenn die Gegner losschlügen, hauste zeitweise in Wolffs Villa ein Alarmtrupp. Fast an jedem Sonntagmorgen und an manchem Wochentagabend stieg er in das Fahrerhaus eines Lastkraftwagens, auf dessen Pritsche seine Mannen singend und mit flatternder Sturmfahne durch bayrisches Land rollten. In Kleinstädten und Dörfern trafen sie sich mit anderen Einheiten, oft auch mit einem Musikzug, der dann mit Trommeln und Pfeifen, Pauken und Trompeten den Rhythmus lieferte für den Propagandamarsch. Er demonstrierte Ordnung, Manneszucht und jene starke Hand, die ein schlingerndes Staatsschiff wieder auf den richtigen Kurs zu bringen versprach.
Regelmäßiger Treffpunkt, genannt Sturmlokal, war das Gasthaus »Zum Goldenen Hirschen« in der Münchner Türkenstraße. Reich konnte der Wirt an diesen Gästen nicht werden. Viele waren arbeitslos oder Studenten ohne Einkommen. Auch der Sturmführer konnte keine große Zeche zahlen; wenn er schon zur Abschlußfeier des Führerlehrganges zu Fuß ging und weniger als fünf Mark in der Tasche hatte, so sprach das nicht gerade für gutgehende Geschäfte.
Andererseits besaß und bewohnte das Ehepaar Wolff eine Villa mit sieben Zimmern, von denen etliche der »Annoncen-Expedition Karl Wolff – von Römheld« als Geschäftsräume dienten. Den Adel zum Firmenschild lieferte die Ehefrau, wenngleich der Ehemann der alleinige Inhaber war. Ihr Vater, die Exzellenz von Römheld, war Kabinettschef beim letzten hessischen Großherzog gewesen und hatte für seine Dienste den erblichen Adel erhalten. Er war mehr als nur wohlhabend und unter anderem an einer Papierfabrik beteiligt. Wolffs Mutter bezog die nicht gerade geringe Beamtenpension eines Landgerichtsdirektors. Der Sohn Karl wollte es ihr jedoch nicht zumuten – auch mit Rücksicht auf seine beiden Schwestern – daß ihm ein Studium finanziert werde. Ganz so arm war die Familie keineswegs; die Großmutter mütterlicherseits entstammte einer reichen Frankfurter Familie. Dementsprechend war auch der Umgang der Wolff-Sippe in Darmstadt; sie war freundschaftlich verbunden mit der Industriellenfamilie Merck, deren Werk damals schon als Hersteller von Heilmitteln und Chemieprodukten Weltruf genoß.
Die einflußreichen Verwandten und Bekannten hatten dem Leutnant a. D. auch geholfen, als er sich nach seiner Entlassung aus der Reichswehr 1920 einen Beruf und einen Arbeitsplatz suchen mußte. Sie beschafften dem Zwanzigjährigen in Frankfurt einen standesgemäßen Ausbildungsplatz im Bankhaus der Gebrüder von Bethmann, deren Familie seit zwei Jahrzehnten zum Geldadel der Finanzmetropole am Main gehörte. Auch während der zweijährigen Lehrzeit legte der junge Mann Wert auf standesgemäßen Lebensstil in einer elegant möblierten Zwei-Zimmer-Wohnung in guter Wohngegend, wenn möglich bei einem adeligen Vermieter. »Wegen des Sturzes vom Gardeleutnant zum Banklehrling war es

ein ständiger Kampf gegen die gesellschaftliche Deklassierung«, erinnerte er sich viele Jahre später. In seinem Umgang achtete er deshalb sehr auf Reputation; adelige Namen bevorzugte er. Dabei lernte er Frieda von Römheld, seine spätere Frau kennen. Beide tanzten gut und gern, und bei einigen Turnieren holte sich das schmucke Paar Preise. Als sie sich im Juli 1922 verlobten, hatte Karl Wolff gerade seine Banklehre abgeschlossen.

Die Ex-Exzellenz Karl Alexander Konrad Gustav von Römheld hatte keinen männlichen Erben. Er hätte deshalb gern seinen Schwiegersohn als Nachfolger in seinen Geschäften gesehen. Bei der Trick-Zellstoff GmbH in Kehl, mit der die Exzellenz verbunden war, sollte Karl Wolff Erfahrungen als Industriekaufmann sammeln, doch schon nach weniger als neun Monaten kehrte er nach Darmstadt zurück. Das Paar heiratete im August 1923, als die Inflation ihrem Höhepunkt zuraste und die Luft voll war von Gerüchten, wonach die vor vier Jahren in Weimar gegründete Republik über kurz oder lang durch ein besseres Regime ersetzt werde. Karl Wolff zog es nach München. In jenen Monaten war diese Stadt das Mekka der Nationalisten. Schon waren dort die meisten Revoluzzer der Rechtsradikalen versammelt, mehr oder weniger legal, denn dort drückte die Obrigkeit auch bei steckbrieflich verfolgten Hochverrätern beide Augen zu. Bei einer Filiale der Deutschen Bank in der Innenstadt fand Wolff Arbeit.

Doch drei Monate nach Wolffs Hochzeit, am 9. November 1923, endete Hitlers lautstark angekündigter Marsch auf Berlin, mit dem er Mussolinis Marsch auf Rom kopieren wollte, schon nach wenigen Kilometern vor den Gewehrmündungen eines Zugs der bayerischen Landespolizei an der Münchner Feldherrnhalle. Obgleich nicht selber beteiligt, hatte Wolff als Anhänger Hitlers Ursache, den Fehlschlag zu betrauern. Doch wenig später traf ihn selber das Unglück. Weil mit dem Ende der Inflation an die Stelle einer nur an Geldscheinen reichen Papiermark nun eine stabile Rentenmark getreten war, mußten die Banken nicht mehr mit Trillionen rechnen, änderte sich der Dollarkurs nicht mehr stündlich und knauserten die Bankkunden wieder mit den Pfennigen. Zum Juni-Ende 1924 wurde Karl Wolff arbeitslos.

Drei Tage später war er Angestellter in der Münchener Filiale der »Annoncen-Expedition Walther von Danckelmann« mit dem Hauptsitz in Hamburg. Er wurde ausgewählt unter mehr als vier Dutzend Bewerbern, aufgrund seines gewinnenden Auftretens, und weil er angeboten hatte, er werde zunächst für das gleiche Geld arbeiten, das er vom Arbeitsamt als Unterstützung bekäme, bis er bewiesen habe, daß seine Arbeit mehr wert sei. Die Finessen der Werbebranche lernte er so schnell, daß man ihm schon nach ein paar Monaten die Leitung der Filiale übertrug und er nach einem weiteren halben Jahr die Anstellung kündigen konnte. Denn am 1. Juli 1925 machte er seine eigene Firma in der gleichen Branche auf. Falls Kunden des Walther von Danckelmann bei dieser Gelegenheit ihre Agentur wechseln wollten, brauchten sie bei der neuen »Annoncen-Expedition Karl Wolff – von Römheld« nicht einmal das Adelsprädikat zu vermissen.

Doch sieben Jahre danach, im Jahre 1932, war das Firmenschild angeschlagen. Sogar die standesgemäße Lebenshaltung des Chefs war gefährdet. Deshalb empfand er es als tröstlich, daß es wenigstens mit der Partei aufwärts ging, daß die Kameraden sein soldatisches Repertoire bewunderten, daß er beim Führerlehrgang an der Theresienwiese mit dem Erbgroßherzog von Mecklenburg auf der gleichen Bank sitzen durfte und daß er schon wieder für eine neue Aufgabe ausersehen war: Der Sturmbann II brauchte einen Adjutanten, der sich in den Riten der Militärs auskannte und sicher formulieren konnte.

Damit bekam Wolff eine Rolle zugewiesen, die er von nun an mit viel Erfolg, mit wachsendem Wirkungskreis und mit steigendem Dienstrang über ein Jahrzehnt hinweg behalten sollte. Martin Bormann, einer der einflußreichsten Reichsleiter der NSDAP, der schließlich bis zum »Sekretär des Führers« aufstieg, qualifizierte die Adjutanten gelegentlich geringschätzig als »Mantelträger« ab, aber mit einer so untergeordneten Aufgabe hätte sich der Ehrgeiz Wolffs nie zufriedengegeben. Er wußte natürlich, daß der Träger einer solchen Rolle immer im Schatten eines Größeren zu stehen hat, aber er traute sich mit Recht die Fähigkeit zu, aus dem Hintergrund heraus zu wirken, ohne dabei die volle Verantwortung tragen zu müssen. Natürlich wußte er auch, daß der Stuhl eines Adjutanten nur mit einem feinen Gespür für die Launen des Größeren auf die Dauer gehalten werden konnte. Doch er hatte Erfolg – durch seine Gewandtheit im Umgang mit Menschen der unterschiedlichsten Art, durch seine Fähigkeit, spontan zu organisieren und durch seine Begabung für Taktik in den Alltagskämpfen mit Rivalen. So erntete denn auch der neue Adjutant des Sturmbannes II der Elitestandarte 1 ringsum Wohlgefallen. Standartenführer Heinrich Höflich bescheinigte ihm im nächsten »Personalbericht und Beurteilung«, Wolff habe einen »verträglichen, freundlichen Charakter« und nannte ihn einen »überzeugten Nationalsozialisten. Ferner zu sehen ist sein Verständnis für die Nöte (sic!) des einzelnen SS-Mannes«.

Mit dieser Beurteilung wurde Wolff schon für die nächste Beförderung vorgeschlagen: zum Hauptsturmführer. Sie wurde am 30. Januar 1933 ausgesprochen, und das war bereits ein Kalendertag, an dem von nun an jedes Jahr über die SS ein Regen von Sternen und silbernen Eichenblättern für die höheren Ränge niederzugehen pflegte. Es war der Tag der sogenannten Machtübernahme.

Als an diesem 30. Januar 1933 Hitler in die Berliner Reichskanzlei einzog und sich am Abend eine Flut von braunen Uniformen durch die Wilhelmstraße wälzte, spielte sich in München nichts Triumphales ab. Ziemlich unorganisiert sammelten sich Jubelgruppen auf den Straßen und in den Bierkellern. Da und dort gab es Prügeleien, weil die Kommunisten lärmend gegen das Geschehnis protestierten. In Bayern herrschte nach wie vor und zunächst noch unangefochten die klerikal-bürgerliche Landesregierung des Ministerpräsidenten Dr. Heinrich Held. Sein Kabinett hatte in dem erst vor neun Monaten gewählten Landtag noch eine ausreichende Mehrheit.

Da ein Erfolg gern weitere Erfolge nach sich zieht, liefen jetzt auch in Bayern die Menschen aller Parteirichtungen den Nationalsozialisten zu. Doch als die Landesregierung verkündete, sie lasse sich von ihrem demokratischen Kurs nicht durch die neue Reichsregierung abbringen, wußte sie das auf weiß-blaue Eigenständigkeit bedachte Volk weitgehend hinter sich. Sie lasse sich – so verkündete Dr. Held – auch nicht durch einen von Berlin entsandten Reichskommissar aus ihren legitimen Ämtern vertreiben; ein solcher Abgesandter aus Preußen werde bereits beim Überschreiten der Landesgrenze verhaftet. Gerüchteweise war auch noch zu hören, die Regierung des Freistaates Bayern verhandle insgeheim mit der klerikal-autoritären Regierung des österreichischen Bundeskanzlers Dr. Engelbert Dollfuß über einen Abfall des Landes von Berlin und einen Anschluß an Wien. SS und SA wurden daraufhin in Bayern in Alarmbereitschaft versetzt. Die Villa Wolff beherbergte wieder einmal ein ständiges Kommando marschbereiter Parteigardisten.

Der Rückfall in den Krieg von 1866 zwischen dem deutschen Norden und dem Süden fand nicht statt. Eine weitere Reichstagswahl, am 5. März 1933 und damit die dritte innerhalb von nicht einmal acht Monaten, verschaffte den Nationalsozialisten zusammen mit den Deutschnationalen die absolute Mehrheit im Reichstag. Sie enthüllte zugleich, wie sehr jetzt auch schon südlich des Mains die bürgerlichen Parteien zerbröckelt waren. Die Regierenden in Bayern sahen sich außerstande, diese Entwicklung zu hemmen, und sie warteten eigentlich nur noch darauf, mehr oder weniger legal gestürzt zu werden. Ein Kommissar brauchte zur Machtübernahme die Grenze gar nicht zu überschreiten; er saß seit Jahr und Tag in München, und er war dort seit über einem Jahrzehnt populär als der Retter, der die Stadt 1919 von der Herrschaft linker Intellektueller befreit hatte. Es war der General Franz Ritter von Epp, geadelt von einem Wittelsbacher, also kein Preuße, sondern ein Landsmann und dazu noch so kirchenfromm, daß er von den Parteigenossen in der NSDAP der »Muttergottesgeneral« genannt wurde.

Noch in unseren Tagen streiten sich die Historiker, ob die Übernahme der Macht durch die Nationalsozialisten eine Revolution genannt werden könne. Für die hakenbekreuzten Garden mit ihrer Vorliebe für martialische Dramatik gab es daran keinen Zweifel; wenn bei diesem Umsturz nirgendwo so richtig massive Gewalt angewendet worden sei, so beweise dies nur, daß das Weimarer »System« zu keiner Gegenwehr mehr fähig gewesen sei und daß es sich in erster Linie um eine geistige, in den tieferen Schichten der deutschen Seele angesiedelten Revolution gehandelt habe – noch dazu um eine legale, wie sie der Führer einmal unter Eid vorausgesagt habe.

Ein paar Revolutionsszenen waren jedoch erwünscht, und sie konnten nicht ohne die SS aufgeführt werden. Sie marschierte in München am 9. März, also vier Tage nach der Reichstagswahl, vor den Zentren landesherrlicher Macht auf. Wie geordnet die bisher Mächtigen gestürzt wurden, hat Wolff oft genug in Kameradenkreisen genüßlich geschildert. Ihm und seinen Marschierern war aufgetragen, an jenem Tag zunächst einmal das Landtagsgebäude zu besetzen. Dort hüteten wenige Bereitschaftspolizisten das Haus. Sie regten sich vorsichtshalber nicht, als die vielköpfige Streitmacht Wolffs sich vor dem Portal aufstellte und als er allein im Glanz von Uniform und Orden ins Haus trat. Lächelnd und in verbindlichem Ton machte er den Polizisten klar, daß Widerstand zwecklos sei, weil nun auch für Bayern die Gleichschaltung mit der Reichsregierung gesetzlich abgesichert sei, und daß er dafür zu sorgen habe, daß »diese Angelegenheit reibungslos vonstatten geht«. (So zu lesen in einem Bericht des Hauptsturmführers Karl Wolff.)

Die amtlichen Verteidiger der Demokratie meldeten dies einem Vorgesetzten, der dann nach einer Kette von Anfragen und Antworten telefonisch befahl, der drohenden Gewalt nachzugeben. Und weil dieser Sieg ohne Verluste errungen worden war, zog Wolff unter Zurücklassung einer angemessenen Besatzung mit seinen Mannen weiter zur Kanzlei des Ministerpräsidenten. Hier wiederholte sich die Prozedur; sie war nur weniger zeitraubend, weil der Chef des Hauses den Besuch erwartet hatte und deshalb seinem Arbeitsplatz ferngeblieben war. Dank Wolffs Kasino-Charme gab es in seinem Befehlsbereich keine Gewalttätigkeiten, während an einigen anderen Stellen Münchens altgediente Haudegen prügelnd ihrem jahrelang trainierten Haß gegen politische Gegner freien Lauf ließen.

Von Himmler bekam Wolff an diesem Abend noch einen neuen Auftrag: General von Epp, der neue Herrscher im Land Bayern, brauchte einen Adjutanten der SS. Der 65jährige wünschte sich einen Ex-Offizier, möglichst mit Frontauszeichungen, noch jung und stramm, mit vorzüglichen Umgangsformen und mit Erfahrungen am Schreibtisch. Das war ziemlich genau Wolffs Steckbrief. Zwei oder drei Stunden am Tag könne sich Wolff ja wohl von seinen Geschäften freimachen, meinte Himmler. Der Reichsführer hatte bisher bei der Macht-Umverteilung nur wenig abbekommen und legte nun Wert darauf, daß einer aus seinen Reihen in der politischen Spitze zuschauen und mithören konnte.

Vom ersten Tag an wurde aus der neuen Aufgabe das, was man heutzutage einen full-time-job nennt. Doch Wolff protestierte nicht. Er gefiel sich in den vielen öffentlichen Auftritten, bei denen er jeweils die üblichen zwei Schritte hinter dem neuen Repräsentanten der Staatsmacht zu sehen war. Er spitzte die Ohren in vertraulichen Konferenzen, lernte bald diese, bald jene Parteigröße kennen und durfte sogar bei einem feierlichen Hochamt, das der Münchner Erzbischof, Michael Kardinal von Faulhaber dem neuen Bayernherrscher bot, auf einem der besten Plätze sitzen. Der General war so sehr mit seinem schwarzen Adjutanten zufrieden, daß er auf ihn auch dann nicht verzichten wollte, als er von Hitler zum Reichsstatthalter in Bayern ernannt wurde und die Ministerpräsidentschaft abgeben mußte.

Der neue Ministerpräsident, der Parteigenosse Ludwig Siebert, war jedoch der Meinung, Wolff sei ein Bestandteil seines Amtes und müsse zu seiner Verfügung bleiben. Inzwischen hatte aber auch Himmler das Talent zu schätzen gelernt, das mit verbindlichem Ton Streitende besänftigte und Widerstrebende erweichte. Er wollte Wolff in seinem eigenen Stab verwenden. Dem stand jedoch entgegen, daß der Hauptsturmführer bisher alle Dienste ehrenamtlich geleistet hatte – wie die meisten unteren Ränge in allen NS-Formationen. Wolff selber stellte sich die Frage, ob nicht bei dieser Konjunktur für Postenjäger auch er die Chance habe, aus seinem unsicheren Gewerbe auszusteigen. Epp bot ihm an, er werde ihn bei der Reichswehr reaktivieren lassen, aber dann hätte er als Leutnant neu beginnen müssen, noch dazu in einem Offizierskorps, das sich gegenüber NS-Protegés verschloß und zumindest vorläufig keine attraktive Laufbahn bieten konnte. Also nahm er Himmlers Vorschlag an; als Adjutant des Reichsführers SS wurde er hauptamtliches Mitglied des Schwarzen Korps. Die SS war gerade dabei, eine wahre Flut neuer Mitglieder aufzunehmen und neue Einheiten aufzustellen. Wer sich in Himmlers Nähe hielt, durfte eines schnellen Avancements gewiß sein.

Am 10. Mai 1933 schrieb der Reichsführer SS an den »Herrn Staatssekretär Röhm« in der Münchner Landesregierung, er »bitte gehorsamst, den SS-Sturmhauptführer Wolff, der als Adjutant für den Herrn Reichsstatthalter im März zur Verfügung gestellt wurde, wenn es möglich ist, der SS wieder zur Verfügung zu stellen ... Die SS hat z. Zt. einen ziemlich großen Führermangel ...« Ernst Röhm, als Stabschef der SA zugleich auch über die SS und über Heinrich Himmler gebietend, willigte ein. Am 15. Juni 1933 trat Wolff sein Amt an. Seine Annoncen-Expedition verkaufte er an einen SS-Kameraden. Für seine Dienste bezog er anfangs monatlich 450 Mark; das reichte in jenen Tagen einer kleinen Familie zu einem bürgerlichen Leben. Wolff konnte fürs erste auch schwerlich mehr Geld verlangen, denn die Partei hatte vor der Machtübernahme gefordert, daß in dieser Notzeit kein Deutscher mehr als tausend Mark im Monat verdienen dürfe.

Die Reichsführung SS hatte noch 1932 hoch unter dem Dach des »Braunen Hauses« in wenigen Räumen residiert und selbst das Himmlersche Büro war nur eine bescheidene Kammer. Inzwischen war sie in eine große Villa umgezogen, und ihr Reichsführer saß neuerdings am Schreibtisch des Münchner Polizeipräsidenten. Ihm war im März dieses Amt zunächst kommissarisch zugeteilt worden. Zweifellos fühlte er sich damit weit unter Wert und Verdienst belohnt. Die Parteigenossen vom Politischen Führerkorps, die von den Marschierern bereits respektlos und neidvoll als Bonzen bezeichneten »Amtswalter«, verteilten die besseren Posten zunächst einmal unter sich. Sie argumentierten, es komme jetzt bei der Lösung der deutschen Probleme nicht mehr so sehr auf die Füße als vielmehr auf die Köpfe an, und in dieser Hinsicht sei das Korps der Politischen Leiter eben doch besser ausgerüstet als die auf Gleichschritt gedrillten Formationen.

Über Mangel an Arbeit konnte sich der Polizeipräsident Himmler nicht beklagen. Es mußte zunächst einmal sichergestellt werden, daß die »Roten« – die Sozialdemokraten und alles, was weiter links stand – von der politischen Bühne verschwanden. Der Einfachheit halber wurden sie zumeist vorbeugend in Haft genommen und ohne richterliche Entscheidung im ehemaligen Militärlager Dachau hinter Stacheldraht gefangengehalten. So mancher Spezi des Münchner

NS-Klüngels hatte sich im Lauf der Jahre eine Sammlung von speziellen Feinden zugelegt; ihnen wurde nun Gelegenheit geboten, in Dachau zu begreifen, daß eine neue Zeit angebrochen war. Also mußten Wachmannschaften zusammengestellt und ein Reglement entworfen werden. Aus SS-Männern wurden durch Armbinden im Handumdrehen Hilfspolizisten. Unter den Beamten des Polizeipräsidiums fanden sich nur wenige Nationalsozialisten, und wenn auch der gleichfalls zur Polizei versetzte Standartenführer Reinhard Heydrich es verstand, die Tüchtigsten der bisherigen Gegner innerhalb weniger Tage zu gehorsamen Nazis umzuschmieden, so blieb dem Reichsführer doch wenig Zeit für seine SS.

Wolff hat später stets erzählt, er sei von dem vielbeschäftigten Himmler als eine Art rechte Hand in die SS-Villa geholt worden. Tatsächlich aber verfügte der Reichsführer über einen Stabsführer, den SS-Gruppenführer Seidel-Dittmarsch. Er war der Chef des Büros und dem neu eintretenden Hauptsturmführer übergeordnet wie ein General einem Hauptmann. In Wolffs Personalbogen ist denn auch vermerkt, daß er vom 18. Juni 1933 an zunächst nur kommandiert wurde zum Stab Reichsführer SS, und erst ab 1. September 1933 galt er als Adjutant – offenkundig einer von mehreren, denn im Herbst jenes Jahres hat ein Hauptsturmführer Suchsland – also gleichrangig – zahlreiche Briefe für Himmler verfaßt und auch in dessen Namen unterschrieben.

Genau dies war auch Wolffs Aufgabe. Er musterte den Posteingang, trennte Spreu vom Weizen, beantwortete Bagatellen und Routinefragen, formulierte vorschlagsweise Briefe, die Himmler unterschreiben oder auch ändern konnte, und sammelte Unterlagen für jene Fälle, in denen Himmler sich erst eine Meinung bilden wollte. Ferner oblag es ihm, Fragebogen zu überprüfen, die von SS-Anwärtern ausgefüllt worden waren. Das waren gewiß manchmal hohe Stapel, denn in jenen Tagen hielten es viele Volksgenossen für notwendig, (aus welchen Gründen auch immer) sich öffentlich zum Nationalsozialismus zu bekennen, und weil der Eintritt in die Partei gesperrt war, bekamen die Formationen Zulauf. Die sogenannten besseren Kreise bevorzugten dabei die SS – sei es, weil sie die kleidsamere Uniform bot, sei es, weil sie sich als Elite verstand und sich mit dem Motto »klein, aber fein« von der proletarisch ungehobelten SA abhob.

Die Prüfung solcher Bewerbungen kann jedoch keine allzu schwierige Aufgabe gewesen sein, denn die Formulare waren schon durch die Dienstzimmer der ganzen SS-Stufenleiter von den Stürmen aufwärts gelaufen und dort jeweils abgezeichnet worden. Es ist Wolff nachzufühlen, daß er diesen stupiden Teil seiner Büropflichten loswerden wollte. Wenig glaubhaft ist jedoch, daß es ihm gelang, diesen Papierkram ausgerechnet seinem höchsten Vorgesetzten, dem Stabschef Gruppenführer Seidel-Dittmarsch anzuhängen.

Hört man Wolff, dann war dieser Stabsführer in den Monaten nach der Machtübernahme insgeheim damit beschäftigt, dem Reichsführer die schwarze Truppe zu entfremden. Angeblich wollte er Himmler auf den Polizeidienst, also den staatlichen Sektor ablenken, um eines Tages selber die Parteiformation

übernehmen zu können. Wolff rechnet es sich als Verdienst an, Himmler von einem solchen Machtverlust bewahrt zu haben.
Allerdings fehlte zu jener Zeit jede Voraussetzung für eine solche Entwicklung. Zwar hätte Himmler damals schon gern die gesamte Polizei des Reiches in seiner Hand zusammengefaßt. Doch dagegen gab es noch zu viele Widerstände. Überall war die Befehlsgewalt über die Polizisten bereits an Parteigenossen übergegangen und gerade sie hatten wenig Lust, nun die neu erworbenen Pfründe an den in München amtierenden Reichsführer SS abzugeben. Erst um die Jahreswende 1933/34 durfte Himmler wenigstens das Kommando über die Politische Polizei der meisten Länder übernehmen. Doch in Preußen hatte er noch immer nichts zu sagen. Dort regierte Hermann Göring als preußischer Ministerpräsident, und alle Versuche Himmlers, sich dort in die Polizei einzuschleichen, trugen ihm nur den Unwillen des nach Hitler mächtigsten Parteigenossen ein.
Es ist deshalb wenig wahrscheinlich, daß der Plan des Gruppenführers Seidel-Dittmarsch ernsthaft verfolgt wurde. Außer Wolff behauptet das niemand – und er war es ja schließlich, der Himmler vor den heimlichen Umtrieben seines Stabsführers warnte und bei dieser Gelegenheit auch darauf hinwies, daß viele der neu in den Stab eingegliederten SS-Führer gute Freunde des hinterhältigen Gruppenführers seien. Die Affäre – wenn es überhaupt eine war – erledigte sich insofern von selbst, als Seidel-Dittmarsch im Winter 1933 schwer erkrankte und im Februar 1934 starb.

Aus Wolffs Beförderungskalender ist abzulesen, daß er vom Herbst 1933 an die besondere Gunst seines Reichsführers genoß: An jedem der rasch aufeinanderfolgenden NS-Gedenktage stieg er einen Rang höher. Er wurde am 9. November 1933, dem Jahrestag des Hitler-Putsches, Sturmbannführer; am 30. Januar 1934, dem Jahrestag der Machtübernahme wurde er Obersturmbannführer; am 20. April 1934, Hitlers Geburtstag, stieg er zum Standartenführer auf. Das waren drei Beförderungen innerhalb von sieben Monaten, und man darf sie wohl als Lohn für treue Dienste werten. Zu Weihnachten 1933 hatte Himmler seinen Adjutanten Karl Wolff durch ein großes Porträtfoto mit handschriftlicher Widmung ausgezeichnet: »In herzlicher Verbundenheit.«
Wolff erklärte seine ungewöhnlich steile Karriere damit, daß Himmler des Rats und der Hilfe eines fronterfahrenen und wegen Tapferkeit dekorierten Offiziers in besonderem Maße bedurft habe. Der Reichsführer habe nun einmal das Pech gehabt, daß der Weltkrieg 1918 zu Ende gegangen sei, ehe der Fahnenjunker Heinrich Himmler aus der Garnison an die Front versetzt worden sei und dort die Feuertaufe habe erhalten können. Ein Mann, der sein Offizierspatent aus dem feindlichen Feuer geholt habe (wie Wolff) sei dabei um besondere Erfahrungen in der Menschenführung bereichert worden.
Damit spekulierte der Leutnant a. D. erfolgreich auf die Heroisierung des Frontsoldaten, die der Gefreite a. D. Adolf Hitler zu einem Dogma seiner Partei erhoben hatte. Ziemlich schwierig ist es jedoch zu erklären, warum ein Adjutant

Himmlers zu jener Zeit über solche Erfahrungen verfügen mußte, denn das Schwarze Korps bestand nicht aus Soldaten, sondern aus Polit-Marschierern. Ein Bürgerkrieg war nach der mit aller Härte vollzogenen Machtergreifung nicht mehr zu erwarten. Kämpfe gab es nur noch zwischen Parteigenossen, aber dabei wurde nicht mit Pulver und Blei, sondern nur mit Gerüchten und Verleumdungen geschossen.
Ein Schuß in diesem Krieg war ein preußisches Gesetz, das Göring am 30. November 1933 erlassen hatte; damit war die Geheime Staatspolizei Preußens aus der Kompetenz des Landes-Innenministeriums herausgelöst und ihm, dem Ministerpräsidenten, direkt unterstellt worden. Er verbaute Himmler damit den Weg zu einer reichseinheitlichen Politischen Polizei. Der Reichsführer fand so die Zeit, sich wieder mehr um seine SS zu kümmern. Sein Vorbild Hitler nachahmend, ging er auf die Landstraße – in einem offenen, stark motorisierten Maybach-Auto fuhr er die Standorte der Standarten an und hielt dort Reden vor den versammelten Heerscharen. Wolff war dabei sein ständiger Begleiter, und dessen Aufgabe war es, jeweils das Besuchsprogramm zusammenzustellen und gemeinsam mit den örtlichen Führern dafür zu sorgen, daß überall ein dem Reichsführer angemessenes Ritual ablief. Manchmal wurde aus einer solchen Dienstfahrt auch eine Reise mit Damen: auf den Vordersitzen der Reichsführer mit Frau Marga, eine gelernte Krankenschwester, Tochter eines westpreußischen Gutsbesitzers, sieben Jahre älter als ihr Ehemann, und auf den Rücksitzen Wolff mit Frau Frieda. Man war sich auch außerdienstlich nähergekommen.
Allerorts mußte sich Wolff in jenen Tagen eine Himmlersche Standardrede anhören: die SS als ein Orden, auf den man für sein ganzes Leben eingeschworen ist; die SS als rassische Elite des deutschen Volkes; die SS als Garde, die den Nationalsozialismus in seiner reinsten Form praktiziert; die SS als die konsequentesten Kämpfer gegen Freimaurer, Juden, Marxisten, Demokraten, Pazifisten und artfremden Glauben; die SS als Wahrer der deutschen Tugenden wie Treue, Ehrlichkeit, Sauberkeit, Bescheidenheit; die SS als eine Gefolgschaft des bedingungslosen Gehorsams. Solche Sätze waren für Wolff die Bestätigung eines Glaubens, zu dem der Keim schon in früher Jugend gelegt worden war: Die Deutschen sind die Elite der Menschheit, die SS ist die Elite des deutschen Volkes, und wer in diesem Korps zum Führer berufen wird, zählt notwendigerweise zu den Elitärsten der Elite.
Um so mehr fühlte sich Wolff zur Empörung berechtigt, als er hören und sehen mußte, wie die Sturmabteilungen der SA, das Konkurrenzunternehmen des Hauptmanns a. D. Ernst Röhm, das neue und bessere Deutschland in Mißkredit brachten. Als er mit Himmler nach Breslau kam, erzählten ihm die Kellner im besten Hotel der Stadt, daß der Führer der schlesischen SA, der hünenhafte Obergruppenführer Edmund Heines (Leutnant a. D., Freikorpskämpfer, Fememörder, Berufsrevoluzzer und Mittelpunkt eines homosexuellen Freundeskreises) in diesem Hotel wilde Saufgelage abzuhalten und dabei die Lampen mit Pistolenschüssen auszulöschen pflegte. In Röhms Berliner Stabsquartier in

der Matthäi-Kirch-Straße wurde er Augenzeuge, wie dort noch immer der Sieg über das »System«, nämlich die Demokratie, mit Unmengen französischen Champagners, Cognacs und schweren Bordeauxweinen gefeiert wurde. An Geld mangelte es nicht mehr; Röhm hatte seine Formation auf drei Millionen Mitglieder hochgetrieben und nun auch noch den ursprünglich monarchistisch gesinnten »Stahlhelm, Bund der Frontsoldaten« mehr oder weniger zwangsweise der SA eingegliedert. Der Puritaner Himmler empörte sich besonders über die Alkoholexzesse. Er erzählte Wolff, daß der Reichsschatzmeister Xaver Schwarz, Verwalter aller Parteigelder, schon die SA-Führung ermahnt habe, sie möge sich wenigstens kostensenkend und nationalbewußt mit deutschem Sekt, deutschem Weinbrand und Rheinwein bedienen.

Zwischen den Historikern ist noch immer strittig, ob der Stabschef Röhm tatsächlich – wie Hitler hinterher behauptete – für Ende Juni 1934 den Abfall von seinem Führer geplant hatte. Wolff hätte eigentlich aufgrund seiner Stellung Wichtiges zur Klärung beitragen können. Das war nicht der Fall. Wohl führte er Begebenheiten an, die er als Indizien für ein Hochverratskomplott wertete, aber es sind eben doch die Beobachtungen eines Mannes, der zwar nicht direkt verstrickt in den von Hitler befohlenen Massenmord am 30. Juni 1934 war, doch durchaus zu den Nutznießern des Blutbades gehörte. Auch ihm war es natürlich nicht verborgen geblieben, daß sich unter den altgedienten SA-Männern Groll angesammelt hatte, weil sie bei der Verteilung der Siegesbeute am schlechtesten weggekommen waren. Für viele von ihnen war das Parole-Versprechen »Arbeit und Brot« nur unzureichend erfüllt, obwohl die Zahl der Arbeitslosen schon um die Hälfte zurückgegangen war. In den heißbegehrten Sesseln hinter den Behördenschreibtischen saßen häufig noch die Leute von gestern und vorgestern – nicht aus Großmut, sondern weil man deren Sachverstand nicht entbehren konnte. Wo politische Gegner von attraktiven Plätzen entfernt worden waren, saßen jetzt Amtswalter der Parteiorganisation. Die Mehrzahl der im öffentlichen Dienst Beschäftigten hatten sich ohnehin bald nach Hitlers Machtergreifung mit erstaunlicher Wendigkeit zum neuen Deutschland bekannt, indem sie sich von einer der zahlreichen Unterorganisationen der NSDAP eine Uniform verpassen ließen. Andere hatten in den oberen Rängen der Nationalsozialisten Freunde und Beschützer gefunden. Nicht einmal die »Nacht der langen Messer«, mit der die Rabauken und Sadisten im Braunhemd für die Mühen in der sogenannten Kampfzeit belohnt werden wollten, durfte stattfinden. Wurde die SA überhaupt noch gebraucht? Das fragten sich viele. Die Parole ging um, die nationalsozialistische Revolution sei noch zu vollenden, damit Hitler aus den Zwängen der Bourgeoisie des Kapitals und der Bonzen befreit werde.
Gestützt auf diese emotionale Unzufriedenheit visierte die Spitze der SA zweifellos eigene Ziele an. Röhm ließ sich gern den Napoleon des zwanzigsten Jahrhunderts nennen; er hielt sich für fähig, ähnlich wie der große Korse, sein Vaterland zu Ruhm und Größe zu führen. An die Stelle der Reichswehr mit ihren langdienenden Soldaten sollte eine Volksmiliz treten, die nicht mehr von

den »alten Säcken« eines politisch abstinenten Offizierskorps geführt werden sollte, sondern von jungen Revolutionären. Zunächst sollte die SA bewaffnet und der Reichswehr an die Seite gestellt werden, mit dem vorauszusehenden Ergebnis, daß sie kraft ihrer Überzahl bald bestimmend sein würde.
Wolff bot auch keinen Beweis, daß diese Pläne schon über das Stadium alkoholbefeuerten Renommiergeredes hinausgediehen waren. Im Frühjahr 1934 machte er sich Sorgen über Ansprachen, die Röhm bei den regionalen und rasch aufeinanderfolgenden SA-Aufmärschen hielt. Darin wurde in aggressivem Ton die »Reaktion« beschuldigt, sie wolle die nationalsozialistische Revolution rückgängig machen und sie verhindere, daß der Kampf um Arbeit und Brot noch erfolgreicher sei. Sowohl die Reichswehr als auch die Parteiorganisation wurden nicht ohne Grund mißtrauisch.
Wer verstehen will, warum auch Himmler und der inzwischen in die Stellung eines Ersten Adjutanten aufgestiegene Karl Wolff diese Vorgänge aufmerksam verfolgten, muß über einige Zusammenhänge innerhalb der NS-Führungsclique Bescheid wissen. Da gab es die schon erwähnte Unterstellung Himmlers unter den Stabschef der SA. Wenn dieser putschen wollte, konnte auch die SS mit hineingezogen werden. Über Röhm gab es noch einen »Obersten SA-Führer«, und das war kein Geringerer als Hitler selber, der keinem seiner Paladine traute und stets von seinen SA- und SS-Männern sprach.
Vor gar nicht so langer Zeit hatten sich die militanten Verbände der Nationalsozialisten noch einer gewissen Selbständigkeit von der Partei erfreut. Bis zum August 1930 war »Oberster SA-Führer« für das Reich Hauptmann a. D. Franz Pfeffer von Salomon gewesen, der diese Würde jedoch ablegte, als Hitler seine Selbständigkeit beschnitt. Seitdem führte ein Stabschef die SA. Röhm war erst im Januar 1931 in diese Position gekommen, als Hitler seinen Putschgenossen von einst aus Bolivien zurückgerufen hatte, wo er im Obristen-Rang als Militärberater fungierte.
Die SS war bis zu diesem Zeitpunkt bewußt klein gehalten worden. Als Himmler ihre Führung im Januar 1929 übernahm, war sie auf 280 Mann geschrumpft. Sie durfte auch in der Folgezeit ihren Mitgliederstand an keinem Platz über zehn Prozent der SA-Marschierer hinaus steigern; jahrelang war es ihr verboten, SA-Männer anzuwerben. Kam es nun zu einem Zerwürfnis der SA mit Hitler und der Partei, so hatte die SS immerhin die Chance, selbständig zu werden.
Deshalb beobachtete der von Heydrich geleitete Sicherheitsdienst (SD) in der SS die Vorgänge in der SA besonders sorgfältig. Ende April 1934 hielt es Himmler für geboten, seinem Duz-Freund Röhm eine Warnung zukommen zu lassen – sei es in Erinnerung an gemeinsame Putschtage in München anno 1923 in der antirepublikanischen Organisation »Reichskriegsflagge«, sei es auch nur zur Absicherung für den Fall, daß die Sache einen anderen Verlauf nähme.
Wolff hat in einer seiner zahlreichen Vernehmungen – durch alliierte Befrager, durch deutsche Entnazifizierungsfunktionäre und Beamte der deutschen Strafjustiz – diese Szene geschildert. Demnach hatte Himmler seinen Adjutanten, den Röhm wohl sehr schätzte, als Zeugen mitgenommen ins Stabsquartier der

SA in Berlin. Angeblich flehte der Reichsführer SS den Stabschef der SA an, er möge sich doch von den üblen Gesellen trennen, die durch verschwenderischen Lebensstil, Alkoholorgien, Vandalismus, homosexuelle Cliquen und wildes Revoluzzergebahren Schädlinge der ganzen NS-Bewegung seien. »Stabschef, tu mir das nicht an, daß meine Leute sich gegen dich stellen müssen«, soll Himmler gefleht haben, mit Tränen in den Augen.
Röhm habe – nach Wolffs Schilderung – die Vorwürfe zunächst unwillig zurückgewiesen, aber dann doch eingesehen, daß er seine außer Rand und Band geratenen Horden zügeln müsse. Mit ebenfalls feuchten Augen habe er seinem Kameraden Heinrich schließlich für die offene Aussprache gedankt.
Streicht man die melodramatischen Effekte, mit denen Wolff häufig seine Erzählungen garnierte, dann darf man aus dieser Szene folgern, daß Himmler zu diesem Zeitpunkt bereits wußte, welches Gewitter sich in der Reichskanzlei zusammenbraute. Er ließ sich dann auch am gleichen Tag mit Wolff gemeinsam bei Hitler melden. Dort berichtete er über Röhms Einsicht und Zerknirschung, aber der Verdacht liegt nahe, daß er mit seinem Vortrag eher Salz in die Wunden seines den Verrat fürchtenden Führers streuen wollte. Aus Hitlers Antwort ging dann auch hervor, daß der Beschluß zur Tat bereits gefaßt war; er sei traurig – soll er laut Wolff gesagt haben –, denn es falle ihm schwer, gegen einen alten Kampfgefährten vorzugehen, aber dies sei doch wohl unvermeidlich. Himmler möge Polizei- und SS-Kräfte für einen solchen Einsatz bereithalten und künftige Unbotmäßigkeiten melden.
Dieses Intrigenspiel konnte Himmler riskieren, weil er sich zuvor schon durch ein Bündnis mit dem zweitmächtigsten Mann in Deutschland abgesichert hatte. Monatelang hatte er mit Hermann Göring im Streit gelegen, weil dieser nicht bereit gewesen war, die politische Polizei Preußens Himmler zu unterstellen, wie dies schon mit den Behörden gleicher Art in allen übrigen Ländern des Reiches geschehen war. Doch neuerdings hatte sich Göring nachgiebig gezeigt; auch er hatte mit Röhm ein Hühnchen zu rupfen; er wußte, daß er einen siegreichen Röhm-Putsch nicht überleben würde.
Göring und Röhm waren Kondottieri-Typen, die keiner Weltanschauung bedurften, um Heerhaufen zu sammeln. In der Frühzeit der NSDAP, zur Zeit des Münchner Putsches, war der ehemalige Fliegerhauptmann Göring und Kommandeur des ruhmreichen »Jagdgeschwaders Richthofen« schon einmal Führer der SA gewesen – ein Musterexemplar eines Kriegshelden, mit weißem Hakenkreuz auf schwarzem Stahlhelm und am Hals den blau strahlenden Tapferkeitsorden Pour le mérite. Auf die Dauer mußten sich die beiden Hauptleute a. D. im chaotischen Getriebe des Dritten Reiches in die Quere kommen – erst recht, als nun beide nach dem gleichen Ziel strebten. Zwar hielt sich Göring nicht gerade für einen Reformer der Streitkräfte, aber ihr Befehlshaber oder auch Kriegsminister wollte er gern werden. (Er brachte es immerhin als Reichsmarschall zum ranghöchsten deutschen Soldaten aller Zeiten, aber er hatte dabei doch noch den Gefreiten a. D. Hitler über und keine Truppen hinter sich.) Wollte er Röhm als Konkurrenten ausschalten, dann brauchte er nicht nur

einen Verbündeten in der Partei, sondern auch das Bündnis mit einer Massenorganisation als Gegengewicht gegen eine möglicherweise rebellierende SA. Wer empfahl sich dafür besser als Himmler und die SS? Und wenn es zu einer Abrechnung mit der SA kommen würde, dann war es besser, die Politische Polizei in einer Hand zu wissen. Dieser Meinung war auch Hitler.
Mitte April 1934 übergab Göring sein Geheimes Staatspolizeiamt (Gestapa, vom Volk Gestapo genannt) in Berlin an Himmler. Die wichtigsten Leute aus dessen Stab, darunter natürlich Wolff, stellten die Statisterie zu diesem Staatsakt. In den folgenden Tagen zog auch der größte Teil der SS-Reichsführung um an die Spree; an der Isar in der Karlstraße blieb nur eine Verbindungsstelle zur Reichsleitung der NSDAP. Himmler bezog den repräsentativsten Raum in der ehemaligen Kunstgewerbeschule in der Prinz-Albrecht-Straße, wo sich Görings Geheime Staatspolizei einquartiert hatte. In die anschließenden Räumlichkeiten links und rechts daneben plazierte er seine engsten Mitarbeiter: Reinhard Heydrich und Karl Wolff. Von hier aus ließ sich die Röhm-Affäre trefflich vorbereiten.
Gewiß wußte das schwarze Dreigestirn zu dieser Zeit bereits, wie Hitler in dieser Sache entscheiden würde, wenn auch die Form der Abrechnung noch offen war. Der Reichskanzler war Mitte April auf dem Panzerschiff »Deutschland« durch die Nordsee gedampft. An Bord waren außer dem Reichskriegsminister Generaloberst von Blomberg und dem Chef der Marineleitung Admiral Raeder eine Anzahl hoher Reichswehroffiziere. Es gibt Beweise dafür, daß über die Einführung der Allgemeinen Wehrpflicht beraten und daß in diesem Zusammenhang auch über Röhm gesprochen wurde und über seinen Plan, die Reichswehr durch eine Miliz zu ersetzen. Die drei SS-Oberen in Berlin konnten sich ausrechnen, daß Hitler eine Bewaffnung der SA-Revoluzzer auf keinen Fall dulden und daß sich ein Bündnis der SS mit der Reichswehr von selbst ergeben würde.
Hitler hat in seiner Rechtfertigungsrede am 13. Juli 1934 behauptet, er habe den Entschluß zu den Morden am 29. Juni spät in der Nacht spontan gefaßt, als ihm gemeldet worden sei, daß eine allgemeine Mobilmachung der SA-Stürme unmittelbar bevorstehe und daß nun die legendäre »Nacht der langen Messer« drohe. In Wahrheit war seine Aktion von langer Hand vorbereitet. Das bestritt auch Wolff nicht, obwohl er Hitlers Version unkritisch übernahm. Er wenigstens, so behauptete er, habe mit solchen Vorbereitungen nichts zu tun gehabt. Andererseits gab er zu, daß er eine nicht ganz unwichtige Rolle in diesem blutigen Schauspiel übernommen hatte.
So erinnerte er sich, daß Himmler in der zweiten Junihälfte zu Göring fuhr, ins Jagdgut Karinhall in der Schorfheide nördlich von Berlin, weil dort zum Fall Röhm Beschlüsse gefaßt werden sollten. Von dieser Begegnung habe er, Wolff, aber nur erfahren, weil unterwegs ein Attentäter auf das Auto des Reichsführers SS geschossen habe – mit dem einzigen Erfolg, daß die Windschutzscheibe des Maybach-Wagens zu Bruch gegangen sein. Als Himmler ihn Tage später unterrichtet habe, daß eine Einheit der in der ehemaligen Kadettenanstalt in Berlin-Lichterfelde stationierten »SS-Leibstandarte Adolf Hitler« mit der

Reichsbahn in das bayerische Truppenübungsareal Lager Lechfeld südlich von Augsburg fahren und dort mit Mannschafts-Transportwagen der Reichswehr für ein Manöver ausgerüstet würde, habe er sich nichts Besonderes gedacht.
Ein paar Tage vor dem 30. Juni kamen noch die Generale Keitel und von Reichenau in die Prinz-Albrecht-Straße. Ehe sie zu Himmler vorgelassen wurden, warteten sie einige Augenblicke in Wolffs Büro, aber er erfuhr nichts über den Zweck ihres Besuches, denn zum Gespräch zog ihn Himmler nicht hinzu. Erst später – so sagte Wolff aus – habe er vernommen, daß es dabei um Waffen und Gerät gegangen sei, die der Leibstandarte zur Verfügung gestellt werden sollten.
Am Abend des 29. Juni hörte Hitler in Bad Godesberg dem Geschmetter zu, das Musikzüge des Reichsarbeitsdienstes vor seinem Quartier, dem Rheinhotel Dreesen, produzierten. Ernst Röhm war zu dieser Zeit im Hotel Hanselbauer in Bad Wiessee mit wenigen SA-Führern zusammen. Ein Befehl Hitlers, am Vortag telefonisch an den Adjutanten Röhms gegeben, hatte die gesamte oberste SA-Führung in den bayerischen Kurort beordert, und die ersten waren schon eingetroffen. Göring war noch am 28. Juni mit Hitler in Essen gewesen, war aber dann nach Berlin zurückgereist. Himmler war in Berlin geblieben; er lieferte alarmierende Meldungen über eine SA-Konspiration nach Godesberg. Von ihm bekam Wolff am Abend des 29. Juni den Befehl, unverzüglich und für ein paar Tage, ausgerüstet mit Zahnbürste, Wasch- und Rasierzeug sowie einem Ersatzhemd, in Görings Dienstvilla am Leipziger Platz umzuziehen.
Angeblich wußte er noch immer nicht, welche Dienste man dort von ihm erwartete. Er traf auf zwei weitere Adjutanten: einen Polizeioffizier und den Adjutanten Görings, den Oberst Karl Bodenschatz, der später General der Luftwaffe wurde. Drei Tage blieben die Herren dort beisammen. Über das, was sie dort zu tun hatten, gab Wolff bis zuletzt nur ungenau Auskunft. Er sagte, sie hätten pausenlos telefoniert, mit Gott und der Welt, vor allem aber auf direkten und eigens gelegten Leitungen zu Heydrich in der Prinz-Albert-Straße. Von außen kamen viele Anfragen: Was soll mit diesem oder jenem Festgenommenen geschehen? Heydrich hatte Listen von Namen zusammengestellt, ebenso Göring. Einzelne Prominente wurden von den mit Pistolen bewaffneten Gestapobeamten gesucht und die kasernierte SS der Leibstandarte stellte die Erschießungskommandos. Auch darüber wußte Wolff Bescheid.
Bei fast jedem Namen, der von den drei Adjutanten in jenen drei mal 24 Stunden genannt wurde, ging es um Leben und Tod. Natürlich hat keiner von ihnen einen Menschen erschossen. Sie waren auch nicht befugt, einen Namen auf die Liste zu setzen oder zu streichen. Aber sie konnten – das gab Wolff zu – Kommandos in Marsch setzen, und sie gaben Auskunft, wohin ein Verhafteter zu bringen war. Einen Mann suchten sie vergebens, drei Tage lang. Ihn hat Hitler später in seiner Rechtfertigungsrede erwähnt als »Herr A., Ihnen allen bekannt... als durch und durch korrupter Hochstapler«. Gemeint war Werner von Alvensleben, der nach Hitlers Darstellung die Verbindung zwischen Röhm, dem Reichswehrgeneral und Ex-Reichskanzler Kurt von Schleicher und auch

noch dem Vertreter einer ausländischen Macht hergestellt habe. Schleicher wurde erst gar nicht festgenommen; in seiner Wohnung wurden er und seine Frau kurzerhand erschossen. So war auch Alvensleben eine Pistolenkugel zugedacht, aber er war in einer Jagdhütte in Mecklenburg und kam erst wieder zum Vorschein, als Hitler das Morden gestoppt hatte. »Das wäre einer der ersten gewesen«, gestand Wolff, »der erschossen worden wäre.« So aber blieb er nur eine Zeitlang inhaftiert.
Wie viele Morde unter der Parole »Röhm-Revolte« begangen wurden, ist amtlich nie bekanntgegeben worden. Zählt man die Zahlen zusammen, die Hitler in seiner Juli-Rede im Reichstag genannt hat, so kommt man auf etwa 70. Tatsächlich waren es viel mehr. An anderer Stelle seiner Rede sprach Hitler ja auch von hundert »Meuterern, Verschwörern und Konspiratoren«. Es ist wohl selbstverständlich, daß die Gestapo für Himmler einen Abschlußbericht verfassen mußte mit genauen Zahlenangaben, aber Wolff kann sich daran nicht erinnern. Als er am 5. September 1945 im Nürnberger Kriegsverbrechergefängnis von dem US-Oberst H. A. Brundage verhört wurde, meinte er, die meisten der Opfer seien schuldig gewesen, und den Rest, vielleicht zehn Prozent, könne man vergessen. Bezeichnend sei ja wohl gewesen, daß unter den Erschossenen auch vier Mitglieder der SS waren; Himmler habe sie von Hitler »für den Abschuß freibekommen«, weil es sich um unsaubere Elemente gehandelt habe.
Seine eigene Rolle charakterisierte Wolff so unbestimmt, daß ihn keinerlei Verantwortung für das Geschehen treffen konnte. »Ich war sozusagen nur Assistent. Wir drei in Görings Villa hatten mit der Exekutive nichts zu tun. Zu uns wurden keine SA-Führer gebracht. Die gingen nach Lichterfelde in die Leibstandartenkaserne und wurden dort aufbewahrt, bis die Erschießungsbefehle kamen.« Einzelne Namen? Bei dieser Frage fiel Wolff außer den allgemein bekanntgewordenen nur derjenige von Alvensleben ein – und den hatte Hitler ja schon, wenn auch kaum verschlüsselt, genannt. Wolff: »Bei über 7000 Telefongesprächen in 72 Stunden ist man so geschafft, daß man sich an nichts mehr genau erinnert!« (Hundert Gespräche pro Stunde, Tag und Nacht, dürften wohl eine Übertreibung sein). Er sei, sagte er, bei diesem Dienst »todtraurig gewesen, daß wir gegen die eigenen Kameraden vorgehen mußten, die ja schließlich mal Schulter an Schulter mit uns marschiert waren«. An seine Frau in München schrieb er am 2. Juli: »Nach wie vor enorme Arbeit durch die Röhm-Meuterei, bis 3–4 nachts und danach alle zehn Minuten Anrufe. Man ist zum Umfallen müde, doch trotzdem von einem Alpdruck befreit.«
Wolffs Aussagen – bei unterschiedlichen Gelegenheiten – liefern weitere Indizien dafür, daß die Morde von langer Hand vorbereitet worden waren. Der Führer – so Wolff – habe Göring und Himmler Mitte April klargemacht, daß die gesamte Polizei einem einheitlichen Befehl unterstellt werden müsse, wenn »wir den Röhm loswerden wollen«. Nur deshalb sei Göring bereit gewesen, eine Kompetenz aufzugeben, die er bisher zäh und zeitweise sogar brutal verteidigt hatte. Seine Position war allerdings auch insofern geschwächt, als er in Preußen eine Anzahl der Polizeipräsidenten aus dem Führerkorps der SA gewählt hatte –

um Himmler zu ärgern – und nun zweifelhaft schien, wie diese sich bei einem Einsatz gegen Röhm verhalten würden.
In seiner Rechtfertigungsrede lobte sich Hitler selber am meisten; ihm habe das deutsche Volk in erster Linie zu danken, daß es künftig nicht von prassenden, saufenden, homosexuellen Gewaltmenschen terrorisiert werde. Einiges Lob fiel auch für Göring ab, der von Berlin aus in Norddeutschland die Verschwörerbande zerschlagen habe, während Hitler selber die Morde im Süden befahl. Himmler wurde nur beiläufig erwähnt, nämlich daß er und der Röhm-Nachfolger, der bisherige SA-Obergruppenführer Viktor Lutze »infolge ihrer grundsätzlichen Anständigkeit« von den Revoluzzern abgelehnt worden seien. Von der SS sagte Hitler (ganz im Sinne Wolffs), sie habe »mit innerlich wehem Gefühl in diesen Tagen ihre höchste Pflicht erfüllt« und sein Vertrauen zu ihr habe »nie geschwankt«. Hitlers Dank an Himmler wurde von der Öffentlichkeit kaum wahrgenommen: Am 20. Juli 1934 wurde die SS zur selbständigen Gliederung der NSDAP erhoben; Himmler war also nicht mehr dem Stabschef der SA unterstellt. Wolff wurde bereits am 4. Juli vom Standartenführer zum Oberführer befördert, also zwei Tage nachdem das Morden durch einen Hitlerbefehl eingestellt worden war. Seinen bisherigen Rang hatte er nur zweieinhalb Monate getragen. An seinem Berliner Telefon muß er sich demnach bewährt haben.
Völlig zufrieden war er allerdings nicht. Wohl habe er – so bekannte er später einmal – in jenen Tagen das besondere Vertrauen des Reichsführers erworben, aber das kameradschaftliche Du, das den Leibstandartenkommandeur Sepp Dietrich, den Berliner SS-Führer Kurt Daluege, den Reichsernährungsminister und SS-Obergruppenführer Richard Walther Darré und etliche andere mit Himmler verbunden habe, sei ihm nie angeboten worden. Er wurde von Himmler mit »Wölfchen« angesprochen und angeschrieben; das klingt ja auch schon sehr vertraulich.

Hitlers verbundendes Lob für Himmler und den neuen Stabschef Lutze begründete keine Freundschaft zwischen den beiden. Die neue Gleichstellung von SA und SS war nur ein Grund, ohnehin vorhandene Rivalitäten zu verstärken. Wenn sich daraus da und dort Streitigkeiten entwickelten, wurde häufig Wolff beauftragt, die Wogen zu glätten; mit den geschliffenen Manieren aus dem Offizierskasino, den jovial mit hessischer Sprachfärbung vorgetragenen Besänftigungen, seinem von Selbstbewunderung immer neu entfachten Charme und mit der Beredsamkeit eines professionellen Werbefachmanns konnte er Konflikte scheinbar in Nichts auflösen.

Himmlers Ärger mit der gedemütigten SA begann schon bald nach dem großen Morden. Die Oberste SA-Führung, also Lutze, ließ Kameraden und andere Beteiligte befragen, wie weit die Ermordeten tatsächlich des Verrats und der Verschwörung schuldig sein konnten. Ein SA-Gruppenführer Böckenhauer, erklärter Gegner der SS, leitete die Untersuchung, und ein SA-Oberführer

Reimann aus Hamburg drohte einem dortigen SS-Führer, »eines Tages... würde die SA sicherlich gerechtfertigt werden und andere zu bereuen haben, was sie der SA angetan« hatten.

Im August 1935 kam es zu einem für die permanenten Spannungen bezeichnenden und in seiner Art keineswegs einmaligen Zusammenstoß zwischen den braunen und den schwarzen Kameraden, als Stabschef Lutze nach der Besichtigung einer pommerischen SA-Brigade sich in einem Stettiner Hotel wie üblich mit hochprozentigen Flüssigkeiten füllte. Ein Bericht über den Abend, verfaßt von dem Hamburger SS-Standartenführer und Gestapo-Beamten Robert Schulz, landete auf Wolffs Schreibtisch. Der Inhalt bewog ihn, die sieben Blatt mit einem Geheimstempel versehen zu lassen und sie unverzüglich Himmler vorzulegen, der seinerseits auf das erste Blatt nur das Wort »Führer« schrieb. Die Gelegenheit, Hitler zu unterrichten, fand sich allerdings erst zwei Monate später, denn der Kanzler und Führer des deutschen Volkes reiste entsprechend seiner Gewohnheit in der politisch ruhigen Zeit wieder einmal kreuz und quer im Reich herum und ließ sich von den Massen bejubeln, auf dem Nürnberger Reichsparteitag und auf dem Erntedankfest am Bückeberg im Weserbergland.

SA-Chef Lutze hatte zwar Hitler in den Tagen der Röhm-Affäre ständig begleitet, von Godesberg erst nach München und dann nach Wiessee, aber er hatte offenbar nie den Versuch gemacht, Hitlers Mordlust zu bremsen. Nun, in Stettin, zählte er bei dem Saufabend vor einem kleinen Kreis höherer Parteiränge, darunter auch ein Gauleiter, einige Namen von Männern auf, die man erschossen habe, »nur um sein Mütchen zu kühlen oder persönliche Rache zu üben...« Die Schuldigen würden eines Tages »ein bitteres Ende nehmen«. Diese Drohung mochte SS-Standartenführer Schulz nicht unwidersprochen hinnehmen. In seinem Bericht schrieb er, er habe gegenüber Lutze bedauert, »daß man leider nicht alles mit Stumpf und Stiel ausgerottet habe und daß man viel zu schonend vorgegangen sei«.

Lutze sagte, »Befehle seitens Röhm hätten nicht vorgelegen«, womit er Hitlers Behauptung Lügen strafte, daß die SA für einen Putsch alarmiert gewesen sei. Er deutete an, ohne den Namen zu nennen, daß niemand den Stabschef Röhm mehr umschmeichelt habe als Himmler, daß niemand verschwenderischere Feste gegeben habe als die SS, behauptete, daß auch Himmler jahrelang einen Homosexuellen in führender SS-Position gehalten habe – den Gruppenführer Kurt Wittje, zeitweise Chef des SS-Hauptamtes, der erst vor ein paar Monaten aus seiner führenden Position verschwunden sei, obwohl jedermann gewußt habe, daß er als Reichswehroffizier wegen seiner Neigung zu Männerfreundschaften entlassen worden sei. Dies alles – so tönte Viktor Lutze in Stettin lauthals – werde er stets behaupten, auch wenn er deswegen morgen abgesetzt würde und in ein Konzentrationslager käme. Und wie immer in vorgerückter und alkoholisierter Stunde, legte er zur Bekräftigung seiner Worte sein Glasauge auf den Tisch.

Ob Hitler diesen Bericht je las, bleibt offen; unternommen wurde nichts. Lutzes Angriff richtete sich ja in erster Linie gegen Himmler, und es entsprach der seit

eh und je vom Parteichef geübten Taktik, daß er den Hickhack zwischen seinen Paladinen schürte, damit sich ihr Ehrgeiz nicht gegen ihn richten und damit er als oberste Instanz seine Allmacht immer wieder schlichtend demonstrieren konnte. Also gingen die Stänkereien munter weiter. Beispielsweise meldete der SS-Obergruppenführer Fritz Weitzel aus Düsseldorf »Durch Eilboten! Einschreiben!« im April 1938 einen »unerhört frechen Ausspruch des Stabschefs Lutze auf der Führertagung der westfälischen SA« in Dortmund. Vor 12000 seiner Führer hatte der Stabschef in der Westfalenhalle verkündet, die SA sei »genau so makellos und rein, wie sie früher gewesen sei«. Und mit dem Satz »Ideenträger wollen wir sein, aber keine Degenträger« trat er öffentlich und ohne Hemmung dem Reichsführer SS vors Schienbein, denn Himmler gab nicht nur den Offizieren der Leibstandarte zur Paradeuniform einen Säbel an die Seite, sondern verlieh verdienten Führern der Allgemeinen SS, so auch Wolff, den sogenannten »Ehrendegen«.
Unter solchen Umständen ist es begreiflich, daß Wolff sich mit Genugtuung eines Vorfalls annahm, bei dem Lutze, offensichtlich wieder einmal betrunken, in der Königin-Bar am Berliner Kurfürstendamm morgens um vier Uhr mit einem Legationssekretär der Schweizer Botschaft aneinandergeraten war. Angeblich hatte der Eidgenosse die Gespräche des Stabschefs belauscht – was gewiß nicht schwierig war bei der Lautstärke, mit der der alkoholisierte Lutze sich zu äußern pflegte. Der Stabschef hatte dann mit viel Geschrei den Diplomatenpaß des Schweizers konfisziert und die Polizei gerufen. Diese meldete den Fall dem Persönlichen Stab des Reichsführers SS, also Wolff. Der war zwar sachlich in keiner Weise zuständig, aber er sorgte dafür, daß die Entgleisung der Konkurrenz in besseren Nazikreisen bekannt wurde, indem er die Meldung weiterleitete an Görings Adjutanten Bodenschatz, den er seit der gemeinsamen Arbeit bei den Röhm-Morden mit »Du« anredete. In seinem Brief bat er, die Polizeimeldung möge dem Generalfeldmarschall (Görings damaliger Titel) persönlich vorgelegt werden. Wolff wußte, daß »der Dicke« (Reichsminister, Befehlshaber der Luftwaffe, Preußischer Ministerpräsident, Reichsjägermeister, Beauftragter des Vierjahresplans, Reichsforstmeister, Reichstagspräsident und vieles andere mehr, alles in einer Person) die Fehltritte prominenter Parteigenossen sammelte wie andere Leute Briefmarken.
Ein Jahr später, am 1. November 1939 – und der Polenfeldzug war schon siegreich beendet –, bekam Wolff wiederum Gelegenheit, dem Stabschef etwas am Zeug zu flicken. Auf seinem Tisch landete die Meldung eines SS-Führers, es werde »in schärfsten Ausdrücken Klage geführt, daß heute noch Stabschef Lutze mit seiner ganzen Familie jeden Morgen im Grunewald spazieren reitet, während man den Offizieren des Oberkommandos der Wehrmacht die Pferde weggenommen hat«. Himmler entschied handschriftlich: »Bormann mitteilen!« Der Reichsleiter Martin Bormann amtierte zu dieser Zeit bereits in Hitlers unmittelbarer Nähe; er war offiziell der Stabsleiter von Rudolf Heß, dem Stellvertreter des Führers, aber sein Einfluß auf Hitler war schon weit stärker als derjenige seines Vorgesetzten. Ihm meldete Wolff Lutzes Pferdesünde mit dem

Vermerk: »Persönlich! Verschlossen! Geheim!« und stellte Bormann anheim, »nach Ihrem Ermessen das weitere zu veranlassen«.
Daß sich Lutze bei Bormann rechtfertigen mußte (»Die Pferde müssen bewegt werden«), trug nicht zur Verbesserung des Klimas zwischen den einstigen Kampfgefährten bei. Die Sticheleien gingen weiter. Wolff war inzwischen so hoch aufgestiegen, daß er den Kleinkrieg rangniedrigeren Kameraden überlassen konnte. Im März 1940 bearbeitete der SS-Hauptsturmführer Dr. Rudolf Brandt, Mitarbeiter im Persönlichen Stab des Reichsführers, eine Meldung des Brigadeführers Gottlob Berger, Chef des Ergänzungsamtes der Waffen-SS, Lutze werde »allmählich eine Gefahr für die SS, wenn nicht für die Partei«, denn er benutze Kameradschaftsabende, die er bei der Wehrmacht bei den dort dienenden SA-Führern abhalte, um »gegen einzelne Teile der Bewegung... und gegen die SS im besonderen Propaganda zu machen«. So habe Lutze vor Fähnrichen der Offizierslehrgänge in Döberitz »in unerhörter Weise gegen den Reichsführer Stimmung« gemacht, »allerdings in angetrunkenem Zustande«. Berger rät, »Lutze zu überwachen und bei der nächsten Gelegenheit festzunageln«. Dies sei nicht schwierig, denn Lutze »ist viel zu dumm und zu eingebildet, um eine etwa gestellte Falle zu bemerken«.
Die SS schlug zurück, wann immer sich Gelegenheit bot. Als Himmler im Februar 1943 gemeldet wurde, daß Lutze mit einem Adjutanten zu einem mehrwöchigen Erholungsaufenthalt im polnischen Bad Krynica eingetroffen sei, obwohl dieser Kurort für Reichsdeutsche gesperrt und nur für verwundete Stalingradkämpfer und für Kinder aus bombengefährdeten Gebieten reserviert sei, ging wieder ein Brief an den Reichsleiter Bormann. Der war inzwischen zum »Sekretär des Führers« und zum »Leiter der Parteikanzlei« avanciert und einer der Mächtigsten in Hitlers Reich geworden. Lutze möge veranlaßt werden, so schlug Himmler vor, »seinen ohne Zweifel angegriffenen Gesundheitszustand... in irgendeinem reichsdeutschen Badeort« auszukurieren.
Ein Vierteljahr später beendete Viktor Lutze alle Streitigkeiten. Amtlich wurde bekanntgegeben, der Stabschef der SA sei auf einer Dienstfahrt mit seinem Dienstwagen tödlich verunglückt. Mit Fernschreiben befahl Bormann allen Reichsleitern, Gauleitern und Verbändeführern die pflichtgemäße Teilnahme am Staatsakt, hier Parteibegräbnis genannt, in der Neuen Reichskanzlei. Er wies »im Auftrag des Führers ausdrücklich darauf hin, daß bei Trauerfeiern und anschließendem Trauergeleit Gespräche zu unterlassen sind«. Der Hinweis war diesmal besonders angebracht, denn sonst wäre gewiß darüber getuschelt worden, daß a) Viktor Lutze bei diesem Unfall nicht nur mit dem streng rationierten Benzin, sondern auch mit zuviel Alkohol gefahren war; daß b) so ganz dienstlich die Fahrt auch nicht gewesen sein konnte, denn mit Lutze saßen noch seine Söhne und seine Tochter im Auto; und c) daß der Stabschef an einem Vergehen gegen die Lebensmittelbewirtschaftung gestorben war, denn eine Unmenge zerschlagener Eier garnierten das Autowrack, die Straße und die Leiche.
Das Parteibegräbnis fand am 7. Mai 1943 statt. Vier Tage später regte der gerade von der Berliner Trauerfeier nach Posen zurückgekehrte SA-Gruppenführer

Hacker, zuständig für die SA im neu zum Reich gekommenen Gau Wartheland in einem Gespräch mit dem dort amtierenden SS-Gewaltigen an, Himmler möge doch zusätzlich auch noch die Führung der SA übernehmen. Begründung: weil »unter den gegebenen Verhältnissen ein geeigneter Nachfolger für Lutze aus den Reihen der SA nicht zu finden wäre ... Alle SA-Gruppen- und Obergruppenführer seien dieser Ansicht.«

Es gibt kein Anzeichen dafür, daß dieser Vorschlag zu Hitler gelangte. Wolff behauptete jedoch, der Parteichef habe schon gleich nach Röhms Ermordung dem Reichsführer-SS den Vorschlag gemacht, er möge auch den Befehl über die SA übernehmen. Himmler habe jedoch abgelehnt, weil er den Eindruck vermeiden wollte, er habe getötet, um zu erben. Gegen diese Version spricht, daß die Nachfolge Röhms schon vor dem 30. Juni geregelt war; Viktor Lutze gehörte während der kritischen Tage zu den ständigen Begleitern Hitlers.

Auch aus einem anderen Grund klingt das Angebot an Himmler unwahrscheinlich. In der Führungsspitze des Dritten Reiches wußte man, daß Hitler solche Machtzusammenballungen vermied. Nachfolger Lutzes wurde der unbedeutende Obergruppenführer Wilhelm Schepmann aus Sachsen. Ihm und seiner SA wurden im Herbst 1944 in der letzten Phase des Krieges gerade noch die Schießausbildung des Volkssturmes anvertraut, tief unter Himmler, der neben vielen anderen Kompetenzen Befehlshaber des Ersatzheeres und damit auch des letzten Aufgebotes war.

2
GOT – der Quell des Lebens

Am 2. Juli 1934 morgens vier Uhr hatte durch einen Führerbefehl die Jagd auf »Röhmlinge« ein Ende. Wolff konnte nun den versäumten Schlaf nachholen. Als er am nächsten Tag ins Amt kam, fand er für die Mittagsstunde eine Einladung vor. Göring bat die mit der Aktion Betrauten und Vertrauten zu einem Essen in das Palais des Preußischen Ministerpräsidenten. Den etwa 30 Gästen wurde im Vorraum ein Glas Sekt gereicht. Wolff sah dort den Oberbefehlshaber des Heeres, den Generaloberst Werner Freiherr von Fritsch, aber sein Versuch, dem hochgestellten neuen Bundesgenossen etwas Verbindliches zu sagen, blieb erfolglos; Fritsch war kaum ansprechbar. Sein Gesicht zuckte nervös, in seiner Hand zitterte das Sektglas schon beim Begrüßungstrunk.
Wolff wunderte sich über die fehlende Siegerlaune. Doch der Generaloberst wußte mehr über den Massenmord, als der SS lieb sein konnte. Er wußte, auf welch hinterhältige Art der General Kurt von Schleicher und der Generalmajor Ferdinand von Bredow umgebracht worden waren. Er war auch überzeugt, daß der angeblich geplante Röhm-Putsch nur eine Erfindung war. Denn zu Fritsch war einige Tage vor dem 30. Juni der Wehrkreiskommandeur von Schlesien, der General Ewald von Kleist gekommen und hatte berichtet, daß er wegen der Gerüchte um einen bevorstehenden SA-Putsch mit dem schlesischen SA-Obergruppenführer Edmund Heines (der als einer der radikalsten Meuterer galt und auch erschossen wurde) gesprochen habe und daß dieser ehrenwörtlich und glaubhaft versichert habe, daran sei kein Wort wahr. Fritsch hatte nach dem Gespräch mit Kleist den Generalmajor Walter von Reichenau, Leiter des Ministeramtes im Reichswehrministerium und bekannt für seinen direkten Draht zur NSDAP, zu sich gebeten und um eine Stellungnahme ersucht. Als Fritsch den Verdacht aussprach, daß hier nur Reichswehr und SA durch eine Intrige gegeneinandergehetzt werden sollten, hatte Reichenau bemerkt: »Das kann schon sein. Doch jetzt ist es zu spät.«
Dies würde erklären, was Fritsch beim Anblick der schwarzen Uniformen so sehr erregte. Wolff jedoch fand es belustigend, daß der General drei Tage nach dem Blutbad in seiner roten Krebssuppe verstört mit dem Löffel rührte.

Repräsentation bei Empfängen, Feierstunden, Aufmärschen gehörte zunehmend zu seinem Dienst – sei es als ständiger und schmückender Begleiter seines

Herrn, sei es als dessen imposanter Vertreter. An seinem neuen Dienstsitz Berlin mietete er eine standesgemäße Wohnung im vornehmen Stadtteil Dahlem, eine Villa mit sieben Zimmern, ungeachtet seines parteiüblich geringen Monatsgehalts. Wenn seine Familie in die Reichshauptstadt kam, sollte sie sich nicht beengt fühlen. Die Villa in Bogenhausen wurde verkauft. Dafür erwarb Wolff eine Grundstück in Rottach-Egern am Tegernsee, vom Volk »Lago di Bonzo« genannt, weil sich dort zunehmend die Hakenkreuz-Prominenz niederließ. So auch Heinrich Himmler, der sein bescheidenes Anwesen in Waldtrudering aufgegeben hatte, um einer standesgemäßeren Unterkunft willen. Auf dem Seegrundstück werde er den Stammsitz seiner Familie bauen, proklamierte Wolff. Und notwendig sei dieses Haus für ihn außerdem, weil Hitler in der Ferienzeit weitgehend auf dem Obersalzberg residiere.

Himmler hatte nun in der Partei den Rang eines Reichsleiters. Im polizeilichen Bereich hatte er zwar den Reichsinnenminister Dr. Wilhelm Frick noch über sich, aber um dessen Absichten brauchte er sich kaum zu kümmern. Wolff bei einer Vernehmung nach dem Krieg in Nürnberg: »Als Jurist war der Minister beim Führer schlecht angeschrieben; er war für ihn ein Bürokrat. Frick ließ es auf einen Streit mit Himmler nicht ankommen, weil er wußte, daß Hitler stets dem Reichsführer recht geben würde.«

In der Führung der SS hatte Himmler nahezu freie Hand. Hitler pflegte seinen Paradiesvögeln die Schwingen nur zu beschneiden, wenn sie ihm ins Gehege gerieten. Es störte ihn nicht, daß jeder unterschiedliche Vorstellungen vom nationalsozialistischen Deutschland hatte und daß die Partei mit ihren Unterorganisationen alles andere war als ein monolithischer Block. So hatte sich denn auch Himmler aus mancherlei Quellen ein abstruses Programm zusammengestoppelt: aus Rassenwahn, willkürlich ausgelegter Historie, aus den Theorien wissenschaftlicher Außenseiter, aus den Regeln von Geheimbünden und Mönchsorden, aus Ordensromantik, Heroenkult, Okkultismus, Naturheilkunde und religiöser Spintisiererei mit antichristlicher Tendenz.

Der erste Adjutant (seit dem 4. 4. 34) und noch mehr der Chefadjutant (seit dem 9. 11. 35) diente geschäftig diesem Programm als ein überzeugter Jünger. Bezeichnend dafür ist sein Verhältnis zum Christentum. Im Elternhaus war er protestantisch getauft worden, und der Glaube war dort zugleich ein Bestandteil bürgerlicher Wohlanständigkeit. Als Offizier der kaiserlichen Armee war er einbezogen in das traditionelle Bündnis von Thron und Altar. Wie so viele bürgerliche Deutsche sah er während der Weimarer Republik in den christlichen Kirchen einen Abwehrwall gegen den gottlosen Marxismus und einen Ordnungsfaktor der Gesellschaft. In der Pfarrgemeinde von München-Bogenhausen war er mit seiner Familie regelmäßiger Besucher des Gottesdienstes, manchmal sogar in SS-Uniform. Seine Töchter Irene (geboren 1930) und Helga (geboren 1934) ließ er taufen. »Daß er sich auch als Kirchenvorstand der kirchlichen Gemeindevertretung zur Verfügung gestellt hat, ist ein weiterer Beweis seiner aufrechten und bewußt kirchlichen Haltung«, bescheinigte ihm später der Pfarrer im Ruhestand Ernst Veit. Das war dann freilich schon ein

»Persilschein«, mit dem der gewesene SS-Führer 1945 sich weißwaschen wollte von dem Vorwurf, zu Hitlers Zeiten ein engagierter Nazi gewesen zu sein.
Zum neuheidnischen Saulus wurde der gläubige Christ Paulus Wolff im September 1936; er trat aus der evangelischen Kirche aus, samt seinen Kindern. Da Himmler das Christentum als artfremd ansah und für die Deutschen einen Glauben propagierte, der von Protestanten wie Katholiken als Rückfall in das germanische Heidentum bezeichnet wurde, liegt der Verdacht nahe, daß Wolff bei dieser Abkehr von Väterglauben seine Karriere fördern wollte. Doch so simpel ist dieser Sinneswandel nicht zu deuten. Es ist zu berücksichtigen, daß bald nach 1933 unter den Protestanten der »Kirchenkampf« begann; die Fraktion der »Deutschen Christen« schminkte Jesus von Nazareth um zu einem Helden nordischer Rasse, indessen die Anhänger der »Bekenntniskirche« sich gegen eine Arisierung ihres Glaubens stemmten und beispielsweise die Ablehnung des Alten Testaments der Bibel als jüdisch nicht mitmachten. Gleichzeitig versuchte der NS-Staat auch den Ruf der katholischen Kirche zu untergraben, indem er in den Klöstern Sittlichkeitsdelikte aufdeckte, die dann ebenso wie die darauf folgenden Strafprozesse auf Geheiß des Propagandaministeriums von Zeitungen und Rundfunk weidlich ausgeschlachtet wurden. Sowohl die Grundlagen des Christenglaubens als auch seine Organisationen wurden in jenen Tagen vielen Deutschen suspekt. Kirchenaustritte aus Überzeugung häuften sich.
Gott abschaffen wollten die Nationalsozialisten nicht; zu lange und zu laut hatten sie gegen den philosophischen Materialismus des Karl Marx gewettert. So landeten denn die SS und ihre Propheten bei GOT, angeblich einer altdeutschen Sprachform. Sie stellten sich darunter eine überirdische, übermenschliche oberste Instanz vor, die sowohl monotheistisch als ein höchstes Wesen irgendwo und nirgendwo angesiedelt als auch pantheistisch als allgegenwärtiger Geist gedacht werden konnte. Sie beriefen sich dabei auf die Mystiker des Mittelalters, auf Goethe, Schopenhauer und außerdem auf alle jene Kritiker des Christenglaubens, die Anstoß genommen hatten an seinem jüdischen Ursprung. Kam zwischen Himmler und seinem Adjutanten die Rede auf Göttliches, so sprachen sie vom »Uralten«, wie angeblich die Germanen ihren Gott tituliert hatten.
Als Wolffs erster Sohn (nach zwei Töchtern) im Januar 1936 geboren wurde, war der Vater bereits ein begeisterter Anhänger von Himmlers hausgemachter Religion. Da in ihr auch die Astrologie einen Platz gefunden hatte, wurde die Geburtsanzeige geschmückt mit einem springenden Steinbock, des für die Zeit der Geburt geltenden Tierkreiszeichens. Auf dieser Karte taucht auch zum ersten Mal ein Familienwappen auf, die Wolfsangel, eine Rune aus der Germanenzeit. Der Sohn wurde Thorisman genannt und damit dem streitlustigsten unter den germanischen Gottheiten anbefohlen. Die zusätzlichen Vornamen spendeten die »Namensgoden«, eine altdeutsche Bezeichnung für Paten: Heinrich (nach Himmler), Karl (nach dem SS-Wappenbastler Professor Diebitsch) und Reinhard (nach dem Gruppenführer Heydrich, zu jener Zeit Chef des SD-Sicherheitsdienst und der Gestapo). Ein weiterer Namensgode war der SS-

Brigadeführer Weisthor, der Figur nach ein Schrumpfgermane, aber dafür um so gründlicher vertraut mit Religion, Brauchtum und Runen der Vorfahren. Er hatte auch den Ritus der SS-Namensgebung entwickelt und übernahm im Fall des Wolff-Sohnes die Rolle des Oberpriesters.

Die Namensgebung fand am 4. Januar 1937 statt, als Thorisman schon fast ein Jahr alt war. Das Geschehen wurde auf einer maschinengeschriebenen Urkunde festgehalten. Sie ist nach Inhalt, Sprache und Form so bezeichnend für das Sektiererische in der SS, daß sie es verdient, hier abgedruckt zu werden:

z.Zt. Gmund am Tegernsee,
4. Januar 1937

U R K U N D E :
- - - - - - - - - - -

Heute, am 4.Januar 1937, hat der SS-Brigadeführer Karl W o l f f in seinem Hause am Schorn zu Röttach-Egern am Tegernsee mir, seinem anwesenden Reichsführer-SS folgende Meldung gemacht:

" Reichsführer-SS: Ich melde Ihnen hiermit unser drittes Kind, das mir meine Ehefrau Frieda, geborene von Römheld als ersten Sohn am 14.Januar 1936, am Schlusse des dritten Jahres des Dritten Deutschen Reiches geboren hat ".

Ich erwiderte darauf:

" Ich danke Ihnen. Ich habe Ihre Meldung vor den Zeugen, den Paten dieses Kindes, also mir selbst, SS-Brigadeführer Weisthor, SS-Gruppenführer Heydrich und SS-Sturmbannführer Diebitsch gehört. Ihr Kind wird in das Geburtenbuch der SS eingetragen und für das Sippenbuch der SS vorgemerkt ".

Brigf.Wolff übergab darauf das Kind der Mutter,die es entgegennah

Sodann beauftragte ich den SS-Brigadeführer Weisthor die Namensgebung vorzunehmen.

SS-Brigadeführer Weisthor umhüllte das Kind mit dem blauen Lebensbande und sprach dazu die herkömmlichen Worte:

" Das blaue Band der Treue ziehe sich durch Dein ganzes Leben.

Wer deutsch ist und deutsch fühlt, muss treu sein !

Geburt und Ehe, Leben und Tod sind im Sinnbild durch dieses blaue Band verbunden.

Und nun sei dieses Euer Kind, sippen-eigen mit meinem innigen Wunsch, dass es ein rechter deutscher Junge und aufrechter deutscher Mann werde ".

SS-Brigadeführer Weisthor nahm nun den Becher und sprach dazu die herkömmlichen Worte:

" Der Quell alles Lebens ist Got !

Aus Got fliesst Dein Wissen, Deine Aufgaben, Dein Lebenszweck und alle Lebens-Erkenntnis.

Jeder Trunk aus diesem Becher sei Zeugnis, dass Du got - verbunden ".

Den Becher übergab er dann dem Vater des Kindes.

SS-Brigadeführer Weisthor nahm nun den Löffel und sprach dazu die herkömmlichen Worte:

" Dieser Löffel nähre Dich hinfort, bis zu Deiner Jünglingsreife. Deine Mutter bezeuge damit ihre Liebe zu Dir und strafe Dich durch Nichtnähren mit ihm bei einem Verstoss gegen die Gesetze Gots ".

Den Löffel übergab er dann der Mutter des Kindes.

SS-Brigadeführer Weisthor nahm dann den Ring und sprach dazu die herkömmlichen Worte:

" Diesen Ring, den Sippen-Ring SS von Wolffs-Geschlecht, sollst Du, Kind, einst tragen, wenn Du Dich als Jüngling der SS und Deiner Sippe wert erwiesen hast.

Und nun gebe ich Dir nach dem Wunsche Deiner Eltern und im Auftrage der SS die Namen T h o r i s m a n, H e i n r i c h, K a r l, R e i n h a r d.

An Euch, Eltern und Namensgoden, liegt es, aus diesem Kinde ein echtes, tapferes, deutsches Herz nach dem Willen Gots zu erziehen.

Dir - liebes Kind - wünsche ich, Du möchtest Dich so bewähren, dass Du bei Deiner Jünglingsreife den stolzen Namen T h o r i s m a n als ersten Vornamen für Dein ganzes Leben erhältst.

D A S W A L T E U N S E R G O T ! ! ! ".

Ich unterzeichne hiermit diese Urkunde und habe die Namensgoden gebeten, als Zeugen auch ihre Namen einzuzeichnen.

Der Kommandeur:

H. Himmler

D i e N a m e n s g o d e n :

1. Namensgode: Reichsführer-SS H. Himmler

2. Namensgode: SS-Brigadeführer i. A. Weisthor

3. Namensgode: SS-Gruppenführer R. Heydrich

4. Namensgode: SS-Sturmbannführer Karl Diebitsch

Da die Jünglingsreife noch einige Zeit auf sich warten ließ, wurde der Sohn zunächst einmal Karl-Heinz gerufen. Diese Verkopplung von Heinrich mit Karl ergab einen lange Zeit beliebten Modenamen, den das sentimentale Theater-Rührstück »Alt-Heidelberg« populär gemacht hatte. Der Gode Himmler versäumte keinen Geburtstag und keine Weihnacht, um dem Patenkind ein Geschenk nach Rottach-Egern zu schicken; so einen silbernen Schieber, einen weißen Bär, ein Walzenspiel. Selbst im Januar 1945, als Heinrich Himmler schon in erheblicher Bedrängnis lebte, wurde Karl-Heinz nicht vergessen; er bekam von Onkel Heinrich einen Laubsägekasten und Schokolade.

Daß der Ritus der Namensgebung im Hause Karl Wolffs so hochgestochen praktiziert wurde, hatte einen besonderen Grund. Er war am 9. November 1936 aus der Dienststellung eines Chefadjutanten emporgehoben worden zum »Chef des Persönlichen Stabes Reichsführer SS«. Damit übernahm er auch Kompetenzen im kultischen Sektor der SS, wo sich Himmlers Vorliebe für abstruse Romantik immer wieder mit neuen Ideen auslebte. Wolff wurde damit auch zum Amtschef für einige hundert Männer, die von Himmler mit Ehrenrängen der SS bedacht worden waren, wie etwa die Mitglieder des »Ahnenerbe«, eine »Forschungs- und Lehrgemeinschaft«, zu der in erster Linie Hochschulprofessoren und Wissenschaftler der unterschiedlichsten Fachrichtungen herangezogen wurden. Sie kamen gern, denn die Uniform eines SS-Führers verlieh ihnen ein nationalsozialistisches Alibi. So stolz der diplomierte Hühnerzüchter und Landwirt Heinrich Himmler auf diese akademische Gefolgschaft war, so fühlte er sich doch in deren Gesellschaft immer etwas unsicher; wußte er jedoch den weltmännischen Kasinoplauderer Wolff an seiner Seite, dann stärkte dies sein Selbstbewußtsein.

Auch der Chef des Persönlichen Stabes Reichsführers SS fühlte sich durch den häufigen Umgang mit Akademikern aus der ersten Garnitur der deutschen Wissenschaft aufgewertet, um so mehr, als er von ihnen auch noch hofiert wurde. Er verfügte nämlich über Geld – für Forschungszuschüsse und Honorare. Er paßte sich seinem neuen Umgang insofern an, als in seinen Personalpapieren ab 1936 plötzlich die Angabe auftaucht, er habe Jura und Volkswirtschaft studiert, wenngleich den Abschluß »noch nicht« erreicht. Die Frage ist, wo der Bankbeamte, Offizier, Werbefachmann und SS-Führer einigermaßen regelmäßig Hörsäle besucht haben könnte. Seine Universitäten nennt Wolff nicht, wohl aber die Studienzeiten: »1920–1923 und seit 1935«. Das würde bedeuten, daß er als Banklehrling in Frankfurt die dortige Universität, während seiner Arbeit als Angestellter in Kehl die etwa 80 Kilometer entfernte Freiburger Universität und dann noch als SS-Führer die Berliner Universität benutzt hätte. Angesichts einer ständig beklagten dienstlichen Überlastung wäre dies eine bewundernswerte Energieleistung.

Durch Himmlers Vorliebe für Absonderliches wurde aus dem »Ahnenerbe« schnell eine Gemischtwarenhandlung, von der außer »Kulturleistungen des nordrassischen Indogermanentums« eine Reihe skurriler Raritäten und am Ende sogar Verbrechen geliefert wurden. Daß die von der ernsthaften Wissen-

schaft abgelehnte Welteislehre des österreichischen Ingenieurs Paul Hörbiger (Vater der Schauspieler Paul und Attila Hörbiger und Großvater bekannter Schauspielerinnen) vom Ahnenerbe gefördert wurde, ist schlimmstenfalls als eine laienhafte Fehlinvestition zu belächeln. Dasselbe gilt von der »Ura-Linda-Chronik«, die jahrelang als ein wertvolles Kulturdokument aus der vorchristlichen Germanenzeit propagiert wurde, obwohl ihrem Entdecker und Deuter, dem holländischen Privatgelehrten Herman Wirth, von der Fachwelt nachgewiesen wurde, daß es sich um eine Fälschung aus dem 19. Jahrhundert handelte. Es gab jedoch beim Ahnenerbe auch einige mit Geheim-Vermerken abgesicherte Giftschränke; deren Inhalt wurde der Öffentlichkeit erst durch die Nürnberger Kriegsverbrecherprozesse nach 1945 bekannt. Davon wird noch die Rede sein, wenn die Frage zu untersuchen ist, wie weit Wolff von den verbrecherischen Menschenversuchen der SS-Mediziner Kenntnis hatte.
Bei dieser Pflege von Wissenschaft und Kunst konnte sich Wolff erinnert fühlen an das Wirken der geistlichen Orden des Mittelalters. Auch deshalb sah er es als eine besondere Gunst des Schicksals an, daß er im Oktober 1931 bei seinem Besuch im »Braunen Haus« gleich der SS, der Garde der Bewegung, begegnet war und nicht der Massenorganisation der SA. Daß er als früherer Offizier des einzigen hessischen Garderegiments gerade bei der ältesten SS-Standarte seine zweite Offizierskarriere beginnen konnte, war ihm ein weiterer Beweis, daß ihn die Vorsehung der deutschen Elite zugeteilt hatte. Für Himmler und das Führerkorps seiner SS war die Formation weit mehr als eine militante Gliederung der NSDAP; sie hielten sich für die Nachfolger der Deutschritter, die vor Jahrhunderten den Osten für die Deutschen erobert hatten. Sie bewunderten zugleich auch die Jesuiten, die mit harter Disziplin und unbegrenztem Gehorsam ihre Aufgabe erfüllten. Als Himmler am 18. Februar 1937 die SS als einen »soldatischen Orden« definierte, verschmolzen in seiner Vorstellung diese beiden Vorbilder. Die SS sollte »zuchtmäßig, blutmäßig gebunden« sein »an das nordische Blut, eine Sippengemeinschaft... früher hätte man gesagt: eine Adelsgemeinschaft«. Genau danach strebte Wolff.
Für diese Adelsgemeinschaft sollte das Ahnenerbe eine artgemäße Religion entwickeln. Während der ersten Hälfte des Jahres 1937 war Wolff bemüht, einen Plan seines Amtes »zur Erschließung des germanischen Erbes« voranzutreiben. Damit sollten der SS »die außerchristlichen arteigenen weltanschaulichen Grundlagen für die Lebensführung und Lebensgestaltung« gegeben werden, in Gestalt einer »artgemäßen Religion und Sittenlehre«. Was Himmler damit erreichen wollte, verriet er am prägnantesten in einer Rede, die er 1942 in Berlin hielt: »Mit diesem Christentum, dieser größten Pest, die uns in der Geschichte anfallen konnte ... müssen wir fertig werden.«
Das gleiche Ziel peilte Wolff schon 1937 mit dem oben genannten Plan an, nur daß er es nicht so kraß markierte. »Die Überwindung des weltanschaulichen Gegners« – und das waren auch die widerspenstigen Christen beider Konfessionen – sollte durch »die Erschließung des germanischen Erbes« erreicht werden. Geplant war eine Sammlung von Zeugnissen aus germanischer Vergangenheit in

etwa 50 Bänden. Wolff bemühte sich, das dafür erforderliche Gremium angesehener Wissenschaftler zusammenzubringen. Der Bücherstapel sollte dann dazu beitragen »durch Erziehung und Auslese einen neuen Menschentyp zu schaffen, ... der alle großen Aufgaben der Zukunft meistern und die Stelle des abgewirtschafteten historischen Adels« einnehmen könnte.
Himmlers historische Spekulationen brachten ihn auf den Gedanken, daß auch sein Orden eines massiven, unübersehbaren Mittelpunktes bedürfe. Zwar hatte ihm der dicke Reichsorganisationsleiter der NSDAP, Dr. Robert Ley, den Begriff »Ordensburg« schon gestohlen, indem er für die Schulung der politischen Leiter der Partei gleich drei solcher Bauten erstellen ließ. Aber der romantische Schwärmer vom Schwarzen Korps dachte an etwas weniger Profanes, vergleichbar mit Monsalvat, der Burg der Gralsritter um ihren König Parsival, oder an die Burg des Königs Artus, der dort mit seiner Tafelrunde zu tagen pflegte. Für ihn lag es nahe, die Burg in der sozusagen urgermanischen Landschaft Norddeutschlands anzusiedeln, wo einst Hermann der Cherusker die Römer besiegt hatte und wo der Sachsenherzog Widukind und seine Mitstreiter das Christentum erst angenommen hatten, nachdem Kaiser Karl der Große – bei Himmler hieß er Karl der Schlächter – die heidnischen Niedersachsen angeblich in Massen hatte hinrichten lassen. Als der Reichsführer SS im November 1933 in Begleitung seines Adjutanten Wolff auf der Suche nach einem geeigneten Objekt die verwahrloste und verfallene Wewelsburg bei Büren besichtigte, die früher den Bischöfen von Paderborn in unruhigen Zeiten als Zuflucht gedient hatte, und dabei hörte, daß der Landrat einen Pächter suchte, erwog er, eine Führerschule der SS dort unterzubringen.
Möglicherweise kam ihm dabei auch die alte Sage zu Ohren, die prophezeite, daß diese Burg, auf einem steilen Hügel mitten im flachen Land gelegen, einmal die letzte Zuflucht deutscher Ritter sein werde vor unabsehbaren Heeren schlimmer Horden aus dem Osten. Von dieser Burg aus – so erzählte sich das Volk dieser Gegend – würden die Ritter dann den Befreiungskampf beginnen, und sie würden ihn dann nach harten Schlachten auch siegreich beenden. Himmler hatte nach dem Ersten Weltkrieg einige Jahre dem Bund der Artamanen angehört, der im Bauernstand die Quelle jeder Volkskraft sah und eine bäuerliche Besiedlung der großen Güter im Osten als Wall gegen das Einsickern von Polen ins Reich anstrebte. So mag er wohl die alte Sage als Prophetie gewertet haben. Er entschloß sich, aus der Burg mehr zu machen als nur eine Stätte der Schulung. Nachdem er sie anfänglich in die Obhut des SS-Rasse- und Siedlungshauptamtes gegeben hatte, so daß sie dem Obergruppenführer und Reichsernährungsminister Richard Walther Darré unterstand, wurde sie ab 1935 aufgrund ihrer erweiterten Aufgaben dem Persönlichen Stab des Reichsführers SS zugeschlagen. Damit wurde Karl Wolff zuständig für das Projekt.
Im Verlauf weniger Jahre wuchsen Himmlers Pläne ins Gigantische. Bald nach dem Sieg über Frankreich, also 1940, präsentierten Himmler und Wolff ihrem Führer ein Modell des künftigen SS-Heiligtums. Nun beanspruchten Neubauten soviel Platz, daß ein zur Burg gehöriges Dorf verlegt werden mußte, fast einen

Kilometer weit in die Ebene hinaus. Eine 15 Meter hohe Mauer sollte mit einem Dreiviertelkreis die Burg umrunden, mit einem Halbmesser von 450 Metern, und in einem noch größeren Kreis sollte parallel dazu eine Straße verlaufen. Der Gigantomane Hitler bewilligte den Bau.
Da die Burg selber dem elitären Führerkreis vorbehalten bleiben sollte, waren keine großen Säle vorgesehen. Im runden Nordturm sollten sich die Gruppen- und Obergruppenführer versammeln – und davon gab es Ende 1938 nur 69. Zu dessen Kellergeschoß sollten sogar nur die Obergruppenführer Zutritt bekommen – ein Rang, den 1943 immerhin 43 Männer führten plus den beiden Oberstgruppenführern Dietrich und Hauser, die damit den höchsten Rang unter dem Reichsführer erreicht hatten. Der Fußboden dieses Kellers war gewachsener Fels; aus ihm wurde eine kreisrunde Sitzgrube ausgemeißelt. Von Besuchern wird der Raum heute »Walhalla« genannt, nach dem Sitz der germanischen Götter.
Himmler verbot, daß jemand die Burg besichtigte, der nicht zum höheren Führerkorps seines Ordens gehörte. Als er 1939 wieder einmal den Bau inspizierte, sagte er zum Burgkommandanten, es sei eine besondere Ehre, wenn jemand auf die Burg geladen werde. Schon gar nicht durften Presseleute eingelassen werden, wie denn auch jede Veröffentlichung über das Innere der Burg verboten wurde. Dies geschah keineswegs, weil Himmler fürchtete, er werde sich mit dem Brimborium des SS-Kults lächerlich machen. Vielmehr wollte er, der die Freimaurerlogen als Geheimgesellschaften verfolgen ließ, die Wewelsburg als ein neuzeitliches Mysterium drapieren, das für das ordinäre Volk ein Gegenstand scheuer Bewunderung werden mußte.
Des Reichsführers Vorliebe für Mystisches wurde immer wieder neu belebt durch jenen SS-Brigadeführer Karl Maria Weisthor, der bei der Namensgebung des Wolff-Sohnes Thorisman eine so groteske Rolle spielte und der mit phantastischen Ideen bei dem spintisierenden Autodidakten und Verächter exakter Wissenschaften Heinrich Himmler immer ein offenes Ohr fand. Der Brigadeführer hieß eigentlich Wiligut. Er behauptete, aus der Sippe Hermanns des Cheruskers zu stammen, erzählte, daß seine Verwandten nahezu alle geköpft worden seien, daß der Rest der Sippe als Flüchtlinge durch Europa geirrt sei, Wilna gegründet und auch im Schwabenland Zuflucht gefunden habe und von dort dann nach Österreich weitergewandert sei. Er wurde in Wien 1866 geboren und angeblich hatte er es in der k. u. k.-Armee während des Ersten Weltkrieges bis zum Obersten gebracht. In Salzburg hatte er 1918 einen Antisemitenbund gegründet, hatte die Juden, die Freimaurer und die »Romkirche« vieler Verbrechen beschuldigt und war zeitweise in einer Heilanstalt für Geisteskranke. Dessenungeachtet wurde er in den Persönlichen Stab des Reichsführers-SS aufgenommen. Weil er angeblich durch Familienüberlieferungen und durch übernatürliche Eingebungen Zugang hatte zum Geistesgut der alten Germanen, wurde er bis zum Brigadeführer befördert – einem Rang, der nach SS-Verständnis dem eines Generalmajors entsprach. Erst 1939 kam die SS dahinter, daß sie sich mit einem Irren

eingelassen hatte; er wurde wegen Unzurechnungsfähigkeit aus dem Schwarzen Korps entlassen.

Wolff hat sich über den Zweck der Wewelsburg mehrfach, wenngleich immer verschwommen, geäußert. Als er in Nürnberg 1947 als Zeuge anläßlich der Kriegsverbrecherprozesse gefragt wurde, meinte er, die SS-Spitze habe von der künftigen Burg noch keine endgültigen Vorstellungen besessen. Später räumte er ein, Himmlers Berater Weisthor habe in Anlehnung an die alte Sage jenem suggeriert, an diesem Bollwerk werde sich – ob faktisch oder ideenmäßig – der nächste und letzte Hunnensturm aus dem Osten brechen. Einem Nürnberger Vernehmer erklärte Wolff: »Die Burg war für die Zusammenkunft bei besonderen Gelegenheiten des höchsten Führerkorps ... gedacht.« Dafür gibt es eine Bestätigung durch Himmler; in einer Rede am 9. November 1938 kündigte er an, künftig werde jedes Jahr die Vereidigung der Gruppenführer auf der Wewelsburg stattfinden. Zu den vielen Eiden, die ein Nationalsozialist im Lauf seines Parteilebens zu schwören hatte, sollte Himmler noch einige zusätzliche erfinden ...

Zu diesem Ritus kam es dann nicht mehr. Hinderlich war, daß der Wiederaufbau der Ruine nie ganz fertig wurde, weil die Pläne immer wieder ausgeweitet wurden, und daß mit Beginn des Zweiten Weltkrieges, also ab 1939, geeignete Arbeitskräfte kaum mehr zur Verfügung standen. In gewisser Weise wußte die SS sich jedoch zu helfen; sie legte in der Nachbarschaft der Burg ein Konzentrationslager an, in dem zeitweise mehrere hundert Häftlinge als Zwangsarbeiter gefangengehalten wurden. Über 1200 Häftlinge kamen in diesem Lager ums Leben.

Als Wolff nach dem Krieg über die Finanzierung des Projekts befragt wurde, meinte er, elf Millionen Mark seien wohl schon verbaut worden. Dabei ist zu berücksichtigen, daß der Grund und Boden größtenteils vom Landkreis gepachtet wurde, für jährlich eine Mark. Die KZ-Häftlinge bekamen natürlich keinen Lohn. Zudem hatte die Mark damals einen anderen Kaufwert; für elf Millionen Mark konnte man zu jener Zeit 500 Einfamilienhäuser bauen. Vorgesehen waren nach den letzten Plänen eine Bauzeit von 20 Jahren und Gesamtkosten von 250 Millionen Mark. Der Prachtbau der Neuen Reichskanzlei in Berlin hatte 1938–39 insgesamt nur 80 Millionen Mark gekostet.

Zur Finanzierung des Projektes wurde am 1. Februar 1936 eigens ein Verein gegründet, die »Gesellschaft zur Förderung und Pflege Deutscher Kulturdenkmäler e. V.« mit dem Sitz in München. Um dem Vereinsrecht zu genügen, mußte eine Satzung verfaßt werden, die von sechs Mitgliedern zu unterschreiben war. Himmler war der Vereinsvorsitzende. Nach ihm unterzeichneten Karl Wolff, dessen engster Mitarbeiter Luitpold Schallermeier, der SS-Führer Dr. Walter Salpeter, der Himmler-Sekretär Dr. Rudolf Brandt, der SS-Wappensachkundige Karl Diebitsch und Gruppenführer Oswald Pohl, Chef des Verwaltungs- und Wirtschaftshauptamtes der SS. Dieses Amt übernahm auch die Geschäftsführung des Vereins. Für alle personellen Entscheidungen, für Planung, Förderung, für den Aufbau des Schulungsbetriebs war Wolff zuständig, und die Burgbesatzung wurde dem Persönlichen Stab zugeteilt. Für das KZ brauchte er keine Verantwortung zu tragen; es unterstand, wie alle Lager, dem Duzfreund, Gruppenführer Oswald Pohl – ein Umstand, der Wolff offenbar hinderte, von den Zuständen hinter den Stacheldrahtzäunen Kenntnis zu nehmen.

Einen heiklen Vorfall auf der Burg regelte Wolff mit gewohntem Geschick. Bei dem festlichen Trubel zum 1. Mai – bei den Nationalsozialisten »Tag der nationalen Arbeit« genannt – hatte 1937 in dem allgemeinen Besäufnis ein Obersturmführer der Burgbesatzung einen Mann aus dem Dorf Wewelsburg krankenhausreif geschlagen – bei einem Streit, der fast zwangsläufig einmal kommen mußte, weil die Bevölkerung der Umgebung streng katholisch war und weil die SS wenig Rücksicht auf das religiöse Empfinden der Dörfler zu nehmen pflegte. Als dann im Juni die Bauern ihr Schützenfest feierten, wollte die Dorfjugend keinen SS-Mann ins Festzelt lassen. Trotzdem erzwangen sich einige SS-Führer den Zutritt. Als einer von ihnen mit einem Mädchen auf dem Podium tanzen wollte, kam es zu einer Kirmes-Schlägerei. Der damalige Burghauptmann befürchtete einen Bauernaufstand; er rief aus Arolsen einen Zug der dort stationierten SS-Verfügungstruppe zu Hilfe. Die mit Stahlhelm und Gewehr angerückten Krieger fanden jedoch keine Rebellen. Wohl aber nahm die Gestapo am folgenden Tag fünf Einheimische in »Schutzhaft«.

Wolff bekam den Auftrag, den Vorfall möglichst ohne Aufsehen aus der Welt zu schaffen. Mit Recht wertete er das Vorkommnis als eine jener Prügeleien, wie sie überall ausbrechen können, wo Fremde sich auffällig bei einem Volksfest benehmen. Er sorgte dafür, daß der Streit für die Dorfbewohner ohne Folgen blieb. Dagegen mußte der Burghauptmann sein Amt abgeben. Wolff dürfte damit einen stillen Wunsch des Reichsführers erfüllt haben, denn der abgehalfterte Würdenträger war noch von dem inzwischen in Ungnade gefallenen Chef des SS-Rasse- und Siedlungsamtes Darré eingesetzt worden – schlimmer noch: Er war dessen Schwager. Und mit Richard Walther Darré lebte Himmler jetzt im Streit.

Auch bei der Geldbeschaffung durfte Wolff mitwirken. Bei ihm lieferte der »Freundeskreis« Himmlers jedes Jahr die Spenden der Wirtschaft ab. Die Mitglieder des Freundeskreises gehörten zu den einflußreichsten Männern aus der Finanzwelt, der Industrie, des Handels, und da sie alle Ehrenränge der SS und Uniformen verliehen bekamen, mußten sie der Ordnung halber auch in die Formation eingereiht werden – als Angehörige des Persönlichen Stabes. Wenn in den Kassen der Reichsführung-SS Ebbe war, wurde Wolff alarmiert. Bei der »Deutschen Bank«, die der SS besonders eng verbunden war, holte er für die Wewelsburg Kredite von insgesamt 13 Millionen Mark.

Der Nutzen der Burg für die SS entsprach nicht dem Aufwand. Himmler hielt dort ein einziges Mal eine Gruppenführer-Besprechung ab, Mitte Juni 1941, eine Woche vor dem Überfall auf die Sowjetunion. Der Obergruppenführer von dem Bach-Zelewski, im Krieg Chef der Partisanenbekämpfung im Osten, sagte während der Nürnberger Prozesse aus, Himmler habe auf der Burg verkündet,

Zweck des bevorstehenden Feldzuges sei es auch, 30 Millionen Slawen umzubringen. Wolff, der die Tagung organisiert hatte, bestreitet dies und behauptet, Himmler habe nur von Millionen Menschen gesprochen, die bei diesem Feldzug ums Leben kommen würden.

Viel Arbeit machte Wolff die Absicht Himmlers, holzgeschnitzte Wappen aller Gruppenführer auf der Wewelsburg aufzuhängen. Sie wurden von ihm aufgefordert, Zeichnungen oder wenigstens Beschreibungen ihres Familienwappens abzuliefern. Schrieb Wolff an Spitzenfunktionäre der Partei, die einen hohen Ehrenrang besaßen wie etwa die Reichsleiter Martin Bormann und Max Amann (zuständig für Presse und zugleich Verleger aller Parteiblätter), dann unterzeichnete er als »Ihr sehr ergebener...«. Funktionäre der Güteklasse zwei wie etwa die Gauleiter mußten sich mit einem schlichten »Heil Hitler Ihr...« begnügen. Die Briefe an die aktiven SS-Führer verraten, wie zielbewußt Wolff seine Freunde ausgewählt hat. Auf dem Duz-Fuß stand er u.a. mit dem Obergruppenführer Kurt Daluege, Chef der Ordnungspolizei und hinter Himmler rangältester SS-Mann; mit Sepp Dietrich, Münchner Uralt-Kämpfer und vom Saalschlachtenrabauken durch Hitlers Gunst zum Kommandeur der SS-Leibstandarte aufgestiegen; mit dem Hitler-Adjutanten und -Vertrauten Julius Schaub, der ständig das Ohr des Führers für sich hatte. Den Gruppenführer Theo Eicke, Himmler-Günstling, redete er sogar mit dem Vornamen an, obwohl dessen Leumund nicht der beste war. Ebenso den Gruppenführer Oswald Pohl, der die KZs unter sich hatte und dem Eicke die Bewachungsmannschaft zu liefern hatte. Am nächsten aber stand Wolff der »liebe Reinhard« (Heydrich), Chef der Sicherheitspolizei, also auch der Gestapo und des SD, später oberster Leiter der Judenvernichtung. Von Heydrich ließ sich Wolff als »lieber Peter« anreden – ein Kosename, den anfänglich nur Wolffs Frau für ihren Ehemann benutzte.

Von den zahlreichen Adeligen unter den Gruppenführern abgesehen, konnte kaum einer ein Wappen vorweisen. Heydrich und Wolff hatten sich schon solch ein Familienzierat vom Kameraden Weisthor entwerfen lassen. Ernst Kaltenbrunner, später der Nachfolger Heydrichs, konnte wenigstens ein Familienzeichen vorweisen, das seine Vorfahren, Sensenschmiede von Beruf, in den Stahl der von ihnen gefertigten Geräte einzuprägen pflegten. Die Mehrzahl der so Angesprochenen mußten wie Wolff und Heydrich die Wappen-, Runen- und Sippenforscher der SS um Hilfe ansprechen. Die Aktion kam jedoch nie zu einem Abschluß. »Wiedervorlage nach dem Krieg« notierte Wolffs Farbstift auf dem letzten Dokument in dieser Sache.

Intensiv kümmerte er sich auch um die Inneneinrichtung der Burg. Als ihm im September 1942 gemeldet wurde, daß in Holland »eine Unzahl Antiquitäten (Möbel, Porzellan usw.)« vom Rohstoffamt im Persönlichen Stab aufgekauft worden waren – wobei es sich mit Sicherheit um den Besitz deportierter Juden handelte –, beauftragte er den Chefarchitekten der Wewelsburg, Passendes auszusuchen. Gekauft wurden u.a. ein Queen-Anne-Münzenschränkchen, ein Chippendale Mahagoni-Tisch, ein flämischer geschnitzter Eichenschrank. Ins-

gesamt erwarb die Wewelsburg auf diese Art Antiquitäten im Wert von 200000 Mark, berechnet nach dem Wertmaßstab, wie er zwischen Stehler und Hehler üblich ist.
Auf ähnlich redliche Weise kam die Burg durch Wolffs Beihilfe zu einer weiteren Kostbarkeit. Als 1941 die reichen Klöster Österreichs entlang der Donau von der NSDAP unter fadenscheinigen Gründen beschlagnahmt wurden, ließ sich Himmler durch das Chorherrenstift von St. Florian bei Linz führen. Dabei stach ihm ein großer runder Bodenteppich in die Augen; ein runder Raum in einem der Burgtürme sollte damit verschönt werden. Himmler zeigte seine Begierde dem Gauleiter von Oberdonau, August Eigruber, so unverhohlen, daß diesem nur übrigblieb, dem hohen Gast den Teppich als Geschenk anzubieten. Mit der Ablieferung hatte es der Gauleiter jedoch nicht so eilig, vielleicht weil er hoffte, auf diese Weise das wertvolle Stück im eigenen Land halten zu können.
Als Himmler Mitte Juli 1942 wieder einmal seine Burg besuchte, vermißte er den Teppich. Der ihn begleitende Wolff eilte an den auf der Burg installierten Fernschreiber und diktierte einen Befehl in die Maschine. Empfänger war der in Wien amtierende oberste SS-Führer Österreichs, der Gruppenführer Ernst Kaltenbrunner: »Reichsführer SS ... läßt bitten, den Gauleiter in entsprechender Form ebenso humoristisch wie dringend an die Einlösung seines s. zt. gegebenen Versprechens zu erinnern und dieses zu überwachen.«
Zwei Wochen später meldete Kaltenbrunner an Wolff, der Teppich gehe »in den nächsten Tagen, fachmännisch verpackt, nach der Wewelsburg« ab. Doch ganz so schnell wollte sich Eigruber auch jetzt noch nicht von dem guten Stück trennen. Kaltenbrunner mußte ihn noch einmal mahnen, und erst nach einem weiteren Monat schrieb der Gauleiter kurz angebunden an Himmler, er habe den Teppich »bereits der Staatspolizei Linz zur weiteren Beförderung an Sie abgegeben«. Am 18. August 1942 konnte dann der »Burghauptmann von Wewelsburg« nach Berlin bei Wolff melden, »daß der runde Teppich ... eingetroffen ist. Nach dem Auspacken wurde derselbe gereinigt, entmottet und im neuen Museum sachgemäß untergebracht.« Absender dieser Meldung war Siegfried Taubert, der nach Wolffs Untersuchungsverfahren gegen seinen prügelnden Vorgänger das Amt bekommen hatte. Von diesem Kommandanten, einem Major a. D. mit Auszeichnungen aus dem Ersten Weltkrieg, versprach sich Wolff mehr Toleranz gegenüber den katholischen Gläubigen der Gegend. In der SS hatte er den Rang eines Gruppenführers – und dies unterstrich, welche Bedeutung der Burg von seiten der SS-Spitze zugemessen wurde. Als er dann allerdings auch noch eine Stabsabteilung der Waffen-SS, also eine bewaffnete Macht auf der Burg haben wollte, mußte Wolff ihn bremsen. Zugleich verbot er ihm auch jede Einmischung in die Verhältnisse des örtlichen Konzentrationslagers. Wenn es um KZ-Häftlinge ging, war Wolff stets für eine strenge Trennung der Zuständigkeiten.
Die Praxis des Plünderns zugunsten der Burg wurde auch im eroberten Osten fortgesetzt. SS-Obersturmführer W. Jordan, der als Vorgeschichtsforscher zum

Lehrkörper der Burg gehörte und bei der Waffen-SS marschierte, kam im Dezember 1942 auf die Halbinsel Krim. Aus dieser an antiker Kultur so reichen Landschaft schickte er an Kostbarkeiten, was immer er ergattern konnte. Von einem in Jalta ansässigen Professor der Archäologie holte er sich u. a. altgriechische Ohrringe aus Gold, antike Münzen, altpersische Miniaturen, einen Phallus aus Gold aus dem 1. Jahrhundert nach Christus – alles im Tausch gegen ein paar Säcke Mehl. Bei der nächsten Sendung schickte er Edelsteine und russische Münzen aus Edelmetall, geprägt noch in der Zarenzeit.
Das alles wurde einem Burgschatz einverleibt, den Himmler für schlechte Zeiten horten wollte. Nach dem Krieg wurde zwar emsig auf dem Gelände gebuddelt, aber gefunden wurde nichts. Gerüchte behaupteten, Taubert habe den Schatz Ende März 1945 in der Burg durch Häftlinge einmauern lassen und er habe angekündigt, er werde diese Arbeiter anschließend erschießen lassen. In einem Strafprozeß wegen Verbrechen im Wewelsburger KZ ergaben sich dafür keine Beweise. Fest steht, daß Himmler benachrichtigt wurde, als amerikanische Panzerkräfte sich der Burg näherten, und daß er daraufhin einen SS-Offizier der Heeresgruppe Weichsel mit einem Pionierkommando nach dem Westen in Richtung Paderborn schickte mit dem Auftrag, die Burg zu sprengen.
Zu dieser Zeit war Wolff für die Burg längst nicht mehr zuständig; seit mehr als eineinhalb Jahren wirkte er in Italien. Am 30. März 1945, dem Karfreitag, erreichte das Sprengkommando die von der SS schon geräumte Burg. Als der Offizier feststellte, daß seine Sprengmunition nicht ausreichen würde zur völligen Zerstörung, jagte er nur die Kernstücke der Burg in die Luft und ließ in die übrigen Bauten Feuer legen. Kaum war er mit seinem Kommando abgezogen, fielen die Einheimischen in hellen Scharen über die Ruine und die noch brennenden Gebäude her und schleppten weg, was sie ergattern konnten, so aus den Kellern 40000 Flaschen Wein, Sekt und hochprozentigen Alkohol.

Wolffs Arbeit für das SS-Heiligtum war unproblematisch. Seine Aufgabe deckte sich mit seinen Vorstellungen von der SS als Ritterorden und Garde. Himmlers Romantik mochte ihm dann und wann, weil allzu überspannt, lästig fallen, aber die Vorstellungen der beiden Herrenmenschen waren hinsichtlich der Burg nur um Nuancen verschieden. Schwieriger schien eine andere Aufgabe, die Wolff schon als Chefadjutant aufgetragen wurde, der er sich aber mit besonderer Hingabe widmete, weil sie ganz seinen Anlagen und Fähigkeiten entsprach: Ihm oblag es, einen Personenkreis zu betreuen und zu steuern, der den Kern der deutschen Wirtschaft verkörperte. Gemeint ist der schon erwähnte »Freundeskreis Reichsführer SS«, in dem sich von Zeit zu Zeit drei Dutzend der einflußreichsten Industrie- und Geldmanager trafen.
Wolffs Rolle in diesem Kreis wird erst verständlich aus dessen Entstehungsgeschichte. Lange vor 1933 war der Fabrikant Wilhelm Keppler der NSDAP beigetreten und dann zum Wirtschaftsberater Hitlers avanciert. Bei Standesgenossen sammelte er Spenden für die Partei. Als Hitler Kanzler geworden war, wollten die Spender diese Verbindung natürlich nicht abreißen lassen, und auch

die NSDAP hatte ein Interesse daran, daß der Klüngel nicht auseinanderlief. Da Keppler jetzt zeitweise in der Reichskanzlei amtierte, übertrug er die Aufgabe seinem Verwandten Fritz Kranefuß. Dem hatten zwar die Partei und die SA den Beitritt abgelehnt, doch die SS nahm ihn auf, und Himmler protegierte ihn sogar. Selbst in leitender Funktion bei der Industrie, warb er weitere Mitglieder für den Kreis.
Die Herren wurden von Himmler zum Reichsparteitag 1933 nach Nürnberg eingeladen, und der Reichsführer-SS setzte seinen Adjutanten mit den vornehmsten Manieren für ihre Betreuung ein; Wolff machte seine Sache so gut, daß später behauptet wurde, Himmlers Gäste hätten mehr Vorzüge genossen als diejenigen des Führers. Infolgedessen behielt Wolff diese Funktion auch für die Zukunft bei. Gemeinsam mit Kranefuß organisierte er Zusammenkünfte, mindestens zweimal jährlich, Besichtigungen, Reisen, Vorträge von Parteigrößen, in denen die Zuhörer den Eindruck gewinnen sollten, sie würden bevorzugt über Pläne und Taten der Partei unterrichtet. Wer noch nicht Mitglied der NSDAP war, konnte es, obwohl sie für Neuaufnahmen lange gesperrt blieb, mit Himmlers Bürgschaft werden. Fast alle bekamen sie im Lauf der Zeit den Rang eines »Ehrenführers« und damit das Recht, eine mit Litzen und Borten verzierte schwarze Uniform zu tragen als ein Mitglied des »Persönlichen Stabes Reichsführer-SS«.
Als Wolff in den Jahren nach dem Krieg über den Zweck des Freundeskreises verhört wurde, sagte er, Himmler habe etwas gegen das Wirken gewisser Wirtschaftshyänen unternehmen wollen, indem er anständigen Unternehmern Rang und Einfluß verschaffte – »soweit ein Wirtschaftler, der mit Geld zu tun hat, im SS-Sinn überhaupt ehrenhaft sein kann«. Diese Einschränkung wird verständlich, wenn man sich erinnert, daß SS und SA in der sogenannten Kampfzeit antikapitalistische Marschlieder sangen, die sie mit nur gering variiertem Text von den Kommunisten übernahmen. Doch dieser Erklärung steht entgegen, daß der Freundeskreis auch Konzernherrn mit schlechtem Ruf aufnahm, wie Dr. Friedrich Flick. Andererseits störte es Wolff und Himmler kaum, wenn ein Ehrenführer seine Abneigung gegen das NS-System nur dürftig verbarg – so zum Beispiel Hans Walz, Generaldirektor des Stuttgarter Bosch-Konzerns, bei dem später Regime-Gegner wie Carl Goerdeler und Theodor Heuss eine Zuflucht fanden. Bei einer Vernehmung in Nürnberg am 14. 12. 1946 meinte Wolff: »Einen Mann zum Beispiel wie Otto Wolff« – dem man Halsabschneider-Methoden in der Wirtschaft nachsagte – »hätten wir niemals aufgenommen, weil die Sauberkeit den Vorrang hatte.« Der Vernehmende fragte: »Welche besonderen Vorteile und welche Art von Schutz haben die Mitglieder des Kreises genossen?« Wolff spielte zunächst den Harmlosen: »Es kam im Lauf der Zeit vor, daß die Herren ab und zu mit irgendwelchen Bitten hergekommen sind«, und führte als Beispiel an, daß einer der Herren mitten im Krieg die Erlaubnis und die Devisen bekam für einen Kuraufenthalt in der Schweiz. Als Wolff daran erinnert wurde, daß auch der Obergruppenführer Pohl Mitglied im Freundeskreis gewesen sei und daß dieser entscheiden konnte, wie viele KZ-

Häftlinge den Industriebetrieben von den Konzentrationslagern zur Verfügung gestellt wurden, und daß möglicherweise die Freunde Himmlers doch erhebliche Vorteile aus dieser Mitgliedschaft gezogen haben könnten, wich er aus. »Ich bin mit Kriegsausbruch als Verbindungsoffizier ins Führerhauptquartier gekommen... Ich erfuhr... nur noch zufällig aus Gesprächen von den Dingen.«
Die meisten Mitglieder fanden es unter ihrer Würde, sich politisch öffentlich zu engagieren, aber sie schätzten die Rückendeckung, die sie sich mit ihren steuerlich absetzbaren Spenden erwarben. So Dr. Emil Helfferich, Aufsichtsratsvorsitzender der HAPAG, ebenso sein Bremer Konkurrent Karl Lindemann vom Norddeutschen Lloyd. Die Schwerindustrie war u. a. vertreten durch Dr. Albert Vögler von den Vereinigten Stahlwerken, die Banken durch Karl Blessing, dem späteren Bundesbankpräsidenten, die Versicherungen durch Dr. Kurt Schmitt von der Allianz, die Chemie durch das IG-Farben-Vorstandsmitglied Dr. Heinrich Bütefisch. Alles in allem etwa drei Dutzend Männer, von denen kaum einer ins geschriebene Parteiprogramm der NSDAP paßte.
Heydrich traute deshalb dem Freundeskreis nie. Doch auf Bitten seines Freundes Wolff fand er sich im Februar 1937 bereit, den Herren in Berlin die Büros seines Gestapo-Apparates zu zeigen und deren Funktionen zu erklären. Sie wurden sogar durch Konzentrationslager geführt, 1937 durch Dachau, 1939 durch Sachsenhausen, jeweils geleitet von Himmler und Wolff. Allerdings wurden sie auch genötigt, am 2. Juli 1936 an einer mitternächtlichen Feierstunde in der Gruft des Quedlinburger Doms teilzunehmen, zum Gedenken an den König Heinrich, genannt der Vogler, der dort angeblich tausend Jahre zuvor begraben worden war. Dieser König, der erste Niedersachse auf dem deutschen Thron, hatte anstürmende Reiterheere aus dem Osten siegreich abgewehrt; der pantheistische Sektierer Himmler, der ja auch den Osten germanisieren wollte, war des Glaubens, daß in seinem Körper etwas von der Seele Heinrichs eine Reinkarnation gefunden habe. So stand denn in jener Nacht eine Schar würdiger Männer andächtig und barhäuptig vor einem Sarkophag, an der Spitze Himmler, den rechten Arm zum Heil-Gruß gereckt, und dahinter Karl Wolff, sichtlich ergriffen. Später stellte es sich dann heraus, daß in dem Sarg keineswegs die königlichen Reste lagen.
Wolffs Aufgabe war es, die Spenden der reichen Männer zu übernehmen und den Fond zu verwalten. Bei einer Vernehmung in Nürnberg zur Flick-Anklage sagte Wolff am 16. 12. 1946: »Himmler war ja kein Kaufmann, und die bankmäßigen Sachen machte ich für ihn. Ich habe ja in Frankfurt in dem Bankhaus Bethmann gelernt.« Und an anderer Stelle: »Es wurde immer geprüft, von wem das Geld kam. Man hat sich lange Zeit gewehrt, von IG-Farben Geld zu nehmen, und die Spende von hunderttausend Mark im Jahr hat ad personam Bütefisch (Anmerkung: dort Vorstandsmitglied) gegolten. Wir haben... der Persönlichkeit und dem Charakter Bütefischs zuliebe das Geld genommen. Wir haben den ganzen Konzern IG-Farben nicht gerade geschätzt... Von Otto Wolff aus Köln hätten wir zum Beispiel nie Geld genommen. Wir nahmen nur Geld von honorigen Leuten.«

Auf diese Weise kamen, beginnend bei 600000 Mark im Jahr 1936, mit steigenden Beiträgen etwa acht Millionen Mark bis zum Jahr 1944 in Himmlers Kasse. Sie gingen an die Dresdner Bank in Berlin auf ein Konto »R«, über das nur Himmler und Wolff verfügen konnten. Einiges Geld kam auch von der Mutterpartei in die allgemeine SS-Kasse, aber das war nicht viel, weil der knauserige Reichsschatzmeister der NSDAP, Xaver Schwarz, jeden Pfennig dreimal umdrehte. So war es denn auch sehr erwünscht, daß die von der SS betriebenen Konzentrationslager mehr und mehr Gewinne abwarfen. Teils arbeiteten die Häftlinge in SS-eigenen Betrieben, in zunehmender Zahl aber wurden sie an große Industrieunternehmen als Sklaven gegen Geld verliehen.
In Nürnberg sagte Wolff aus: »Ich habe diese Sache eingeleitet, die Finanzierung dieser Dinge, die Verwaltung des Geldes habe ich vorgenommen. Ich habe immer dafür gesorgt, daß der Reichsführer nicht zuviel ausgab und daß er immer Geld hatte.« Und über den Beginn der Aktion sagte er: »Ich habe ihm (Anmerkung: Himmler) also vorgeschlagen, mich zu Funk gehen zu lassen, der nach meiner Erinnerung damals schon Reichsminister war. Ich habe gesagt: ›Herr Minister, das und das sind unsere Sorgen und Wünsche und Ideen. Wir wollen in den Konzentrationslagern nicht Papiertüten kleben lassen, sondern eine produktive Leistung. Wir brauchen Geld. Für Sie als Wirtschaftsminister dürfte es doch nicht schwer sein, eine Form zu finden, daß wir diesen Personalkredit bekommen.‹ Ich glaube, daß das Funk (Dr. Walter F., ursprünglich Journalist, dann Pressechef der Reichsregierung ab 1933, ab 1938 Reichswirtschaftsminister, später auch Reichsbankpräsident, in Nürnberg zu lebenslänglichem Gefängnis verurteilt) dann mit Kranefuß gemacht hat. Es waren aber meine Ideen und meine Initiative.«
Mit dem Geld des Sonderkontos »R« hat Himmler – laut Wolff – »vielen Menschen geholfen«. So etwa altgedienten Mitgliedern der SS und der Partei, sofern sie durch ihren Einsatz für den Nationalsozialismus in wirtschaftliche Schwierigkeiten geraten waren. So auch der Witwe des am 20. Juni 1934 erschossenen Gregor Strasser, ehemals Reichsorganisationsleiter der NSDAP und zeitweise zweiter Mann in der Partei hinter Hitler. Der Verein »Lebensborn«, über den noch zu sprechen sein wird, wurde finanziert. Das »Ahnenerbe« bekam Zuschüsse. Eine Tibet-Expedition erhielt Geld. In die Wewelsburg wurden große Summen gesteckt. Eine ganze Anzahl der SS-Gruppenführer, die alle nach den von Xaver Schwarz festgesetzten Parteitarifen besoldet wurden, nämlich ziemlich knapp, bekamen die Möglichkeit, mit mehr Glanz in der Öffentlichkeit aufzutreten, indem ihnen Himmler eine Aufwandsentschädigung bewilligte. Auch Wolff bekam jeden Monat einige hundert Mark.
Einen viel größeren Happen erhielt er, als er durch den Bau seines Hauses in Rottach-Egern am Tegernsee in finanzielle und rufschädigende Bedrängnis geraten war. Im April 1936 hatte er das Grundstück am südlichen See-Ende gekauft, 5500 Quadratmeter mit eigenem Strand, für 17000 Mark. Das war mit etwa drei Mark pro Quadratmeter schon bemerkenswert günstig gewesen, angesichts der großen Nachfrage durch die NS-Prominenz, die jetzt zu Geld

kam. Himmler war auch gerade dabei, sich in Gmund, am nördlichen Ende des Sees, niederzulassen.
Wolff wünschte sich einen Stammsitz seiner Sippe. Was er darunter verstand, war ein Haus mit zehn Zimmern und den üblichen Nebenräumen wie Küche, Badezimmern, Toiletten, darunter auch (wie Wolff sich ausdrückte) einer Angestellten-Toilette. Des hohen Grundwasserspiegels wegen mußte das Haus in eine Wanne aus Beton gesetzt werden. Am Seeufer stand dann noch ein Boots- und Badehaus.
Errichtet wurde das Haus von einem Generalunternehmer, dem »Verband sozialer Baubetriebe GmbH« mit dem Hauptsitz in Berlin. Es war dies eine Gründung der DAF (Deutsche Arbeitsfront), die während des Dritten Reiches ein Surrogat für die Gewerkschaften darstellte. Die Bauausführung übernahm deren Filiale »Bauhütte« in München. Bei den Verhandlungen ließ Wolff keinen Zweifel daran, daß er nicht in der Lage sei, viel mehr als 40000 Mark für den Neubau auszugeben. Damit waren Wolffs Ansprüche nie und nimmer zu erfüllen; er lehnte deshalb einen ersten Architektenentwurf ab. Der Entwurf eines Münchner Architekten kam seinen Wünschen entgegen, sollte aber nach den Berechnungen der Bauhütte 80000 Mark kosten. Nach ihm wurde dann mit den Arbeiten begonnen, ohne daß ein Vertrag über Kosten und Leistungen zustande gekommen war. Zusätzliche Wünsche wurden auch noch erfüllt. Als der Bau fertig war, kam eine Rechnung über 154000 Mark. Nach langwierigen Verhandlungen erklärte sich Wolff schließlich bereit, weitere 40000 Mark zuzuschießen – und keinen Pfennig mehr. Das Geld wollte er sich leihen. Ende 1936 zog die Familie ein ins Haus am See, ohne daß man sich über den Preis geeinigt hätte.
Wenig später hatte die DAF genug von der Mißwirtschaft ihres Bauunternehmens und löste es auf. Gegen den Geschäftsführer wurde ein Parteigerichtsverfahren eingeleitet. Dabei stießen die Richter auch auf die Akten über Wolffs Sippensitz. Am 22. Mai 1939 schrieb das Oberste Parteigericht rügend an den Reichsführer-SS, daß »schon die Annahme des überaus günstigen Angebots und die Duldung der Herstellung eines Hauses, dessen Wert in keinem Verhältnis zu den Wolff zur Verfügung stehenden Mitteln stand, mit nationalsozialistischen Anschauungen nicht vereinbar« gewesen seien. Wolff »hätte ... durch Ablehnung des so überaus günstigen Angebots und jeder Vergünstigung auch nur den Anschein vermeiden müssen, daß er seine Stellung als hoher SS-Führer zum persönlichen Vorteil ausnutze«.
Die Richter besänftigte auch nicht, daß Wolff angesichts der unangenehmen Weiterungen dem Liquidator der Pleitefirma das Grundstück plus Haus gegen Ersatz seiner Auslagen zur Verfügung stellte. Sie bemängelten, »daß Wolff diese Erwägungen, die er nunmehr 1 ½ Jahre nach Abnahme des Hauses anstellte, von vornherein hätte anstellen müssen ... Es ist auch für einen Laien unschwer erkenntlich, ob ein Haus 40000 RM oder den doppelten und dreifachen Herstellungspreis kostet ... Wolff hat damit ein Verhalten gezeigt, das mit den Pflichten eines Parteigenossen und hohen SS-Führers nicht vereinbar ist ... Nur mit Rücksicht auf die Amnestieverfügung des Führers vom 27. April 1938

sieht das Parteigericht von der Durchführung eines Parteigerichtsverfahrens ab.«
Doch Himmler ließ sein »Wölfchen« nicht im Stich. An den Obersten Parteirichter Walter Buch schrieb er am 15. Juni 1939 einen als »Geheime Reichssache« in den Rang eines Staatsgeheimnisses hochgetriebenen Brief, in dem er gegen diese Gerichtsentscheidung protestierte: »Wenn ich für jemand restlos eintreten kann und wenn ich restlos überzeugt bin, daß er ehrlich ... etwas unternimmt, so ist das der Pg. Wolff. Der einzige Vorwurf, den man ihm machen könnte, wäre der, daß er sich nicht genügend darum kümmern konnte ... weil er nämlich zuviel Arbeit hat.« Himmler kündigte an, er werde »bei meinem nächsten Aufenthalt in München« den Brief des Gerichts mit Buch »Punkt für Punkt durchsprechen«. Weil Wolff beim Verkauf seiner Münchner Villa an die Baugesellschaft der Deutschen Arbeiterfront sogar noch betrogen worden sei, wollte der Reichsführer auch den Reichsschatzmeister Xaver Schwarz bei diesem Gespräch dabeihaben, damit »das ungewollte Unrecht wiedergutgemacht werden kann«.
Der Papierkrieg um den Sippensitz zog sich hin bis in das Jahr 1941. Wolff konnte ihn natürlich behalten. In einem Vergleich wurde festgelegt, daß Wolff noch 21500 Mark nachzahlte. Davon schenkte ihm Himmler aus der Spendenkasse 20000 Mark; die restlichen 1500 Mark ließ er Wolff als Darlehen anweisen aus der Kasse der NSDAP. An Schwarz, der sich vermittelnd eingeschaltet hatte, schrieb der Reichsführer-SS einen innigen Dankesbrief: »Mir selbst haben Sie damit einen großen Gefallen erwiesen, da ich SS-Gruppenführer Wolff, dessen lauteren und untadeligen Charakter ich in acht Jahren täglich und stündlich immer wieder kennenlernte, als einen meiner wertvollsten Mitarbeiter hochschätze und menschlich als Freund liebgewonnen habe.« Den Kopf des Briefes zierte der Stempel »Geheime Kommandosache«. Die Affäre war nun um eine Stufe weniger geheim; es hing von ihr nicht mehr das Schicksal des Reiches ab wie zuvor, aber wer darüber in der Öffentlichkeit redete, mußte ins Zuchthaus. Wer hatte da wohl ein schlechtes Gewissen?
Daß der Chefadjutant des Reichsführers-SS (seit dem 9. November 1935) und erst recht der Chef des Persönlichen Stabes Reichsführer-SS (seit dem 9. November 1936) zuviel Arbeit hatte, mag aus der Sicht seines direkten Vorgesetzten zutreffen. Es gehört seit eh und je zu den Rechten eines Untergebenen, nach oben den Eindruck fieberhafter Geschäftigkeit zu erwecken. Es gehört aber auch zu Wolffs Karrierestreben, daß er ständig auf der Jagd nach neuen Zuständigkeiten war. Damit vermehrte er selber sein Arbeitspensum. Noch ehe er Chef des Stabes wurde, umfaßte dieser schon die Abteilungen Chefadjutantur, Personalkanzlei, SS-Gericht, Revisionsabteilung und Stabskasse. Unter Wolffs Leitung dehnte sich dieser Apparat weiter aus. Von seinem Ämter-Konglomerat sind noch eine Menge Akten erhalten. Am besten vertraut damit ist Elisabeth Kinder beim Bundesarchiv in Koblenz. Sie zieht daraus den Schluß: »Wolff wurde bald der engste Vertraute Himmlers, begleitete ihn auf Reisen und nahm an seinen Führungsaufgaben teil.«

Die Wertschätzung zeigte sich auch im Himmler-Befehl vom 9. November 1936. Er legte fest, daß die Chefadjutantur »in Anbetracht ihrer Größe und ihres im Lauf der Jahre stark erweiterten Dienstbereichs« die Bezeichnung »Der Reichsführer SS Persönlicher Stab« erhalte. Darin wurde nicht ausdrücklich festgelegt, daß Wolffs Dienststelle den Rang eines SS-Hauptamtes habe, gleichgewichtig wie etwa das SD-Hauptamt unter Gruppenführer Reinhard Heydrich, doch Wolffs geschicktes Taktieren und sein Diensteifer brachten es schnell zustande, daß er faktisch den Hauptamtchefs gleichgestellt und also Heydrich ebenbürtig wurde, obwohl er als Brigadeführer noch immer einen Rang tiefer als jener rangierte.

Als sich die beiden erstmals begegneten, im Februar 1932 beim Schulungskurs an der Theresienwiese, war der eine noch ein selbständiger Geschäftsmann und als Truppführer noch nicht lange in den Unteroffiziersstand der SS aufgerückt, indessen der andere am Kragenspiegel seines Braunhemdes schon die vier Sterne eines Sturmbannführers trug. Nach den Vergleichsmaßstäben der SS hatte Heydrich damit den Rang eines Majors erreicht. Der Truppführer saß, vom Ranghöheren und Vortragenden kaum bemerkt, zwischen den hundert Zuhörern. Er mußte mit der Rolle des Schülers vorlieb nehmen, obwohl der Lehrer weder Frontsoldat gewesen war noch irgendwelche Orden vorweisen konnte. Schlimmer noch: man raunte, er sei zwar in der Marine als Berufssoldat zum Offizier befördert worden, aber man habe ihn mit schlichtem Abschied entlassen – und das bedeutete soviel wie rausgeworfen. In die SS war Heydrich nur drei Monate vor Wolff eingetreten, im Juli 1931, aber er machte dort vom ersten Tag an Dienst als bezahlter Funktionär, indessen Wolff bis zum 15. Juni 1933 »ehrenamtlich« – wie er immer betonte – in der schwarzen Garde marschierte.

Als die Nationalsozialisten auch in Bayern an die Regierung gekommen waren, begegneten sich die beiden häufiger, der eine als Chef der Politischen Polizei in München unter dem Polizeipräsidenten Himmler, der andere als Adjutant des Reichsführers-SS. Ihre Aufgaben überschnitten sich so gut wie nie, aber das militante Gehabe ihres Vereins nötigte den Rangniedrigeren, wenngleich vier Jahre Älteren, zum Gruß mit Hackenklappern, Strammstehen und Armhochrecken. An Wolffs Kragenspiegel glitzerten zu dieser Zeit drei Sterne (Sturmführer) und bei Heydrich funkelte schon ein Eichenblatt (Standartenführer). In Erinnerung an diese Situation beklagte sich Wolff rückschauend oft, man habe ihn, den Frontkämpfer und dekorierten Gardeoffizier, bei der SS von der Pike auf dienen lassen und als ehrenamtlichen Führer langsamer befördert als die hauptamtlichen Kameraden.

Von dem Tag an, da Himmler in Berlin das Geheime Staatspolizeiamt von Göring übernahm (am 19. April 1934), mußten sich seine beiden Trabanten ständig über den Weg laufen. Beide hatten ihre Büros neben Himmlers Räumen, beiden war er der direkte Vorgesetzte, beide wollten avancieren. Das machte sie auch ohne Kompetenzüberschneidungen zu Rivalen. Indigniert erzählte Wolff gelegentlich, wie Heydrich bei der Amtsübernahme mit seiner Münchner Mannschaft die Büros der Berliner Kollegen filzen und dabei auch

verschlossene Schreibtische von momentan Abwesenden aufbrechen ließ. Offenen Tadel konnte er sich jedoch nicht leisten; zwar hatte man ihn inzwischen zum Standartenführer befördert, aber sein Konkurrent war um ein zweites silbernes Eichenblatt reicher. Außerdem durfte Heydrich als Amtschef des SD in seinem Arbeitsbereich selbständig handeln, während Wolff als 1. Adjutant nur aus Himmlers Befehlen seine Befugnisse ableiten durfte.
Heydrich versuchte damals im Bürobetrieb den höheren Rang und den (wenn auch nur geringen) Unterschied im Dienstalter gegen Wolff auszuspielen, indem er ihn als Befehlsempfänger behandelte. Doch er hatte dabei nicht mit der Adjutantenwaffe gerechnet; Wolff steuerte Himmlers Terminkalender und sogar dessen Telefongespräche. Wer mit Himmler reden wollte, mußte bei Wolff vorsprechen – und also mußte Heydrich häufig warten. Schließlich kam es zwischen ihnen zu einer lautstarken Auseinandersetzung.
Wolff war es, der einen Frieden nach Offiziersart vorschlug. Sie setzten sich abends in einem Berliner Weinlokal zusammen und als ihre Seelenlage hinreichend gelockert war, zogen sie in eine Nachtbar. Dort holte sich jeder ein Mädchen an den Tisch. In dieser frohen Runde beschlossen sie, nach bewährtem strategischen Grundsatz von nun an im Dienstbetrieb getrennt zu marschieren und nur noch ihre Feinde gemeinsam zu schlagen. Als die engsten Berater Himmlers konnten sie so weitgehend die Ziele und Methoden der SS beeinflußen. Der Reichsführer – so wurde beschlossen – sollte von dem Bündnis nichts erfahren.
Den Ausflug ins Nachtleben wiederholten sie von Zeit zu Zeit, solange sie als Strohwitwer in Berlin und ihre Frauen in München lebten. Getrennt vergnügten sie sich bei Dienstreisen nach München in einer Wohnung, die von der Gestapo als konspirativer Unterschlupf benutzt wurde und für die Wolff einen Schlüssel zur Verfügung gestellt bekam. Das gegenseitige Wissen um solche männlichläßlichen Sünden stärkte die Freundschaft. Gedeckt von Heydrichs Machtapparat, von Gestapo und Sicherheitsdienst der SS, konnte Wolff selbständig handelnd manches Wagnis eingehen, für das er Himmlers Zustimmung schwerlich bekommen hätte. Andererseits konnte Heydrich damit rechnen, daß ihm Minen rechtzeitig gemeldet wurden, die von seinen zahlreichen Gegnern bei Himmler permanent gelegt wurden.
Wie geschickt Wolff diese Situation nutzte, zeigen seine Bemühungen, zwei Jugendfreunden und Schulkameraden aus Darmstadt zu helfen, die als politische Gegner der Nationalsozialisten ins Unglück geraten waren: Dr. phil. Carlo Mierendorff und Dr. Theo Haubach. Beide waren etwas älter als Wolff, aber sie kannten einander nicht nur vom Schulhof des Ludwig-Georg-Gymnasiums, die – nach Wolff – »älteste und von den Söhnen erster Familien besuchte höhere Schule in Hessen!« Auch beim Schwimmen hatten sie sich häufig getroffen und gelegentlich auch in der »Dachstube«, einer losen, aus der Jugendbewegung entstandenen Gruppe von Gymnasiasten mit literarischen Ambitionen. Sie waren alle beim Ausbruch des Krieges im Sommer 1914 von der gleichen stürmischen Begeisterung fürs Vaterland erfaßt worden, und jeder hatte sich so

bald als möglich freiwillig zum kaiserlichen Heer gemeldet. Mierendorff und Haubach waren beide als Offizier mit Tapferkeitsauszeichnungen zurückgekommen.
Doch nun hatten sich ihre Wege getrennt. Während Wolff anfänglich versucht hatte, als Leutnant in der Reichswehr zu bleiben und dann mangels besserem Angebot Banklehrling geworden war, hatten die beiden Freunde studiert und sich sozialistisch orientierten Akademikerzirkeln angeschlossen. Mierendorff war über seine Arbeit für die Gewerkschaften in den Führungskader der Sozialdemokratischen Partei gekommen und war 1930 als damals jüngster Abgeordneter in den Reichstag gewählt worden. Haubach war nach Abschluß seines Studiums über die Zwischenstation eines Redakteurs an der Hamburger SPD-Tageszeitung als Referent ins preußische Innenministerium gekommen. Im »Reichsbanner Schwarz-rot-gold«, der militanten Formation linker Demokraten, waren beide Freunde in Führungspositionen tätig geworden.
Für das NS-Regime verstand es sich von selbst, daß solche »Staatsfeinde« in Konzentrationslagern »umerzogen« und zugleich gehindert werden mußten, weiterhin politisch zu wirken. Als die große Verhaftungswelle im Frühjahr 1933 die führenden Sozialdemokraten erfaßte, war Mierendorff gerade in der Schweiz. Er kam zurück, weil er – so sagte er – als Politiker nie wieder Gehör finden werde, wenn er jetzt emigrierte. Er und Haubach wurden festgenommen und ins KZ gesteckt. Wolff hat zumindest in den ersten Jahren der NS-Herrschaft die Konzentrationslager als notwendig angesehen, damit die politischen Gegner »nicht dem Glück der Deutschen im Wege stehen konnten«. Es konnte ihm gewiß nicht verborgen bleiben, daß es hinter dem Stacheldraht häufig zu Mißhandlungen an Häftlingen und manchmal auch zu Folter und Mord kam. Weil jedoch in der Vergangenheit die politischen Gegner auch dann und wann Nationalsozialisten überfallen, verletzt und getötet hatten, verstand er es bis zu einem gewissen Grad, daß sich nun manche seiner Kameraden rächen wollten. Wo gehobelt werden muß, sagte er sich, da fallen Späne. Für eine große Sache muß auch Unschönes in Kauf genommen werden. In heroischen Zeiten darf man sich durch einige Liter Blut nicht beirren lassen.
Deshalb lag für ihn auch kein Grund vor, sich vorschnell um die ehemaligen Schulkameraden zu kümmern. Es dauerte wohl auch einige Zeit, bis er von ihrem Unglück erfuhr. Doch als er Ende März 1936 bei einer der 99-Prozent-Wahlen Hitlers in den Reichstag geschickt wurde als Abgeordneter des Darmstädter Wahlkreises, wurde er um Beistand angegangen. Honoratioren seiner Vaterstadt lagen ihm mit Hilferufen in den Ohren. Vor allen tat dies eine Frau, die jetzt in Berlin wohnte und die er als Freundin seiner späteren Frau im Römheld'schen Hause schon 1919 kennengelernt hatte.
Wie in vielen anderen Fällen war er bereit zu helfen. Unerheblich kann dabei bleiben, wie weit ihn dabei Gerechtigkeitsgefühl, Gutherzigkeit oder auch die Befriedigung leitete, daß er nun Freunden und Bekannten zeigen konnte, wie weit seine Macht schon reichte. Wolff ließ sich seine Jugendfreunde im Jahr 1937, also nach etwa vierjähriger Lagerhaft in seinem Amt vorführen. In einem

mehrstündigen Gespräch überredete er sie, auf politische Betätigung künftig zu verzichten, damit er für sie bei der Gestapo bürgen könne. Beide wurden daraufhin in die Freiheit entlassen. Wolff beschaffte Mierendorff einen, mit 800 Mark monatlich nach damaligen Maßstäben nicht schlecht dotierten, Arbeitsplatz als sozialer und kultureller Betreuer der Belegschaft bei der mitteldeutschen Brabag (Braunkohle-Benzin AG), mit dessen kaufmännischen Direktor Fritz Kranefuß er durch den »Freundeskreis« eng verbunden war. Haubach bekam einen Posten in Leipzig bei einem befreundeten Papierfabrikanten.
Von den Freunden erfuhr Wolff zweifellos, was sie während ihrer KZ-Haft erduldet hatten. Mierendorff konnte berichten vom hessischen Lager Osthofen, das die SA ohne staatliche Legitimation in den ersten Monaten nach der Machtergreifung unterhalten hatte und wo die Gefangenen sadistisch mißhandelt worden waren. Anschließend hatte er in den Steinbrüchen des Lagers Papenburg-Bürgermott gearbeitet, war dann ins Lager Torgau verlegt worden und wurde nun aus dem Lager Buchenwald entlassen. Haubach konnte von der mörderischen Arbeit im Lager Esterwegen berichten. Es gibt jedoch in den Akten des Persönlichen Stabes keine Unterlagen, wonach Wolff diese Berichte zum Anlaß genommen hätte, die Unmenschlichkeiten auch nur aktenmäßig festzuhalten. Dabei hätte er unschwer intervenieren können, denn mit dem obersten Kommandanten der KZ-Bewacher, mit dem SS-Gruppenführer Theodor Eicke war er eng befreundet und ebenso mit dem obersten Verwaltungschef aller Lager, dem Gruppenführer Oswald Pohl.
Andererseits dürften auch Wolffs Jugendfreunde nicht einen Augenblick daran gedacht haben, die versprochene Abstinenz von der Politik einzuhalten. Mierendorff nutzte Dienstreisen, die ihn auch ins Ausland führten, um Kontakte zu Gleichgesinnten herzustellen und Nachrichten zu transportieren. Was er wagte, war ihm bewußt. Zu einem Mitverschworenen sagte er: »Von jetzt ab geht es nur noch aufwärts – zum Sieg oder zum Galgen.« Er irrte sich. Am 4. Dezember 1943 kam er bei einem Luftangriff auf Leipzig ums Leben.
Haubach schloß sich dem »Kreisauer Kreis« an, der sich um den Grafen Moltke gebildet hatte, und hielt Verbindung zu den Widerstandsgruppen um Wilhelm Leuschner und Julius Leber. Er war eingeweiht in den Plan, Hitler durch ein Attentat zu beseitigen, um dann mit Hilfe der Militärs das NS-Regime zu stürzen. Doch als der Bombenanschlag des Grafen Stauffenberg mißglückt und der Aufstand der Offiziere im Keim erstickt war, wurde auch Haubach im Zug der Massenverhaftungen festgenommen. Im Januar 1945 wurde er als Mitverschwörer vom Volksgerichtshof zum Tode verurteilt und hingerichtet.
Die Frau jedoch, die Wolffs Hilfsaktion in Gang gebracht hatte, geriet zunehmend selbst in Gefahr. Sie war gemäß den Nürnberger Rassegesetzen Jüdin. Elisabeth Aron, gleichaltrig mit Wolff, war die Tochter eines Professors, der bis 1918 an der Straßburger Reichsuniversität Rechtswissenschaft gelehrt hatte und den die Franzosen, die ja mit dem Ersten Weltkrieg das Elsaß zurückgewannen, in sein Vaterland ausgewiesen hatten. Er ging nach Darmstadt. Dort freundete sich seine Tochter mit Frieda von Römheld an und auch mit deren Tanzpartner

und späteren Ehemann. Da Elisabeth Aron in München studierte, hielt auch dort ihre freundschaftliche Verbindung mit dem Ehepaar Wolff an. Sie lebte in Berlin, als Wolff in der SS zu Führerehren kam, aber Briefe und Besuche ließen das Verhältnis nicht einschlafen.

»Trotz Verbot des Stellvertreters des Führers brach er die Freundschaft mit mir nach der Machtübernahme nicht ab«, versicherte Elisabeth Aron an Eidesstatt nach dem Zweiten Weltkrieg, als der ehemalige SS-General wie alle prominenten Nazis inhaftiert war und für seine »Entnazifizierung« (gemäß den Vorschriften der siegreichen Alliierten) Zeugnisse zusammensuchte, die sein Wohlverhalten während des Dritten Reiches bescheinigten. Daß ausgerechnet Rudolf Heß, der diesen Stellvertreter-Titel führen durfte, ohne daß ihm dadurch besondere Kompetenzen zugemessen wurden, sich um den anstößigen Umgang eines höheren SS-Führers gekümmert haben soll, mag auf eine Renommierbehauptung Wolffs zurückgehen. Wenn schon, dann hätte der Chef der Heß-Administration, Martin Bormann, dafür gesorgt, daß Wolff degradiert worden wäre, denn mit dem Günstling Himmlers wäre auch der Reichsführer – SS gedemütigt worden.

Die jüdische Freundin bescheinigte dann noch, Karl Wolff habe sie »durch wirklich persönlichen Einsatz vor schweren Benachteiligungen« geschützt und dafür gesorgt, daß sie bis zu ihrer Verhaftung ihre Existenz in Berlin habe halten können, obwohl ihre geschäftlichen Konkurrenten den »Stürmer«, das Hetzblatt des fanatischen Antisemiten Julius Streicher, gegen sie mobilisiert hätten.

»Im Frühjahr 1942«, heißt es in der Erklärung weiter, »wurden die Angriffe ob meiner Person gegen ihn so stark, daß er mir erklärte, er könne mir nicht mehr helfen.« Ein halbes Jahr später, am 6. September 1942, wurde sie dann von der Gestapo abgeholt. Um diese Zeit wurden die letzten Juden aus Berlin in den Osten abtransportiert.

Etwas mehr als drei Monate zuvor war der SS-Obergruppenführer Reinhard Heydrich, Chef des Reichssicherheitshauptamtes und damit Vorgesetzter aller Judenverfolger, in Prag durch ein Attentat getötet worden. Wolffs Verbündeter, sein Helfer in kritischen Situationen, war damit ausgefallen. Von nun an konnte er, wenn er einen Juden schützen wollte, sich nur noch an den zuständigen Gestapo-Referenten Adolf Eichmann wenden; mit ihm, das wird noch zu schildern sein, konnte ein Mann von Wolffs Art nicht zurechtkommen. Oder er mußte bei dem direkten Vorgesetzten Eichmanns Beistand suchen, dem Chef der Gestapo (Amt IV im Reichssicherheitshauptamt), bei SS-Gruppenführer Heinrich Müller.

Der Polizeibeamte »Heini« Müller war bis zur Machtergreifung in Bayern, also bis zum März 1933, Inspektor in der politischen Abteilung des Münchner Polizeipräsidiums und ein strammer Parteigänger der klerikalen Bayerischen Volkspartei gewesen. Heydrich hatte ihn bei der Amtsübernahme auf dem Posten belassen, weil Müller sich als Kommunistenfresser hervorgetan und den neuen Herren alsbald gelobt hatte, ihnen mit gleichem Eifer zu dienen. Sein Fleiß, seine Erfahrungen, sein kriminalistischer Spürsinn und seine bürokrati-

sche Härte ließen ihn rasch im Beamten- und damit auch im SS-Rang höher steigen. Er hatte es bereits zum Gruppenführer gebracht, als er am 19. Oktober 1942 nachstehenden Brief an den Obergruppenführer Karl Wolff schrieb, der ihm um einen Rang voraus war.
Unter dem Siegel »Geheime Reichssache« las Wolff:
»Nach einem Bericht der SD-Hauptaußenstelle Chemnitz vom 27. 9. 1941 hatte der SS-Scharführer Dr. phil. Kurt Möckel, Chemiker, geb. am 19. 7. 1901 in Zwickau, dort wohnhaft, einem SS-Führer u. a. erzählt, von Frau Bechstein, Berlin, gehört zu haben, SS-Gruppenführer Wolff im Stabe des Reichsführers-SS habe ein Verhältnis mit einer Jüdin und könne auch trotz Ermahnungen davon nicht lassen. Möckel, der daraufhin vernommen wurde, gab den Sachverhalt zu. Nach seiner Darstellung hat die mit seinen Eltern befreundete Frau Bechstein im Jahr 1937 oder früher im Kreis der Familie Möckel den erwähnten Vorwurf erhoben. Auf die Entgegnung Möckels, daß man hiergegen etwas unternehmen müsse, habe Frau Bechstein erwidert, es sei schon alles versucht worden, jedoch ohne Erfolg. Da die Angelegenheit zu Weiterungen nicht geführt hat und bereits erhebliche Zeit zurückliegt, habe ich veranlaßt, den SS-Scharführer Möckel eindringlich zu belehren, sich in Zukunft der Weitergabe derartiger Gerüchte zu enthalten und im vorkommenden Falle nur seiner vorgesetzten Dienststelle Meldung zu erstatten. Im Auftrag des verstorbenen SS-Obergruppenführers Heydrich gebe ich von dem Sachverhalt Kenntnis. Heil Hitler! Ihr Müller.«
Der Brief ist in mehr als einer Hinsicht ungewöhnlich. Nach der Anschrift in der amtlich korrekten Form fehlt jede direkte Anrede, wie sie sonst üblich war zwischen SS-Führern, selbst wenn sie sich gegenseitig nicht mochten. Der ganze Text enthält keine persönliche Nuance, wenn man von dem »Ihr« am Schluß des Briefes absieht – dem einzigen Hinweis, daß Absender und Empfänger seit fast einem Jahrzehnt miteinander bekannt waren. Es gibt in der Korrespondenz des Persönlichen Stabes kaum einen zweiten Fall, in dem ein hoher SS-Führer einem Höherrangigen so amtlich-abständlich schreibt.
Auffällig ist ferner, daß der Gestapobeamte Müller einen Vorfall aufgreift, der ihm schon vor einem Jahr gemeldet wurde – acht Monate vor Heydrichs Tod. Vielleicht hatte dieser veranlaßt, daß die Meldung unbeachtet liegenblieb. Aber warum wurde sie jetzt aus den Akten hervorgeholt? Wolff wurde darin immerhin der fortgesetzten Rassenschande beschuldigt, die nach den Gesetzen des Dritten Reiches auf jeden Fall mit Zuchthaus bestraft wurde, zwangsläufig auch die Ausstoßung aus der Partei und SS zur Folge haben mußte. Die in dem Brief erwähnte Frau Bechstein war die Ehefrau des Klavierfabrikanten Carl Bechstein, die sich selbst als mütterliche Freundin Hitlers zu bezeichnen pflegte und die Partei schon Anfang der zwanziger Jahre mit Geld unterstützt hatte. Der Führer und Reichskanzler bedurfte ihrer Unterstützung nicht mehr, und sie wurde zu seiner engsten Umgebung nicht mehr zugelassen, aber unter den Altparteigenossen wie etwa Himmler war sie noch immer hoch angesehen.
Eigenartig sind auch die letzten Sätze des Briefes. Müller verfügte, daß die

915: Schüler des humanistischen Ludwig-Georg-
ymnasiums zu Darmstadt

917: Abiturient und Kriegsfreiwilliger

921: Darmstadt feiert das 300jährige Jubiläum
les Großherzoglich-Hessischen-Leibgarde-
egiments. Anlaß für den Leutnant a. D. in der
Iniform des Regimentes, dekoriert mit den
isernen Kreuzen II. und I. Klasse, mit den Bürgern
ler einstigen Residenz sich »herrlicher Zeiten«
u erinnern.

1920: Aus dem Reichsheer entlassen, wird Wolff Bankkaufmann. Nach Abschluß der Lehre wechselt er jedoch bald in die Werbebranche über.

1932: Die Krise der Weltwirtschaft stoppt auch den erfolgreichen Weg des inzwischen selbständigen Werbekaufmannes. Enttäuscht wendet er sich den Nationalsozialisten zu. Wolff (obere Reihe, sechster von links) auf einem SS-Lehrgang in München. Hitler (untere Reihe, stehend unter der Hakenkreuz-Fahne) wird sein Idol.

1932: Im Februar wird Wolff zum Sturmführer der SS befördert. Damit beginnt eine der rasantesten Karrieren der NS-Zeit.

Mit dem Versprechen, die »Ehre der Frontsoldaten« wiederherstellen und dem Volke Arbeit und Brot verschaffen zu wollen, verpflichtet der Demagoge Hitler (in Rednerpose) Karl Wolff (im Profil an der Säule) seiner Bewegung.

Angelegenheit zu den Akten gelegt wurde, aber er wies den Scharführer Möckel auf die Möglichkeit hin, im erneut »vorkommenden Fall ... Meldung zu erstatten«. Unwahrscheinlich ist ferner, daß der vor fünf Monaten gestorbene Heydrich noch den Auftrag gegeben hatte, diesen Brief zu schreiben.
Das alles läßt den Schluß zu, daß das Papier mehr als eine schlichte Unterrichtung Wolffs über eine Bagatelle war. Zwischen den Zeilen spürt man die Drohung Müllers, die Behauptung könne doch noch überprüft werden – um so effektiver, als die in den Fall verstrickte Jüdin seit einem Monat in den Händen der Gestapo war. Wolff war während der ersten Kriegsjahre ständig im Führerhauptquartier und dort einer jener Höflinge geworden, die Hitler besonders schätzte, vielleicht sogar mehr, als es Himmler lieb sein konnte. Der Reichsführer-SS wachte ohnehin argwöhnisch darüber, daß keiner seiner Paladine ihm gefährlich werden konnte. Er hat nach Heydrichs Tod das Reichssicherheitshauptamt kurze Zeit selbst geleitet, ehe er es dem Obergruppenführer Kaltenbrunner anvertraute. Diese beiden konnten ein Interesse daran haben, Wolffs Ehrgeiz einen Dämpfer aufzusetzen. Wolff selbst pflegte zu erzählen, er habe Herbst 1942 den wachsenden Unwillen Himmlers gespürt, angeblich nur, weil er sich scheiden lassen und eine andere Frau heiraten wollte. Man müßte Heini Müller nach dem Zweck seines Briefes fragen können. Doch er ist seit Kriegsende verschwunden, in den Trümmern Berlins, spurlos.
Glaubt man Wolff, dann gab es zwischen ihm und Heydrich keine Rivalität. Das mag insofern richtig sein, als keiner dem anderen das Amt neidete. Das blutige Handwerk des Freundes wäre Wolff sicherlich gegen das Gewissen gegangen, und es wäre ihm vor allem zu ordinär gewesen. Umgekehrt hätte Heydrich die Abhängigkeiten nicht ertragen, denen Wolff von verschiedenen Seiten ausgesetzt war. Dagegen rivalisierten die beiden, wenn es um den Einfluß auf Himmler ging. Insofern sind Wolffs Urteile über Heydrich nicht frei von Animositäten. So beanstandete er dessen Äußeres, das von der nordischen Rasse – wie sie Wolff bildschön zu verkörpern selbst glaubte – in mancher Hinsicht abwich. Oberhalb des Nabels fand er es noch akzeptabel, aber die massigen Hüften nannte er weibisch und ungermanisch. Das galt auch für die grauen Augen, die kalt aus schmalen Schlitzen blickten. Wenn Himmler sich über Heydrichs Eigenwilligkeit geärgert hatte, lastete er ihm deswegen stets einige Vorfahren aus der Horde des Mongolenherrschers Dschingis Khan an.
Umgekehrt scheint sich Heydrich bei seiner Frau gelegentlich über Wolff-Intrigen ausgelassen zu haben. Frau Lina erwähnt in ihrem Erinnerungsbuch »Leben mit einem Kriegsverbrecher«, wie Wolff »so etwas wie eine Schlüsselstellung im Vorfeld Himmlers« nicht nur durch soldatische Aufrichtigkeit erobert habe. Spitzzüngig stellt sie fest, daß ihm »alle Voraussetzungen für eine politische Karriere fehlten«, so daß er vorwiegend »auf dem Gebiet der menschlichen Beziehungen« beschäftigt gewesen sei – etwa indem er Glückwünsche verschickte, Blumen verteilte und Bittsteller empfing. »So wurde er schließlich unentbehrlich.« Daraus spricht nicht gerade eine sonderliche Ach-

tung vor seiner Intelligenz, aber die Frage ist erlaubt, wie weit Lina Heydrich für ein solches Urteil zuständig sein kann.
Karl Wolff hingegen hielt sich sehr wohl für befähigt, Aufgaben hochpolitischer Natur mit Bravour zu lösen. So habe ihm Himmler eines Tages eröffnet, daß er für den Fall seines plötzlichen Todes dem Führer zwei Männer – nämlich Heydrich und Wolff – zur Auswahl als Nachfolger vorgeschlagen habe. »Einer von den beiden«, habe Hitler daraufhin zu Himmler gesagt, »wird es wohl machen müssen. Bitte setzen Sie die beiden deshalb gut ins Bild«, womit doch wohl nur gemeint sein konnte, sowohl Wolff wie Heydrich sollten durch den Reichsführer-SS über alle Vorgänge und Aufträge in seinem Bereich unterrichtet werden. Himmler meinte, wer dann der Erwählte sein würde, hänge von der Situation ab: Für harte Zeiten werde Heydrich vorgezogen, für beschauliche Wolff. Lina Heydrich sieht das anders. Als sie begriffen habe, so erzählt sie, daß ihr Ehemann den »scheußlichsten aller Berufe« ausübe (wobei sie offen läßt, ob sie damit den Oberpolizisten oder den Massenmörder meint), habe er gesagt: »Ich muß es tun. Jeder andere könnte den Apparat mißbrauchen.« Dazu Frau Lina im nachhinein: »Herr Wolff hätte ihn sicherlich mißbraucht.«
Der darob empörte Wolff behauptete im Gegenzug, Deutschlands oberster Polizist habe sich schwer getan, bei Lina, geborene von Osten, dieser dickköpfigen Friesin, gegen ihre Pantoffeln anzukommen. Dem vier Jahre älteren Karl habe Freund Reinhard dann und wann häusliches Leid geklagt. Da Heydrich da und dort eine kleine Liaison unterhielt, mußte er es hinnehmen, daß seine Frau mit einem seiner Amtschefs, mit Walter Schellenberg, so sichtbar flirtete, daß man in Nazikreisen darüber klatschte. Laut Wolff tat Lina dies aber nur, um ihren Ehemann zu zwingen, ihr mehr Aufmerksamkeit zu schenken.
In der SS-Führungspitze lästerte man laut Wolff über den hochrangigen Kameraden, der nicht einmal seine Frau zum Gleichschritt zwingen konnte und damit Zweifel weckte, daß er große Führungsaufgaben meistern könnte. Das war – leider – ein Irrtum, denn die Judenmorde organisierte Heydrich teuflisch perfekt. Doch der in seinen Kasino-Maßstäben befangene Wolff schickte seine Frau Frieda als Mahnerin zu Lina Heydrich. Ein Freundschaftsdienst? Oder war es ein Spähtruppunternehmen? Lina Heydrich behauptet in ihren Erinnerungen von Wolff, Intrigen seien »ihm nicht fremd« gewesen. Sie steht mit dieser Aussage nicht allein.
Als sie Witwe geworden war, kümmerte sich Heinrich Himmler mehr um sie, als ihr lieb war. Ihm mißfiel, daß sie weiterhin eine Prominentenrolle spielen wollte und daß sie ihre Ansprüche hinsichtlich ihrer Versorgung mit der Begründung hochschraubte, ihr Ehemann sei im Kampf für Führer, Volk und Vaterland gefallen. Hitler dachte darüber anders; am Tisch in seinem Hauptquartier sagte er zur Tafelrunde, wenn ein Mann in der Position des Reichsprotektors, der jederzeit mit einem Attentat rechnen müsse, im ungepanzerten offenen Wagen durch Prag fahre, dann könne man das nur als »Dummheit oder reinen Stumpfsinn« bezeichnen.
Als Wolff längst nicht mehr Chef des Persönlichen Stabes von Himmler war und

in Norditalien als ›Höchster SS- und Polizeiführer‹ amtierte, bekam er vom Reichsführer-SS zusätzlich den Auftrag, sich um Lina Heydrich zu kümmern und ihr beizubringen, daß sie in der ausschließlich von Männern regierten NS-Gesellschaft in die private Anonymität zurückzukehren habe. Er lud sie deswegen im Frühjahr 1944 zu einem Kuraufenthalt in Meran ein – hinreichend weit genug von seinem Hauptquartier am Gardasee entfernt und doch nahe genug, um sie unter Kontrolle zu halten. In der marmornen Pracht des Park-Hotel brachte er sie standesgemäß unter, und damit sie sich nicht langweilte, durfte sie ihren Sohn Heider und eine ihrer Freundinnen mitbringen. Auch Heydrichs Mutter wurde von Wolff betreut. Himmler machte ihn warnend darauf aufmerksam, daß zwischen ihr und Lina Heydrich erhebliche Spannungen herrschten. »Die Mutter Heydrich«, urteilte der Reichsführer-SS, »ist eine brave Frau, hat jedoch niemals im Leben wirklich wirtschaften können.« Sie werde zudem ungünstig beeinflußt von ihrem Schwiegersohn Heindorf, »der ein wenig wertvoller Mann ist ... Der Nachteil ist nur, daß mit der Versorgung der Mutter ... Heindorf und dessen Frau, die Schwester Heydrichs, mitversorgt werden muß.« Letztmalig kümmerte sich Wolff um Lina Heydrich wenige Wochen vor dem Kriegsende. Sie lebte auf einem Schloßgut in Böhmen, das einem geflüchteten Juden gehörte. Eine Zeitlang hatte sie damit gerechnet, daß es ihr Eigentum werde, aber Himmler zögerte die Übereignung hinaus, und als die Rote Armee näher rückte, lösten sich alle Pläne in Luft auf. Eines Tages im Jahr 1945 erschien Wolff unangemeldet auf dem Gut. Er war mit dem Flugzeug, das ihm aufgrund seiner Stellung in Italien zur Verfügung stand, bei einer Reise nach Berlin auf einem nahegelegenen Flugplatz zwischengelandet. Über den Ausgang des Krieges war er sich jetzt im klaren, sofern es nicht in letzter Stunde noch gelänge, die westlichen Alliierten von der Sowjetunion zu trennen und mit ihnen gemeinsam nach Osten zu marschieren. Binnen kurzem, so warnte er Lina Heydrich, seien alle Deutschen im Protektorat aufs höchste gefährdet durch die Rote Armee und mehr noch durch die nach Rache fiebernden Tschechen.

3
In der Gnade des Führers

Daß Wolff die letzte und (wie er zurecht glaubt) bedeutsamste Phase seiner Karriere in Italien spielen durfte, beginnend im Jahre 1943, war kein Zufall. Unter seinen zahlreichen Freunden war auch eine Anzahl Italiener. Diese Freundschaften wurden geknüpft, als der ehrgeizige Himmler wieder einmal mehr seinen außenpolitischen Ambitionen nachgegeben und Fäden nach Rom gesponnen hatte – nur zur Polizei, damit die professionellen Außenpolitiker von Staat und Partei nicht behaupten konnten, er mische sich in fremde Zuständigkeiten. Zu diesem Zeitpunkt, um die Jahreswende 1935/36, war Hitler einer solchen Außenseiteraktion wohlgesinnt, denn seine Bewunderung für Mussolini und dessen Regime wurde immer weniger erwidert, je mehr österreichische Nationalsozialisten »heim ins Reich« strebten. Für Italien wuchs damit die Gefahr, daß am Brennerpaß – wohlgemerkt: einer Staats- aber keiner Volkstumsgrenze – statt der schwachen Wiener Macht das sehr viel stärkere Deutsche Reich hinter dem Schlagbaum die Südtiroler in ihrem Festhalten an der Nationalität ihrer Väter stärken könnte. Vorbeugend hatten deshalb im Juni 1935 der italienische General Pietro Badoglio und der französische General Gamelin ein geheimes Papier unterschrieben, in dem die Streitkräfte ihrer Staaten verpflichtet wurden, gemeinsam gegen Deutschland vorzugehen, falls das Reich den Anschluß Österreichs erzwingen würde.

Inzwischen waren die Sympathien zwischen dem faschistischen Staat und den westlichen Demokraten wieder verwelkt, weil Mussolini mit dem Überfall auf das Königreich Abessinien den afrikanischen Kolonialbesitz Italiens erweitert hatte. Noch war es für eine freundschaftliche Begegnung der beiden Diktatoren zu früh. Sie hatten sich Mitte Juni 1934 erstmals getroffen, und es war für beide eine Enttäuschung geworden; Hitler hatte einen Partner gesucht, der ihm bei seinen geplanten außenpolitischen Eskapaden sekundieren sollte, und Mussolini war sich in Überschätzung der eigenen Kraft dafür zu gut gewesen. Jetzt, da Himmler seine Fühler nach Rom ausstreckte, brauchte Mussolini einen Sekundanten, denn die ganze Welt nahm es ihm übel, daß er mit Bomben und Giftgas über ein Naturvolk hergefallen war, das sich noch mit Lanzen und Pfeilen gegen die Invasion zur Wehr setzte.

Aus diesen Gründen kam Himmlers Idee, in Berlin eine italienisch-deutsche Polizeikonferenz abzuhalten, beiden Staaten zupaß. Am 29. März 1936 traf die italienische Delegation in der Reichshauptstadt ein. Es war ein Sonntag. Drei Wochen zuvor hatte Hitler wieder einmal den Reichstag aufgelöst. Als die Italiener kurz vor neun Uhr morgens am Anhalter Bahnhof aus den Schlafwagen stiegen, rüsteten sich die Deutschen in Stadt und Land, mit einem Kreuz auf dem Stimmzettel ihrem Führer und Reichskanzler ihr Vertrauen zu zeigen, und der Kandidat Karl Wolff konnte damit rechnen, vom kommenden Montag an Mitglied des Reichstags zu sein, denn erstmalig war auch er eines solchen Amtes für würdig befunden worden. Hakenkreuzfahnen in allen Straßen, schwarze und braune Uniformen überall bewiesen den Ankömmlingen, daß der deutsche Diktator nicht weniger fest im Sattel saß als ihr Duce in Rom.

Das As der Delegation war die Exzellenz Arturo Bocchini, Chef der italienischen Polizei, hochrangiger Faschistenführer. Doch so sehr seine Partei das Römertum der Antike pries, so sehr liebte er die während der Cäsarenzeit entwickelten Genüsse des Lebens. Ausgerechnet mit diesem feisten, kurzbeinigen Sybariten und Zyniker schloß der Purist Himmler Freundschaft, und in seinen Fußstapfen tat dies auch der Standartenführer und Chefadjutant Wolff. Fünf Tage dauerte der Besuch. Er endete mit einem großen Abendessen in Berlins feinstem Hotel. Der Reichsführer-SS ließ es an nichts fehlen; wollte sein Gast sich spät abends nach Programmschluß noch amüsieren, so bezahlte ihm das Deutsche Reich auch noch das Bettvergnügen.

Ein halbes Jahr später reiste Himmler mit großem Gefolge zu Bocchini nach Rom. Anläßlich des Tags der italienischen Polizei gelobten sie, den Kommunismus gemeinsam zu bekämpfen. Wolff deutete dies später als Beginn des Bündnisses, des Stahlpaktes und des Antikominternpaktes. Wer immer dabei war bei dieser Tagung – die eigentlich ein festlicher Betriebsausflug war – vom Reichsführer bis zum letzten Mantelträger, wurde von den Italienern mit Orden dekoriert. Für Himmler war das Großkreuz des Ordens der Krone von Italien der standesgemäße Hausschmuck. Karl Wolff, Reinhard Heydrich und Kurt Daluege, Chef der Ordnungspolizei im Reich, wurden mit der nächstniederen Stufe des gleichen Ordens bedient. Sie erwarben damit den Anspruch auf den Titel »Gran Uffiziale«.

Der Lebenskünstler Bocchini wäre sich als miserabler Gastgeber vorgekommen, wenn er den Kollegen aus dem Norden bei diesem Besuch (und auch bei den folgenden) nicht alles offeriert hätte, was Italien bieten konnte. Himmler machte davon nur spärlich Gebrauch; Essen und Trinken genoß er nur mäßig, weil sein nervöser Magen ihn sonst schmerzlich strafte, und spätestens um Mitternacht, wenn die Männergesellschaft so richtig munter und die Ehefrauen nach Landesbrauch heimgeschickt wurden, pflegte er allein im Bett zu liegen. Traditionsgerecht führten die Italiener dann ihre Gäste in ein feudales Bordell, auch zum eigenen Vergnügen, weil das ganze Etablissement in solchen Fällen mit Steuergeldern honoriert wurde. Wolff und Heydrich verzichteten stets auf dieses Gratisvergnügen; sie kannten das Geheimnis um den Berliner Salon »Kitty«, den der Chef des Reichssicherheitshauptamtes für Staatsgäste eingerichtet und mit Abhörmikrophonen in jedem Raum ausgestattet hatte.

Bei solchen Treffen begegneten sich die Schwarzen von Nord und Süd (auch die Faschistenuniform war schwarz) stets mit dem gravitätischen Zeremoniell, das totalitäre Systeme zu ihrer Selbstdarstellung benötigen. Als Hitler mit Mussolini 1934 zum ersten Mal zusammengetroffen war, in Venedig, hatten Versäumnisse des Protokolls dazu geführt, daß er sich gegenüber seinem erfahreneren Vorbild vorgekommen war wie ein provinzieller Gernegroß. Als dann im September 1937 der Gegenbesuch des Duce in Berlin vorbereitet wurde, hatte sich für den Führer und Reichskanzler des Deutschen Volkes die Situation grundlegend geändert. Er konnte Erfolge vorweisen: Das Saargebiet war nach einer vom Völkerbund beaufsichtigten Volksabstimmung 1935 heimgekehrt ins Reich. An die Stelle der vom Versailler Vertrag zum Zwergwuchs verurteilten Reichswehr war seit März 1935 die allgemeine Wehrpflicht getreten. Die bisher verbotenen Luftstreitkräfte wurden aufgebaut. Die Marine bekam neue Schiffe, legitimiert durch ein Flottenabkommen mit England. Gemeinsam hatten Deutschland und Italien gegen den sowjetisch-französischen Bündnispakt protestiert. Seit Sommer 1937 kämpften deutsche und italienische Freiwillige im spanischen Bürgerkrieg auf der Seite des Putsch-Generals Franco gegen die Republikaner, wobei sich freilich die faschistische Miliz nicht nur mit Ruhm bekleckerte.
Hitler war jetzt wer! Jetzt wollte er die Scharte von Venedig auswetzen. Was immer an Pomp und Imponiergehabe in den Tagen zwischen dem 25. und 29. September 1937 aufgeboten wurde, geschah weniger zu Ehren des Gastes als mehr, um ihm zu imponieren. Der inzwischen zum General der SS-Verfügungstruppe (eine Vorstufe der Waffen-SS) ernannte Gruppenführer Wolff wurde dem Duce als Ehren-Begleitoffizier zugeordnet. Weshalb gerade er dafür ausersehen wurde? Er sprach kaum ein Wort italienisch, aber er wurde zurecht als eine der repräsentativsten Figuren des NS-Führerkorps angesehen; hochgewachsen, blondhaarig, blauäugig, kräftig und soldatisch stramm verkörperte er das Idealbild des germanischen Helden, er verbreitete mit seinen perfekten Kasino-Manieren die Stimmung gehobener Festlichkeit, und er hatte sich bei amtlichen Ausflügen nach Italien stets schnell mit den dortigen Würdenträgern angefreundet.
Wohin auch der illustre Gast geführt wurde, von der Begrüßung am Grenzbahnhof Kiefersfelden am 25. September bis zu den glanzvollen Festivitäten in Berlin vom 27. bis 29. September, stets war Wolff nur wenige Schritte hinter dem hohen Gast, wenn nicht gar an seiner Seite. Es ist verständlich, daß er sich dabei im Brennpunkt der Geschichte fühlte. Die Historiker messen jedoch der Begegnung von Duce und Hitler eher eine dekorative als eine politische Bedeutung bei. Sie war ein Schauspiel, inszeniert von Propagandisten der Politik, das Freundschaft zweier Völker und ihrer Mächtigen der Welt und auch ihnen selbst suggerieren sollte.
Dem SS-General Wolff schenkte dieser Staatsbesuch einen der stolzesten Tage seines Lebens mit einem Geschehen, das ihm Lob und Beachtung der beiden Diktatoren verschaffte und so das Tor zu einer steilen Karriere mit einem Schlag aufriß. Es geschah am 25. September 1937 am Nachmittag. Im Laufe des

Vormittags war der Duce mit einem hundertköpfigen Gefolge auf dem Münchner Hauptbahnhof vom Gastgeber begrüßt worden. Nachdem sie beide mit denkmalstarren Mienen mehrere Fronten strammstehender Männer abgeschritten hatten, war Hitler in seiner Privatwohnung von seinem Gast zum Ehrenkorporal der faschistischen Miliz ernannt worden – ein Rang, der ihm schon vom Titel her nicht gefiel und den die Deutschen zwischen einem Gefreiten und einem Unteroffizier einreihten.
Wolff genoß es, sowohl an dieser Zeremonie wie auch am mittäglichen Essen im neu erstellten Führerbau am königlichen Platz auf Reichweite dem Duce nahe zu sein. Er durfte jedoch nicht mit auf den Balkon, von dessen Höhe Hitler und Mussolini eine Parade der Parteiformationen abnahmen. Dies war jedoch, wie sich bald herausstellen sollte, sein und anderer Beteiligten Glück. Kolonne um Kolonne schmetterte unterhalb des Balkons ihren preußischen Stechschritt auf das Pflaster. Das Beineschwingen imponierte dem Gast so sehr, daß er beschloß, etwas Ähnliches bei seiner Miliz einzuführen. Den Höhepunkt des Schauspiels, so freute sich Wolff, würde der Paradeschritt der »Leibstandarte Adolf Hitler« bieten.
Ihr Spielmanns- und Musikzug marschierte den Kompanien voran. Wolff: »Badenweiler Marsch, Tempo 114 Schritte.« An der Spitze stelzte der Tambourmajor. Mit seinem Stab gab er das Zeichen zum Einschwenken, damit die Musiker den nachfolgenden Kompanien die Straße freigäben. Doch seine schneidige Armbewegung hatte zuviel Schwung, und weil der Stab nur locker in seiner rechten Hand gelegen hatte, stieg er steil in die Luft, wurde gewissermaßen vogelfrei, ehe er sich hoch oben überschlug und schließlich scheppernd auf dem Asphalt landete. In wenigen Sekunden, das war vorauszusehen, würden die ersten Glieder der ersten Kompanie, würden hochgewachsene schwarzuniformierte Beinewerfer in breiter Marschfront mit automatenhafter Präzision diese Stelle erreichen. Zwangsläufig würden etliche Parteisoldaten durch den Stab zu Fall gebracht. Sie würden ihrerseits unter die Stiefel der Nachfolgenden geraten und noch viel mehr ihrer Kameraden stürzen lassen. Gewiß würde es Verletzte, vielleicht sogar Tote geben, aber schlimmer würde für den Veranstalter die Blamage sein, wenn ausgerechnet die Elite versagte.
Wolff berichtet, alle Männer im Gefolge der beiden Großen seien vom Schrecken gelähmt auf ihrem Platz verharrt. Er allein verlor nicht die Nerven; er rannte kurz entschlossen unter Mißachtung aller soldatischen und protokollarischen Regeln auf die Fahrbahn und zog den Stab des Tambours knapp vor den unerbittlich nahenden Stiefeln zur Seite. Wolff: »Obwohl ich als Generalleutnant« (SS-Gruppenführer) »mit Stahlhelm und Degen wirklich nicht dazu bestimmt war, den Stab aufzuheben.« Die Zuschauer seufzten erleichtert auf, die Prominenz ebenso wie die hinter absperrenden Uniformierten zusammengedrängten Münchner. Wolff will sogar gehört haben, daß seine Tat mit Beifallklatschen belohnt wurde. Als die Parade vorbei war, dankten ihm Hitler und Mussolini mit Händedruck für die geistesgegenwärtige und mutige Tat.

Laut Wolff sagte Hitler: »Möge immer, wenn das Reich in Gefahr geraten sollte, ein SS-Mann eingreifen!«
So kühn die Tat war, so konnte sie doch nicht in die Geschichte eingehen. Sie wurde damals in keinem Zeitungsbericht erwähnt, in keinem Wochenschaufilm gezeigt; Pannen darf es eben auf dieser höchsten Ebene nicht geben. Doch verschweigen heißt nicht vergessen. Wolff durfte von nun an mit viel Wohlwollen rechnen; er hatte einen (wie der einstige Bankangestellte sich ausdrückte) erheblichen Personalkredit nicht nur bei den beiden Hauptpersonen des Schauspiels. Wolff: »Bis dahin war ich ein Mann der zweiten Führungsgarnitur, war aber nun durch die Gnade des Führers emporgehoben.« Ein Vierteljahr später hängte ihm der italienische Botschafter in Berlin den Orden »Heiliger Mauritius und Lazarus« um den Hals, was ihn außerdem berechtigte, mit Commendatore angesprochen zu werden. Daß ihm Hitler nicht auch noch farbiges Emaille an die Uniform heftete, fand er ein wenig ungerecht; etwas indigniert erinnerte er daran, daß es im Habsburger Österreich einen Maria-Theresia-Orden gegeben hatte, der für eine besonders mutige, freiwillig aus innerem Antrieb unternommene Tat verliehen werden konnte, sofern sie entgegen einem Befehl oder entgegen aller Konvention unternommen worden war. Eine solche Belohnung gab es bei Hitler nicht, wohl aber war Wolff von nun an fast immer dabei, wenn der oberste Faschist und der ranghöchste Nationalsozialist zusammentrafen.
Welchen Nutzen die Deutschen aus den Freundschaftsbanden der SS mit den Faschisten jenseits der Alpen zogen, ist schwer zu beschreiben. Der kontaktfreudige Wolff lernte dabei immerhin eine Anzahl italienischer Würdenträger kennen, mit denen er sich etliche Jahre später näher beschäftigen mußte. Die Freundschaft Himmlers mit dem feisten Polizeigewaltigen Bocchini blieb politisch ohne Nutzen, wohl aber zog der sonst so pingelige Reichsführer-SS daraus private Vorteile. Jeweils wenn es auf das Jahresende zuging, kam für ihn und seine Frau die Einladung zu einer hinter dienstlichem Vorwand getarnten Reise in den Süden. Sie ließ sich dann zu einem längeren Erholungsurlaub ausdehnen. Auf einer dieser Reisen wurde ihm sogar die nordafrikanische Kolonie Libyen gezeigt, als Gast des italienischen Luftmarschalls Balbo.
Weniger erfolgreich verliefen eine Anzahl weiterer Versuche von Himmler und Wolff, im Ausland zusätzlichen Lorbeer zu ernten. Statt der erwarteten Anerkennung aus der Reichskanzlei kamen Beschwerden vom Auswärtigen Amt, das es ungern sah, wenn andere in seinem Revier jagten. Der eifersüchtig seine Zuständigkeiten hütende Joachim von Ribbentrop protestierte lauthals. Die Querelen mit dem Reichsaußenminister begannen schon, als er noch Botschafter in London war, und sie endeten eigentlich erst in den letzten Tagen des Zweiten Weltkriegs, als für die Regierenden in Berlin das Ausland im Osten bereits jenseits der Oder und im Westen jenseits der Elbe begann.
Für einen Brückenschlag nach England bot sich Anfang 1935 bei Himmler der in London lebende US-Bürger W.A. de Sager an, ein gebürtiger Schweizer. In Gesprächen mit Himmler und Wolff erläuterte er, wie er mittels seiner Beziehungen zur englischen Oberschicht die »Greuelhetze« in der angelsächsischen

Presse abstellen könne – jene Berichte über die Konzentrationslager, über Schikanen gegen Juden, über die Verfolgung Andersdenkender, die das Ansehen des Reiches ständig minderten. In der Berliner US-Botschaft versprach er, ein dem Hitler-Regime freundlicheres Klima schaffen zu wollen. Er plante ferner, ein Buch zu schreiben, in englischer Sprache, das viel zur Rehabilitierung der Deutschen beitragen werde.

Er wurde von Wolff und Heydrich zu Gruppenführer Theodor Eicke geschickt, dem Kommandeur jener SS-Totenkopfverbände, die die Konzentrationslager bewachten. Er durfte das Lager Dachau besichtigen, das damals im Ausland besonders angeprangert wurde. In Berlin wurde ihm in der vornehmen Bendlerstraße eine Wohnung zur Verfügung gestellt, damit er die Korrespondenten der ausländischen Presse, durchreisende Angelsachsen sowie die Angehörigen fremder Botschaften zu geselligen Stunden einladen konnte. Dann und wann fand sich auch Wolff dort ein. Für den 8. Mai 1935 arrangierte de Sager in dieser Wohnung ein Treffen Himmlers mit dem Botschaftsrat Finsterwalde von der US-Botschaft.

Wenn de Sager in seinen Berichten für Himmler nicht schönfärbt, dann war der Amerikaner mit dem deutschen Familiennamen zugänglich für die Ideen Hitlers und die Methoden der SS. US-Botschafter William D. Dodd sei allerdings voreingenommen, weil seine Tochter die Geliebte sei von Dr. Rudolf Diels, einem hohen Beamten des Landes Preußen, dem Göring bei der Machtergreifung das Geheime Staatspolizeiamt in Berlin unterstellt hatte, der aber dann von Himmler aus diesem Amt gedrängt und deshalb schlecht auf die SS zu sprechen sei. Der durch einen Regimegegner beeinflußte Botschafter werde jedoch – so meldete de Sager – in einem Jahr abgelöst, und seinen Nachfolger werde er mit Hilfe des Mister Finsterwalde gleich von Anfang an besser unterrichten.

Mitte Juli 1935 ließen sich Himmler und Wolff von ihrem Stimmungsmacher de Sager schriftlich unterrichten, welche prominenten Engländer er während eines achttägigen Aufenthaltes in London von der Ehrbarkeit der SS und ihres Reichsführers überzeugt hatte. De Sager schrieb sich das Verdienst zu, daß er mit seinem Vortrag über Konzentrationslager und über seine Beobachtungen in Dachau eine große Debatte über diesen Komplex im Unterhaus verhindert habe, die dann unabwendbar zu einem Protest der englischen Regierung bei der Reichsregierung geführt hätte. In dieser Rede hatte de Sager für Folterungen und Morde weitgehend den ausgebooteten Gestapo-Chef Diels verantwortlich gemacht. Himmler und Wolff korrigierten diesen Irrtum nicht, obwohl sie wußten, daß gerade Diels eine Anzahl jener illegalen, aber von der Partei wohlwollend geduldeten und von einzelnen SA- oder SS-Formationen eigenmächtig betriebenen Lager aufgelöst und damit die schlimmsten Folterstätten geschlossen hatte.

Einige Engländer hatte de Sager von seiner Reise gleich nach Deutschland mitgebracht, darunter zwei Ex-Offiziere als Vertreter der »British Legion«, eines Verbandes von Frontkämpfern. Auch sie wurden durch Dachau geschleust. Schriftlich erklärten sie »nach eingehender Besichtigung«, sie hielten es »im

Gegensatz zu den im Ausland verbreiteten Greuelnachrichten« für »sehr weise, daß solche rassisch und politisch minderwertigen Elemente . . . in Lagern gehalten werden«. Sie wurden von Himmler und Wolff zum Abendessen geladen. In der Verbrüderungsstimmung einer vorgerückten Stunde verliehen sie Himmler (der nie an der Front gewesen war) die Ehrenmitgliedschaft im britischen Frontkämpferverband und luden ihn zu einem Gegenbesuch in London ein.
Als dies deutsche und ausländische Zeitungen meldeten, wurde das Auswärtige Amt aufsässig. Es fragte schriftlich den »Verbindungsstab der NSDAP«, eine Art Gelenk zwischen Partei und Staat, von wem der »Herr de Sager oder de Sage« legitimiert sei, sich um deutsche Belange zu kümmern. Das Amt schickte seinen Protokollchef von Bülow-Schwante und den Grafen zu Dohna, mit dem Wolff ehedem im Darmstädter Gymnasium befreundet war, als Kundschafter in die Berliner Wohnung de Sagers. Bei ihnen hätte Wolffs Charme den Fall beinahe bereinigt. Doch auch der deutsche Botschafter in London, zu jener Zeit noch Joachim von Ribbentrop, sah sich veranlaßt, den außenpolitischen Schwarzarbeiter im Dienst der SS in seine Londoner Residenz vorzuladen. »Ich fand aber nicht das geringste Verständnis bei ihm«, berichtete de Sager dem Reichsführer-SS.
Dessenungeachtet schickte er weiter prominente Engländer über die Nordsee. So das Unterhausmitglied T. C. R. Moore, den Admiral a. D. Sir Barry Domvile und das Ehepaar Pinckhard, in dessen Salon sich Londons first class traf. Sie wurden alle nacheinander von Himmler in sein Haus am Tegernsee eingeladen, wo dann das Ehepaar Wolff in gepflegter Unterhaltung mithalf, den Gästen nach der Besichtigung von Dachau beizubringen, daß ein Dasein hinter Stacheldraht für manche Menschen ersprießlich sein kann. Man versprach sich gegenseitig ein Wiedersehen in London, das nach Meinung der Gäste stattfinden sollte, »sobald Sie (Himmler) in der Lage sein werden, perfekt englisch, und ich fähig sein werde, perfekt deutsch zu sprechen«.
Der heitere Himmel grenzüberschreitender Freundschaft trübte sich jedoch schnell. Mrs. Ruby Pinckhard argwöhnte, daß bei ihrer Weiterreise in die Schweiz ihr Paß mit sichtbarem Mißtrauen gemustert worden sei. »Ich hörte«, schrieb sie an Himmler, »daß die Beamten den Namen ›Ruby‹ vorlasen und besonders aufmerksam wurden.« Das geschah im November 1935, als zunehmend Juden aus Deutschland auswanderten. Dann hatten sich auch noch in ihrem Salon Himmlers Sendbote de Sager und ein ebenfalls dort verkehrender Exil-Ukrainer Korostowetz mit vagen Anspielungen gegenseitig beschuldigt, bezahlte deutsche Agenten zu sein. Himmler entschuldigte sich brieflich; die scharfe Paßkontrolle habe nichts zu bedeuten; aus gutem Grund verschwieg er, der Name Ruby sei den zum Antisemitismus erzogenen Beamten vielleicht jüdisch vorgekommen. Er versicherte Mrs. Pinckhard, der Ukrainer habe keine Verbindung zur SS und de Sager sei nichts als ein Freund des neuen Deutschlands.
Schließlich überzog de Sager sein Konto, als er in London unter seinen prodeutschen Freunden für eine Einladung an Himmler zu werben begann, damit

der Reichsführer-SS eine Rede im Unterhaus halten könne. Sie jedoch stellten Bedingungen: Himmler müsse Englisch hinreichend beherrschen, müsse über die Behandlung der Juden, über den Streit der NSDAP mit den christlichen Kirchen und über Hitlers imperialistische Ziele sprechen, die in der NS-Bibel »Mein Kampf« gesetzt seien.
Zu nichts dergleichen war Himmler bereit oder auch nur befugt. Zudem war nun auch der Londoner Botschafter Joachim von Ribbentrop so alarmiert, daß er bei Hitler Lärm schlug: Außenpolitik sei nicht die Aufgabe Himmlers. Da Hitler ihn als künftigen Außenminister vorgesehen hatte, drohte dem Reichsführer-SS ein Verweis aus der Reichskanzlei. Wenn Himmler es schon für notwendig halte – so schlug Ribbentrop vor –, mit Ausländern über Politik zu sprechen, dann möge dies unter vier Augen geschehen und im Rahmen einer privaten Unterhaltung. De Sagers Aktion mußte einschlafen. Außer Spesen war nichts gewesen.
Ein Versuch, wenigstens aus dem Osten noch einen Erfolg heimzubringen, endete als Groteske. Er setzte dort an, wo die Engländer als Kolonialherren besonders unbeliebt waren, bei den Arabern. Im März 1938 sprach im Münchner Hotel »Vier Jahreszeiten« der preußische Leutnant a. D. Ottmar Hubert Freiherr v. Gumppenberg-Pöttmes-Oberpremberg (so die Visitenkarte) Himmlers obersten Adjutanten an und bat, dem Reichsführer seine Dienste offerieren zu dürfen, falls Adolf Hitler an der Freundschaft der islamischen Völker gelegen sei. Der Chef der Panarabischen Bewegung, seine Exzellenz Emir Shekib Arslan, dessen Gefolgschaft im Lauf eines umfangreichen Briefwechsels mit Wolff und Himmler von 70 Millionen auf 120 Millionen Menschen wuchs, sei aufs engste mit dem Freiherrn befreundet und habe die Ansicht, demnächst Deutschland zu besuchen. Falls die Reichsregierung eine Verbindung zur Panarabischen Bewegung wünsche, sei dies eine einmalige Gelegenheit. Gumppenberg sei gern bereit, eine Begegnung zu vermitteln.
Der langtitelige Adelsname, der Offiziersrang, eine gemeinsame Abneigung gegen Juden – das alles gefiel Himmler sehr, und so wurde der Persönliche Stab angewiesen, die Verbindung zu pflegen. Als der Freiherr dann auch noch Zeugnisse über sein militärisches Wirken einreichte, wonach er nicht nur bei den Preußen gedient und am Weltkrieg teilgenommen hatte, sondern anschließend auch noch unter albanischer und türkischer Flagge als Rittmeister gefochten hatte, wuchs im SS-Stab die Zuversicht, diesmal eine erfolgversprechende Aktion begonnen zu haben. Sogar für den Ausland-Nachrichtendienst des SD schien der Mann brauchbar, denn er hatte während des Weltkrieges die nordafrikanischen Senussi-Stämme in Libyen zu Einfällen in das von England beherrschte Ägypten aufgewiegelt.
Ende Mai 1938, wenige Tage vor dem Eintreffen des Emirs in München, wollte Gumppenberg endlich wissen, wie weit die SS gewillt war, den hohen Gast würdig zu empfangen. Er empfahl: Unterbringung auf Reichskosten in einem erstklassigen Hotel (Appartement mit großem Salon), zwei Diener oder auch Adjutanten, ein repräsentatives Auto mit Chauffeur zur ausschließlichen Verfügung. Der Emir seinerseits wünsche, von Hitler, Göring und Himmler empfan-

gen zu werden. Er möchte bei dieser Gelegenheit die Glückwünsche der Araber zum Anschluß Österreichs an das Reich aussprechen.

Als das Ereignis unmittelbar bevorstand, riet Wolff, der Reichsführer möge sich doch für alle Fälle mit Heydrichs Hilfe durch Anfragen beim Auswärtigen Amt und beim Chef des militärischen Geheimdienstes, dem Admiral Canaris, rückversichern, mit wem er es bei dieser Begegnung zu tun habe. Weil der Emir schon in München eingetroffen war, mußte der Himmler-Sekretär Dr. Rudolf Brandt den Freiherrn am 30. Mai telefonisch vertrösten, »daß dem Emir die eine oder andere Aufmerksamkeit, aus der er ein gewisses Interesse ersehen könne, sicher entgegengebracht würde«.

Auch das war schon zuviel versprochen. Am 2. Juni schickte die Gestapo aus Berlin ein Fernschreiben an den in Gmund am Tegernsee auf einen Hitler-Ruf vom nahen Berghof wartenden Reichsführer-SS. Danach bestritt Canaris' Geheimdienst grundsätzlich eine Führerrolle des Emirs unter den Arabern, während das Außenministerium darauf hinwies, daß es sich um einen sehr alten und deshalb einflußlos gewordenen Araber handele. Auf keinen Fall aber sei der Freiherr von Gumppenberg als Vermittler angebracht, denn er sei aus dem königlich preußischen Heer »wegen des Verdachts homosexueller Betätigung« als Leutnant mit schlichtem Abschied entlassen worden. Allein schon deshalb war Himmler genötigt, jede Verbindung abzubrechen; seit der Röhm-Affäre gehörten die Homosexuellen ins KZ, sofern man sie nicht gleich umbrachte.

Nicht immer konnten Himmler und Wolff es sich leisten, auf der Seite der Moral zu stehen. Bei dem Versuch, einen korrupten Gauleiter zu stürzen, hätte sich der Reichsführer fast die Ungnade Hitlers zugezogen. Das empörte Wolff so sehr, daß er wieder einmal mit dem Gedanken spielte, seine Karriere bei den Schwarzen abzubrechen und sie bei den Feldgrauen, dem Heer, fortzusetzen. Es ging dabei um den professionellen Parteifunktionär Erich Koch, der in den 20er Jahren im Ruhrgebiet gewirkt hatte – zeitweise gemeinsam mit dem von den Franzosen wegen Sabotageakten erschossenen nationalen Märtyrer Albert Leo Schlageter. Koch war dann 1928 wegen ständiger Stänkereien mit ebenso ehrgeizigen und herrschsüchtigen Parteigenossen in dieser Region von Hitler als Gauleiter nach Ostpreußen geschickt worden. Dort waren die führenden Schichten – die Großgrundbesitzer, die reichen Bauern und das begüterte Bürgertum – traditionell nationalistisch und damit eingeschworen auf die Deutschnationale Volkspartei. Sie billigten dem »Trommler« Hitler nur die Rolle eines Wegbereiters für einen Hohenzollern-Monarchen zu. Wollte Koch damals Anhänger für seine NSDAP gewinnen, so mußte er bei den Leuten ansetzen, die sich von Gutsherrn und Unternehmern ausgebeutet fühlten. Da sich das »Nationale« in dieser vom Reich abgetrennten Provinz von selbst verstand, weil die benachbarten Polen und Litauer gelegentlich mit den Säbeln rasselten, waren Landarbeiter, Kleinbürger und industrielles Proletariat mit der sozialen Komponente im NS-Programm leicht anzusprechen.

Bei einem Berufsstand war Kochs Werbung besonders effektiv: Die schlecht bezahlten Gutsverwalter mußten zusehen, wie das von ihnen erwirtschaftete

Geld von der Herrschaft großzügig ausgegeben wurde. Soweit sie intelligent und eifrig genug waren, rekrutierte Koch aus diesen Leuten seine Funktionäre und SA-Führer. Mancher besserte sein geringes Einkommen durch Unterschleife auf. Wer deswegen entlassen wurde, bekam vom Gauleiter die Chance, hauptamtlich in der Partei zu arbeiten. Er verschaffte sich so eine ergebene Garde, die von ihm und auch vom Sieg der NSDAP abhängig war. Wer nach der Machtergreifung der Bewegung beitrat, fand in Ostpreußen alle Schlüsselpositionen besetzt – mit einer Ausnahme: Koch hatte in seinem Gau die SS stets benachteiligt, und als sie nun die Möglichkeit hatte, sich auszudehnen, fühlten sich die sogenannten feinen Leute von einer Formation besonders angezogen, die Abstand hielt von den Plebejern der SA.
Die Begüterten aus der Agrarwirtschaft fanden dabei einen starken Rückhalt an Richard Walther Darré, Reichsbauernführer, Reichsernährungsminister, SS-Obergruppenführer und Chef des SS-Rasse- und Siedlungshauptamtes. Funktionäre der Landesbauernschaft, denen Kochs Selbstherrlichkeit zu weit ging, verdächtigten ihn »bolschewistischer Methoden«. Er reagierte mit Parteiausschluß und Verhaftung. Der zur Hilfe gerufene Darré erwies sich als machtlos. Koch drohte vielmehr, wer weiterhin gegen seine Politik opponiere, könne im »großen Moorbruch« (einem KZ) »darüber nachdenken, wer recht habe«. Als Himmler ihm Mäßigung anriet, stellte er sich taub.
Darré rief das Oberste Parteigericht an, aber ehe der bürokratische Apparat sich bewegte, gab Koch ein wenig nach. Die aus der Partei gefeuerten Bauernfunktionäre durften sich das Hakenkreuz wieder ans Revers stecken, aber amtieren sollten sie in einem anderen Gau. Doch schon bei den ersten Untersuchungen der Münchner Parteirichter stellte es sich heraus, daß im Gau Ostpreußen noch mehr faul war. Höhere Parteifunktionäre hatten ihre Stellung benutzt, um sich privat zu bereichern. Koch duldete es nicht nur, er ging sogar mit schlechtem Beispiel voran. Er hatte die NS-Gauzeitung vor Jahr und Tag auf die Beine gestellt, indem er den Parteigenossen eine Art Zwangsabgabe auferlegt hatte. Jetzt florierte das Blatt und gehörte einschließlich der Gewinne der »Erich-Koch-Stiftung«, über deren Vermögen nur der Gauleiter und ein paar von ihm eingesetzte Strohmänner verfügen konnten. Da die Stiftung auch mit Grundstücksgeschäften und mit der sogenannten Arisierung des Besitzes auswandernder Juden viel Geld einstrich, war sie bereits zu einer wirtschaftlichen Macht in Ostpreußen geworden. Koch war im Ruhrgebiet zeitweise ein Anhänger des linken, des Strasser-Flügels der NSDAP gewesen; nun verkündete er zynisch, seine Stiftung sei Gemeinschaftseigentum und damit ein Modell des nationalen Sozialismus.
Diesen Sumpf wollte der Chef des Obersten Parteigerichts, der puritanische Ex-Offizier und Reichsleiter Walter Buch austrocknen. Er leitete gegen Koch ein Parteigerichtsverfahren ein mit dem Ziel des Ausschlusses aus der NSDAP. Vergebens warnte ihn sein Schwiegersohn Martin Bormann, Reichsleiter im Amt des Stellvertreters des Führers, der das besondere Vertrauen Hitlers genoß und deshalb wußte, daß Koch von höchster Stelle geschützt wurde. Buch blieb

hartnäckig; er bewog zwei weitere Reichsleiter, nämlich Heinrich Himmler und den Reichsschatzmeister Xaver Schwarz, mit ihm nach Königsberg zu fahren, um dort den Beschuldigten und die Zeugen zu vernehmen. Die drei hätten eigentlich durch langjährige Erfahrung wissen müssen, daß Hitler die moralischen Defekte in seinem Führerkorps schätzte, weil sie ihm stets einen Grund boten, mißliebig Gewordene auszubooten. Die drei mußten ferner wissen, daß Koch in ein Staatsgeheimnis eingeweiht war, das zu außenpolitischen Verwicklungen führte, wenn es den Siegern von Versailles bekannt wurde: Partei und Reichswehr betrieben in Ostpreußen gemeinsam die militärische Ausbildung der »weißen Jahrgänge«, die seit dem Ende des Weltkriegs nicht mehr Soldat geworden waren. Schwer wog auch zugunsten Kochs, daß er als erster Gauleiter seinem Führer gemeldet hatte, in seinem Gau sei niemand mehr ohne Arbeit. Das war propagandistisch von großer Wichtigkeit gewesen, nachdem 18 Monate zuvor im Reich noch mehr als sechs Millionen Menschen ohne Beschäftigung und Verdienst gewesen waren.
Koch hatte sogar noch ein weiteres As im Ärmel. Als sich das Netz über ihm zusammenzog, vermied er jede weitere Aussage, indem er in Berlin bei Hermann Göring Schutz suchte, der als Preußischer Ministerpräsident insofern sein Dienstherr war, als der Gauleiter zugleich auch der Oberpräsident der Provinz Ostpreußen war. Da Göring es nur schwer verwand, daß er die preußische Polizei an die SS hatte abgeben müssen, half er Koch mit einer Fürsprache bei Hitler, und er fand dabei auch noch den Beifall der anderen Gauleiter, die den SD als eine Instanz bewerteten, die auch ihnen auf die Finger sah. Zum Lohn und Dank durfte der Reichsjägermeister Göring in Ostpreußen ein paar Hirsche der ehemals kaiserlichen Jagd von Rominten schießen, wie sie kapitaler nirgendwo in Europa anzutreffen waren.
Die drei auf Sauberkeit bedachten Reichsleiter wurden aus Königsberg zurückbeordert. Auch Wolff, der Himmler begleitet hatte. Der Parteirichter Buch bekam den Unwillen des Führers gleich zu spüren, so heftig, daß er anschließend einen längeren Urlaub nahm. Himmler berief sich auf Buchs Kompetenz und kam so glimpflich davon. Wolff ist zu glauben, daß er zutiefst enttäuscht war. Er sah in Koch nach Figur, Auftreten und Charakter »einen emporgekommenen Proleten«, einen »Hauptschandfleck« der Partei. Sehr viel später, als es Himmler und Hitler nicht mehr gab und Koch in einem polnischen Gefängnis büßte, erzählte Wolff, er habe damals demonstrativ um seine Entlassung aus Partei und SS gebeten und beabsichtigt, in das Heer einzutreten.
Mit Himmler sei er – so erzählte Wolff des öfteren – deswegen aneinandergeraten. Erst energisch, dann wütend habe der Reichsführer-SS ihm befohlen, auf seinem Platz die Stellung zu halten, und als das nichts geholfen habe, sei Himmler flehentlich geworden. So habe ihm Himmler dann zugesagt, daß er in absehbarer Zeit einen ehrenvollen Abgang bekäme, habe ihn jedoch heimlich für die bevorstehende Reichswahl auf die Liste der Kandidaten setzen lassen. So sei er denn ohne eigenes Dazutun am 29. März 1936 vom Darmstädter

Wahlkreis ins Parlament geschickt worden. Solchermaßen in das Licht der Öffentlichkeit gestoßen, habe er sich den Rücktritt versagen müssen.
Doch dieses Argument sticht nicht. Das Parlament war bedeutungslos geworden, seit es Hitler gefiel, mit dem Ermächtigungsgesetz vom Jahr 1933 zu regieren. Interessant bei jeder Wahl war nur noch, wie nahe das Ergebnis an eine 99prozentige Zustimmung zu Hitlers Politik herangedrückt wurde. Für die Abgeordneten gab es in der »Schwatzbude« – wie die Nationalsozialisten den Reichstag in der Kampfzeit genannt hatten – nichts mehr zu tun; ihre wenigen Sitzungen und ihre Abstimmungen waren vorprogrammiert. Wenige Tage nach einer Wahl war deshalb selbst in den Wahlkreisen vergessen, wen man ins Parlament geschickt hatte. Dieses sei – so spottete das Volk – der teuerste Männerchor. Nach jeder Sitzung – und sie trafen sich höchstens ein paarmal im Jahr – sangen die Herren die Nationalhymnen, das Deutschland- und das Horst-Wessel-Lied. Dafür bekam jeder Sänger 7200 Mark Jahresgage, nämlich Diäten und dazu freie Fahrt auf allen Strecken der Reichsbahn. Dies alles tröstete Wolff sicherlich darüber hinweg, daß er in der SS bleiben mußte. Außerdem versicherte ihm Himmler, sie würden nun verstärkt und gemeinsam gegen jede Art von Korruption kämpfen, gegen Koch natürlich und auch gegen Göring.
Statt zum Kampf kam es jedoch zu einem Bündnis. Es richtete sich gegen die führenden Kreise des Heeres. Sie sperrten sich gegen Himmlers Pläne mit der Waffen-SS. Mit der Existenz der SS-Leibstandarte hatte sich die Wehrmachtsführung abgefunden. Die SS-Totenkopf-Verbände wurden von ihr nicht zur Kenntnis genommen, weil diese Truppe die Konzentrationslager hütete, mit denen die Soldaten nichts zu tun haben wollten. Gegen jeden Versuch, weitere bewaffnete SS-Einheiten aufzustellen, wehrten sich die Militärs mit einem Führerwort, wonach einzig die Wehrmacht der Waffenträger der Nation sein sollte.
Göring war über solche grundsätzlichen Auseinandersetzungen schon hinaus. Seit Mai 1935 gab es offiziell eine Luftwaffe, und er war ihr Chef. Nur gegen die Aufstellung eigener Luftabwehr- und Nachrichtentruppen sperrte sich noch das Heer. Deshalb lauerte auch der »Dicke« – wie er seines wachsenden Leibesumfangs wegen vom Volk genannt wurde – auf eine Gelegenheit, den Einfluß der Generäle abzubauen. Sie stellte sich ein, als der Reichswehrminister Werner von Blomberg, von Hitler wegen seiner Verdienste beim Aufbau der Wehrmacht zum Generalfeldmarschall befördert, nach mehrjähriger Witwerschaft im Alter von 60 Jahren die 34 Jahre jüngere Berlinerin Erna Gruhn heiratete. Innerhalb weniger Tage entwickelte sich daraus ein Skandal, der zeitweilig wie eine Staatskrise aussah. Der Ausgang sei vorweggenommen: Weder Göring noch Himmler, die den Fall ausnutzen wollten, brachte er wesentlich Gewinn. Nur Hitler konnte seine Alleinherrschaft festigen.
Da Wolff in der Prinz-Albrecht-Straße als Untermieter im Haus der Geheimen Staatspolizei amtierte, fühlte er sich im Mittelpunkt des Geschehens. Er hatte seit einem Jahr den Rang eines SS-Gruppenführers und war außerdem als erster SS-Führer zum Generalleutnant der SS-Verfügungstruppe ernannt worden –

eine Truppe, die mit Blombergs Zustimmung bis zu 25 000 Mann anwerben durfte und die ein Zwitter von Polizei und Heer sein sollte. Als Rangabzeichen durfte Wolff allerdings nicht die breiten geflochtenen Generalsepauletten tragen, was ihn erheblich bekümmerte. Die Vorgänge jener Tage, wie er sie sah, schilderte er in einem Manuskript, das er mehrfach Buch- und Zeitungsverlagen angeboten hat.

Wolff berichtete, daß die Verbindung des Reichskriegsministers mit der jungen Stenotypistin aus Berlin ihren Anfang nahm in einem Hotel Thüringens, in das sich Blomberg zu einem kurzen Erholungsurlaub zurückgezogen hatte. Er wollte unerkannt und unbelästigt bleiben, aber der Hoteldirektor hatte dann doch den Eindruck, daß der prominente Gast sich einsam fühle, wenn er während der Mahlzeiten allein an seinem Tisch saß. So wurde Blomberg denn gefragt, ob ihm vielleicht eine junge Dame aus dem Kreis der Gäste willkommen sei. Erna Gruhn gefiel dem Generalfeldmarschall so gut, daß der Vater dreier Töchter und zweier Söhne auch nach der Rückkehr in die Reichshauptstadt die Verbindung nicht abreißen ließ und seiner Gesellschafterin bald seine Hand anbot. Zuvor hatte er Göring gebeten, er möge doch einmal bei Hitler anfragen, ob das Staatsoberhaupt etwas einzuwenden hätte, wenn ein adeliger Kriegsminister ein schlichtes Mädel aus dem Volk heiraten werde. Der Führer, wußte Wolff zu berichten, sei erfreut gewesen, daß auf so spektakuläre Art dem Volk gezeigt würde, wie weit die neue Weltanschauung schon eine Volksgemeinschaft ohne Klassenschranken bewirkt habe. Die Hochzeit am 12. Januar 1938, einem Freitag, fand nur im kleinsten Kreise statt, aber da Hitler und Göring als Trauzeugen auftraten und der propagandistische Effekt nicht verlorengehen durfte, erschienen Fotos, von Hitler selber zensiert, in allen Zeitungen. Zu dieser Zeit war das Paar bereits auf der Hochzeitsreise.

Als am nächsten Tag ein Beamter der Berliner Sittenpolizei seinen üblichen Rundgang durch sein Revier machte, wurde er in einem Lokal von den dort auf Kundschaft wartenden Damen auf ein Zeitungsfoto hingewiesen: »Det is doch die Kollegin Erna!« Der Beamte meldete dies sofort seinem Vorgesetzten, der nach einigem Überlegen in der Sittenkartei blättern ließ. Zutage kam, daß Erna Gruhn vorübergehend im Massagesalon (sprich Edel-Puff) ihrer Mutter in den Verdacht des sogenannten Beischlaf-Diebstahls geraten, aber dann doch unbestraft geblieben war.

Für den Beamten war damit der Fall so heiß geworden, daß er fürchtete, sich die Finger zu verbrennen. Er trug seine Akten eigenhändig zum Polizeipräsidenten, dem Grafen Helldorf. Auch er zögerte seine Entscheidungen hinaus, ließ einschlägige Damen eindringlich vernehmen, und als der Tatbestand dadurch nicht verändert wurde, ging er mit den Akten in die Bendler-Straße zum General Wilhelm Keitel, Chef des Wehrmachtsamtes im Reichskriegsministerium, der mit Blomberg befreundet war. Ihn fragte Helldorf, ob das Foto auf der Sitten-Karteikarte tatsächlich Frau von Blomberg darstellte. Als dies nur bedingt bejaht wurde, bat er um Rat, wie die peinliche Angelegenheit zu behandeln sei. Dies geschah am 23. Januar. Wolff kreidete es dem Grafen übel an, daß er mit den Akten nicht gleich zu den obersten Polizeiinstanzen Heydrich oder Himmler gegangen war. Das sei unterblieben, weil Helldorf als SA-Gruppenführer noch immer mit der SS-Führung wegen des Röhm-Massakers gegrollt habe. Wahrscheinlich ist, daß Helldorf gern der Wehrmacht den Schwarzen Peter einer Entscheidung zugeschoben hätte. Dies gelang nicht, weil auch Keitel nicht ganz sicher war, wen das Foto zeigte, und deshalb vorschlug, Göring zu fragen, der als Trauzeuge die junge Frau doch aus nächster Nähe gesehen habe.

Es wäre reizvoll, von einem Augenzeugen zu erfahren, wie Göring die Neuigkeiten aufnahm – wenn er sie nicht schon längst kannte, wie manche vermuten. Es ist aber leicht vorstellbar, was ihm durch den Kopf ging, als ihm klarwurde, daß Blomberg die längste Zeit Reichskriegsminister gewesen war. Wer wäre sein Nachfolger? Der Kreis der Kandidaten war klein. Nächster Anwärter war der Chef der Heeresleitung und damit praktisch der Oberbefehlshaber des Heeres, der Generaloberst Werner Freiherr von Fritsch, ein verschlossener Charakter, ein strenger Preuße, Monarchist und einer der fähigsten Soldaten des Reiches. Der nächste in der Rangliste der Wehrmacht war der vom Hauptmann a. D. durch Hitlers Gunst ohne Zwischenstation hochgestemmte Generaloberst Hermann Göring. Für ihn war die Versuchung groß, dem Vordermann ein Bein zu stellen, und sofern er sich ein Gewissen daraus machte, durfte er es beruhigen mit dem Argument, daß seine Parteigenossen in Fritsch einen Reaktionär sahen.

Görings hohe Intelligenz und seine Erfahrung in Intrigen schufen schnell einen Plan. Er erinnerte sich, daß er mit Fritsch und Blomberg vor nicht einmal drei Monaten, am 5. November 1937, bei Hitler in der Reichskanzlei geladen war und daß der Staatschef verkündet hatte, er werde in absehbarer Zeit Österreich und die Tschechoslowakei von der Landkarte tilgen. Fritsch hatte warnend widersprochen; dies bedeute Krieg, wahrscheinlich an zwei Fronten, und ihn könne Deutschland nur verlieren. Blomberg und der ebenfalls eingeladene Reichsaußenminister Konstantin von Neurath hatten die gleichen Bedenken vorgebracht. Seitdem gingen Gerüchte um, Fritsch sei krank und den Anforderungen seines Amtes nicht mehr gewachsen. Tatsächlich war der Generaloberst seit über einem Monat in Ägypten, um einen hartnäckigen Katarrh der Bronchien zu kurieren. Für die Behauptung, er sei dort schon von der Gestapo überwacht worden, ob er sich mit eingeborenen Männern einlasse, gibt es keine Anhaltspunkte.

Hat es diese Überwachung gegeben, dann lag der Anstoß dazu vier Jahre zurück. Im November 1933 beobachtete der kleine Ganove Otto Schmidt (29), daß im Berliner Wannseebahnhof ein elegant gekleideter Herr – Mantel mit Pelzkragen, weißer Schal, dunkler Hut, Monokel im Auge – den Strichjungen Martin Weingärtner ansprach, der dort auf Kunden zu warten pflegte. Die beiden verschwanden in einer dunklen Ecke des Bahnhofsgeländes und Schmidt beobachtete sie dort bei homosexuellen Praktiken. Nachdem sich die beiden getrennt hatten, hielt Schmidt den eleganten Herrn in der Gegend des

Potsdamer Platzes an und gab sich als Kriminalbeamter aus. Sein Opfer zeigte einen Offiziersausweis der Reichswehr, bat um Diskretion und wurde von Schmidt im Lauf der nächsten Wochen um über 2000 Mark Schweigegeld erleichtert.
Zwei Jahre später geriet Schmidt wegen des Verdachts anderer Erpressungen in die Fänge der Berliner Kriminalpolizei. Nach langem Leugnen glaubte er ohne Strafverfahren durchzukommen, indem er bekannte Männer in die Untersuchung verwickelte und so mit einem Skandal drohte. Er gestand, er habe auch beim Reichswirtschaftminister Walter Funk, beim Potsdamer Polizeipräsidenten Graf von Wedel, beim Tennis-As Gottfried von Cramm und bei einem hohen Offizier mit dem Namen von Fritsch kassiert.
Für einen Fall mit solchen Ausmaßen fühlte sich der Vernehmer der Kripo nicht mehr zuständig. Er lieferte Schmidt mit den dazugehörigen Akten bei der »Reichszentrale für die Bekämpfung der Homosexualität« ab, einem Zweig der Gestapo. Dessen Chef war der Kriminalrat Josef Meisinger; ihn hatte Heydrich bei der Übernahme der Münchner Politischen Polizei der jahrelangen Bespitzelung der NSDAP überführt und zu besonderem Diensteifer verpflichtet, indem er ihn nicht gefeuert oder gar in ein KZ gesteckt hatte. In Schmidt sah Meisinger seinen großen Fall. Er legte dem Häftling ein Foto des Generalobersten vor mit dessen Namen als Bildunterschrift und erhielt prompt das gewünschte Ergebnis: »Det is' er!« Auf dem Offiziersausweis habe er gelesen: »von Fritsch.« Der Akt wanderte damals bis zu Hitler, blieb jedoch unbeachtet; Himmler mußte den »Mist« ungelesen zurücknehmen. Der Chef der Heeresleitung war damals im Begriff, die Reichswehr in fließendem Wechsel in ein Reichsheer zu verwandeln, und darin ließ ihn Hitler nicht durch so eine Lappalie stören.
Doch jetzt, im Januar 1938, stand Fritsch den Plänen Hitlers im Weg. Das wußten Himmler und Göring; beide mußten verhindern, daß er anstelle des konzilianten Blomberg Kriegsminister wurde. Wolff weiß nicht, wer von den beiden auf die Idee kam, nun die Schmidt-Akte aus dem Archiv zu holen. Sie war auf Anweisung Hitlers seinerzeit zu einem großen Teil vernichtet worden, soweit sie Fritsch betraf, aber Meisinger gelang es, sie im Eiltempo wieder zu ergänzen. Das geschah mit solchem Eifer, daß schon wenige Tage nach der Blomberg-Hochzeit ein Gestapo-Beamter in der Berliner Ferdinandstraße nach dem Haus suchte, in dem Schmidt seinerzeit das Geld des angeblichen General Fritsch abgeholt hatte. Eine so prompte Reaktion könnte sogar noch die da und dort geäußerte Vermutung stützen, daß die SS-Oberen und Göring das Vorleben der Erna Gruhn schon vor ihrer Heirat gekannt und nur noch darauf gewartet hatten, daß sich der Kriegsminister selbst aus seinem Amt hinauskatapultieren würde.
Am 24. Januar 1938 kam Hitler von seinem Berghof bei Berchtesgaden in die Reichskanzlei zurück. Am nächsten Tag legte ihm Göring die Aktenbündel Blomberg und Fritsch vor. Der Diktator sei daraufhin psychisch zusammengebrochen, wird berichtet, aber niemand kann beschwören, daß der große Schauspieler nicht wieder eine bühnenreife Vorstellung gab. Blomberg wurde eiligst

nach Berlin zurückgerufen. Fritsch hatte seinen Urlaub in Ägypten ohnehin schon beendet. Am 26. Januar empfing Hitler den Kriegsminister und machte ihm klar, daß er ihn nach wie vor sehr schätze, daß aber die Generalität seinen Abschied fordere. Die Heirat könne er natürlich für nichtig erklären lassen, weil er getäuscht worden sei. Das lehnte Blomberg ab; er liebe seine Frau, und er werde sie jetzt im Unglück erst recht nicht verlassen.

Hitler fragte ihn, wen er als Nachfolger empfehle. Blomberg nannte den General von Fritsch. Hitler: »Nein, der geht auch!« Der nächste Name: Göring. »Der wird es nicht!«, entschied Hitler. Daraufhin empfahl Blomberg, der Führer und Kanzler möge zusätzlich auch noch das Kriegsministerium übernehmen; das sei die beste Lösung überhaupt. Der Vorschlag kam Hitler mehr als gelegen; bei der Generalität konnte er sich auf Blombergs Rat berufen.

Am gleichen Abend kam Fritsch in die Reichskanzlei. Hitler hatte verboten, daß dem Generaloberst die Beschuldigung zuvor eröffnet werde. Er hatte einen Theatercoup vorbereitet, der ein spontanes Geständnis herbeiführen sollte. Aber sein Wehrmachtsadjutant Oberst Friedrich Hoßbach hatte sich nicht daran gehalten und Fritsch in groben Zügen von der Anklage unterrichtet. Als der Generaloberst eintrat, waren nur Hitler und Göring im Raum. Der Kanzler hielt ihm vor, daß gegen ihn eine genau recherchierte Untersuchung wegen eines Vergehens gegen den Paragraphen 175 vorliege. Empört wies Fritsch die Anschuldigung zurück. Aus dem Nebenraum wurde Schmidt hereingeführt; ob er diesen Herrn kenne, fragte Hitler und wies auf den Generalobersten. Schmidt: Jawohl, das sei der Herr von Fritsch. Es nutzte nichts, daß der Angeschuldigte ehrenwörtlich versicherte, er habe Schmidt nie gesehen. Verbissen verfolgte Hitler seinen Plan, in einem Aufwaschen alle Männer kaltzustellen, die seinen Kurs der Aggressionen und der Expansionen nicht guthießen.

Zwischen Wehrmacht, Gestapo und Justizministerium wurde kurz, aber erbittert gestritten, wer das Verfahren weiter führen und abschließend den Fall verhandeln sollte. Hitler wäre ein Sondergericht am liebsten gewesen, aber dann sah er doch ein, daß allein ein Militärgericht zuständig war. Die Untersuchung aber, so verlangte er, sollte es gemeinsam mit der Gestapo weitertreiben. Mehrfach wurde Fritsch von der Geheimen Staatspolizei vernommen und noch einmal dem Erpresser gegenübergestellt; der blieb natürlich bei seiner Aussage, weil er ahnte, was geschehen würde, wenn er umfiele. Die Gestapo verhörte sämtliche Burschen, die Fritsch während seiner Offizierslaufbahn bedient hatten. Sie verhaftete den aus Amerika heimkehrenden weltberühmten Tennischampion Gottfried von Cramm und ließ ihn dann auch aburteilen.

Befragt wurden auch zwei Hitler-Jungen, die Fritsch eine Zeitlang regelmäßig an seinem Mittagstisch beköstigt hatte. Er war damit einem Aufruf der NSV (Nationalsozialistische Volkswohlfahrt) nachgekommen, wonach begüterte Volksgenossen die Kinder armer Berliner als Gäste aufpäppeln sollten. Um nicht nur dem Magen, sondern auch dem Kopf etwas zu geben, versuchte Fritsch, den Jungen etwas Geographie, Kartenlesen, Kriegsgeschichte beizubringen. Wolff behauptete – was ihm wohl seine Freunde von der Gestapo verraten haben –, der

Generaloberst habe seine kleinen Gäste mit einem Lineal über die nackten Waden geschlagen, wenn sie beim Unterricht nicht aufgepaßt hätten. Mit scheinbarer Sachkenntnis nennt er diese Art der Züchtigung »Wadenfetischismus« und wertet sie demnach als eine sexuelle Verirrung eines unverheirateten Soldaten – etwa in der Richtung: An der Anklage war doch etwas dran.

Tatsächlich verlief das Verfahren völlig anders, als es sich Hitler, Göring und Himmler gewünscht hatten. Fritsch-Verteidiger Rüdiger von der Goltz, Reichsgerichtsrat Dr. Sack, Oberst Hoßbach und Admiral Canaris bemühten sich gemeinsam mit weiteren Freunden des Beschuldigten, die Aussage des Erpressers Schmidt zu widerlegen. Sie fanden schließlich den schwachen Punkt der Intrige: Das Opfer des Gestapohäftlings war ein Rittmeister a. D. von Fritsch, der alles bestätigte, was Schmidt und der Strichjunge Weingärtner der Polizei erzählt hatten. Als der Februar zu Ende ging, brachte Verteidiger von der Goltz dem Angeschuldigten einen Strauß roter Rosen in seine Wohnung, wohin er verbannt worden war, mit den Worten: »Herr Generaloberst, Sie können Viktoria schießen lassen.«

Nun stellte es sich auch noch heraus, daß die Gestapo mindestens seit dem 15. Februar den wahren Sachverhalt kannte; an diesem Tag hatte ein Beamter des Amtes den Rittmeister von Fritsch besucht und befragt. Mitglieder des für diesen Fall vorgesehenen Militärgerichts trugen Hitler vor, er möge die Einstellung des Verfahrens anordnen. Er jedoch forderte, der Erpresser müsse erst seine Aussage widerrufen. So wurde die Verhandlung auf den 10. März 1938 festgesetzt.

Wie üblich wurde der Angeklagte zu Beginn der Hauptverhandlung gefragt, ob er sich schuldig bekenne. Fritsch bestritt die Anklage, aber der Zeuge Schmidt bestätigte sie unentwegt. Doch an diesem Tag wurde die Verhandlung unerwartet und aus zunächst schleierhaften Gründen abgebrochen. Dann sickerte durch, daß die österreichischen Nationalsozialisten in Wien und anderen Städten gegen den Bundeskanzler Dr. Kurt von Schuschnigg in Massen demonstrierten, weil er mit einer manipulierten Volksabstimmung Hitler den Weg zu einer Machtergreifung verlegen wollte. Für die deutsche Gegenaktion wurde vor allem Göring gebraucht, der später in den kritischen Stunden den »Anschluß« der sogenannten Ostmark an das Reich dann tatsächlich managte.

Als die Verhandlung gegen Fritsch eine Woche später wiederaufgenommen wurde – wieder mit Göring als Gerichtsvorsitzendem –, war auch Hitler schon wieder in Berlin. Seine noch immer jubelnden Anhänger in Österreich feierten seinen und ihren Sieg mit einem Meer von Hakenkreuzfahnen, mit Aufmärschen und Kundgebungen mit der Parole »Ein Volk, ein Reich, ein Führer«. Doch im Gerichtssaal war die Lage unverändert, Schmidt belastete hartnäckig Fritsch. Am nächsten Tag jedoch, am 18. März 1938, als die Verteidigung nahezu alle ihre Möglichkeiten erschöpft hatte und schon fürchten mußte, sich mit einem Freispruch mangels Beweises – in der Wirkung kaum besser als ein Schuldspruch – abfinden zu müssen, gelang es ihr bei der Vernehmung eines letzten Zeugen, den Erpresser Schmidt in Widersprüche zu verwickeln.

Jetzt nutzte der gewiefte Taktiker Göring seine Chance. Da die Anklage zusammenzubrechen drohte, war es zweckmäßig, die Verfolgung eines Unschuldigen der Gestapo aufzubürden und sich selber das Wohlwollen der Generalität zu sichern. Er überfiel den schon stotternden Zeugen Schmidt mit Gebrüll, nannte ihn einen verlogenen Menschen und forderte sein Geständnis. Schmidt gab zu: »Jawohl, ick ha jelogen!«

Fritsch wurde wegen erwiesener Unschuld freigesprochen, doch in sein Amt kam er nicht mehr zurück. Schon am 4. Februar hatte er von Hitler seine Entlassung aus der aktiven Wehrmacht schriftlich bekommen, begründet mit der Rücksicht auf seine Gesundheit und mit seinen (nie vorgetragenen) »wiederholten Bitten« um eine Versetzung in den Ruhestand. Am gleichen Tag wurde auch Blomberg entlassen, wurde Göring zum Generalfeldmarschall befördert, wurde General Keitel als Chef des Oberkommandos der Wehrmacht eingesetzt, übernahm Hitler das Amt des Kriegsministers in der Form eines Oberbefehlshabers der gesamten Wehrmacht, wurden 14 Generäle, die er für Defaitisten hielt, in den Ruhestand versetzt, wurde der Berufsdiplomat Konstantin Freiherr von Neurath als Außenminister abgelöst und durch den Sektreisenden a. D. Joachim von Ribbentrop ersetzt, wurden die Botschafter in London, Tokio, Rom und Wien abgelöst. Das alles sowie der Anschluß Österreichs hatte sich vor dem Freispruch des Generalobersten Werner von Fritsch abgespielt, und im Schatten solcher Ereignisse war das Urteil für die Öffentlichkeit eine belanglose Nachricht. Dem Volk blieb verborgen, daß Hitler sich nun den Weg freigeschlagen hatte zu einer Außenpolitik der Gewalt.

Zwei Fakten aus diesem Komplex sind noch des Nachtragens wert. Wolff berichtete, daß der mit ihm befreundete Blomberg-Adjutant von Friedeburg ihn noch vor der Hochzeit gebeten habe, er möge doch diskret bei der Polizei ein Leumundszeugnis über Erna Gruhn anfordern. Doch ehe die Antwort eingetroffen sei, habe Friedeburg auf Anforderung des Marineoberkommandos eine Stelle in Kiel antreten müssen. Hat die Polizei tatsächlich in ihren Akten nachgeschlagen, dann kannte doch wohl der SS-Gruppenführer Karl Wolff das Vorleben jener Dame, ehe sie ihr Ja auf dem Standesamt sprach. Und natürlich wußten dann auch Himmler und Heydrich Bescheid. Warum warnten sie Blomberg nicht? Oder haben sie ihr Wissen am Ende auch ihrem Führer mitgeteilt? Es hätte Hitlers üblicher Hinterlist entsprochen, daß er den Dingen ihren Lauf ließ, um nach der SA nun auch noch die Wehrmachtsführung zu demütigen.

Wenn tatsächlich die SS-Spitze den Minister Blomberg blind in den Skandal schlittern ließ, dann hat er von solchen Ränken nichts erfahren. Etliche Wochen nach der Affäre trafen Himmler, Wolff und der gestürzte Minister im Münchner Hotel »Vier Jahreszeiten« unverhofft aufeinander. Wolff erzählte, Himmler habe ihn ratlos gefragt: »Was machen wir nun?« Er habe vorgeschlagen, so zu tun, als sei nie etwas gewesen, und Blomberg sei geradezu dankbar gewesen, daß sie ihm jovial die Hand geschüttelt hätten.

Fritsch dagegen blieb unversöhnlich. Mit der SS wollte er nie mehr etwas zu schaffen haben. Für seine Rehabilitierung tat Hitler nur das Notwendigste. Mehr zu fordern war der Generaloberst zu stolz. Er zog sich ganz aus dem öffentlichen Leben zurück. Den Generälen nahm er übel, daß sie sich nicht tatkräftiger für ihn eingesetzt hatten. Wolff erklärte diese Zurückhaltung anders. Man habe dem Generaloberst a. D. zu verstehen gegeben, daß sein »Wadenfetischismus« zu einem Strafverfahren führen würde, falls er sich nicht ruhig verhielte.

Als am 10. März 1938 die Verhandlung gegen Fritsch so überraschend abgebrochen wurde, erfaßte der Österreich-Alarm auch den SS-Gruppenführer Karl Wolff. Himmler und er stellten die Listen zusammen, wer von der SS-Prominenz den Vorzug genießen sollte, den Systemwechsel in der sogenannten Ostmark mitzuvollziehen. Daß Wolff dabei und auch tätig war, bezeugt in seinen Personalakten die Rubrik »Orden und Ehrenzeichen« mit dem Vermerk »Ostmark-Medaille«.

Dieser Anschluß an das Reich wurde seit Jahren betrieben und kam nun doch einigermaßen unvermutet. Seit dem mißglückten Putsch der österreichischen SS im Juli 1934, bei dem der damalige Bundeskanzler Dr. Engelbert Dollfuß ermordet worden war, herrschte Krieg zwischen den Nationalsozialisten und der regierenden Vaterländischen Front, die sich als eine Kreuzung zwischen Klerikalismus und monarchistisch drapiertem Faschismus verstand. Im Februar 1938 schien die Situation halbwegs entschärft; Hitler und der Bundeskanzler Dr. Kurt von Schuschnigg hatten sich auf dem Berghof geeinigt, daß die Nationalsozialisten österreichischer Staatsangehörigkeit nicht mehr verfolgt, sondern in Maßen an der Regierung beteiligt werden sollten. Hitler hatte dann sogar eine versöhnliche Rede im Reichstag gehalten. Doch drei Wochen später hatte Schuschnigg mit einer Rede in Innsbruck eine Volksbefragung – nach Hitlers Strickmuster – angekündigt, mit der schon vier Tage später seine Landsleute bekunden sollten, daß sie ein freies, deutsches, unabhängiges, soziales, christliches und einiges Österreich wünschten. Schuschniggs Gegner – das waren neben den sehr zahlreichen Anhängern Hitlers auch die Marxisten und die Antiklerikalen – argwöhnten mit Recht, daß er sich damit nur eine Vollmacht erschleichen wollte, seinen faschistoiden Kurs wieder zu verschärfen und noch mehr Andersdenkende in seine Konzentrationslager zu stecken. Als dann am nächsten Tag schon an vielen Orten im Land die Protestdemonstrationen begannen, erwog er, Soldaten des Bundesheeres marschieren zu lassen. Sein bisheriger Gönner, der italienische Regierungs- und Faschistenchef Benito Mussolini ließ ihn warnen: Diese Bombe könne ihm in der Hand explodieren. Tatsächlich erwies sich die Polizei da und dort als unzuverlässig; sie schritt nur lasch gegen Demonstranten ein und begann, zu den Rebellen überzulaufen.

In dieser Situation entschloß sich Hitler, die Revoltierenden zu unterstützen, notfalls mit Waffengewalt. Mit der Weisung an die Wehrmacht, Tarnwort »Unternehmen Otto«, gab er die Richtung an. »Es liegt in unserem Interesse, daß das ganze Unternehmen ohne Anwendung von Gewalt in Form eines von der Bevölkerung begrüßten friedlichen Einmarsches vor sich geht.« Wo jedoch

Widerstand geleistet werde, sei er »mit größter Rücksichtslosigkeit durch Waffengewalt zu brechen«. Doch dieser Zusatz erwies sich als unnötig. Wo immer die »Reichsdeutschen« – so nannten die Österreicher die Invasoren – auftauchten, ob Soldaten, Parteileute oder gar der Führer höchstpersönlich, wurden sie mit Jubel, Fahnen und einem dichten Spalier emporgereckter Arme empfangen.
Wie alle Parteigrößen, die in Österreich etwas zu erben gedachten, wollte auch Himmler mit einem Gefolge von Mitarbeitern an Ort und Stelle zugreifen, ehe sich die Konkurrenz – Reichsbehörden und Parteiorganisationen – dort einnisten konnten. Am Abend des 11. März 1938, als Schuschnigg gerade unter dem Druck der Straße und der Drohungen aus dem Reich seinen Rücktritt als Regierungschef erklärt hatte, war des Reichsführers Stoßtrupp in Berlin fertig zur Abreise. Er und Heydrich hatten feldgraue Uniformen angelegt – eine Neuschöpfung, die von nun an bei Hitlers Gewaltaktionen unter höheren SS-Führern üblich wurde.
Um Mitternacht zwischen dem 11. und 12. März stiegen Himmler und seine Mannschaft auf dem Flughafen Berlin-Tempelhof in zwei Transportmaschinen vom Typ Ju 52. Außer dem Reichsführer-SS, Wolff, Heydrich, dem Obergruppenführer Kurt Daluege und einer Horde Gestapo-Beamten kamen auch Bewaffnete der SS-Verfügungstruppe, vorwiegend aus Österreich geflüchtete SS-Männer, an Bord. Die dreimotorigen Maschinen waren erheblich überladen. Walter Schellenberg, im SD zuständig für Auslandsspionage, behauptete, er habe bei diesem Flug möglicherweise Himmler das Leben gerettet; der Reichsführer habe sich während des Flugs gegen eine ungesicherte Außentür gelehnt und er habe ihn am Mantel gepackt und zurückgerissen, weil er gefürchtet habe, die Tür könne aufspringen.
Beide Maschinen landeten auf dem Verkehrsflughafen Wien-Aspern am 12. März um 5 Uhr. Wolff wunderte sich, daß ihm und seinen Mitreisenden keine Gelegenheit zu Heldentaten geboten wurde. Es empfing sie zwar die Polizei, aber durchaus freundlich in Gestalt des österreichischen Sicherheitsministers Dr. Michael Skubl. Er war bisher mit Nationalsozialisten ziemlich hart umgesprungen, aber jetzt hieß er die Gäste aus dem Reich willkommen. Den Wandel konnte er sogar begründen: Er war seit Schuschniggs Rücktritt nicht mehr im Amt. Schon hatte in Wien der Nationalsozialist Dr. Arthur Seyß-Inquart praktisch die Macht übernommen. Himmler durfte mit seinen drei deutschen Recken – Wolff, Heydrich, Daluege, sie maßen alle über 180 Zentimeter – die Front einer Ehrenkompanie abschreiten, ehe sie in Kraftwagen des Staates Österreich in die Stadt gefahren wurden. Behängt mit Maschinenpistolen und der dazugehörigen Munition müssen sie sich wohl etwas deplaziert vorgekommen sein. Besonders Schellenberg, denn er hatte den Auftrag, Skubl unverzüglich als ersten festzunehmen.
Himmlers Stoßtrupp waren nicht die ersten »Gleichschalter« aus dem Reich. Die Süddeutschen waren näher dran und deshalb früher gekommen. So der rheinpfälzische Gauleiter Josef Bürckel, der im Herbst 1935 nach der Abstimmung im Saargebiet dieses Land in den Verband des Reiches zurückgeleitet

hatte und dabei Erfahrungen in der unauffälligen Handhabung eines eisernen Besens gesammelt hatte. Auch Hitlers Wirtschaftsberater Wilhelm Keppler hatte sich schon mit einem Stab in Wien eingefunden. Rudolf Heß, als Reichsminister wie als Stellvertreter des Führers im Parteibereich gleichermaßen funktionslos, war per Eisenbahn eingetroffen. Deshalb bemühte sich Himmlers Troß zunächst einmal um die Sicherung ihrer Standquartiere für die nächsten Tage. Für Himmler, Wolff und den SS-Stab beschlagnahmten sie das Hotel »Regina«, für die Gestapo das Hotel »Metropol«. Dann mußten sich Himmler und sein engster Mitarbeiterkreis unausgeschlafen in Kraftwagen auf den Weg machen nach Linz, dem Führer entgegen.
Soldaten der 8. deutschen Armee hatten an diesem 12. März in der achten Morgenstunde an verschiedenen Grenzübergängen die Schlagbäume hochgestellt, unterstützt von jubelnden österreichischen Zoll- und Polizeibeamten. Bedrängt von begeisterten Massen kamen ihre Kolonnen nur langsam voran. Die Straßen wurden erst recht blockiert, als Hitler kurz vor 16 Uhr in seiner Geburtsstadt Braunau am Inn eintraf. Da seine Wagenkolonne immer wieder durch Wehrmachtskolonnen und durch nur mühsam zurückgehaltene Jubelspaliere gebremst wurde, erreichten ihn Himmler und seine Mannen noch 15 Kilometer westlich Linz. Als sie eintrafen, war es bereits dunkel. Vom Balkon des Linzer Rathauses herab hielt Hitler dann noch eine – entgegen seiner Gewohnheit – sehr kurze Rede an die wartende Menschenmenge. Im Hotel »Weinzinger« am Donauufer übernachtete er.
Am folgenden Tag um die Mittagszeit besuchte er die Gräber seiner Eltern in Leonding, wenige Kilometer westlich Linz. Himmler und Wolff durften ihn dabei begleiten. Der Rest des Tages ging für den Führer-Kreis hin mit Staatsgeschäften, bei denen es auch um die Frage ging, ob einem nationalsozialistischen Österreich noch eine gewisse Eigenständigkeit gelassen werden sollte oder ob mit dem Anschluß und der im »Altreich« üblichen Gaustruktur gleich die totale Gleichschaltung durchgesetzt werden sollte. Erst um zehn Uhr am folgenden Morgen machte sich die ganze Karawane auf den Weg nach Wien. Sie kam, wie üblich, nur langsam voran und traf um 17.30 Uhr in der Hauptstadt ein. Hitler bezog mit seinem engsten Gefolge, zu dem jetzt auch Eva Braun, seine aus München angereiste Geliebte, gehörte, das Hotel »Imperial«. Angeblich hatte er dort in seinen Elendsjahren vor dem Weltkrieg mit Schneeschippen gelegentlich ein paar Kreuzer verdient, und es hatte ihn seitdem der Wunsch geplagt, den Luxus dieses Hauses einmal als Gast zu genießen.
Zwölf Stunden lang – so versicherte der SD-Führer Walter Schellenberg – sei er in Wien für die Sicherheit des Führers verantwortlich gewesen. Ebenso behauptete Wolff, sei auch ihm dort zweitweise Leben und Unversehrtheit Hitlers anvertraut worden. Da Hitler in Wien nur 24 Stunden zugebracht hat – wie viele aus der Provinz stammenden Österreicher liebte er die Hauptstadt nicht – nämlich vom 14. März 17.30 Uhr bis zum Abflug am 15. März um 17 Uhr, müssen die beiden Herren bei dieser Gelegenheit rivalisiert haben. Doch soweit sie über diesen Tag berichtet haben, erwähnte keiner den anderen. Tatsächlich

dürfte die Verantwortung wohl mehr symbolischer Art gewesen sein, denn das übliche Begleitkommando, die professionellen Beschützer gegen Attentäter, Verehrer und Bittsteller, war natürlich auch in Wien immer dabei. Demnach dürfte Wolff auch nur eine Mantelträgerfunktion ausgeübt haben, als er am Nachmittag des 15. März nach Hitlers großer Rede herab vom Balkon der Hofburg seinen Führer zum Grab von Geli Raubal geleiten durfte.

Sie war die Tochter von Hitlers Halbschwester Angela Raubal, und sie war 19 Jahre jünger als ihr Onkel Adolf. Er hatte sie vor der »Machtergreifung« aus Wien nach München kommen lassen, angeblich weil er sie als Sängerin ausbilden lassen wollte. In seiner Münchner Wohnung am Prinzregentenplatz hatte sie ein Zimmer und wurde bald seine Geliebte, aber man munkelte, daß sie es mit der Treue nicht allzu genau nehme. Offenbar kam es zwischen Nichte und Onkel zu heftigen Unstimmigkeiten, denn am 18. September 1931 erschoß sie sich mit einer Pistole Hitlers in ihrem Zimmer, während er sich auf dem Wege nach Nürnberg befand. Hier alarmierten ihn Parteigenossen, worauf er sofort zurückfuhr, um tagelang ein seelisches Wrack zu sein. Folgt man Wolffs Erzählungen, dann legte der strahlende Sieger am Grab eine tiefernste Trauermiene an.

Himmler und Wolff blieb während der turbulenten Wiener Tage noch Zeit, einige prominente Häftlinge der Gestapo zu mustern. Anders als die Gegner geringeren Ranges, die massenhaft in jenen Konzentrationslagern verschwanden, in denen Schuschnigg bisher Nationalsozialisten gefangengehalten hatte, waren Leute von Rang und Stand im Hotel »Metropol« untergebracht, dem Quartier der Gestapo. In den eleganten Prachtzimmern hausten, wirkten und feierten die Beamten. Für Häftlinge wie Schuschnigg und seine Minister waren die Mansarden unter dem Dach gut genug, wo bisher Kellner und Köche logiert hatten. Die Räume, das Mobiliar und die sanitären Anlagen waren dort seit Jahren verwahrlost.

In einer solchen Kammer, primitiv möbliert mit Tisch, Stuhl, Schrank und einer eisernen Bettstelle trafen die Besucher auf Louis Freiherr von Rothschild, Chef der gleichnamigen Bank in Wien, die durch Familien- und Geschäftsbande verknüpft war mit den weltweiten Unternehmen dieser Bankier-Dynastie. Der Häftling wurde ständig bewacht von einem Kriminalbeamten, weil die Gestapo einen Selbstmordversuch verhindern wollte. Für einen Mann, der von der Wiege auf gewohnt war, in einem Palais zu leben, war es eine ungewöhnliche Situation, aber es ging ihm doch einigermaßen besser als den Juden aus der Wiener Josefstadt, die von dem randalierenden Nazipöbel auf die Straßen getrieben wurden und unter Fußtritten und Schlägen mit Wasser und Besen das Pflaster scheuern mußten.

Als Himmler und Wolff in die Dachkammer traten, waren sie verblüfft: Rothschild entsprach in keiner Hinsicht dem Bild, das sie sich von einem »Finanzjuden« gemacht hatten. Er war mittelgroß, schlank, hatte rotblondes Haar und – so Wolff – »strahlend hellblaue Augen«. Als er von seinem Stuhl aufstand und seine Besucher schweigend musterte, blieb seine Miene so abständlich gleichmütig, als empfinge er einen seiner Angestellten. Der einigermaßen verlegene

Reichsführer-SS fragte dümmlich: »Wissen Sie, wer ich bin?« Rothschild nannte Namen und Rang. Himmler versprach, berechtigte Wünsche – was immer er darunter verstehen mochte – werde er gern erfüllen. Der Häftling äußerte keine Wünsche. Nach seinen Zukunftserwartungen gefragt, meinte er, es werde wohl längere Zeit dauern, bis man darüber einig werde, was mit ihm und seinem Besitz zu geschehen habe. Nachdem Himmler nach Feldwebelart das Zimmer auf Sauberkeit inspiziert hatte, ordnete er an, daß Bett, Tisch und Stuhl gegen neueres Mobiliar ausgewechselt würden und daß auch in der Toilette das Becken und der Sitz erneuert wurden.

Baron Rothschild hatte richtig vermutet: Er war auch noch nach einem Jahr Gefangener der Gestapo. Konkrete Beschuldigungen lagen nicht vor, aber es genügte, ein schwerreicher Jude zu sein. Nach NS-Maßstäben mußte er einer der Mächtigen in der geheimen jüdischen Weltregierung sein. Zu seinem Glück gab es auch noch Deutsche, die solche abstrusen Phantastereien nicht ernst nahmen. Zu ihnen gehörte auch der Bankiers-Kollege Dr. Kurt Rasche, Vorstandsmitglied der Dresdner Bank und Mitglied im Freundeskreis Himmlers. Ebenso der Frankfurter Bankier Cornelius Freiherr von Berenberg-Gosler, mit dessen Sohn sich Wolff angefreundet hatte, als er 1920 Lehrling einer Bank in Frankfurt war. Beide Geldleute wurden von Pariser Geschäftsfreunden um Hilfe für Rothschild gebeten, und beide wandten sich an den allzeit jovialen Gruppenführer Karl Wolff.

Ob allein dessen Fürsprache bewirkte, daß Rothschild im Sommer 1939 einige Wochen vor Ausbruch des Zweiten Weltkrieges aus der Haft entlassen wurde und nach Frankreich ausreisen durfte, mag dahingestellt bleiben; Wolff jedenfalls nahm später dieses Verdienst für sich in Anspruch. Mit seinem Duzfreund Heydrich mußte er sich damals herumstreiten, weil der Chef des Reichssicherheitshauptamtes von Rothschild viele Millionen Lösegeld erpressen wollte; in Devisen, versteht sich. Damit wollte er auswanderungswillige Juden ausstatten; sie mußten bei der Einreise in ihr neues Heimatland ein hohes Kopfgeld vorweisen und damit belegen, daß sie nicht so schnell der öffentlichen Fürsorge zur Last fallen würden.

Zehn Jahre nach dem Abschluß Österreichs, als vom Glanz des Dritten Reiches nur noch Trümmer, Leichen und Verbrechen übriggeblieben waren und als Wolff durch automatischen Arrest im Nürnberger Gefängnis des Internationalen Militärgerichtshofes saß, ließ er sich von dem ebenfalls dort festgehaltenen Dr. Karl Rasche bescheinigen, daß er sich gegenüber einem weltbekannten Juden hilfreich erwiesen hatte. »Persilschein« nannte man damals solch ein Schriftstück, weil damit ein Braunhemd weißgewaschen werden sollte.

Für den Schutzhäftling Dr. Kurt von Schuschnigg konnte oder wollte Wolff sich 1938 nicht in gleicher Weise verwenden. Zwar wurde auch dessen Dachkammer auf Himmlers Befehl hin wohnlicher ausgestattet und frisch getüncht, aber für seine aus Österreich stammenden Bewacher verstand es sich von selbst, daß sie ihn den Haß fühlen ließen, der sich in ihnen angesammelt hatte, als ihre Partei verboten gewesen und sie verfolgt worden waren. Was mit ihm geschehen sollte, entschieden letzten Endes weder Himmler noch Wolff, sondern allein Hitler. Der ehemalige Bundeskanzler wurde in einem deutschen Konzentrationslager versteckt, erhielt aber insofern einen Sonderstatus, als er in einem abgegrenzten Teil eine eigene Wohnung zugewiesen bekam und dort seine Frau die Haft mit ihm teilen durfte. Er wurde auch nicht zur Arbeit gezwungen. Kurz vor Kriegsende wurde er zusammen mit etwa 50 weiteren staatspolitisch wichtigen Häftlingen in Bussen nach Südtirol gefahren, damit ihn nicht die siegreich vordringenden Truppen der westlichen Alliierten befreien sollten. Dort begegnete ihm dann Wolff ein weiteres Mal.

Für den Chef des Persönlichen Stabes Reichsführer-SS bestand jedoch der sogenannte Anschluß nicht nur aus historischen Stunden. Die neue Situation löste allerlei Verwicklungen aus. Da hatten doch die eifrigen Parteigenossen in der Stadt Linz dem dort ansässigen Obermedizinalrat Dr. Eduard Bloch das Praxisschild am Hauseingang mit dem Aufkleber »Jude« verziert. Sie wollten in Sachen Antisemitismus schnell einiges nachholen. In diesem Fall griffen sie jedoch in die Nesseln. Es gab in der Stadt noch einige Linzer, die sich erinnerten, daß die Witwe Klara Hitler, Mutter des späteren Führers Adolf, im Vorort Urfahr gewohnt und den Doktor Bloch Anfang des Jahres 1907 wegen Schmerzen in der Brust konsultiert hatte. Er diagnostizierte Krebs. Klara Hitler war dann operiert worden, aber bald hatte es sich herausgestellt, daß die Krankheit nicht mehr heilbar war, so sehr sich der Arzt auch bemühte. Die Kranke starb am 23. Dezember 1907. Der damals 18jährige Sohn Adolf war überzeugt, daß Dr. Bloch getan hatte, was menschenmöglich war, und fühlte sich seitdem zu Dank verpflichtet.

Dieser Arzt, so meinten einige Linzer, habe es nicht verdient, nun durch die Anhänger Hitlers brotlos gemacht zu werden. Ihnen fiel ein, daß neuerdings der Sohn eines in Linz amtierenden Rechtsanwaltes, nämlich Dr. Ernst Kaltenbrunner, in der SS ein großes Tier, und zwar Führer des SS-Oberabschnitts Österreich geworden war. Der Brigadeführer Kaltenbrunner befahl, daß zwei SS-Männer das Arztschild reinigten, und verbot weitere Klebeaktionen. Einen Bericht darüber schickte er Wolff. Der antwortete mit dem bei ihm üblichen Zeitabstand von fünf Wochen: Der Reichsführer-SS »hat davon Kenntnis genommen« und »ist mit Ihrer Handlungsweise durchaus einverstanden«.

Das Schauerlich-Groteske an dieser Episode ist: Einige Jahre zuvor hatte Ernst Kaltenbrunner den Sohn eines in Linz lebenden deutschen Staatsbürgers für die SS geworben – Adolf Eichmann. Er war inzwischen Judenreferent beim SD geworden und wurde es später bei der Gestapo. Als Obersturmbannführer wird er Millionen Juden aus vielen Ländern Europas in die Vernichtungslager und damit in die Gaskammern transportieren. Kaltenbrunner wird dann als Nachfolger Heydrichs, also als Chef des Reichssicherheitshauptamtes, die Oberaufsicht über die Massenmorde haben. Das Internationale Militärtribunal in Nürnberg wird ihn deswegen nach dem Zweiten Weltkrieg zum Tode verurteilen und hängen lassen.

Wolff wird mit Kaltenbrunner noch viel zu tun bekommen. Sie waren sich nicht

grün von Anbeginn, der ungeschlachte Jurist aus Linz mit dem Charme eines steirischen Holzknechts, und der Gardeoffizier, der mühelos in jeder Gesellschaft glänzte. Längere Zeit leistete sich Wolff gegenüber Kaltenbrunner eine scheinbar wohlwollende Kameradschaft von oben herab. Als dieser bald nach dem Anschluß bei Himmler klagte, daß er mit seinem Gehalt als hauptamtlicher SS-Führer nicht auskommen könne, weil er als Führer des Oberabschnitts in die teure Stadt Wien umgezogen sei und dort auch noch repräsentieren müsse, sagte ihm der Reichsführer finanzielle Hilfe zu. Wolff wurde angewiesen, einen Zuschuß aus der Spendenkasse des Freundeskreises überweisen zu lassen. Scheinbar nur unzureichend über die Höhe des Zuschusses informiert, fragte Wolff bei Kaltenbrunner brieflich an, wieviel ihm denn nun versprochen worden sei. Wenn dies eine Probe von Kaltenbrunners Ehrlichkeit gewesen sein sollte, so bestand er sie: Seine und Himmlers Angaben stimmten überein.
Die Korrespondenz zwischen dem Chef des Persönlichen Stabes und dem Wiener SS-Obersten blieb noch einige Zeit eingefärbt vom Unterschied im Rang und Dienstalter. Einmal wollte Kaltenbrunner dem Mann in Berlin einen Dienst erweisen, indem er in seiner Eigenschaft als Höherer SS- und Polizeiführer dem Gauleiter von Niederbayern Dr. Jury nahelegte, die Reingewinne des Spielkasinos in Baden bei Wien künftighin dem von Wolff regierten SS-Verein »Lebensborn« zukommen zu lassen. Nur unter dieser Bedingung, so drohte er, werde die Konzession der Spielbank erneuert. Doch Jury wollte den Gewinn in die Kasse der Gauleitung leiten; er holte sich Hilfe beim Reichsleiter Martin Bormann, der sich auf den Willen des Führers berufen konnte, wonach die Gauleiter in den Stand gesetzt werden sollten, durch eigene Einnahmequellen Projekte zu verwirklichen, unabhängig von den Ministerien in Berlin. Also schrieb Wolff an Kaltenbrunner, es sei keineswegs im Sinn des Reichsführers, Dr. Jury »unter Druck zu setzen, damit er aus dieser Zwangslage heraus« das Geld abliefere, zumal der Gauleiter »bestimmte Beträge benötigt, um einen Teil der Badeorte seines Gaues zu finanzieren«. Kaltenbrunner wurde angewiesen, einen Kompromiß auszuhandeln, der den Wünschen der SS und der Gauleitung »in gleichem Maße Rechnung trägt«.
Aus Wien kam dann auch prompt die Entschuldigung: Ein Mißverständnis eines Untergebenen habe den Fall kompliziert, und selbstverständlich werde man jetzt »vollkommen kameradschaftlich und taktvoll« vorgehen. In neuen Verhandlungen sei vereinbart worden, daß Jury »möglichst hohe Beträge in wiederkehrender Form« abliefern werde. Leider sei jedoch »augenblicklich der Spielbetrieb sehr zurückgegangen«. Die Ursache dafür verrät das Datum des Briefes: am 30. September 1939 war in Europa seit einem Monat Krieg.
Zu dieser Zeit bekamen Wolffs Briefe bereits einen Handstempel aufgedruckt: »z. Zt. Führerhauptquartier«. Dort war in den folgenden dreieinhalb Jahren sein ständiger Aufenthalt – auf Wunsch Hitlers, wie Wolff immer wieder zu betonen pflegte. Die Berufung verstärkte noch sein Selbstbewußtsein. Während er seine Briefe an Kaltenbrunner schlicht mit seinem Namenszug unter dem obligaten »Heil Hitler« abschloß, versäumte dieser nicht, ein »Ihr sehr ergebe-

ner« der Unterschrift voranzusetzen. Dienstbeflissen schickte er während der ersten Kriegsjahre im Herbst das rar gewordene Obst zentnerweise an die Wolff-Familie am Tegernsee. Das alles hatte er nicht mehr nötig, als er Chef des Reichssicherheitshauptamtes geworden war. Als es dann mit dem Dritten Reich zu Ende ging und als dessen Würdenträger nach der Parole handelten »Rette sich, wer kann«, wurden sie Rivalen – und schnell noch versuchte Kaltenbrunner Wolff als Hoch- und Landesverräter an den Galgen zu bringen.

4
»Kristallnacht«

So dramatisch hochgespannt ging es in den ersten Monaten nach dem Österreich-Anschluß nicht zu, aber Aufregungen lieferten die karrieresüchtigen Funktionäre in Braun und Schwarz mehr als genug. Es waren noch nicht zwei Wochen nach dem Einmarsch verflossen, als Himmler befahl, daß auch in der nunmehr gleichgeschalteten Ostmark eine bewaffnete SS-Verfügungstruppe aufzustellen sei. Der Auftrag ging an den Inspekteur der SS-Verfügungstruppe Brigadeführer Paul Hauser, dem die Aufstellung, Organisation und Ausbildung dieser Einheiten oblag.

Ihm unterstand jedoch nicht die SS-Leibstandarte Adolf Hitler. Sie war in ihren Anfängen ab 1933 vom feudalen Infanterieregiment 9 der Reichswehr ausgebildet worden, erhielt ihren Sold aus dem Etat der preußischen Landespolizei, war von Anfang an nur auf Adolf Hitler vereidigt worden und wurde geführt vom Uralt-Kämpfer Sepp Dietrich. Er war im Ersten Weltkrieg als Feldwebel und Panzerfahrer reich dekoriert worden und hatte sich in seinem Privatdasein Abwechslung verschafft durch die Teilnahme an den Münchner Bierkellerprügeleien der Nationalsozialisten und natürlich auch an ihrem Putschversuch. Hauser war als Generalleutnant aus Altersgründen aus der Reichswehr ausgeschieden, fühlte sich aber noch zu jung für ein Pensionärsdasein, und hatte sich deshalb für Himmlers Verfügungstruppe anwerben lassen, dem Vorläufer der Waffen-SS. Der mit bayerischen Kraftworten und Flüchen um sich werfende Dietrich war in Hausers Augen ein wilder Landsknechtführer, dem man bestenfalls eine Kompanie anvertrauen dürfe. Ebenso minimal war die Sympathie, die der Kommandeur der Leibstandarte dem ehemaligen Generalstäbler entgegenbrachte. Bisher waren sich die beiden ziemlich aus dem Weg gegangen, aber als Himmler anordnete, die neu aufzustellende (österreichische) Standarte der Verfügungstruppe sollte einen Teil ihrer Stammannschaft von der Leibstandarte erhalten, wurde der Streit unvermeidlich. In einer schriftlichen Meldung an Himmler beschwerte sich Hauser, daß Dietrich ihm sowohl die Männer als auch das Gerät verweigere. Hauser drohte, Rang und Amt niederzulegen, denn »dieser Fall ist keine Ausnahme. Es sind Befehle des Reichsführers, des SS-Gerichts und der Inspektion über Ausbildung nicht ausgeführt worden.«

Solcher Ärger mit Dietrich war Himmler aus eigener Erfahrung bekannt; es war schon vorgekommen, daß der Kommandeur der Leibstandarte einen Befehl des

Reichsführers durch Hitler annullieren ließ. Wohlweislich schob er deshalb die Schlichtung des Streits dem Chef seines Persönlichen Stabes zu. Am gleichen Tag noch, also mit einer für seinen Arbeitsstil geradezu hektischen Eile, setzte sich Wolff mit dem ebenfalls in Berlin stationierten Dietrich zusammen und diktierte dann anschließend einen Aktenvermerk über den Inhalt des Gesprächs. Demnach hatte sich alles ein wenig anders abgespielt, als Hauser behauptete: Dietrich weigere sich keineswegs, alles wie gewünscht abzugeben, aber er hatte ein paar Bedingungen daran geknüpft, und auf die war Hauser nicht eingegangen. So wollte Dietrich auf 193 Österreicher seiner Leibstandarte nicht verzichten, weil sie von seinen Beauftragten gerade erst ausgesucht und nach Berlin in Marsch gesetzt worden waren und weil sie »wegen ihrer Größe über 1,80 Meter nicht in der allgemeinen SS-VT, sondern nur in der Leibstandarte verwendet werden sollten«.

Das waren offensichtlich Ausflüchte zur Tarnung von Eigenmächtigkeiten, aber Wolff hütete sich, auch nur ein Wort gegen den mit vielen NS-Größen befreundeten Parteiveteranen zu sagen. Er schlug schlicht vor, daß sich die beiden Kampfhähne zusammensetzen und ihre Gegensätze selber ausgleichen sollten. Hauser konnte er dazu auf den Weg geben, daß dessen Widerpart im Prinzip den Befehl befolgen wolle, und Dietrich versicherte er, daß Himmler den Beschwerdebrief Hausers als ungeschrieben betrachten werde. Bei den Akten liegt er allerdings heute noch.

Erfolglos war Wolff auch bei seinem Versuch, einen innerparteilichen Streit zu beenden, dessen ständig wachsender Aktenstapel im Verlauf zweier Jahre immer wieder auf seinem Schreibtisch landete. Der Streit begann mit einer Beschwerde des Gruppenführers Reinhard Heydrich gegen einen Kunstmaler, der heute mit Recht vergessen ist, damals aber – auch mit Recht – als Kämpfer für artgerechte Kunst hochgeschätzt wurde. Er hieß Wolf Willrich, und er hielt es für seine Sendung, durch Zeichnungen und Gemälde die Idealgestalten nordischer Rasse in symbolträchtigen Situationen für NS-Ideen werben zu lassen – Männer meist als heldische Recken, Frauen als Mütter oder doch als Schwangere. Dem Zug der Zeit folgend hatte Heydrich seine Frau Lina, als blondes Mädchen von der Insel Fehmarn von Willrich porträtieren lassen. Jetzt aber – die Groteske begann im März 1937 – entdeckte er das Bild auf dem Titelblatt der Zeitschrift »Volk und Rasse«, entgegen seinem ausdrücklichen Wunsch. Von Himmler beauftragt, schrieb Wolff an das für die Zeitschrift zuständige »Rasse- und Siedlungshauptamt-SS«, es möge Willrich weitere Veröffentlichungen untersagen.

Damit geriet er, ohne es zu wollen, in eine Auseinandersetzung, die um Richtung und Ziel der deutschen Kunst seit Jahren geführt wurde – untergründig insofern, als das große Publikum an diesem Thema wenig interessiert war, und erst recht, weil die beiden Streithähne des Falles nur stellvertretend für Parteigrößen fochten, die sich nicht direkt anrempeln wollten. Die eine Partei wurde vertreten durch Wolf Willrich, den sacharingesüßten Ludwig Richter der Rassenwächter; ihm war nach erfolglosen Jahren unter dem Hakenkreuz endlich Erfolg beschie-

den worden. Nun drängte es ihn, die bisher Erfolgreichen, die Schmierer und Kulturbolschewisten, für seine Demütigungen büßen zu lassen. Im »Kampfbund für deutsche Kultur« des NS-Reichsleiters Alfred Rosenberg fand er Mitstreiter, im Reichsbauernführer Richard Walther Darré sogar einen ständigen Auftraggeber, der ein monatliches Honorarfixum zahlte. In seinem Buch »Säuberung des Kunsttempels« hatte Willrich die Maler Emil Nolde, Karl Schmidt-Rottluff, Otto Dix, Ernst Heckel, den Bildhauer Ernst Barlach, den Zeichner George Grosz und viele andere der Modernen aus den zwanziger Jahren massiv als Kulturzerstörer angeprangert. Ebenso hatte er mitgewirkt, als auf Hitlers Geheiß 1936 die Ausstellung »Entartete Kunst« zusammengestellt wurde. Für sie waren viele Werke unterschiedlicher Stilrichtungen – oder weil der Maler ein Jude war – aus Museen zusammengeholt worden; sie sollten beweisen, daß die »Kulturbolschewisten« mit Mitteln der bildenden Kunst versucht hatten, die ästhetischen Maßstäbe und die moralischen Kräfte der Deutschen zu schwächen.
Gegen diese Bilderstürmerei gab es innerhalb der Partei wenigstens in den ersten Jahren nach der Machtergreifung noch Opponierende, vorwiegend jüngere Intellektuelle und Künstler. So hatte die Berliner Studentenschaft im Mai 1933 sich in einer großen Versammlung für eine Ausstellung ausgesprochen, in der eine ganze Anzahl der verfemten Künstler ihre Werke als Zeichen einer revolutionären Epoche zeigen sollten. Einer der Befürworter dieser Aktion war der Reichsschulungsleiter des NS-Studentenbundes und NS-Journalist Dr. Johannes von Leers.
Zu der Zeit, da Willrichs Buch erschien, war die Auseinandersetzung über deutsche und undeutsche Kunst im Grunde längst entschieden – durch Hitlers provinziellen Kunstgeschmack. Als 1933 der Architekt Albert Speer das Haus der Berliner Gauleitung umgebaut und die Räume neu gestaltet hatte, waren dort an den Wänden auch einige Gemälde von Emil Nolde als Leihgaben aufgehängt worden. Der Hausherr Dr. Goebbels, Gauleiter von Berlin, war begeistert – bis dann Hitler die Räume besichtigte und verlangte, diese »Mistbilder« müßten »raus«. Seitdem sah auch Dr. Joseph Goebbels alle Kunst nur noch mit des Führers Augen an und die von den Berliner Studenten verehrten Künstler waren zumeist entweder emigriert oder durften nichts mehr produzieren.
Bezeichnenderweise wehrte sich keiner der angeprangerten Künstler gegen die Diffamierung, wohl aber ein von Willrich als »Kulturbolschewist« gebrandmarkter Kunstbuchverleger. Er klagte vor Gericht und berief sich dabei auf das Zeugnis des Dr. von Leers, der beweisen könne, daß Willrich keineswegs die offizielle NS-Meinung verkünde, sondern von fanatischen Außenseitern zu diesem Buch aufgehetzt worden sei. Diese wiederum gehörten zu den Leuten, die keinen Streit ausließen, wenn er ihnen nur Gelegenheit gab, Aufsehen zu erregen. So flogen bald die Beleidigungen und Denunziationen hinüber und herüber. Der Altparteigenosse von Leers, inzwischen zum SS-Obersturmführer avanciert, wurde beschuldigt, mit der Berliner Studentenversammlung anno 1933 einen »Putsch« gegen die Kulturpolitik des Führers organisiert zu haben.

3: Auch der Freistaat
'ern wird von nun an von
ı Nationalsozialisten regiert.
ız Xaver Ritter von Epp
zend, zweiter von links) wird
tthalter, Himmler (stehend,
ter von links) Münchner
izeipräsident, dessen
ıterer Rivale Röhm (stehend,
eiter von links) Staats-
kretär.

ster Besuch Hitlers als Reichskanzler in
ınchen. Sein Stellvertreter in der Partei,
dolf Heß (in SS-Uniform links), erwartet ihn
f dem Flughafen Oberwiesenfeld.
ıks von Heß Himmler und halbverdeckt
ssen Adjutant Wolff im Militärmantel
r kaiserlichen Armee.

34: Im Maybach-Wagen Besichtigungs-
hrten zu den SS-Verbänden im Reich. Mit
ıbei die Ehefrauen: Margarethe Himmler
ıit dem Rücken zur Kamera), rechts Frieda
'olff, geborene von Römheld.

1934: Bei den SS-Reitern in Pommern. Himmler mit Fernglas. Adjutant Wolff im Vordergrund.

Nach Niederschlagung des sogenannten »Röhm-Putsches« ziert ein weiteres Eichenlaub die Kragenspiegel Wolffs, wird seine Treue mit dem Rang des SS-Oberführers belohnt.

Reichsparteitag in Nürnberg. Himmler und Adjutant haben an der Spitze der SS-Verbände Aufstellung genommen. In wenigen Minuten werden sie an Hitler vorbeimarschieren.

Jagdfreunde: (stehend, von links) Himmler, der Schweinfurter Kugellagerfabrikant Willy Sachs, Ritter von Epp und Wolff.

935: Kirchenbesuch auf ehmarn. Von links: Himmler, eydrich und seine Frau Lina, argarethe Himmler nd Wolff.

1935: Das Konzentrationslager Dachau wird vorgeführt. Reichswehrminister Werner von Blomberg (mit Stock und Hut) und Himmler werden vom KZ-Kommandanten Theodor Eicke (mit Papieren) begleitet.

Reichsparteitag »der Freiheit«. Die SS mausert sich zur Garde der Partei. Zum ersten Male zeigen sich Himmler und Wolff stahlhelmbedeckt, ziehen SS-Verbände als paramilitärische Einheiten durch Nürnberg.

Rechtsanwälte wurden eingeschaltet. Das Rasse- und Siedlungshauptamt-SS wurde um eine Stellungnahme angegangen. Die Reichsbauernschaft Darrés drohte Willrich mit dem Entzug der Pauschalzahlung, wenn er nicht endlich Ruhe gäbe. Schmähbriefe landeten bei Hochschulen. Der Präsident der Reichskammer der bildenden Künste, der Malerprofessor Adolf Ziegler – genannt: ›Meister des deutschen Schamhaares‹ wegen seiner detailgenauen Aktmalerei – wurde vergeblich als Schiedsrichter bemüht. Schließlich beriefen sich beide Kontrahenten auch noch auf Heinrich Himmler. Leers – so forderten seine Gegner – »ist aus allen maßgeblichen Ämtern, die er in der Partei noch bekleidet... zu entfernen. Ein Ausschlußverfahren ist gegen ihn einzuleiten...«
Selbst Wolff, der schon sehr viel Übung hatte im Ausgleichen von Gegensätzen, konnte die Streitenden nicht trennen. Ohne eigene Stellungnahme schob er die Akten dem Reichsbauernführer Darré zu. Willrich stellte er frei, vor einem ordentlichen Gericht gegen Leers zu klagen. Soweit dies geschah, versandete der Prozeß bei der Justiz, weil acht Monate später der Zweite Weltkrieg ausbrach. Einen zählbaren Erfolg konnte Willrich jedoch gleich verbuchen; für die SS kaufte Wolff ihm zwei Bilder ab, für zusammen 4000 Mark. Das war zu jener Zeit das Jahreseinkommen eines mittleren Angestellten. Wolffs Geschmack entsprachen sie wohl kaum, denn er war mehr fürs Repräsentative. Sich selbst ließ er von Professor Padua porträtieren, in Öl und Lebensgröße, stehend in selbstbewußter Pose, anzusehen wie Lohengrin in der festlichweißen, ordensgeschmückten Uniform, einem Gesellschaftsanzug der oberen SS-Führer.
Wenn es galt, in besseren Kreisen ein Problem diskret zu meistern, war dieser offensichtliche Gentleman in Himmlers Stab am besten geeignet. Aus diesem Grund schrieb der Reichsführer-SS auf einen am 30. Mai 1938 verfaßten Brief an den »lieben Heini« in die rechte obere Ecke groß mit deutschen Buchstaben »Wolff«. Absender war Graf Leo Du Moulin Eckart. Die vertrauliche Anrede war ein Relikt aus der Frühzeit der NSDAP. Der Graf hatte am 9. November 1923 bei Hitlers Putsch neben Himmler und dem Reichswehrhauptmann Ernst Röhm das Münchner Wehrkreiskommando besetzt gehalten, war dann nach dem Parteiverbot wieder zur Stelle gewesen und hatte unter dem SA-Stabschef Ernst Röhm versucht, einen Nachrichtendienst für die Partei aufzubauen.
Karl Leonhard Graf Du Moulin Eckart war dann 1932 in eine dunkle Affäre verwickelt worden, als linke Zeitungen Privatbriefe Röhms veröffentlicht hatten, aus denen dessen homosexuelle Neigungen ersichtlich wurden, und als angeblich die ganze Clique um den SA-Stabschef durch ein Komplott puristischer Parteigenossen umgebracht werden sollte. Die Vorgänge wurden nie richtig aufgeklärt, aber als am 30. Juni 1934 Hitler in München das Führerkorps der SA durch Gewehrsalven lichten ließ, geriet auch der –keineswegs homosexuelle – Graf und SA-Brigadeführer unter die Festgenommenen. Er kam ins Konzentrationslager Dachau, wo er – so äußerte sich sein ungnädiger Führer – »froh sein sollte, daß er am Leben wäre«, weil er »eigentlich wegen seines

dauernden Verrates in der Kampfzeit an die ›Münchner Post‹ den Tod verdient hätte«.

Diese Äußerung Hitlers hielt Himmler in einer Aktennotiz fest, nachdem er bei seinem Führer angefragt hatte, ob man den Grafen nicht in die Freiheit entlassen könne. Von dessen Schuld war der Reichsführer-SS offenbar nicht überzeugt. Er erreichte dann auch wenig später, daß sich die Lagertore für den ehemaligen Mitkämpfer öffneten und daß er auf sein Schloß Winklarn in der Oberpfalz zurückkehren konnte. Himmler sorgte auch dafür, daß dem heimgekehrten Häftling seitens der Partei keine Schwierigkeiten bereitet wurden.

Doch eine Archäologin, die bei Ausgrabungen der SS im Gau Schwaben beschäftigt war und gelegentlich die Familie Du Moulin besuchte, wurde von der Gauleitung in Augsburg und von der Kreisleitung in Neu-Ulm des Umgangs mit diesem Staatsfeind bezichtigt. Daraufhin schrieb der Graf am 30. Mai 1938 den schon erwähnten Hilferuf an Himmler. Zweieinhalb Wochen später diktierte Wolff einen Einschreibe-Brief an die Kreisleitung, in dem er dem Grafen attestierte, daß er »sich streng an die ihm gegebenen Vorschriften hält und nichts unternimmt, ohne den Reichsführer-SS vorher zu verständigen«. Der Kreisleiter von Neu-Ulm erfuhr so, grundsätzlich werde »die Angelegenheit des Grafen Du Moulin Eckart nach Weisungen des Führers behandelt«. Weder die Archäologin noch der Graf dürften also künftig von den unteren Parteiinstanzen behelligt werden.

Die Unterwürfigkeit des Grafen ging so weit, daß er auch um Himmlers Billigung nachsuchte, als seine Schwester Aimé den Österreicher Hans Schober heiraten wollte. Dessen Onkel war eine Zeitlang Bundeskanzler und später Polizeipräsident in Wien gewesen. Wolff ließ durch das Reichssicherheitshauptamt von Wiener Dienststellen eine Beurteilung des Bräutigams anfordern. Der Graf erfuhr am 25. September 1938, daß Himmler »sich für Ihren Schwager in keiner Weise einsetzen kann, da er über ihn ausgesprochen schlechte Auskünfte erhalten hat«. Die Anwürfe reichten vom Umgang mit habsburgisch gesinnten Monarchisten und mit Jüdinnen bis zur krankhaften Verschwendungssucht.

Gegen diese Anwürfe verwahrte sich die Gräfin Aimé. Sie wollte begreiflicherweise die Quelle erfahren, aber auf eine Auseinandersetzung mit ihr ließ sich Himmler nicht ein. Ihrem Bruder – so ließ er ihr durch einen Adjutanten mitteilen – werde er die Auskunft mündlich geben. So geschah es dann auch beim nächsten Besuch in München.

Daß Himmler in jenen Tagen wenig Zeit für die Heiratspläne einer Comtesse hatte, ist verständlich: In der zweiten Septemberhälfte kulminierte die Sudetenkrise. Begonnen hatte sie schon ein halbes Jahr zuvor, auch wenn der kleine Volksgenosse anfänglich wenig davon gespürt hatte. Denn die Führerweisung »Fall Grün«, die den Einmarsch in die Tschechoslowakei vorzubereiten befahl, war am 22. April 1938 natürlich als Staatsgeheimnis ergangen. Auch als zwei Tage später Konrad Henlein, der Chef der Sudetendeutschen Partei feststellte, daß seine Einigungsversuche mit der Prager Regierung gescheitert seien und daß die Volksgruppe »nunmehr andere Wege beschreiten« werde, wurde dies nicht

als ein Alarmzeichen verstanden. Bis jetzt waren ja alle Aktionen Hitlers gut ausgegangen; noch klangen die österreichischen Jubelstürme in aller Ohren.
Anfang Mai strahlte der Himmel des Dritten Reiches voll Glanz und Gloria wie kaum zuvor. Hitler besuchte Mussolini in Italien; acht Tage lang wurde die Freundschaft gefeiert. Himmler und Wolff waren im 500köpfigen Gefolge. Zwar benahmen sich die königliche Familie und ihr Anhang wenig freundschaftlich gegenüber den in fünf Sonderzügen angereisten teutonischen Invasoren, aber die SS-Führungsmannschaft, zu der auch Heydrich und Daluege gehörten, ließ sich von den schon gut bekannten Kumpanen feiern. Als Hitler seinen Gastgebern gegenüber auf alle Ansprüche verzichtete, die aus der deutschen Volksgruppe in Südtirol abgeleitet werden konnten, dankte er damit Mussolini für sein Stillhalten bei der Eingliederung Österreichs und gab zugleich einen Vorschuß für künftige Hilfestellung, wenn die Sudetendeutschen heim ins Reich geholt würden.
Doch dann merkten die Deutschen an den sich häufenden Schreckensnachrichten aus dem Sudetenland, daß sich dort das nächste Unwetter zusammenzog. Prag rief Reservisten in die Kasernen und in den deutschsprachigen Gebieten kam es zu Demonstrationen, zu Unruhen, zu Schießereien. Viele der jüngeren Sudetendeutschen gingen heimlich über die Grenze ins Reich. Ähnlich wie die Flüchtlinge aus Österreich zu einer Legion zusammengefaßt wurden, kam es nun zur Bildung eines sudetendeutschen Freikorps. Es wurde, weil es politisch zweckmäßig war, der SS angegliedert. Henlein, der selbstbewußte Turnlehrer aus der böhmischen Grenzstadt Asch, hätte das Korps gern unter seiner eigenen Regie behalten, aber weil er mit seiner Sudetendeutschen Partei eine Zeitlang mit der NSDAP innerhalb der Volksgruppe konkurriert hatte, trauten ihm die Parteiführer im Reich nicht ganz. Man traf sich am 31. Juli 1938 in Breslau beim Deutschen Turnfest – dem letzten übrigens, das die in der Deutschen Turnerschaft organisierten Vereine veranstalten konnten. Hitler und Henlein einigten sich über den Plan, wie die 3,5 Millionen tschechoslowakischen Staatsbürger deutscher Nationalität ins Reich heimzuholen waren. Nun bekam Himmler den Auftrag, seine bewaffneten SS-Einheiten und das Freikorps für den Einfall in Böhmen bereitzustellen, falls – wie geplant – in grenznahen Orten Unruhen ausbrechen sollten.
Schon sahen sich Himmler und sein oberster Adjutant Wolff als Befreier im Buch der Geschichte verewigt. Beim Reichsparteitag Anfang September marschierten sie auf dem Hauptmarkte wieder im Paradeschritt am Führer an der Spitze der SS-Formationen vorbei. Voraus Himmler mit hochgestrecktem Arm, dahinter Wolff. Wie stets zuvor waren sie auch diesmal hochgestimmt durch den Volksfesttrubel, die schmetternde Marschmusik und das beifällige Heil-Geschrei der Masse Menschen auf dem Platz, aber stärker als je zuvor war diesmal ihre Gewißheit, Mitgestalter einer heroischen Epoche zu sein. Zwar hatten sie einige Tage zuvor von Hitler in dessen Kulturrede einen schlimmen Dämpfer aufgesetzt bekommen – als er nämlich gegen das »Einschleichen unklarer mystischer Elemente« in »die Bewegung, gegen Kultstätten und kulti-

sches Brimborium in Parteiorganisationen« polemisiert hatte. Doch am Tag des Vorbeimarsches, an diesem 11. September, bei dieser Demonstration von Macht und Gewalt waren sie überzeugt, daß eine große Zeit bevorstünde. Bestätigt wurde es ihnen am nächsten Tag in der Kongreßhalle; zum Abschluß des Parteitages verkündete Hitler, daß er für Prag keine Geduld mehr aufbringen werde.

Alles lief, wie Himmler es wünschte. Für Wolff gab es freilich am Rand der heroischen Tage einen kleinen Verdruß. Margarete Himmler, etliche Jahre älter als der Reichsführer-SS, gelernte Krankenschwester und nach Meinung von Lina Heydrich »man dünne, bis auf die Schlüpfergröße 50«, hatte die Ehefrauen der ranghöchsten SS-Führer zum Parteitag eingeladen und sie mit verbindlichen Tagesprogrammen unter ihre Fittiche genommen. Als Lina Heydrich und Frieda Wolff aus dieser Bevormundung ausscherten und sich auf eigene Faust im Gewühl der Parteigenossen vergnügten, wurden sie feldwebelmäßig zur Ordnung ermahnt. Sie beklagten sich bei ihren Ehemännern, die ihrerseits bei Himmler gegen das Auftreten »einer Reichsführerin-SS« protestierten – mit dem Erfolg, daß der mächtige Mann die Schultern hob, ratlos dreinblickte und damit ausdrückte: So ist sie eben! Niemand in seiner nächsten Umgebung wunderte sich, als er ab 1940 seelische und sexuelle Zuflucht bei seiner Sekretärin Hedwig Potthast suchte, die dann auch zwei Kinder von ihm bekam.

Als Hitler sich mit Englands Premierminister Sir Neville Chamberlain in Bad Godesberg traf, um über das Sudetenland zu verhandeln, und als er ein paar Tage später im Berliner Sportpalast vor versammelter Volksmasse als der zum Krieg entschlossene Diktator auftrat, wartete die SS-Führung gespannt auf ihr Stichwort, das es ihren Verbänden erlauben würde, über die Grenze zu gehen. Statt dessen wurde am 29. September 1938 auf der Viermächte-Konferenz in München der Friede noch einmal gerettet. Es versteht sich von selbst, daß Himmler und Wolff bei dieser Konferenz nicht fehlen durften, aber zu Rate gezogen wurden sie nicht. Sie waren, wie stets, Dekoration.

Obwohl die Forderung Hitlers erfüllt wurde, wonach die Tschechoslowakei die böhmischen Randgebiete sofort an das Reich abtreten mußte, fühlte er sich nicht als Sieger. Sein Chefdolmetscher Dr. Paul Schmidt vermerkte nicht begreifend die schlechte Laune seines Dienstherrn. Der hätte lieber einen kleinen Krieg gehabt. Auch Himmler dachte so; er hatte die ganze kritische Zeit zu den Scharfmachern gehört, und sein ständiger Begleiter Wolff hatte sich neuen soldatischen Ruhm versprochen.

Denkbar, aber kaum nachzuprüfen ist allerdings, daß der Reichsführer-SS in jenen Tagen schon ein doppeltes Spiel hinter Hitlers Rücken getrieben hat. Führende Generäle des Heeres, an der Spitze der General der Artillerie Franz Halder und der General Erwin von Witzleben, hatten sich verschworen, Hitler bei Ausbruch eines von ihm provozierten Krieges durch Soldaten festnehmen zu lassen und abzusetzen. Falls die Gestapo davon Kenntnis hatte – hätte Himmler dann nicht die Situation für eigene Pläne benutzen können? Ein von ihm mit Hilfe bewaffneter SS-Verbände befreiter Hitler hätte ihn zum Stellvertreter und

Nachfolger ernennen müssen und ein in den Wirren des Putsches getöteter Hitler hätte durch den getreuen Heinrich ersetzt werden können. Sowohl Himmler wie Wolff haben einige Jahre später Beispiele dafür geliefert, daß ihre Treue zum Führer zwar vom Koppelschloß vor ihrem Bauchnabel verkündet wurde, im Ernstfall aber nicht bis zum Tode reichen würde.

Österreich und Sudetenland waren 1938 heimgekehrt ins Reich. Der Sieger Hitler triumphierte, »die Wiedereingliederung von zehn Millionen Deutschen und von rund 110000 Quadratkilometern Land in das Reich« habe die Deutschen glücklich gemacht. Wer immer in diesem Reich etwas bedeutete, war nun mit Feuereifer dabei, aus dem Zugewinn Nutzen zu ziehen. Himmler und Wolff, noch immer voll beschäftigt mit organisatorischen und personellen Problemen der »Ostmark« (wie man jetzt Österreich nannte), mühten sich, auch im neugeschaffenen Sudetengau ihre Pflöcke einzuschlagen. Das erst vor kurzem gegründete Sudetendeutsche Freikorps löste Hitler durch eine simple Vier-Zeilen-Proklamation auf, in der er forderte, daß dessen Mitglieder »nunmehr in den Kampfformationen der Partei ... ihre Pflichten« erfüllten. Es verstand sich von selbst, daß sich die SS die Blondesten, die Allerlängsten mit den hellsten blauen Augen aussuchte. Die Prominenz der nun aufgelösten, weil unnötig gewordenen Sudetendeutschen Partei erhielt Ehrenränge in der SS und durfte sich mit Ehrenzeichen und Medaillen auf schwarzen Uniformen schmücken, an ihrer Spitze der zum Gauleiter erhobene Konrad Henlein, obgleich man ihm in der SS homosexuelle Neigungen nachsagte.

Sie alle wurden in den Persönlichen Stab des Reichsführers-SS eingereiht; wo sie dann der in allen Sätteln gerechte Karl Wolff betreute – jeden nach seiner Art. So hielt er von den Magnaten des »Freundeskreises« Himmler den durch gesellschaftliche Konvention geziemenden Abstand, was ihn jedoch nicht hinderte, kleine Geschenke anzunehmen, wie etwa von den Gewaltigen der Großschiffahrt einige Vergnügungsreisen auf dem Meer. Als Jagdgenossen betreute er den Schweinfurter Kugellagerfabrikanten Sachs so freundschaftlich, daß er in dessen Revier jederzeit pirschen durfte und sogar zum Hausbau ein Darlehen zu günstigem Zinsfuß gewährt bekam. Mit dem wegen unklarer Geldgeschichten aus der österreichischen Parteispitze hinauskomplimentierten Wiener Ex-Gauleiter Odilo Globocnik duzte er sich schon nach kurzer Bekanntschaft und nannte ihn »Globus« – auch dann noch, als dieser Mann versuchte, sich in der Partei mit Massenmorden an Juden zu rehabilitieren.

Daraus darf man nicht ableiten, Wolff sei einer jener antisemitischen Rabauken gewesen, die zu vorgerückter Stunde grölend versicherten: »Wenn das Judenblut vom Messer spritzt, dann geht's nochmal so gut!« Ordinäres hat ihn immer abgestoßen. Seitdem er sich hatte überzeugen lassen, daß die Menschen nordischer Rasse eine Auslese, gewissermaßen die Krönung einer seit Äonen abgelaufenen Entwicklung darstellten, und seitdem er festgestellt hatte, daß er zumindest äußerlich als Prototyp dieser Rasse gelten konnte, war er sich seiner Überlegenheit so sicher, daß er keine generellen Haßgefühle gegen Juden entwickeln konnte. Natürlich gab es unter ihnen eine Menge Untermenschen,

aber die konnte man im KZ isolieren. Sie waren ja auch leicht zu erkennen: Bei kahlgeschorenem Kopf trat deutlich die Verbrecherphysiognomie zutage.
Ein Mann von Wolffs Art knüpfte viele Bekanntschaften und unvermeidlich waren auch Juden darunter; er verleugnete sie nicht, und er glaubte sich auch nicht durch sie gefährdet. Gegen den Verdacht, ein Judenknecht zu sein, schützte ihn seine Uniform und seine Überzeugung. Andererseits würde es so heiß, wie die Vorschrift des Parteiprogramms ausgelegt werden konnte, in der Praxis kaum zugehen, meinte er.
Doch in jenen Spätherbsttagen des Jahres 1938 wurde ihm klargemacht, daß sein Antisemitismus den Ansprüchen der höchsten Instanz nicht genügte. Er, ebenso Himmler, Heydrich und sogar ihr Vollstreckungsgehilfe, der niedere SS-Führer Adolf Eichmann glaubten zu dieser Zeit noch, sie erfüllten den Willen ihres Führers, wenn sie möglichst viele Juden zur Auswanderung bewogen. Denen wurde das Leben in Deutschland ohnehin sauer genug gemacht. Aus den meisten akademischen Berufen waren sie bereits verdrängt, aus allen öffentlichen Diensten waren sie entlassen, als selbständige Geschäftsleute wurden sie boykottiert. Seit dem Sommer waren sie auch von Großmärkten und Börsen ausgeschlossen und mußten zusätzlich Vornamen als Brandmal tragen: Israel für Männer, Sarah für Frauen. Neben vielen Ortsschildern an der Landstraße las man an einem zweiten Pfahl: »Juden sind unerwünscht.« Für die Wiener und Berliner Juden hatte Adolf Eichmann ein Ämtersystem entwickelt, das die lästig gewordenen Mitbürger wie auf dem Fließband über die Grenze beförderte.
Den fanatischen Antisemiten war diese Austreibung durch die SS zu human, zu zeitraubend und vor allem auf die Dauer nicht zweckmäßig genug, weil die ins Ausland Vertriebenen dort die Front der Gegner stärkten. Am rabiatesten gebärdete sich der Nürnberger Gauleiter Julius Streicher, der mit dem selbstgewählten Titel eines »Frankenführers« seine diktatorische Allmacht betonte. Mit Gewaltakten, Geld- und Sexskandalen demonstrierte er, daß für ihn die allgemeinen Gesetze nicht galten. In dem Reichspropagandaleiter der NSDAP und Gauleiter von Berlin, der Reichshauptstadt, gewann er einen Bundesgenossen – überraschenderweise, weil der jetzt so wilde Antisemit als Student in Heidelberg begeisterter Schüler des jüdischen Literaturprofessors Friedrich Gundolf gewesen war und weil er zeitweise eine jüdische Freundin heiß geliebt und mit Gedichten bedacht hatte.
Daß der ungehobelte, ungebildete Nürnberger Exschulmeister Streicher danach strebte, die Juden unter seine Fuchtel zu bekommen, verstand sich von selbst; in seinem Wochenblatt »Der Stürmer« wurde in jeder Ausgabe geschildert, wie der Weltfeind Nummer Eins systematisch alle Völker verderbe und in blutige Kriege gegeneinander hetze. Leser, die an solchen historisierenden Beiträgen wenig Interesse hatten, durften sich ergötzen, wenn detailliert geschildert wurde, wie jüdische Rassenschänder arische Jungfrauen befleckten. Dem wüsten Julius Streicher mögen solche Berichte selber als Stimulanz gedient haben; als er 1937 eine Gruppe ausgesuchter Journalisten in seinem Gauhaus

empfing, weil ihnen Baustellen auf dem Parteitagsgelände gezeigt werden sollten, rühmte er sich in einer halbstündigen Begrüßungsansprache fast ausschließlich seines »Lebensgefühls«, worunter er seine geschlechtliche Potenz verstand.
Das Bündnis mit diesem Rohling dürfte dem Intellektuellen Goebbels nicht leichtgefallen sein, aber es war notwendig für ihn. Er war bei Hitler in Ungnade, weil er durch seine Liebschaft mit der tschechischen Filmschauspielerin Lida Baarova öffentlichen Skandal erregt hatte. Ihm hatte sie fast die Scheidung seiner Ehe und der Partei die Schädigung ihres Rufes eingetragen, kämpfte diese doch auch für die deutsche Sittlichkeit. Deshalb hatte Hitler am 21. Oktober 1938 auf dem Obersalzberg dem Ehepaar die Versöhnung befohlen und von seinem Minister moralisches Wohlverhalten verlangt. Daß er schon bei dieser Gelegenheit angedeutet hat, wie Goebbels sein lädiertes Ansehen wiederherstellen könnte – etwa durch eine Gewaltaktion gegen die Juden – ist immerhin denkbar.
Der äußere Anlaß dazu kam bald. Heydrich lieferte ihn, ohne es zu ahnen. Es lebte in jenen Tagen ein junger Jude polnischer Staatsangehörigkeit in Paris, der 17jährige Herschel Grynszpan. Seine in Hannover ansässigen Eltern hatten ihn nach Frankreich geschickt, damit er sich bei Verwandten eine Existenz suche. Die Familie war nach 1918 wegen drohender Pogrome aus Polen geflohen wie so viele Juden. Nun wollte ihnen die Regierung in Warschau jede Rückkehr verbauen, indem sie ihnen die Staatsangehörigkeit absprach. Doch das Hitler-Reich wollte sie noch weniger. Heydrich ließ sie deswegen einsammeln, in Eisenbahnzügen an die polnische Grenze transportieren und bei Nacht und Nebel ins Niemandsland treiben. Da die polnische Grenzpolizei sie prompt wieder westwärts jagte, irrten diese Menschen tage- und nächtelang zwischen den Grenzpfählen hin und her, hungernd und von Schlägen bedroht. So auch die Eltern von Herschel Grynszpan.
Nachdem er in Paris vom Elend seiner Eltern erfahren hatte, ging er am 7. November 1938 in die deutsche Botschaft mit der Absicht, durch ein Attentat die Welt auf die Leiden von Vater und Mutter aufmerksam zu machen. Weil er den Botschafter nicht antraf, schoß er auf den Gesandtschaftsrat I. Klasse, Ernst Eduard vom Rath, und verletzte ihn so schwer, daß mit dessen Tod gerechnet werden mußte.
Am 8. November abends sprach Hitler wie üblich zum Jahrestag seines Putsches von 1923 im Münchner Bürgerbräukeller zu »alten Kämpfern« und Parteiwürdenträgern. Auch Himmler und Wolff waren dabei. Hitler erwähnte die Schüsse in Paris mit keinem Wort, obwohl er wußte, daß seine Zuhörer eine Weisung erwarteten. Er hielt es offenbar für nützlicher, sie in ihrer Empörung schmoren zu lassen. Auch am Mittag des folgenden Tages, als die Hakenkreuz-Veteranen zur Erinnerung an das blutige Ende des Putsches durch Münchens Straßen zur Feldherrnhalle marschierten, war vom Pariser Anschlag noch nicht die Rede. Doch Hitlers Pläne zum Pogrom waren gewiß schon entworfen, er hatte das Seinige schon getan. Wie bei der Judenvernichtung einige Jahre später, gibt es

auch in dieser Sache nicht das kleinste Stück Papier mit einem allerhöchsten Befehl. Die von ihm bestellten Rächer Goebbels und Streicher warteten nur auf die Todesnachricht aus Paris.
Am Nachmittag starb vom Rath. Die Meldung traf in München gegen Abend ein, als sich die Parteiprominenz zum üblichen Essen im Münchner Rathaussaal versammelte. Hitler pflegte an diesem Ort eine weitere Rede zu halten, aber diesmal tuschelte er nur kurz mit Goebbels und verschwand dann. An seiner Stelle sprach sein Propagandist. Dessen Rede wurde nicht mitgeschrieben, ihr Wortlaut ist also nicht erhalten. Wohl aber weiß man, daß er die Rachegelüste in seinen Zuhörern anheizte und von spontanen Reaktionen sprach, mit denen das Volk die Mordtat vergelten müsse. Da und dort, so verkündete Goebbels, hätten schon Juden die Vergeltung zu spüren bekommen, bereits stünden etliche Synagogen in Flammen.
Während Hitler in aller Ruhe in seiner Wohnung am Prinzregentenplatz die weitere Entwicklung abwartete, hasteten im Rathaus die Gauleiter nacheinander an die Telefone oder zum Fernschreiber. Bezeichnenderweise alarmierten sie fast überall die SA und die Politischen Leiter, nicht die SS. Sie umging man; nicht nur weil man verhindern wollte, daß durch sie die Polizei zu früh in die Geschehnisse hineingezogen würde, sondern auch weil sich der Pogrom gegen die derzeitige Form der Judenverfolgung richtete, die ja von der SS bestimmt wurde. Was jetzt auf den Straßen tobte, die Randalierer, Schläger und Brandstifter, trug Zivil. Weder Partei noch Staat sollten an dieser »spontanen« Aktion beteiligt sein.
Es wurden Milliardenwerte vernichtet: zahllose Schaufenster zerschlagen, jüdische Geschäfte und Kaufhäuser geplündert, Wohnungen mutwillig demoliert, ihre Eigentümer mißhandelt – 36 Juden ermordet – Kulturzentren in Schutt und Asche gelegt. Zynisch freute sich Goebbels später im vertrauten Kreis, der Mob in Berlin habe doch endlich eine Gelegenheit bekommen, ganz billig einzukaufen.
Wolff saß am Abend nichtsahnend im Hotel »Vier Jahreszeiten« – und das darf man ihm glauben. Er bereitete sich auf seinen Auftritt vor in der letzten Szene des herbstlichen Parteispektakels. Himmler wollte um Mitternacht vor der Feldherrnhalle die Rekruten seiner SS-Verfügungstruppe vereidigen – an einem Ort, an dem vor 15 Jahren die Landespolizei auf Hitlers Demonstrationszug geschossen und dabei 16 Marschierer getötet hatte. Wolffs Rolle sah vor, daß er seinen Führer eine halbe Stunde vor Beginn dieser Zeremonie aus dessen Privatwohnung abhole und ihn in den Innenhof der Residenz geleite, damit Hitler beim letzten Glockenschlag des Tages durch ein weit geöffnetes Tor auf den kleinen Platz vor der Feldherrnhalle heraustreten und deren Stufen emporschreiten könne.
Im Nobel-Hotel in der Maximilianstraße feierten auch Heydrich und einige seiner SS-Führer. Feuerschein und Lärm auf den Straßen machten sie jedoch aufmerksam, daß die in der Nähe gelegene Synagoge brannte. Dann rief auch schon Heinrich Müller, Chef der Gestapo, aus Berlin an und meldete, daß dort

jüdische Geschäfte zerstört würden und daß Trupps junger Leute in Räuberzivil Wohnungen von Juden verwüsteten. Müller wollte wissen, wie die Polizei sich verhalten müsse. Doch auch Heydrich wußte keinen Rat. Der Fall war delikat. Er ging deshalb ein paar Zimmer weiter und fragte den Chef des Persönlichen Stabes Reichsführer-SS, ob der Pogrom zu fördern, zu dulden oder abzustellen sei. Da Himmlers engster Mitarbeiter Wolff von dem Geschehen auch erst jetzt etwas erfuhr, waren beide ratlos. Der Chef der Sicherheitspolizei verlangte deshalb Himmler zu sprechen. Wolff bremste ihn; so einfach sei das nicht, denn ihr Vorgesetzter befinde sich derzeit in der Wohnung des Führers. Er werde, bot er an, jetzt gleich dorthin fahren und um Instruktionen bitten.

Das war eine Gelegenheit, wieder einmal mehr von Hitler gesehen zu werden. Dessen Haushälterin meldete Wolff bei Himmler an, der im Salon mit seinem Führer zusammensaß und zunächst ungehalten war wegen der vorzeitigen Störung. Wolffs Bericht überraschte ihn sichtlich; er ging zurück in den Salon und kurz darauf wurde auch Wolff dorthin gerufen. Hitler zeigte sich empört und aus seinen Zwischenrufen wie »Unerhört!« oder »Absolut abzulehnen!« glaubte Wolff bis ans Ende seiner Tage noch schließen zu dürfen, daß sein Führer den Pogrom weder befohlen oder auch nur gebilligt habe. Schließlich habe Hitler abschließend zu Himmler gesagt: »Stellen Sie sofort fest, von wem das ausgeht. Ich wünsche, daß meine SS auf gar keinen Fall in irgendeine dieser Handlungen einbezogen wird.« Er habe dann angeordnet, daß Plünderer bestraft werden müßten und daß Brände in Synagogen nicht gelöscht zu werden brauchten, wohl aber seien gefährdete Nachbarhäuser zu schützen.

Da Wolff mit diesem Zitat den Nachweis zu führen versucht, daß Hitler an den Greueln dieser »Reichskristallnacht« – so der Volksmund – schuldlos sei, ist es angebracht, seine wortreichen und angeblich auch wortgenauen Zitate dieser Art unter die Lupe zu nehmen. Sie finden sich häufig und in fast allen Berichten, die Wolff veröffentlicht, in Aussagen und in Interviews, die er Journalisten und Historikern gegeben hatte, und erst recht in den umfangreichen Manuskripten einer rudimentär vorhandenen Autobiographie.

Unbestreitbar ist, daß er auch noch im hohen Alter über ein hervorragendes Gedächtnis verfügte. Auffällig ist jedoch, daß alle von ihm zitierten Personen das gestelzte Deutsch sprechen, das er im Casino der Gardeoffiziere als Heranwachsender angenommen und nie wieder abgelegt hatte. Auffällig ist ferner, daß er bei Wiederholungen nicht nur immer denselben Wortlaut ablieferte hinsichtlich einer Rede oder Gegenrede, sondern daß auch die Milieuschilderungen jedesmal fast wörtlich übereinstimmten. Es war, als liefe ein Tonband ab. Das machte seine Berichte nicht glaubwürdiger. Sie erweckten vielmehr den Verdacht, der so oft Verhörte und Befragte habe die für ihn günstigste Version vor Jahr und Tag einstudiert.

Es ist durchaus glaubhaft, daß er den Eindruck gewann, auch Hitler sei ahnungslos gewesen und sei »von Goebbels und Streicher überfahren worden« – so seine Schilderung. Wahrscheinlich hat Wolff nie bemerkt, wie leicht Hitler mit schauspielerischer Finesse selbst seine nächste Umgebung täuschen konnte – weil nämlich der Diktator über die Gabe verfügte, stets das zu glauben und glaubhaft darzustellen, was er im Augenblick sagte. Wann immer er log, war das für ihn momentan eine unumstößliche Wahrheit, was aber nicht verhinderte, daß ein paar Minuten später das Gegenteil ebenso »wahr« sein konnte. Trotzdem hat Hitler den Vorwurf der Unaufrichtigkeit stets mit dem Brustton des beleidigten Ehrenmannes zurückgewiesen. Er war in der Wahl seiner Mittel ein hemmungsloser Pragmatiker; nur an seinen Zielen hielt er mit verbissener Beharrlichkeit fest.

Es gibt denn auch handfeste Indizien, daß er den Auftrag zum Pogrom gegeben hat. So hatte er schon während des Parteitages im September beim Nürnberger Gauleiter gerügt, daß es in dieser »urdeutschen Stadt und Schatzkästlein des Deutschen Reiches« noch Synagogen gab. Beobachter vermuten auch, daß er Goebbels kurz vor seinem Aufbruch aus dem Rathaussaal das Stichwort zur Auslösung der Aktion gegeben hat. Wenig später gingen dann auch bei den Gaupropagandaleitungen die ersten Anweisungen mit dem Stichwort »Geheim« ein.

Ebenso gibt es Indizien, ja fast Beweise, daß Himmler, Wolff und die Mehrzahl der SS-Führer ahnungslos waren. Wolff diktierte gleich nach seiner Rückkehr ins Berliner Amt eine lange Aktennotiz, mit der er die Verantwortung der Gauleiter aktenkundig machen wollte. Himmler beklagte in einer Aktennotiz das »Machtstreben« und die »Hohlköpfigkeit« des Dr. Goebbels. Heydrich bekam von ihm den Auftrag, die Verbrechen des wildgewordenen Partei-Mobs genau zu untersuchen, von den örtlichen Polizeidienststellen die Protokolle über Mißhandlungen und Morde anzufordern und auch die Höhe des volkswirtschaftlichen Schadens festzustellen. Diese Zahl benutzte dann Hermann Göring als oberster Lenker des auf ökonomische Leistungssteigerungen ausgerichteten Vierjahresplans, um gegen Goebbels zu argumentieren und um sich in der Behandlung der Judenfrage weiter nach vorn zu drängen. Auch der Oberste Parteirichter Walter Buch wurde aktiv. Doch entgegen seinen Absichten kamen nur wenige kriminelle Taten vor ein Parteigericht; auf Hitlers Geheiß bremste der Reichsleiter Martin Bormann sowohl die Parteigerichte als auch die Strafjustiz. Geahndet wurden in erster Linie die Vergewaltigungen von Jüdinnen durch Nazis, allerdings nicht wegen dieses Tatbestandes, sondern wegen Rassenschande.

Der Reichsführer-SS und Chef der Deutschen Polizei hätte nach diesem Schlag gegen seine Amtsgewalt und die von der SS bis dahin betriebene Judenpolitik eigentlich Ursache gehabt, die Gauleiter und den sie stützenden Reichsleiter Bormann als Schädiger des deutschen Ansehens anzuklagen. Er unterließ es wohlweislich; er zitterte seit eh und je vor Hitler und nun wußte er offenbar, was dieser wünschte. Gleich nach dem Münchner Spektakel fuhr er in Urlaub, weit weg nach Italien, für fünf Wochen, und weil er immer Angst hatte, einer seiner höchsten SS-Führer könne ihn bei Hitler ausstechen und von der Spitze verdrängen, ernannte er keinen Stellvertreter. Daß solche Ängste nicht unbegründet

waren und Hitler solche Methoden förderte, war bekannt; dies mußte am krassesten der Rüstungsminister Albert Speer während des Krieges erfahren.
Nach außen hin führte Wolff während Himmlers Abwesenheit die Geschäfte der SS-Führung, aber jeder Hauptamtschef konnte in seinem Bereich unternehmen, was er wollte. Heydrich nutzte diese Freiheit, um sich noch nachträglich mit einer antisemitischen Aktion hervorzutun. Er steckte 10000 begüterte Juden in die Konzentrationslager, scheinbar als Vergeltung für den Tod des Diplomaten vom Rath. Tatsächlich wollte er damit Eichmanns Abschiebe-Methoden verbessern, wie sie in den Auswanderungszentralen Wien und Berlin praktiziert wurden. Nachteilig war nämlich, daß man auf diese Weise nur die reichen Juden vertrieb und die armen behielt, weil sie »Vorzeigegeld« für die Einwanderungsländer nicht aufbrachten. Nun wurde den vermögenden Häftlingen gesagt, daß sie durch Spenden in einen gemeinsamen Auswanderungsfonds ihre Freiheit erkaufen könnten. Viele zahlten.
Auch Wolff nutzte Himmlers Abwesenheit zu einer Aktion. Er hörte, der Danziger Völkerbundkommissar Carl J. Burckhardt, ein Schweizer, der die Unabhängigkeit des neutralisierten Stadtstaates sichern sollte, habe vergebens versucht, ein auf den 14. September terminiertes Gespräch mit dem Reichspropagandaminister zu führen. Goebbels hatte abgesagt. Angeblich war er noch zu sehr damit beschäftigt, die Angriffe wegen der Kristallnacht von Göring und anderen Größen des Systems abzuwehren. Daraufhin lud Wolff in Himmlers Namen Burckhardt nach Berlin ein, in die Prinz-Albrecht-Straße. Der um Frieden und Verständigung stets bemühte Schweizer Gelehrte wurde – ein wenig enttäuscht – am 23. November nur vom Chef des Persönlichen Stabs Reichsführer-SS empfangen.
Was er jedoch zu hören bekam, gefiel ihm. In seinem Buch »Meine Danziger Mission« schilderte er zwei Jahrzehnte später die Begegnung. Der Reichsführer – so habe ihm Wolff gesagt – sei leider erkrankt, was auch auf die Ereignisse der letzten Wochen zurückzuführen sei. Himmler mißbilligte schärfstens den Pogrom. Burckhardt zitiert Wolff wörtlich: »Die innere Lage in diesem Land ist unerträglich geworden, etwas muß geschehen. Der Verantwortliche ist Herr Goebbels, der einen unleidlichen Einfluß auf den Führer ausübt. Wir hofften schon, ihn wegen der Propaganda, die er bezüglich der Tschechenkrise machte, zur Strecke zu bringen, und diesmal glaubten wir definitiv, unserer Sache sicher zu sein, aber auch diesmal hat ihn der Führer gerettet. Das kann so nicht weitergehen, man wird handeln müssen!« Doch um diese Zeit war Goebbels schon zum Sieger erklärt worden.
Die Frage sei deshalb erlaubt: wer ist »man«? Nur ein SS-Gruppenführer, einer von ein paar Dutzend? Oder sein Chef, der Reichsführer-SS? Zwar frondierte Himmler ein wenig gegen Hitler, aber das geschah nur aus schummrigem Hintergrund und nie ohne Notausgang. Die Angst war stets größer als der Mut. Offen revoltieren wird er erst, wenn sein heroischer Auftritt zugleich auch der Fußtritt für einen machtlosen Hitler sein wird. Doch so weit ist es noch lange nicht. Und Goebbels, den der ehemalige Bankkaufmann Wolff noch immer bei

den Insolventen glaubt, ist längst wieder kreditwürdig. Schon am 14. November durfte er Hitler zur Mittagszeit in seiner Privatvilla empfangen, und abends demonstrierten die beiden in einer Theaterloge gemeinsam und öffentlich volle Einigkeit. Es war die Belohnung für die Kristallnacht.
Weder Himmler noch Wolff haben in jenen Tagen gemerkt, daß ihr Führer sie wieder einmal hinters Licht geführt hatte. Nachdem er bei der Münchner Konferenz gezwungen worden war, Frieden zu halten, weil er alles bekam, was er gefordert hatte, steuerte er nun bewußt die nächste Krise an – in der Hoffnung, wie er sich auszudrücken pflegte, daß ihm ›nicht wieder ein Schwein in den Rücken‹ falle. Die »Erledigung der Rest-Tschechei« hatte er schon am 21. Oktober 1938 in einer geheimen Weisung als eine der »künftigen Aufgaben der Wehrmacht« bezeichnet. Am 10. November hatte er im Führerbau am königlichen Platz in München den wichtigsten Presseleuten in einer als »geheim« deklarierten Rede klargemacht, daß nun das Gefasel vom Frieden ein Ende haben müsse und daß es ihre Aufgabe sei, die Deutschen auf den kommenden Krieg vorzubereiten. Es war also nur konsequent gewesen, daß er die Jagd auf die Juden freigegeben hatte.
Es ist in diesem Zusammenhang unerheblich, wo die Ursachen für Hitlers pathologischen Judenhaß zu finden sind. Seinen Verfolgungswahn begründete er damit, daß sie immer versucht hätten, das deutsche Volk zu zersetzen und zu unterjochen – politisch, moralisch, kulturell, wirtschaftlich, kurzum in allen Lebensbereichen. Nachdem er sie nun fünf Jahre lang unterdrückt, entrechtet, ausgeplündert und gebrandmarkt hatte, konnten sie doch zumindest im Innern des Reiches um so weniger eine Gefahr bilden, als Staat und Partei extrem antisemitisch festgelegt und nahezu allmächtig waren. Warum dann noch dieser Terror und warum am Ende der Völkermord?
Auch wenn es zunächst unwahrscheinlich klingt: Die Kristallnacht gehörte zu Hitlers Kriegsvorbereitungen. Sie machte der Welt klar: Die Juden waren Geiseln in seiner Hand. Oft genug drohte er, die Juden müßten es büßen, wenn man ihm verweigere, was er für einen gerechten Anspruch hielt. Bezeichnend ist zugleich, daß Aktionen gegen die Juden scheinbar immer vom Volk ausgingen und als spontane Vergeltung deklariert wurden. Es gibt weder für den Pogrom am 9. November 1938 noch für die Morde der Einsatzkommandos oder in den Vernichtungslagern einen schriftlichen und vom Führer unterzeichneten Befehl. Die Welt sollte zur Überzeugung kommen, daß nicht etwa ein einzelner, wie der Staatschef, sondern das ganze Volk für die Verbrechen verantwortlich zu machen sei. Deswegen ließ er sich grölenden Beifall spenden, wenn er in öffentlichen Reden, wie jeweils am 30. Januar 1939 und 1942 »die Vernichtung der jüdischen Rasse in Europa« prophezeite. Die deutsche Kollektivschuld gehörte zu Hitlers Programm. Im Führerhauptquartier hat er während des Krieges im vertrauten Gesprächskreis zumeist spät in der Nacht mehrmals die Hintergründe dieser Taktik preisgegeben, als er verkündete, es gäbe für die Deutschen nur noch die Wahl zwischen totalem Sieg oder totaler Niederlage, zwischen Weltherrschaft oder Untergang. Alle Brücken zu einem Frieden der

Verständigung seien abgebrochen. Mitgegangen, mitgefangen, mitgehangen gelte nun für alle.
Man wird handeln müssen, hatte Wolff zu Burckhardt gesagt, aber er hat so wenig gehandelt wie fast alle Deutschen. Oder löckte er tatsächlich gegen den Stachel, indem er es mit der amtlich vorgeschriebenen Diskriminierung der Juden nicht so genau nahm? Offensichtlich konnte er sich diese Besonderheiten ohne Nachteil leisten, denn er durfte die Karriereleiter der SS fast bis zur höchsten Sprosse hochsteigen.
Es wurde schon geschildert, wie er auf Betreiben deutscher Bankiers nach dem Einmarsch in Österreich dem Wiener Mitglied der Finanzbarone von Rothschild zur Freiheit verhalf. Bald nach der Kristallnacht wurde er abermals für einen jüdischen Angehörigen der Hochfinanz tätig: Für den Bankier Fritz Warburg, dessen Verwandtschaft in Hamburg, London und New York das Geldgeschäft betrieb. Als in Deutschland die Schaufenster klirrten und die Synagogen brannten, war Fritz Warburg in Stockholm, aber im Frühjahr 1939 wollte er mit deutschen Behörden über die Auswanderung von Juden nach Schweden verhandeln. Dazu kam er gar nicht. Als er und seine Frau auf dem Hamburger Flughafen gelandet waren, wurden ihnen die Pässe weggenommen. Sie mußten in Hamburg bleiben, wenn auch in einem komfortablen Quartier. Wolff: Die Gestapo nahm die Warburgs als Geiseln für den Fall, daß es wegen der Kristallnacht zu Restriktionen im Ausland käme.
Er hat ein Jahrzehnt später bei seiner Entnazifizierung in Hamburg zu seiner Entlastung geltend gemacht, wie schwierig und gefährlich es 1939 gerade für einen höheren SS-Führer gewesen sei, sich für einen weltbekannten jüdischen Bankier einzusetzen. Dabei ist richtig, daß Wolff auf Bitten eines Bekannten aus seiner Lehrlingszeit bei einer Frankfurter Bank, des Freiherrn von Berenberg-Gossler, die Rückgabe der Pässe an Warburg betrieb. Richtig ist ferner, daß er die Gespräche in Gang brachte, in denen über die Bedingungen verhandelt wurde. Tatsächlich konnte das Ehepaar dann auch am 10. Mai 1939 nach Schweden zurückkehren, aber an den Verhandlungen war Wolff nicht beteiligt. Der Bankier von Berenberg-Gossler hatte den Gestapo-Beamten Lischka zum Partner, der später als Eichmann-Mitarbeiter berüchtigt wurde. Und in Wahrheit endeten die Verhandlungen damit, daß Warburg gründlich geschröpft wurde; er mußte in Devisen das »Vorzeigegeld« für einige arme Judenfamilien und für hundert jüdische Kinder in Deutschland lassen. Das war nicht nur genau die Methode, mit der Eichmann auch in Wien und Berlin die Juden über die Reichsgrenzen trieb, es war sogar auch genau dessen Tarif für die Auswanderung eines reichen Juden.
Nicht immer konnte Wolff bei solchen Hilfsaktionen den geraden Weg gehen. Bei Paula Stuck, die unter ihrem früheren Namen von Reznicek als Tennischampion vielfach bei Länderkämpfen das Reich sportlich siegen ließ, nutzte er listenreich die Schwächen des bürokratischen Apparats der Obrigkeit aus und verhinderte so jahrelang, daß sie für »nichtarisch« erklärt wurde. Ehe sie 1932 den zu jener Zeit berühmten Autorennfahrer Hans Stuck heiratete – Sohn

Striezel geht jetzt demselben Beruf nach –, war sie von Burkhard von Reznicek geschieden worden. Mit ihrer Herkunft hätte sich zunächst kaum jemand beschäftigt, wenn sie nicht auch noch Bücher geschrieben hätte. Immerhin war sie so vorsichtig, einen Schweizer Verlag zu wählen, der ja nicht gezwungen werden konnte, sich nach den Großeltern seiner Autoren zu erkundigen. Trotzdem forderte die Reichsschrifttumskammer – die Zwangsorganisation aller Schreibenden – von Paula Stuck von Reznicek den Nachweis arischer Abstammung. Ihre Antwort war, daß »der Herr SS-Gruppenführer Wolff (Geheime Staatspolizei) über die Vorgänge im einzelnen genau im Bilde« sei.
Als die Reichsschrifttumskammer daraufhin bei Wolff anfragte, diktierte einer seiner Adjutanten den Bescheid, Hans Stuck habe einmal »dem Gruppenführer Wolff für den Führer ein Geschenk überreicht, das der Herr Gruppenführer auch dem Führer übergeben hat. Bei dieser Gelegenheit hat der Führer etwa gesagt, daß die Auslassungen wegen Stuck wegen seiner nicht-rein-arischen Frau unterbleiben sollen ...« Bei dem Gespräch soll Obergruppenführer Brückner – Persönlicher und damit ranghöchster Adjutant Hitlers, zugleich auch Putschgenosse von 1923 – »zugegen gewesen sein«.
Mit »soll« und »etwa« war das alles andere als eine präzise Auskunft, aber die Reichsschrifttumskammer gab sich damit zufrieden. Nicht aber Hans Hinkel, von Beruf Nazi und stets auf der Suche nach neuem Machtbereich, gleichaltrig mit Wolff und Hans-Dampf in allen Gassen. Er war Uralt-Kämpfer der Partei aus der Zeit vor dem Münchner Putsch, und weil ihm niemand ein gewichtiges Amt anvertrauen mochte, war er mit dem Titel eines Staatsrats, einem Sitz im Reichstag und einer Referentenstelle im Propagandaministerium belohnt worden. Dort, so hieß es, könne er keinen großen Schaden anrichten, weil er sich nur mit Kulturfragen zu beschäftigen habe. Gerade auf diesem Gebiet war er ein besonders eifriger Judenschnüffler. Deshalb wollte nun er, gegen Ende 1938, von Wolff »erfahren, ob der Wunsch besteht, daß Frau Stuck in ihrer weiteren Tätigkeit nicht behindert werden soll«. Schließlich sei sie, »soweit bekannt, halbjüdischer Abstammung«.
Weil Hinkel ohne Antwort blieb, schickte er Mitte Februar 1939 eine Mahnung. Als er sie im Mai wiederholte, teilte ihm ein Wolff-Adjutant mit, man habe ihm doch inzwischen ein Gutachten in dieser Sache geschickt. Vermutlich gab es nichts dergleichen, denn im Juni verlangte Hinkel eine Abschrift, weil das Schriftstück nicht auffindbar sei. Er bekam sie nie, obwohl Wolff im August und September gemahnt wurde. Am 21. September 1939 meldete sich Wolff endlich selber zu Wort mit dem Absender »z. Zt. Führerhauptquartier«. Es war seit Kriegsausbruch sein ständiger Aufenthalt. Mehr noch dürfte Hinkel eingeschüchtert haben, daß Wolff nun die Geschenkübergabe an Hitler durch Himmler stattfinden ließ und daß jener bezeugen könne, »daß die vom Führer gemachten Äußerungen sich deckten mit der meinerseits gegebenen Darstellung«. Ihm sei »der Anteil des jüdischen Bluteinschlags der Frau Stuck ... persönlich nicht bekannt ... Ich kenne nur die grundsätzliche Entscheidung des Führers«. Mit süffisanter Ironie meinte Wolff, er vermöge »nicht zu entschei-

den, ob diese Äußerung des Führers genügt, um zur Sache der Frau Stuck eine Entscheidung zu fällen ...«

Der hartnäckige Hinkel bemühte sich dann auch noch um eine Auskunft vom Hitler-Adjutanten Brückner. Der jedoch verständigte Wolff und riet Hinkel, er möge sich doch mit jenem »ins Benehmen setzen«. So erhielt Wolff denn Mitte Mai 1940 eine weitere Mahnung; es sei an der Zeit, eine Angelegenheit, »die seit nunmehr zwei Jahren läuft«, endlich zu klären. Zu diesem Zweck ließ nun der Chef des Persönlichen Stabs Reichsführer-SS am 6. September 1940 den »Sippen-Mayer« der SS und Chef der Reichsstelle für Sippenforschung bitten, die Abstammungsverhältnisse der Paula Stuck »in entsprechend vorsichtiger Form« zu klären. Schon drei Tage später lag das Ergebnis schriftlich vor Wolff: Ihr Vater war der Breslauer Kommerzienrat Dr. jur. Georg Julius Heimann, jüdischer Herkunft, ihre Mutter eine Tochter aus der christlichen Großkaufmannsfamilie Molinari, deren Breslauer Handelshaus dem Schriftsteller Gustaf Freytag um die Mitte des vorigen Jahrhunderts als Modell bei seinem Roman »Soll und Haben« gedient hatte.

Als habe er diesen Bescheid noch nicht erhalten, teilte Wolff Mitte September dem Staatsrat Hinkel mit, »daß bei der hiesigen Dienststelle keine weiteren Tatsachen bekannt sind ... Eine Entscheidung des Führers muß auf jeden Fall herbeigeführt werden.« Am zweckmäßigsten sei, »wenn sich die Reichsstelle für Sippenforschung einschaltet«. Nun geduldete sich Hinkel bis zum April 1941, ehe er zum letzten Male mahnte. Auf diesen Brief schrieb Wolff von Hand: »Zurückstellen bis nach dem Krieg.« Den Staatsrat im Propagandaministerium brachte er zum Schweigen mit der Mitteilung, Reichsleiter Martin Bormann habe abgeraten, den Führer jetzt – es war der Feldzug gegen die Sowjetunion bereits seit einem Monat im Gang – damit zu behelligen.

Es darf offen bleiben, weshalb Wolff soviel List aufwendete, um Paula Stuck durch die Maschen der Rassengesetze schlüpfen zu lassen. Immerhin hatten sie und ihr Ehemann mancherlei Beziehungen zu der damaligen Münchner Schickeria, zu Hitlers Leibfotograf Heinrich Hoffmann und zu dessen ehemaligem Ladenlehrling Eva Braun. Es wäre sicherlich falsch gewesen, diese Kreise zu verärgern. Auch bekam Hans Stuck, durch den Krieg als Rennfahrer arbeitslos geworden, von Himmler und Wolff den geheimen Auftrag, seine im Sport erworbenen Beziehungen im Ausland für das Reich zu nutzen. Er sollte die Kübelversion des Volkswagens an die Armeen der Schweiz und etlicher Balkanstaaten verkaufen. Der Erfolg blieb aus, weil ihm nicht einmal Vorführwagen zur Verfügung gestellt wurden; das deutsche Heer brauchte die Wagen selber.

Paula Stuck bremste derweilen ihren literarischen Ehrgeiz. Doch zwei Jahre nach Kriegsende schrieb ihr aus Südtirol der durch seine Filme berühmt gewordene Luis Trenker, jetzt ließen sich Geschichten aus dem Nähkästchen der Nazis teuer verkaufen. Es interessiere jetzt vor allem Eva Braun, von deren Existenz die Öffentlichkeit erst durch ihren Selbstmord im Führerbunker erfahren hatte. Die »liebe Paula« – so schrieb Trenker – sei doch vertraut gewesen mit der früheren Hakenkreuzprominenz; sie möge für ihn sammeln, was in jenen

Kreisen über die plötzlich publik gewordene junge Dame zu hören sei, auch Klatsch und Tratsch. Ihre Mühen werde er vergelten mit »viel Oleo Sasso«, also mit Olivenöl, das in dem vom Hunger heimgesuchten Nachkriegsdeutschland wertvoller war als Geld. Trenker bekam einige Dutzend Blatt mit maschinengeschriebenen, mehr oder weniger glaubhaften Anekdoten, die von der Autorin mit dem Vorbehalt weitergegeben wurden, daß manches doch wohl nur ein Gerücht sei.
Der Lohn blieb aus. Wohl aber konnte Paula Stuck in einem neu herausgekommenen Wochenblatt, das erstgeborene der deutschen Regenbogenpresse, ein Tagebuch der Eva Braun in Fortsetzungen lesen, dem auch ihr Manuskript als Grundlage gedient hatte. Trenker indessen behauptete, diese Aufzeichnungen der Hitler-Geliebten seien in seiner Südtiroler Heimat im Grödnertal in Kisten zwischen ausgelagerten Akten der NSDAP gefunden worden. Echt waren sie natürlich nicht.

Mit Auswirkungen des parteiamtlichen Antisemitismus mußte sich der Chef des Persönlichen Stabs Reichsführer-SS immer wieder beschäftigen. Da gab es in der SS-Verfügungstruppe, später Waffen-SS, den Oberführer Wilhelm Bittrich. Er war im April 1938 als Standartenführer nach Wien versetzt worden, weil dort eine neue Einheit aufgestellt wurde. Für sich und seine Frau hatte er sich dort durch die Gestapo eine Wohnung anweisen lassen; bis zum sogenannten Anschluß hatte sie dem Generaldirektor Dr. Benno Schwoner gehört, der als Jude »reichsflüchtig« geworden war und von seinem Eigentum nur hatte mitnehmen können, was er zu tragen fähig war. Der SS-Offizier verzichtete jedoch großzügig auf die Benützung des größten Teils der Einrichtung; er war seit 1922 verheiratet und wollte leihweise nur übernehmen, was er sich selber noch nicht angeschafft hatte: einen Konzertflügel, einen Grammophonschrank mit Plattenspieler, einen Staubsauger, einen Kühlschrank (alles Geräte, die man damals nur bei Wohlhabenden fand), Lampen, etliche Ölgemälde, zehn Perserteppiche und ein Silberbesteck aus fast 200 Teilen. Gemessen am Lebensstandard des Jahres 1938 war das erheblicher Luxus, aber als die Gestapo wie vorgeschrieben einen Schätzer schickte, errechnete dieser als Gesamtwert nur 1327,98 Mark. (Bittrich später: »Soweit ich mich erinnnere 1000 Mark.«)
Als Wolff die Liste der Gegenstände und der Detailschätzungen erhielt, wurde er mißtrauisch. Die Gestapo mußte andere Schätzer bestellen, und sie kamen auf einen Wert von 4779 Mark. Dem bestohlenen Emigranten nutzte diese Berichtigung – die wie üblich auch noch erheblich unter dem wahren Wert lag – gar nichts, denn seine ganze Habe war ja dem Reich verfallen. Bittrich wurde die Benutzung nur für kurze Zeit gestattet. Er war damit nicht besser und nicht schlechter gestellt als viele Nazis, die auf die gleiche Weise ihren Wohnkomfort verbessert hatten. Soweit sie SS-Führer waren, verbot ihnen ein Befehl Himmlers den Kauf ihrer Eroberungen; an den heiligen Zielen der Partei durfte sich niemand bereichern; Eigentum geflohener Juden fiel an die Reichsfinanzver-

waltung und die beschlagnahmende Gestapo mußte, wenn sie es verkaufte, darüber Rechenschaft ablegen.

Die Wiener Staatspolizeileitstelle fragte kurz vor dem Jahresende 1940 bei Bittrich an, was mit den Leihgaben zu geschehen habe. Der inzwischen zum Oberführer beförderte hatte es verständlicherweise nicht eilig mit der Anwort. Ein Vierteljahr später schrieb er an Wolff, dieser möge bei Himmler durchsetzen, daß er entweder zum Schätzwert alles erwerben könne oder daß es ihm wenigstens als Leihgabe weiter zu Repräsentationszwecken überlassen bleibe. Der pingelige Reichsführer-SS sagte aus Grundsatz nein; andererseits wollte die Gestapo von Wolff eine Entscheidung, denn sie wurde vom Reichsfinanzministerium gedrängt. Wolff blieb auch hier seiner bewährten Praxis trotz vieler Mahnungen treu – nämlich daß mancher Aktenstapel sich durch längeres Liegen von selbst erledigte. Doch Anfang Juli 1942 entschied Himmler, alle Leihgaben sollten aus Bittrichs Wohnung abgeholt und versteigert werden.

Bittrich lamentierte bei Wolff: »Durch die Abholung der Möbel und Einrichtungsgegenstände ... im jetzigen Augenblick würden sowohl meine Frau als auch ich in der Öffentlichkeit, insbesondere im Kameradenkreise bloßgestellt.« Und tatsächlich gelang es dem inzwischen zum Obergruppenführer und General der Waffen-SS aufgerückten Wolff, das Herz Heinrich Himmlers zu erweichen. »Dieser ganze Fragenkomplex« soll – so schrieb Wolff an die Wiener Gestapo – »für die Beteiligten bis Kriegsende zurückgestellt werden ...« Bittrich, jetzt schon Brigadeführer, durfte behalten, was er hatte. Damit die Gestapo abrechnen konnte, überwies Wolff aus der Kasse der »Freundeskreis«-Spenden rund 7000 Mark. Nach Kriegsende sollte Frau Bittrich die inzwischen weiter abgenutzten Sachen doch noch kaufen können, denn sie würde dann – so versicherte ihr Ehemann – nicht mehr mit einem SS-Führer verheiratet, sondern geschieden sein. Er war sechs Jahre jünger als sie und hatte nach mehr als 20jähriger Ehe offenbar genug von ihr. Das letzte Blatt in diesem Aktenstapel besagt: »Der Gesamtvorgang ist nach Kriegsende wieder bei SS-Obergruppenführer Wolff vorzulegen ...« Es ist datiert vom 20. März 1943. An diesem Tag war Wolff nur noch nominell, aber nicht mehr funktionell Chef des Persönlichen Stabs Reichsführer-SS. Er war krank, seiner Funktion enthoben und in Ungnade.

Wie die meisten ehemaligen Mitglieder der NSDAP hat auch Wolff nach Kriegsende geltend gemacht, er sei mit den schlimmsten Auswirkungen des Antisemitismus nie auf Tuchfühlung gekommen. Zu diesem Punkt wird noch einiges zu sagen sein. Zu Recht machte er auf jeden Fall geltend, daß er einer ganzen Anzahl Menschen geholfen habt, die durch den Rassenwahn in Bedrängnis geraten waren. (Übrigens: Weshalb diese Hilfen, wenn den Juden nichts Schlimmes drohte?) Er half aus eigenem Antrieb, ohne eigenen Nutzen, und was er tat, war manchmal gefährlich. Es darf auch angenommen werden, daß dem Leibgardeoffizier großbürgerlicher Ambitionen die unverhüllte Unmenschlichkeit des NS-Systems zuwider war und daß er nur nicht revoltierte, weil er schon zutiefst verstrickt war in das Unrecht, aufgrund seiner Stellung und seines Ranges. Insofern war er ein weißer Rabe im Schwarzen Korps.

Bewiesen jedoch nicht gerade seine Hilfsaktionen, daß er das Ausmaß des Unrechts erkannte, wenn auch nicht in allen Formen? Aus welchem Grund hätte er sich sonst engagiert?
Er half einer Architektin in Göttingen, der man wegen einer unzeitgemäßen Großmutter verbieten wollte, weiterhin Häuser zu bauen. Er erreichte es, daß eine alte Frau, durch Heirat zu einem altadeligen Namen gekommen, der Bestrafung und dem KZ entging, obwohl sie als Abkömmling einer jüdischen Familie verbotswidrig ein arisches Dienstmädchen beschäftigt hatte. Soweit beim Heer aus Reichswehrzeiten Juden als Offiziere, Ärzte oder Zahlmeister dienten, wurden sie zunächst einmal in aller Stille entlassen, aber wenn sie dann nicht mehr durch die Uniform geschützt in den Strudel rassischer Verfolgung gerieten, wandten sich ihre früheren Kameraden hilfesuchend an Wolff; man wußte in Militärkreisen, daß er kein radikaler Antisemit war und daß er sich aufgrund seiner Vergangenheit mit den Soldaten verbunden fühlte. Mit der Rükkendeckung durch seinen Kameraden Heydrich ließ er den einen oder anderen Verfolgten als angeblichen SD-Agenten ins Ausland schleusen.
Bei einer Aktion dieser Art geriet Wolff dann auch an den Juden-Exekutor Nummer Eins, an Adolf Eichmann, Leiter des Judenreferats im Reichssicherheitshauptamt. Der weltberühmte Chirurg Ferdinand Sauerbruch, in seinem militärischen Rang Generalarzt der Reserve, hatte Wolff gebeten, zwei jüdischen Ärzten zu helfen, die einmal seine Mitarbeiter an der Charité waren und nun Gefahr liefen, in ein östliches Konzentrationslager abtransportiert zu werden. Wolff konnte dabei nicht mehr mit Heydrichs Hilfe rechnen; der Chef des Reichssicherheitshauptamtes war seit über einem Monat tot, gestorben an den Folgen eines Attentats in Prag. Ein Nachfolger war noch nicht ernannt; Himmler hatte vorübergehend die Leitung des Amtes übernommen. Ihn um Schonung für zwei Juden zu bitten, war zwecklos. Der Leiter des Amtes IV, der Gestapochef Heinrich Müller, wäre die nächst niedrige Instanz gewesen, aber diesem undurchsichtigen Beamtentyp wollte sich Wolff nicht anvertrauen. Also wandte er sich direkt an den Mann, der an der Schaltstelle saß, an Adolf Eichmann. In einem Telefongespräch versuchte der Obergruppenführer und General der Waffen-SS den Obersturmbannführer und Gestapo-Referenten seinem Wunsch gefügig zu machen. Er ließ dabei seinen Partner am anderen Ende der Leitung zwar jovial, aber doch deutlich fühlen, daß angesichts des Rangunterschieds Gehorsam am Platze sei. Doch der alte Bürokrat, der bis dahin schon Hunderttausende Juden in die Gaskammern hatte transportieren lassen, ließ keine Ausnahme gelten, sofern sie ihm nicht von einem Amtsvorgesetzten befohlen wurde. Wolff wurde dringlicher und fragte schließlich drohend:
»Wissen Sie eigentlich, mit wem Sie sprechen, Obersturmbannführer?«
»Jawohl, Obergruppenführer!« antwortete Eichmann, noch immer formgerecht. »Und Sie sprechen mit dem Leiter des Referats IVb4 der Geheimen Staatspolizei!« Er machte damit deutlich: Auch ein noch so hoher SS-Führer hat im Polizeisektor nichts zu sagen, wenn er dort keine Dienststellung hat. Wolff machte daraufhin – wie Eichmann sich 1962 bei seiner Vernehmung durch die

israelische Polzei ausdrückte – seinen widerspenstigen Gesprächspartner »zur Sau ... obwohl ich recht hatte, weil ich genau nach den Bestimmungen des Reichsführers ... verfahren bin ... und die Ausnahmestellung in keinster Weise irgendwie zu ermöglichen war ... Natürlich hätte ich von mir aus dem gerne stattgegeben, denn bei einer solchen Masse spielt ja das Einzelindividuum gar keine Rolle mehr. Aber ich durfte es ja nicht ... Hätte ich also in der Zentralinstanz wild und willig eine Ausnahme gemacht ..., dann hätte eine solche Entscheidung lawinenartig um sich gegriffen mit der Folge ... es wäre ein Saustall gewesen und kein Schwein hätte mehr durchgesehen.«
Dieser Adolf Eichmann war kein wilder Judenfresser, wohl aber ein primitiver Bürokrat, der unerbittlich vollzog, was Befehl und Vorschrift verlangten. Dennoch hätte er vielleicht doch den beiden Ärzten wenigstens einen Aufschub gewährt, wenn ihr Fürsprecher nicht gerade der ehrpusselige und stets auf die von Amtswegen ihm zustehende Würde bedachte Karl Wolff gewesen wäre. Der Obersturmbannführer war sich bewußt, daß er und seine Mannschaft befohlene Mörder waren, aber er beruhigte sein Gewissen mit dem Argument, daß irgend jemand wohl diese »Drecksarbeit« leisten müsse. Um so mehr ärgerte es ihn – wie er dem israelischen Vernehmer sagte –, wenn »die sogenannten Salonoffiziere der SS, die hier gewissermaßen ihre Hände in weiße Handschuhe steckten und von der Sache nichts wissen wollten«, ihm dreinredeten. »Als solcher zum Beispiel gilt Wolff!«
Um dem Obergruppenführer die Anmaßung heimzuzahlen, forderte Eichmann ihn zum Duell. Es war nach dem Brauchtum der SS im Prinzip zulässig. Vermutlich hatte jedoch der Gestapo-Mann kaum die Absicht, sich mit seinem Widersacher zu schießen, aber er wußte, daß jede Herausforderung dieser Art von Himmler genehmigt werden mußte. Der Reichsführer-SS würde also auf bürokratischem Weg, und ohne daß man Eichmann einen Denunzianten nennen konnte, erfahren, auf welch parteiwidrige Abwege sein »Wölfchen« geraten war. Wie Himmler über den Fall dachte, ist nicht bekannt, wohl aber, daß er Eichmann das Duell verweigerte.
Als Angeklagter vor dem Münchner Schwurgericht im Sommer 1964 sagte Wolff, er habe »den Judenparagraphen im Parteiprogramm nie ernst genommen.« Wohl aber sei er dafür eingetreten, daß der jüdische Einfluß, der im Deutschland der Weimarer Republik übermächtig geworden sei, auf ein Maß zurückgeführt würde, das dem fremdrassigen Bevölkerungsanteil angemessen sei. Die Juden hätten sich vor 1933 allzu breitgemacht und vielfach mit unlauteren Mitteln die Deutschen verdrängt. Auch noch mit mehr als 80 Lebensjahren sprach er vom zersetzenden Ferment des »Weltjudentums«.

5
Größenwahn als Volkskrankheit

Im hohen Alter verfaßte Wolff zur Vorbereitung einer Autobiographie eine Zeittafel und darin schrieb er zum Stichwort »März 1939«: »Verstärkte Judenhetze« (worunter Hetze der Juden gegen Deutschland zu verstehen ist) »hauptsächlich aus Prag führt zur Besetzung der Rest-Tschecho-Slowakei.« Ebenso wie die von Goebbels der Presse auferlegte Schreibweise des Prager Staates mit Bindestrich, als Zeichen der ethnischen Zwiespältigkeit benutzte Wolff bis zuletzt noch die lügenhafte Rechtfertigung für den Einmarsch deutscher Streitkräfte am 15. März 1939. Als ob Hitler nicht ebenso wie der Wolf in der Fabel gegenüber dem Lamm am Bach immer einen Anlaß gefunden hätte, dieses Rudiment eines Staates zu verschlingen. Er mußte ihn liquidieren, wenn er seine weitreichenden Weltmachtspläne verwirklichen, wenn er Polen besiegen und Rußland bis zum Ural erobern wollte.
Begreiflich ist, daß Wolff jenes Ereignis noch immer in der Glorie von damals sah, denn Hitler teilte ihm dabei erstmals eine Rolle zu, die ihn aus der üblichen Statisterie heraushob. Mag diese Rolle rückschauend klein erscheinen und mag ihr nur dekorative Bedeutung zugemessen werden, so war sie doch für den Darsteller der erste Soloauftritt auf der Bühne des Welttheaters und damit eine Gelegenheit, den Regisseur von brachliegenden Talenten zu überzeugen.
Anders als beim Einmarsch in Österreich reisten diesmal Himmler und Wolff zusammen mit Martin Bormann und Hitler im Sonderzug bis in den Sudetengau. In Böhmisch-Leipa stieg der deutsche Staatschef in seinen geländegängigen und gepanzerten Mercedes. Er konnte sicher sein, daß ihn und seine Wehrmacht kein Widerstand aufhalten würde, nachdem er in Berlin den tschechoslowakischen Staatsmännern schon die Kapitulation abgepreßt hatte. Bewacht wurde er wie üblich von seinem Begleitkommando. Es trug jetzt feldgraue Uniformen. Der Autopulk mit Himmler und Wolff kam nur langsam voran – im Sudetenland, weil wiederum Jubelspaliere die Straßen säumten, und jenseits der tschechischen Grenze, ab 18 Uhr, weil in der Dunkelheit und bei Schneetreiben in dem feindlich gesinnten Land Vorsicht am Platz war. Die Straßen waren weitgehend menschenleer, abgesehen von deutschen Militärkolonnen und kleinen Gruppen Volksdeutscher, die mit hochgerecktem Grußarm einsam wirkten zwischen den Häuserzeilen einer scheinbar

unbewohnten Umwelt. Auch in Prag nahm niemand Notiz von Hitlers Autorudel, als er gegen 20 Uhr in die auf dem Hradschin gelegene Burg einfuhr. Zusammen mit Bormann, Himmler und Wolff ließ sich Hitler in einen Raum führen, von dessen Fenster er einen weiten Ausblick genoß. Minutenlang blickte er auf den Moldaubogen, auf die Karlsbrücke im Vordergrund und dahinter auf die Stadtviertel am Ostufer des Flusses, vor allem auf die Josefstadt der Juden. Die Tschechen übten sich an diesem Abend schon im Ducken; sie blieben unsichtbar. Auf diese Weise werden sie den deutschen Diktator überleben. Die Juden hatte diese Chance nicht, denn Kommandos der Gestapo schwärmten schon zur Jagd aus. Wolff sah seinen Führer am Fenster stehen, den Kopf im Nacken, die Fäuste geballt, den Anblick der eroberten Stadt genießend. Er hörte ihn sagen: »Hier stehe ich, und keine Macht der Welt wird mich von hier wieder wegbringen.« Ähnliche Kraftworte hatte Hitler schon ein paarmal gesprochen, so am 30. Januar 1933 am Fenster der Reichskanzlei, aber Wolff war bisher noch nie dabeigewesen. Deshalb machte auf ihn der Satz, »als in einem historischen Augenblick gesprochen«, einen tiefen Eindruck. Hitler lieferte dazu auch gleich noch eine historisierende Ergänzung: Im Mittelalter habe Prag als das Herz Europas gegolten, und man habe damals gesagt, wer in dieser Stadt herrsche, sei auch der Beherrscher des Kontinents. Zwar gibt es in der Geschichte zwischen den Jahren 800 und 1500 keinen Beweis für die Richtigkeit dieses Satzes, wohl aber läßt er erkennen, was Hitler anstrebte.

Es war gerade ein halbes Jahr vergangen, seit er kurz vor der Münchner Konferenz im Berliner Sportpalast und selbstverständlich auch über alle deutschen Rundfunksender getönt hatte: »Wir wollen gar keine Tschechen!« Keiner seiner Begleiter erinnerte ihn jetzt auf der Prager Burg daran; sie standen nur in andächtiger Bewunderung neben ihm und fühlten sich als Teilhaber an der neu gewonnenen Macht. Hitler jedoch witterte bereits Gefahr; über die Gefühle der Tschechen gab er sich keinen Illusionen hin. Ein Attentat oder ein handstreichartiger Überfall war ihnen zuzutrauen. Zudem war ihre Hauptstadt erst von wenigen deutschen Truppen erreicht. Er befahl Himmler, die Burg gegen alle Gefahren zu sichern und zu diesem Zweck den SS-Gruppenführer und Generalleutnant der Verfügungstruppe Karl Wolff als Burgkommandanten einzusetzen. Hitler hielt sich nicht einmal 24 Stunden auf der Prager Burg auf, aber Wolff erfüllte der Auftrag, der ihm während einer kurzen Zeitspanne Freiheit und Leben des Führers anvertraute, mit Stolz. Dazu fand er um so mehr Anlaß, als die SS-Bewacher des Gefolges nicht ausreichten, ein so ausgedehntes Areal zu sichern. Es wurde ihm deshalb ein Bataillon Krad-Schützen – auf Motorräder gesetzte Infanterie – unterstellt. Es war das erste Mal, daß eine Einheit des Heeres von einem SS-Offizier befehligt wurde. Wolff genoß auch diese Novität um so mehr, als er in dem Kommandeur des Bataillons einen Offizier erkannte, der einmal während des Ersten Weltkriegs mit ihm gemeinsam an einem Lehrgang teilgenommen hatte. Jener war damals bei der Truppe geblieben; nun war er Major, vom Generalsrang also noch weit entfernt. Bei der Wehrmacht freilich galt diese Unterstellung als skandalös.

Der Auftrag brachte es mit sich, daß der Held unseres Berichtes von den politischen und militärischen Gesprächen auf der Burg kaum etwas mitbekam. Er war die ganze Nacht hindurch beschäftigt, in dem alten Gemäuer nach Schwachstellen in der Bewachung zu forschen. Es mußten absperrende Posten über Gänge und Wege verteilt werden, Räume waren zu durchsuchen und auch die Dächer abzusichern. Viel Sorgen bereiteten ihm die ausgedehnten Kellergewölbe mit ihren unterirdischen Verbindungsgängen, ein wahrer Maulwurfsbau mußte erkundet werden. Wie leicht konnte jemand unter den Räumen des Führers zentnerweise Dynamit stapeln. Und wie leicht konnten übermüdete Wachposten einschlafen? Solche Verantwortung hinderte den Burgkommandanten, in der Nacht vom 15. zum 16. März 1939 auch nur ein Auge für eine Minute zu schließen.
Ehe Hitler am Nachmittag Prag verließ, durften Himmler, Heydrich und Wolff dabeisein, als er sich im Vorhof der Burg von einigen hundert deutschen Studenten der Prager Hochschulen feiern ließ. Auch die Generäle Keitel und von Brauchitsch waren zugelassen; sie konnten hier zum ersten Mal ihren neuesten Ordensschmuck vorzeigen: das von einem vergoldeten Kränzchen umschlungene Parteiabzeichen. Es war in dieser Form anfänglich eine Dekoration für altgediente Parteigenossen mit einer Mitgliedsnummer unter 100000 gewesen. Wolff hatte keinen Grund, die Generäle zu beneiden; ihn schmückte das Ding schon seit dem 30. Januar. Er hatte sich um die Partei wohl verdient gemacht.
Sechs Tage später, am 22. März 1939, waren er und Himmler schon wieder im Schlepptau von Hitlers Sonderzug. Wieder sollte ein Stück Land kassiert werden. Das Deutschlandlied besang es als Vorposten im Nordosten: »... bis an die Memel ...« Doch seit dem Versailler Frieden waren die Stadt Memel, ein Teil des gleichnamigen Flusses und ein langgezogener Küstenstreifen an der Ostsee Hoheitsbereich der Republik Litauen. Sie hatte sich das Gebiet und seine mehrzahlig deutschen Bewohner mit einem militärischen Handstreich widerrechtlich einverleibt und auch bis jetzt behalten, weil niemand deswegen einen Krieg riskieren wollte. Für Hitler war das Land nach seinen bisherigen Eroberungen nur ein kleiner Fisch, aber weil er gerade so schön beim Aufräumen war, wollte er den Zuwachs von 150000 Menschen auch gleich mitnehmen. Gegen seine Forderung, das Gebiet an das Reich zurückzugeben, hatten sich die Litauer kaum gesträubt.
Der Sonderzug fuhr von Berlin zum Ostseehafen Swinemünde in der Pommerschen Bucht. Dort hatten sich die Prachtstücke der Reichsmarine versammelt. Sie schwammen nun mit dem Nichtschwimmer Hitler ostwärts, mit dem Kurs auf den Hafen von Memel. Himmler mit Stab und Sicherungskommandos hatten den Auftrag, von der ostpreußischen Stadt Tilsit aus vor den Soldaten der Wehrmacht in das zu annektierende Land im Kraftwagen vorzustoßen. Außerdem mußten sie in Memel einem neu eingesetzten Bürgermeister und einem ebenfalls noch amtsfrischen Polizeichef beibringen, wie man einen Führer empfängt.

Im Hotel »König von Preußen« der Grenzstadt Tilsit palaverten Himmler, Wolff und die Obergruppenführer Heydrich und Kurt Daluege, beide zuständig für die Polizei, bis Mitternacht. Die erste Stunde des 23. März hatte gerade begonnen, als ihre Wagenkolonne über die Königin-Luise-Brücke und damit über die Memel rollte. Voraus fuhr ein ostpreußischer SS-Führer, der den Weg kannte. Doch dieser Lotse war schwächer motorisiert als Himmler in seinem schweren Maybach-Wagen; der Reichsführer befahl, die »Schnecke« zu überholen.
Nach einigen Kilometern mußte Himmlers Fahrer unvermittelt hart bremsen; vor ihnen war die Straße mit Drahtverhau versperrt. Soldaten in fremden Uniformen kamen von rechts und links aus dem dunklen Wald. Sie umringten, die Gewehre schußbereit, die zehn Wagen der Kolonne. Niemand verstand ihr Gebrüll, und sie reagierten nicht auf Deutsch. Wolff und Heydrich verhandelten mit Gesten, breiteten eine Landkarte aus und entdeckten im Schein einer Taschenlampe, daß sie sich unbestreitbar auf litauischem Gebiet befanden. Sie hatten eine Wegkreuzung übersehen.
Ehe es zu einer Verständigung kam, schrillten aus dem Wald Pfiffe, und das litauische Militär verschwand in der Nacht zwischen den Stämmen. Die Kolonne wendete und erreichte zwei Stunden später die Stadt Memel. Dort lief dann alles programmgemäß ab. Um 14 Uhr landete Hitler, hielt anschließend vom Balkon des Stadttheaters eine sehr kurze Eingliederungsrede an das versammelte Volk und verlieh dem bisherigen Führer der memeldeutschen Volksgruppe auch noch das goldene Parteiabzeichen. Nach rund zweieinhalb Stunden schiffte er sich schon wieder ein zurück nach Swinemünde. Himmler und Wolff fuhren noch ein wenig im Land herum und musterten die Neuerwebung. Imponierend sah sie nicht aus; Grenzgebiete sind selten mit Reichtümern gesegnet und im Osten erst recht nicht. Wären die SS-Führer bis in den nördlichsten Winkel gekommen, dann wären sie auf den neuen Grenzübergang nach Litauen gestoßen. Das Ortsschild hätten sie als Prophetie nehmen können: »Nimmersatt.«
Sollte Wolff bis dahin noch gezweifelt haben, daß Hitler jetzt seinen Krieg haben wollte – der ihm bei der Münchner Konferenz entwendet und nun auch in Prag nicht gewährt worden war – so konnten ihn die folgenden Wochen eindeutig über die Zukunft belehren. Am 13. Mai 1939, es war Wolffs 39. Geburtstag, wurde die Prager Begleitmannschaft aufs neue zusammengerufen: Himmler, Wolff, Bormann und der Reichspressechef Dr. Otto Dietrich. Die familiäre Geburtstagsfeier bei Wolff mußte ausfallen, denn am Abend rollte der Sonderzug des Führers mit ihnen in Berlin aus dem Anhalter Bahnhof. Das Ziel war der Westwall. An dieser Kette militärischer Befestigungen der unterschiedlichsten Art – Betonhöcker als Panzersperren, MG-Bunker, Kasematten für Panzerabwehrgeschütze, Kanonen und Haubitzen – wurde seit über zwei Jahren gebaut mit einem Heer von Arbeitern und Ingenieuren. Der betonierte Streifen zwischen der belgischen Grenze und dem Rheinknie bei Basel verschlang so viel Eisen und Zement, daß die Materialien für private Bauten knapp wurden. Durch Kino-Wochenschauen und Zeitungsberichte bekamen die Deutschen suggeriert: Hier kommt keiner durch! Der Irrtum sollte sich dann Anfang 1945

herausstellen, als die Streitkräfte der Alliierten von Westen her in das Reich eindrangen.
In diesem Frühjahr 1939 sollten Millionen Kubikmeter Beton die Szenerie bilden für Hitlers Auftritte. Am 14. Mai stapfte er mit seinen Trabanten und den jeweils zuständigen Wehrmachtsgenerälen erst im Gelände bei Aachen und dann auf den Höhen der Eifel herum. Am 15. Mai trafen sie auf einer kahlen Anhöhe über der Mosel auf eine weißgedeckte, in Hufeisenform aufgestellte Mittagstafel. Die Wehrmacht lud ihren Obersten Befehlshaber zu Tisch. Die Plazierung richtete sich üblicherweise nach den Rängen; Himmler und Wolff waren für den Mitteltisch vorgesehen. Großmütig verzichteten sie darauf, in Führernähe zu sitzen; sie tauschten ihre Plätze mit Wehrmachtsoffizieren vom Seitentisch, weil sie in Berlin »schon sehr oft die Ehre und den Vorzug hatten, Hitler beim Essen zu sehen«. Sie konnten trotzdem feststellen, daß ihm das Essen schmeckte; es gab Erbsen mit Speck, das klassische Feldküchengericht. Der Vegetarier Hitler ließ sich sogar einen Nachschlag geben.
Die Inspektionsreise endete erst am 19. Mai am Oberrhein unweit der Schweizer Grenze. Von dort fuhr der Sonderzug direkt zum Truppenübungsplatz Munster, wo schon Generationen Soldaten erfolglos mit ihrem Schweiß den kargen Sand der Heide gedüngt hatten. Hitler erwartete dort nicht die übliche Simulation kriegerischer Aktionen mit viel Pulverkampf und Krach. An diesem 20. Mai wollte ihm die SS-Verfügungstruppe zum ersten Mal zeigen, wie weit sie schon mit ihren Vorbereitungen für seinen Krieg gediehen war. Regisseur der Veranstaltung war der als Reichswehroffizier ausgeschiedene und zur SS übergewechselte Felix Steiner. Er hatte nach seinem Stellungswechsel zuerst einmal mit einem in Ellwangen (Württemberg) stationierten Bataillon des SS-Regiments »Deutschland« demonstriert, wie er sich den Soldaten der Zukunft wünschte. Bei dieser Ausbildung trat an die Stelle des Kasernenhofdrills der Leistungssport. Steiner erstrebte einen »lockeren und elastischen Soldatentyp von sportlicher Haltung, aber überdurchschnittlicher Marsch- und Gefechtsfähigkeit«. Statt des sperrigen Karabiners 98 k bevorzugte er als Schußwaffe die Maschinenpistole, dazu Handgranaten und Sprengmunition, die insgesamt den Soldaten im Gefecht weniger behinderten. Körperliche Kondition und Härte trainierten Steiners Soldaten auf Gepäckmärschen über 65 Kilometer, die zum Teil unter der Gasmaske zurückgelegt werden mußten.
War er ein Menschenschinder? Seine Soldaten waren Freiwillige, deren Status im NS-Staat noch nicht einmal gesetzlich genau festgelegt war. Sie waren stolz auf ihre Leistungen, fühlten sich als Elite und rühmten laut die Kameradschaft, die Mannschaften und Offiziere verband. Steiner war aus dem Heer ausgeschieden, weil er sich mit seinen Vorschlägen für eine grundsätzliche Reform unbeliebt gemacht hatte. Nun waren zu diesem 20.-Mai-Schaustück auch Generäle des Heeres nach Munster geladen worden. Was sie zu sehen bekamen, war für sie im Sinn des Wortes einmalig: Ein Angriff auf eine mit Gräben und Drahthindernissen gesicherte Infanteriestellung, bei dem nicht mit Platzpatronen geschossen und nicht mit Böllerknallen die Einschläge markiert wurden,

sondern Handfeuerwaffen wie Maschinengewehre scharfe Munition verschossen und echte Handgranaten geworfen wurden.
Es war für die SS ein Tag des Triumphes über das Heer, wo man die Verfügungstruppe bisher immer über die Schulter angesehen hatte. Der Oberste Kriegsherr sparte nicht mit Lob, obwohl er weiterhin bei seiner Ansicht blieb, der Soldat sei mit dem herkömmlichen Gewehr am besten ausgerüstet, weil mit einer automatischen Waffe nur unnötig viel Munition verschossen würde. Die Wehrmachtsgeneräle konnten nicht umhin, zu gratulieren. Ob denn niemand zu Schaden gekommen sei, fragten sie. Wolff konnte versichern: Es gab nur ein paar durch Splitter leicht Verletzte. Die MG-Garben gingen über die Köpfe hinweg, wenn auch nur knapp, und Handgranaten detonierten nur dort, wo sie niemandem schadeten. Dem Standartenführer Steiner waren von nun an Himmler und Hitler sehr gewogen. Nicht ganz sechs Jahre später, im April 1945, tobte Hitler dieser beiden Mitkämpfer wegen verzweifelt in seiner unterirdischen Berliner Residenz; der Verräter Himmler verhandelte mit den Feinden und der General der Waffen-SS Felix Steiner überhörte die Befehle seines Führers. Steiner sollte mit seiner Armeegruppe den Ring der Rotarmisten um die Reichshauptstadt aufbrechen und Hitler befreien, aber ihm waren die Reste seiner abgekämpften Divisionen zu schade für ein so aussichtsloses Unternehmen in letzter Stunde.
Die Rivalität zwischen dem Heer und der SS-Verfügungstruppe war seit deren Entstehen latent. Die im Sinn der Weimarer Verfassung zur politischen Abstinenz erzogenen Offiziere sahen sich vor die Wahl gestellt, entweder selber das Hakenkreuz auf sich zu nehmen oder aber ihr bisheriges Monopol als »Waffenträger der Nation« (wie Hitler pathetisch formulierte) einzubüßen. Ihr Argwohn war berechtigt; sagte doch Himmlers Truppe der Konkurrenz nach, sie sei im Grunde noch immer reaktionär und monarchistisch gesinnt. Sticheleien und Streitfälle verschlechterten das Klima weiter. In den höheren Rängen setzten sich beide Lager mit Kränkungen und Intrigen gegenseitig zu, indessen die unteren ihre Feindseligkeiten mit den Fäusten austrugen. Das war nichts Ungewöhnliches, ähnliche Prügeleien hatte es schon zu Kaisers Zeiten zwischen einzelnen Kompanien oder den verschiedenen Waffengattungen gegeben. Verhaltensforschern ist solches Rudelverhalten keine Überraschung.
Auf diesem Gebiet amtierte der konziliante Wolff häufig als Besänftiger vom Dienst. Der Ex-Leutnant aus der Leibgarde-Infanterie fand bei den Offizieren des Heeres leichter Gehör, weil er ihnen versicherte, daß er eigentlich nur durch die Zeitläufte eine militärische Laufbahn verfehlt hatte, als ihn die Reichswehr 1920 als überzählig hatte entlassen müssen. Er wurde deshalb auch eingeschaltet, als es wegen der Häufung von Zusammenstößen brachialer Gewalt im Januar 1938 zu einer Vereinbarung zwischen SS und Wehrmacht kam. Sie bewährte sich jedoch wenig, weil sie Handgreiflichkeiten zwar registrierte, sie aber dann in Bürofehden verwandelte. Im Sommer strebte deshalb das Oberkommando des Heeres eine neue Regelung an, die zugleich auch die Partei und alle ihre Gliederungen einschließen sollte.
Reichsleiter Martin Bormann, damals noch Stabsleiter von Rudolf Heß, dem

Stellvertreter Hitlers auf dem Parteisektor, war geneigt, einem Vorschlag der Militärs zuzustimmen, wonach zunächst örtlich jeweils der Parteioberste gemeinsam mit dem Truppenkommandeur den Streit bereinigen sollte. Doch Himmler und Wolff verlangten für die SS-Verfügungstruppe und die SS-Totenkopfverbände, die KZ-Bewacher, eine Ausnahmeregelung, weil sonst vielleicht »irgendein braver, aber doch den formvollendeten Dienststellen der Wehrmacht nicht gewachsener Hoheitsträger« (gemeint ist: ein Parteifunktionär) »nun allein die Vertretung hätte«. Man einigte sich schließlich darauf, die bewaffnete und kasernierte SS der Wehrmacht gleichzustellen; gab es Ärger, dann mußten die jeweiligen Kommandeure miteinander verhandeln. Praktisch bedeutete dies die Anerkennung der SS als Truppe. Genau das wollte Himmler erreichen. Im Dezember 1938 konnte Wolff das ihm damals noch unterstehende »SS-Gericht« anweisen, die neue Vereinbarung nach unten weiterzugeben, »damit die Einheitsführer wissen, daß sie bei der Regelung dieser Fragen beteiligt werden müssen«.

Wolff wußte sehr wohl, warum die SS ihre Streitfälle nicht der Partei anvertraute: Die schwarzen Gesellen waren keine Engel. Sie benahmen sich vielfach wie übermütige Jungstiere und fühlten sich oft durch die gebändigte Arroganz von Wehrmachtsoffizieren zum Randalieren gereizt. Oswald Pohl, damals SS-Gruppenführer und Chef des SS-Wirtschafts- und Verwaltungshauptamtes beklagte in einem Brief an Wolff im Juli 1938 die Renitenz und die Überheblichkeit der SS-Junker, die auf eigens dafür ausgerichteten Schulen den Schliff zum SS-Offizier bekamen. Als ehemaliger Zahlmeister der Marine mochte Pohl besonders strenge Maßstäbe anlegen, aber verwunderlich war dieses Verhalten der jungen Männer nicht. Ihnen wurde beigebracht, daß sie die rassische, die körperliche und charakterliche Auslese der Nation seien. Es lag nahe, daß sie sich als Crème de la Crème der Deutschen besondere Rechte herausnahmen.

Der Kamerad Pohl bekam von Wolff keine Antwort; Kritisches pflegte er im Gespräch unter vier Augen zu erledigen. Anders reagierte er, wenn ihn Himmler beauftragte, einen SS-Führer zu maßregeln. So mußte er im Juli 1938 einen Obersturmbannführer und hauptamtlichen Funktionär der SS mahnen, er möge doch endlich die »vollzogene Verlobung« melden. Die Eltern des Mädchens, dem der säumige Liebhaber die Ehe versprochen hatte, waren beim Reichsführer vorstellig geworden. Himmler stiftete gern Ehen, weil er sich davon Geburten versprach.

Der Obersturmbannführer stellte sich nach Wolffs Brief zunächst einmal taub. Fünfmal mußte man seine Antwort anmahnen. Sie kam erst nach 17 Monaten im Dezember 1939; der Schreiber entschuldigte das Unterlassen von Lieben und Schreiben damit, er sei durch politische Ereignisse so sehr in Anspruch genommen worden, daß es ihm »nicht möglich war, persönliche Dinge in der wenigen Freizeit mit der gleichen Energie zu vertreten«, die er für den SS-Dienst aufwende. Er nannte nicht einmal einen Termin für die Verlobung. Kurz vor dem Osterfest 1940 schickte Wolff die nächste Mahnung, vielleicht weil er annahm, der Lenz könne der Liebe nachhelfen. Vergebens. Nach weiteren und ebenso erfolglosen Briefen schrieb Wolff auf den Akt: »W. n. d. K.« (im Klartext: Wiedervorlage nach dem Krieg).

In einer anderen, in höheren SS-Rängen angesiedelten Liebesgeschichte durfte der Chef des Persönlichen Stabes nur beratend mitwirken. An Rudolf Heß, der häufig als Klagemauer benutzt wurde, wenn es gegen ein prominentes Parteimitglied ging, schrieb im November 1939 aus dem Ort Krumpendorf in Kärnten ein empörter Vater und Oberstleutnant a. D. der k. u. k.-Armee, seine Tochter sei durch die »unglaubliche Handlungsweise eines Parteigenossen« getäuscht und in ihrer Mädchenehre schlimm gekränkt worden. Sie habe diesen Mann »und auch andere verfolgte Nationalsozialisten in unserem Hause versteckt«, als die Partei verboten gewesen sei. Nachdem ihr Geliebter jedoch nach Hitlers Einmarsch zum Gauleiter von Wien aufgestiegen sei, habe er sich immer seltener sehen lassen. Jetzt habe er einen »Absagebrief« geschrieben und der Braut 10000 Mark Entschädigung angeboten. Heß möge – so bat der Vater – dafür sorgen, daß der Wortbrüchige sein Heiratsversprechen einlöse.

Die Anklage richtete sich gegen den Parteigenossen Odilo Globocnik, einen der wildesten Kämpfer der NSDAP Österreichs. Heß ließ sie durch Bormann und Himmler weiterreichen, weil der Beschuldigte schon nicht mehr als Gauleiter amtierte, sondern sich als SS-Brigadeführer auf seine künftigen Aufgaben als Massenmörder im frisch eroberten polnischen Bezirk Lublin vorbereitete. Der Reichsführer-SS hatte große Pläne mit ihm. Deshalb mußte der Wogenglätter Wolff zunächst einmal durch Gespräche mit Parteispitzen verhindern, daß die Affäre weitere Kreise zog. Er riet dann, den Gauleiter Friedrich Rainer, der zu jener Zeit in Salzburg residierte, als Vermittler einzusetzen. Er selber wollte in dieser Sache nicht tätig werden – aus verschiedenen Gründen. Tatsächlich gelang es dann Rainer bei seinem Besuch in Krumpendorf, Tochter und Vater zum Stillhalten zu verpflichten. Ihnen wurde versprochen, daß sie zu gegebener Zeit ihr Leid auch Himmler selber vortragen könnten. In dessen Adjutantur schrieb man im April 1940 auch auf diese Akten den Vermerk »W. n. d. K.« (Wiedervorlage nach dem Krieg).

Daß der Chef des Persönlichen Stabes in dieser Liebes- und Leidgeschichte nur aus dem Hintergrund mitwirkte, war nicht nur darauf zurückzuführen, daß er seit Kriegsbeginn einer der zahlreichen Trabanten des Führers in dessen Hauptquartier und damit durch andere Aufgaben in Anspruch genommen war. Er war außerdem mit Odilo Globocnik fast befreundet; er mußte also den Vorwurf meiden, daß er in dem Streitfall nicht unparteiisch sein könne. Zudem verstrickte er sich gerade selber mehr und mehr in eine Affäre, die als ein kleiner Flirt mit beiläufig genossenem Ehebruch begonnen hatte und nun mehr und mehr zum Problem wurde.

Es ist gewiß nicht die feine Art, in einer auf die Charakterisierung einer Epoche ausgerichteten Biographie auch das Liebesleben des Helden abzuhandeln. Wie aber verhält man sich, wenn er sogar auf diesem Sektor das Hakenkreuz dominieren ließ. Er handelte dabei ganz im Sinne seiner Weltanschauung, die bekanntlich alle Lebensbereiche durchdringen wollte und deshalb den

Anspruch erhob, eine totale zu sein. Angefangen beim totalen Staat mit seinem totalen Krieg über die totale Gleichschaltung aller Volksgenossen bis zur totalen Erfassung aller Küchenabfälle, mit denen dann die Schweine der nationalsozialistischen Volkswohlfahrt (NSV) gemästet werden sollten. Anmerkung für jüngere Leser: Damit weniger Fett und Fleisch eingeführt werden mußte, sammelte die Parteigliederung NSV in den Städten diese Reste und betrieb damit Mastställe und – wie sich dann herausstellte – eine Fehlspekulation. Zur Rechtfertigung des Autors, der sich gezwungen sieht, im Fall Wolff auch auf Familieninterna einzugehen, kann auch nicht unerwähnt bleiben, daß der General sich keineswegs gescheut hatte, in eigenen Entwürfen zu einer glorifizierenden Autobiographie ein Kapitel über seine Frauen zu verfassen.
Ein Tiefenpsychologe müßte ergründen, weshalb aus dem Seitensprung eine so große Leidenschaft wurde, daß Wolff Rang und Stellung aufs Spiel setzte und seine Ehe mit Frieda, geborene von Römheld, löste, um die geliebte Inge heiraten zu können. Er war in jenen Jahren zwischen seinem 34. und 43. Geburtstag mit Sicherheit einer der attraktivsten Männer auf dem politischen Parkett Berlins: groß gewachsen, kräftig, sportlich trainiert – ausgerechnet Himmler verlangte das von seinen SS-Führern –, schlank, blond und blauäugig, mit dem sicheren Auftreten eines Offiziers und den gepflegten Manieren eines Gentleman, ein gewandter Plauderer, ein hervorragender Tänzer, das alles verpackt in eine dekorative Uniform und ausgestattet mit jener süddeutschen Spracheinfärbung, die in der preußisch nüchternen Reichshauptstadt als Sommerfrischendialekt schnell Sympathien gewinnt. Umwarb er eine Frau, so konnte es ihr schwerfallen, ihn abzuweisen, wenn denn auch umgekehrt viele Frauen es ihm mehr oder weniger deutlich zeigten, daß er ihnen gefiel.
Das verhehlte auch Ingeborg Maria Gräfin von Bernstorff nicht, als sie bei Wolff – es muß im Sommer 1934 kurz nach seinem Einzug in die Prinz-Albrecht-Straße und nach den Röhm-Morden gewesen sein – vorsprach, weil sie Himmlers Förderung in einer Wohltätigkeits-Angelegenheit erbitten wollte. Rückschauend nannte Wolff diese erste Begegnung »für uns beide einen Augenschmaus«. Sie schilderte er als eine »bezaubernde Blondine in einem reizenden hellblauen Kostüm«. Natürlich erhielt sie ihren Termin beim Reichsführer-SS, und bei dieser Gelegenheit sahen sie sich wieder, abermals kokettierend. In den folgenden Monaten mußte er sich jedoch damit zufriedengeben, daß ihm gelegentlich vom Aufsehen berichtet wurde, das die junge schöne Gräfin in der Berliner Nazigesellschaft auslöste.
So blaublütig, wie er in seinem Adelstick annahm, war sie eigentlich nicht. Sie war geboren als Tochter des Hamburger Kaufmanns Ludolph Christensen und erst durch die Einheirat in die Bernstorff-Sippe in das Gotha-Handbuch geraten. Ihr Ehemann amtierte als Landrat des Kreises in der damals noch preußischen Stadt Harburg am Südufer der Elbe. Den Sommer 1934 verbrachte das Ehepaar dort, wo schon damals die Reichen und die Schönen sich in der Urlaubszeit vergnügten, in Kampen auf der Nordseeinsel Sylt. Männlicher Stargast war in jenem Jahr Hermann Göring, Reichsluftfahrtminister, Reichstags- und preußi-

scher Ministerpräsident, um nur die wichtigsten seiner momentanen Funktionen und Titel zu nennen.
Als Chef der preußischen Regierung kümmerte er sich bevorzugt um seinen Beamten Bernstorff und um dessen Gemahlin. Sie war jung, temperamentvoll und lebenslustig, ihr Ehemann war über ein Jahrzehnt älter und leidend dazu. Der Reichsluftfahrtminister hatte auf der Insel sein Flugzeug stehen, das er als ehemaliger Jagdflieger – im Krieg wurde der Hauptmann mit dem Orden »Pour le mérite« dekoriert – auch selber zu steuern pflegte. Am Tag seiner Abreise nahm Göring den Grafen und die Gräfin mit zum Flugplatz. Dort lud er die Dame ein, die Pilotenkanzel zu besichtigen. Als dies geschah, schloß sich die Tür der Maschine. Auf luftige Art wurde die Gräfin nach Berlin entführt. Als Gast übernachtete sie in der Dienstvilla des Reichstagspräsidenten – in allen Ehren, wie Wolff später erfuhr.
Dieses Vorkommnis amüsierte natürlich die neue politische Prominenz; sie lud den Grafen und die Gräfin zu vielen ihrer internen Festivitäten ein. Von Inge Bernstorff erfuhr Wolff später, daß sie bei diesen Gelegenheiten von Ministern umschwärmt worden sei, etwa von dem damals noch verwitweten Reichswehrminister Werner von Blomberg oder von Rudolf Heß, Reichsminister ohne Geschäftsbereich und zuständig für die Zusammenarbeit zwischen Partei und Staat. Wolff konnte die Frau in ihrem Glanz zu dieser Zeit nicht bewundern; er hatte erst den Rang eines SS-Oberführers erreicht, und er wurde zu solchen Gesellschaften nur zugelassen, wenn er als Schatten Himmlers auftrat.
Als er an einem Abend des Spätherbstes 1934 in seiner Dienststelle Akten aufarbeitete, bat ihn die Gräfin telefonisch um seine Hilfe. Sie war mit einem Vetter, der als Untersturmführer in der in Berlin stationierten »Leibstandarte Adolf Hitler« diente, auf dem Kurfürstendamm beim nächtlichen Vergnügungsbummel in die Tanzbar »Zigeunerkeller« geraten. Deren Besuch war den SS-Offizieren untersagt – und prompt war eine SS-Streife gekommen und hatte den Vetter mitgenommen. Nun sei, klagte sie am Telefon, dessen Offizierslaufbahn gefährdet, sofern nicht eine höhere Instanz rettend eingriffe.
Wolff war sofort bereit, als höhere Instanz zu dienen. In einer Weinstube trafen sie sich. Von dort aus telefonierte er mit der Kaserne der Leibstandarte. Er erreichte, daß die Meldung vom Fehltritt des Vetters zunächst einmal auf der Schreibstube liegenblieb und am nächsten Tag – so versprach er – könne er in einem Gespräch mit dem Kommandeur, dem Obergruppenführer Sepp Dietrich, alles in Ordnung bringen. Den Dank dafür bekam er in Form kleiner Zärtlichkeiten in seinem Dienstwagen, als er die Dame zu ihrem Nachtquartier fuhr. Und weil es so schön war, trafen sie sich wieder und wieder, so daß daraus am Ende die große Liebe wurde.
Zu dieser Zeit waren die Dame und der Herr verheiratet, allerdings nicht miteinander; er wohl mehr, sie wohl weniger glücklich. Der Graf kränkelte zunehmend an den Folgen seiner Kriegsverwundungen. Wolff war gerade im Begriff, seine Ehefrau mit den beiden kleinen Töchtern nach Berlin nachziehen zu lassen. Er hatte im vornehmen Stadtteil Dahlem eine Villa gemietet, mit

hübschem Garten und sieben Zimmern. Das komplizierte die Situation. Die Lage der Gräfin hingegen klärte sich: Im April 1935 starb ihr Mann. Seiner Witwe, herrliche 31 Jahre jung, mutete niemand zu, in einsamer Trauer zu verharren.

Es traf sich günstig, daß Wolff von einem Mitglied des Himmlerschen »Freundeskreis«, dem Vorstandsvorsitzenden des Norddeutschen Lloyd, eine Ostasienreise auf dem Motorschiff »Potsdam« geschenkt bekam. Statt seiner ging die Gräfin an Bord. Reinhard Heydrich, quasi der Zimmernachbar Wolffs in der Prinz-Albrecht-Straße, machte sich einen Spaß daraus, sie auf der Reise beobachten zu lassen und darüber seinem Freund Karl von Zeit zu Zeit zu berichten. Gestapo und SD hatten bereits auf fast jedem Schiff ihre Spitzel. Die Gräfin, so erfuhr Wolff, lasse sich von einem Wittelsbacher Prinzen, der gemeinhin als Priester am Vatikan wirkte, den Hof machen. Sie habe sich außerdem mit einem älteren Ehepaar unter den Passagieren angefreundet und vergnüge sich mit diesen Leuten da und dort beim Landgang; deren Name sei Hecht, und es seien Juden. Der Liebe tat das keinen Abbruch, ihm gefiel es, wenn sie gefiel.

Lang blieb Wolffs Familie nicht in Berlin. War sie ihm auf einmal im Wege? Was immer die Ursache ihrer Rückkehr nach Bayern gewesen sein mag – Wolff begründete ihn mit dem Zwang zum Sparen. Schon hatte er in Rottach-Egern am Tegernsee das Grundstück erworben und mit dem Bau eines »Stammhauses für meine Familie« begonnen. Eine weitere Begründung hat er sehr viel später nachgeschoben: Der Führer halte sich doch manchmal monatelang auf dem Berghof über Berchtesgaden auf, und als SS-Führer mit besonderen Aufgaben sei es zweckmäßig, in dessen Nähe eine ständige Bleibe zu haben. Das Haus hat Wolff, wie bereits beschrieben, mancherlei Ärger eingetragen. In diesem Anwesen wuchsen dann auch seine 1936 und 1938 in München geborenen Söhne auf.

Ein weiterer Sohn wurde ihm drei Monate vor dessen jüngstem Bruder geboren. Das war kein Wunder der Natur, denn sie waren Halbbrüder. Die Gräfin kam Ende 1937 nieder. Bei Erwägungen, wie Klatsch und Tratsch vermieden werden könnten, hatte sich Wolff seinem Freund Reinhard anvertraut, der ja von Amts wegen Erfahrung mit Geheimem hatte. Heydrich regelte den Fall diskret. Er hatte einen freundschaftlichen Draht zu seinem ungarischen Kollegen und dieser beschaffte der mit einem neuen Namen und einem neuen Paß versehenen, werdenden Mutter einen Platz in der Klinik des berühmtesten Gynäkologen von Budapest. Dort munkelte man in politischen Kreisen, eine Geliebte Hitlers sei zur Entbindung in die ungarische Hauptstadt gekommen. Ihr gerade zum SS-Gruppenführer aufgestiegener Begleiter trug allein schon durch seine Anwesenheit und seinen Rang zum Entstehen dieser Legende bei. Er dementierte sie nicht, er freute sich darüber.

Weder der Autor noch seine Leser sind berechtigt, einen moralischen Maßstab an Wolffs Dreiecksverhältnis zu legen. Was die darin verstrickten Personen empfanden und was sie unternahmen, muß soweit als möglich ihre private Angelegenheit bleiben. Doch wenn dargestellt werden muß, wie ein respektabler Mann von überdurchschnittlicher Bürgerlichkeit und ausgerüstet mit vielerlei Begabungen in den Sog des Nationalsozialismus geriet, dann kann Privates nicht unbeachtet bleiben, sofern es sich erweist, daß auch diese Bereiche im Lauf der Jahre zunehmend von den Ideen und Methoden des Hakenkreuzlertums durchsetzt werden. Als Wolff 1978 gefragt wurde, weshalb er denn in diese Situation verstrickt wurde, wies er darauf hin, daß sein Ende 1937 in Budapest geborener Sohn Widukind Thorsun nur eindeutige Merkmale der nordischen Rasse aufweise. »Die Kinder meiner ersten Ehe sind rassisch, charakterlich und leistungsmäßig hervorragend. Da der Vater blond und blauäugig ist, die Mutter jedoch braune Haare und braune Augen aufweist, sind sie erscheinungsmäßig nicht ausgesprochen nordisch, sondern eine Mischung von beiden Eltern.«

Das ist noch immer Geist und Sprache der NS-Lehren. Der SS-General meint im Grunde folgendes: Ich, Karl Wolff, einer der höchsten SS-Führer, hätte unverantwortlich gehandelt gegenüber Volk und Staat, wenn ich mein wertvolles Erbgut weiterhin in einer Ehe vergeudet hätte, aus der nur Rassenmischlinge hervorgehen konnten; ich war demnach verpflichtet, mit einer Frau von der besten nordischen Art weitere Kinder zu zeugen; mit meinem Ehebruch und der daraus entspringenden zweiten Ehe diente ich dem Germanischen Reich deutscher Nation. Offen bleiben muß die Frage, wie weit diese Argumente seine innerste Überzeugung bildeten oder ob sie nur als Alibi dienten gegenüber Gewissensbissen und Vorwürfen.

Sei es die Liebe, sei es die Karriere – für Karl Wolff hing im Frühjahr 1939 der Himmel voller Geigen, wie denn die Deutschen überhaupt glauben mußten, von nun an würden ihre Bäume ganz von allein in den Himmel wachsen. Eine Volkszählung ergab, daß sie jetzt wirklich jenes 80-Millionen-Volk geworden waren, mit dem die Parteiredner, den Zugewinn vorwegnehmend, schon vor Jahren geprotzt hatten. Bei Hitlers Machtergreifung war ihr Staat noch ein Kümmerling gewesen, doch inzwischen hatte er sich zu einem Riesen entwikkelt. Ihr Führer hatte schon immer in Superlativen geschwelgt; jetzt taten sie es ihm gleich. Der Größenwahn wurde zur Volkskrankheit.

Wolffs Dienststelle war jetzt eine gewaltige Apparatur. Da Himmler sie zu einem SS-Hauptamt aufgewertet hatte, war der »Chef des Persönlichen Stabes Reichsführer-SS« selbständiger geworden. Er mußte nicht mehr jede Entscheidung von Himmler holen. Damit fiel es ihm auch leichter, sich zusätzliche Kompetenzen zu beschaffen. Als rechte Hand Himmlers fühlte er sich auch berechtigt, den Chefs der anderen Hauptämter ein wenig auf die Finger zu schauen. Sein eigenes Hauptamt war gegliedert in sieben Ämter, jeweils geleitet von höheren SS-Rängen bis hinauf zum Gruppenführer. Sie wiederum dirigierten neun Hauptabteilungen, sechs Abteilungen und einen »Beauftragten für das Diensthundewesen«. Diese Dienststelle entsprang einer Marotte Himmlers; sie war besetzt mit einem SS-Standartenführer, was dem Rang eines Regimentskommandeurs entsprach, aber im dienstlichen Umgang wurde er nur »Hundemüller« genannt, entsprechend seinem Familiennamen.

Etliche dieser Dienststellen waren im Grunde Mini-Kopien jener SS-Hauptämter, die von Wolffs Kollegen geleitet wurden. Sie schickten ihm mehr oder weniger widerwillig Durchschläge ihrer Korrespondenz zur Kenntnisnahme. Deshalb lief über seinen Schreibtisch viel mehr beschriebenes Papier, als er überhaupt lesen konnte. In seinem eigenen Amt war er jedoch kein Freund des Schriftlichen, das die Empfänger dann »getrost nach Hause tragen« konnten. In prekären Angelegenheiten war er sehr für Mündliches. Obwohl vom Schriftgut seines Hauptamtes vieles den Krieg überdauert hat, finden sich darin verhältnismäßig wenig Dokumente, die er selber verfaßt und unterschrieben hat. Viel häufiger findet man die Unterschriften seiner Mitarbeiter wie Werner Grothmann, Heinrich Heckenstaller, Willy Suchanek, Otto Ullmann und Dr. Rudolf Brandt. Dieser Umstand kam Wolff nach dem Krieg zugute; den Entnazifizierungsrichtern versicherte er mehr oder weniger glaubhaft, er sei im Grunde Himmlers Protokollchef gewesen, nur zuständig fürs Zeremonielle.

Richtig ist, daß es ihm unter anderem oblag, des Reichsführers öffentliche Auftritte vorzubereiten oder dessen Person in jene Veranstaltungen einzufädeln, die Hitler durch Protz- und Prunkinszenierungen zum verbindlichen Ritus für Partei und Staat gemacht hatte. Gerade in den Frühjahrs- und Sommerwochen 1939 hatte Wolff dazu reichlich Gelegenheit. Da gab es zunächst eimal den 50. Geburtstag des Führers (den Zusatz »und Reichskanzler« wollte er längst nicht mehr hören). Die Festivitäten begannen schon am Vortag des 20. April, als Hitler sich in dem 40 Meter langen Mosaiksaal der neuen Reichskanzlei – sie war erst vor drei Monaten bezugsfertig geworden – die jungen Leutnants, genannt Untersturmführer, der SS-Verfügungstruppe vorstellen ließ. Sie hatten die harte Ausbildung an der SS-Junkerschule Braunschweig hinter sich und wurden nun mit einem Händedruck des Führers belohnt, der mit Himmler und Wolff ihre Reihe abschritt. Am folgenden Vormittag standen die beiden schon vor elf Uhr auf einer Tribüne, die an der ebenfalls neu geschaffenen Ost-West-Achse aufgebaut worden war. Zu Ehren des Geburtstagskindes marschierten, rollten auf Rädern oder Ketten oder flogen gar in geringer Höhe Soldaten aller Waffengattungen die Prachtstraße entlang, vier Stunden lang. Das war unverkennbar keine fröhliche Festivität mehr; es war eine Drohung gegen jeden, der sich weiteren Eroberungen entgegenstellen würde. Der späte Nachmittag sah die beiden SS-Oberen in der Reichskanzlei. Dorthin waren alle Reichsleiter (und dazu gehörte auch Himmler) der Partei zu einem Tee-Empfang geladen.

Sollte Wolff je den Sinn der aufwendigen Truppenparade nicht begriffen haben, dann gab ihm die Reichstagsrede acht Tage später dazu den Kommentar. Dem Volksvertreter des Darmstädter Wahlkreises wurde in seinem Abgeordnetensessel klargemacht, daß fortan außenpolitisch härtere Saiten aufgezogen würden. Frankreich bekam gesagt, daß es von seinem Wohlverhalten abhinge, ob die deutschen Ansprüche auf Straßburg und Metz nicht wieder auflebten; England erfuhr die Kündigung des Flottenabkommens, das bisher die Stärke der deutschen Marine begrenzt hatte; US-Präsident Franklin D. Roosevelt wurde massiv attackiert, weil er den Aggressor Hitler gewarnt hatte;

·36: Der unsportliche Himmler erwirbt das
eichssportabzeichen. Rechts: Beim Schießen.
nks: Beim Start zum 100 m-Lauf (am Rande
der Aschenbahn). Unten: Adjutant Wolff (zweiter
von links) wie stets auch hier dabei; Himmler
(in der Gruppe zweiter von rechts).

1937: Oben: Himmler und sein Chef des Stabes beim gemeinsamen Aktenstudium. Unten: Die Wewelsburg bei Paderborn wird »Ordensburg« der SS. Die aufwendigen Umbauten dauern bis zum Kriegsende an. Dann wird die Burg vor den anrückenden Alliierten gesprengt und in Brand gesteckt.

1937: Festliches Essen mit den Geldgebern der SS, dem »Freundeskreis«. Hintere Reihe von links: Himmler. Daneben Generaldirektor Lindemann vom Norddeutschen Lloyd Bremen. Unten: Der Freundeskreis im Freimaurermuseum der SS. Von links: Der Chef der Konzentrationslager, Pohl, die Generaldirektoren Helfferich von der HAPAG Hamburg und Lindemann, Bremen, Dr. Hecker, Wolff und Generaldirektor Hoyer.

Besuch bei Himmler in Gmund am Tegernsee. Von links: Lina Heydrich, Heydrich (mit dem Rücken zur Kamera), Ines von Woyrsch und ihr Mann, der SS-Gruppenführer.
Unten: Der Reichsführer und die Männer seines Vertrauens. Von links: Werner Lorenz, Reinhard Heydrich und Karl Wolff.

den Polen wurde klargemacht, daß die Revision ihrer Grenzen unvermeidlich sei und daß sie durch Krieg geschehe, wenn Polen sich dazu nicht friedlich verstünde.

Mitte Mai starb der General a. D. Friedrich Graf von der Schulenburg, im Ersten Weltkrieg Chef des Generalstabs einer Heeresgruppe, in der SS als Obergruppenführer zwar hoch im Rang, aber ohne sonderlichen Einfluß. Wolff hatte ihn schon verschiedentlich, doch stets vergeblich seinem Reichsführer für besondere Aufgaben vorgeschlagen, weil er damit die Fraktion der weißen Handschuhe verstärken wollte. Selbstverständlich fuhren Reichsführer und Wolff zur Trauerfeier nach Potsdam am Vormittag des 23. Mai. Für den Nachmittag hatte Hitler die Spitzen der Wehrmacht in sein Arbeitszimmer beordert zur »Unterrichtung über die Lage und Ziele der Politik«. Was dort proklamiert würde, wußte man im voraus in der Prinz-Albrecht-Straße. Hitler verkündete seinen »Entschluß, bei erster passender Gelegenheit Polen anzugreifen. Danzig«, sagte er, »ist nicht das Objekt, um das es geht. Es handelt sich für uns um die Erweiterung des Lebensraumes im Osten.«

Die Eingeweihten mögen gefeixt haben, als Hitler am 10. Juli verkünden ließ, in Nürnberg werde in den ersten Septembertagen das diesjährige Parteispektakulum als »Parteitag des Friedens« beginnen. Die SS-Führung wußte es besser; deshalb hatte sie schon im Juni als Vorschuß auf den Krieg den III. Sturmbann der Totenkopfstandarte vom Standort Berlin-Adlershof nach Danzig verlegt. Dort war die SS-Verfügungstruppe inzwischen zur »Heimwehr« erklärt, durch einheimische Freiwillige verstärkt und mit besseren Waffen ausgerüstet worden. Daß Wolff über diese Kriegsvorbereitungen informiert war, geht aus einer Tagebuchnotiz des Major Gerhard Engel hervor, damals der Heeresadjutant Hitlers. Unter dem 4. Juli notierte er: »Heute konnte ich der SS ein Schnippchen schlagen. Durch den viel erzählenden Wolff« habe er erfahren, daß Himmler die Danziger Verfügungstruppe umgliedern und als Brigade bewaffnen wolle. Diesen Plan habe er, Engel, vereitelt durch eine Verfügung, die er Hitler habe unterschreiben lassen. Engel triumphierte: ». . . damit dürfte sich die Frage der Totenkopfverbände in Danzig erledigen . . .« Die Freude erwies sich als verfrüht; ein Vierteljahr später wird Danzig »heimgeholt ins Reich«, die SS wird dort so mächtig sein wie im Reich, und die Wehrmacht wird in dem neuen Reichsgau nicht mehr viel zu sagen haben. Die beiden Kontrahenten dieser Szene werden sich bis dahin näher kennengelernt haben, denn beide werden zum engsten Gefolge Hitlers gehören.

Schon während der letzten acht Wochen vor Ausbruch des Kriegs sah man den hochgewachsenen schmucken SS-Gruppenführer häufig in der Nähe seines obersten Gebieters. So als Gratulant am 16. August auf dem Obersalzberg, wo ein Jubiläum gefeiert wurde, das geradezu an den Haaren herbeigezogen werden mußte, damit Hitler wieder einmal mehr demonstrieren konnte, wie sehr ihn seine Soldaten verehrten. Am 16. August 1914 war nämlich ein 25jähriger Kunstmaler österreichischer Staatsangehörigkeit in München in das Bayerische Reserve-Infanterieregiment 16 als Kriegsfreiwilliger eingetreten. Daraus wurde

nun ein 25jähriges Militärjubiläum abgeleitet, mit einem Gratulantendefilee mit Stechschritt und Marschmusik.
In den frühen Abendstunden des 24. August kam Hitler nach Berlin zurück. Damit begann für die politische und die militärische Prominenz eine Zeit der ständigen Alarmbereitschaft. Schon war es nicht mehr fraglich, ob Polen demnächst angegriffen würde; unbestimmt war nur noch der Tag, an dem die ersten Schüssen fallen sollten. Auch die Prozeduren waren schon festgelegt, mit denen dem Volk suggeriert würde, der Krieg sei eine unvermeidliche Abwehr tödlicher Gefahren. Die Vorbereitungen liefen schon für ein Ereignis, das den unmittelbaren Anlaß zum Schießen bilden und dem Gegner alle Schuld für den Ausbruch von Feindseligkeiten aufbürden mußte: ein vom SD eingefädelter fingierter Überfall von Polen auf den deutschen Rundfunksender Gleiwitz. Festgelegt war auch schon, daß Hitler mit einer großen Rede im Reichstag den Kriegszustand verkünden und begründen würde. Im ganzen Reich zwischen Prag und Saarbrücken, zwischen Klagenfurt und Memel wartete das Führerkorps der Nationalsozialisten nur noch auf das Stichwort, das zur Sitzung aller Abgeordneten in die ehemalige Krolloper nach Berlin rufen würde.
Der »Chef des Persönlichen Stabes Reichsführer-SS« amtierte und wohnte in der Reichshauptstadt. Ebenso wie sein Arbeitgeber Himmler erfuhr er jeweils das Neueste. Sie hörten, Hitler habe den Kriegsbeginn schon festgelegt auf den 26. August vier Uhr dreißig Minuten. Ebenso wie eine Anzahl weiterer Würdenträger fanden sie sich am Vormittag des 25. August in der Reichskanzlei ein; alle wollten dabei sein, wenn Hitler das Stichwort geben würde, mit dem der Angriff für den folgenden Morgen fixiert werden sollte. Nach den Plänen des Heeres mußte dies bis spätestens 15 Uhr geschehen sein. Und wirklich, zwei Minuten nach dem Stundenschlag sahen die Wartenden ihren Führer aus einer Tür treten, und sie hörten, wie er schlicht verkündete: »Fall Weiß!« Das war das Code-Wort für den Feldzug gegen Polen.
Wolff rechnete damit, daß er bereits am folgenden Tag in Hitlers Sonderzug nach Osten reisen würde. Auf Wunsch des Führers – so pflegte er stets zu betonen – solle er von nun an ständig in dessen Nähe sein. Doch seine Aufgabe war offensichtlich nie eindeutig präzisiert worden. Er selber legte später Wert darauf, als Verbindungsoffizier der Waffen-SS gewertet zu werden, aber bei Kriegsausbruch existierte sie noch gar nicht. Gegen den Feind aufmarschiert waren die »Leibstandarte« unter ihrem Kommandeur Sepp Dietrich, praktisch ein Regiment, ferner das Regiment »Germania«, die Standarte »Deutschland«, ein neu aufgestelltes Artillerie-Regiment und kleinere Verbände. Alle diese Einheiten waren in das Heer eingegliedert und durch Hitler-Erlaß dessen Oberbefehlshaber unterstellt. Sie bedurften also keineswegs eines eigenen Vertreters im Führerhauptquartier, wie ihn das Heer, die Marine und die Luftwaffe besaßen.
In dem Urteil des Münchner Schwurgerichts gegen Wolff wird im Jahre 1964 seine Rolle bei Hitler als »Auge und Ohr Himmlers« definiert. In diesem Rahmen mußte er natürlich auch die bewaffneten SS-Einheiten vertreten ent-

sprechend den Weisungen Himmlers, dem vor allem daran gelegen war, alle seine Marschierer in einen geschlossenen Verband zusammenzufassen. Die direkten Beziehungen Wolffs zu den Verfügungstruppen waren jedoch gering; sie waren dem SS-Führungshauptamt unterstellt und dort wie in der Truppe selbst wies man gelegentlich darauf hin, daß Wolff schon deshalb nicht ihr Mann sein könne, weil er noch nicht einen Tag in ihren Reihen Dienst gemacht habe. Wenn er trotzdem ihr erster Generalleutnant wurde, schon 1937, so erhielt er den Rang und die dazugehörigen Abzeichen offenbar aus dekorativen Gründen, und weil man wußte, daß er an dergleichen Schmuck seine helle Freude hatte. Sie wurde ihm nur getrübt durch den Umstand, daß seine Rangabzeichen zunächst schmaler und mit weniger Lametta verziert waren als die der Wehrmacht. Später änderte sich dies, aber er blieb für die Waffen-SS, die aus der Verfügungstruppe entstand, doch ein Bürogeneral und ein politischer Funktionär.

Für Himmler war die Position Wolffs im Führerhauptquartier insofern wichtig, als der Reichsführer befürchten mußte, daß ein nur von hohen Militärs umgebener Führer den militanten Formationen der Partei entfremdet werden könnte. Die SA, obgleich durch die Röhm-Affäre entmachtet, war in Hitlers Gefolge durch einen hohen Rang vertreten. Der »Persönliche Adjutant des Führers« Wilhelm Brückner trug die Uniform eines SA-Obergruppenführers, war ein Getreuer aus den Putschtagen von 1923 und schon so etwas wie eine Institution, wenngleich sein Renommee durch merkliche Alterserscheinungen schrumpfte. Ihm würde Wolff zwar an Körperlänge nicht gewachsen sein, dafür aber an geistiger Potenz weit überlegen. Für die prekäre Position in Hitlers Gefolge konnte Himmler unter den Seinen keinen Besseren finden als gerade denjenigen, den sein Führer selber ausgesucht hatte.

Weshalb Hitlers Wahl gerade auf Karl Wolff gefallen war, läßt sich nur mutmaßen. Das gewinnende Äußere mag eine Rolle gespielt haben. Ebenso die glatten Offiziersmanieren, gepaart mit einer verbindlichen Art, die selbst Widersprüche mit den Floskeln »Jawohl!« und »Zu Befehl« einzuleiten verstand. Dann gab es ja noch jenen Zwischenfall mit dem Stab des Tambourmajors beim Mussolini-Besuch in München, bei dem Wolff Geistesgegenwart bewiesen hatte. Es dürften auch Erwägungen eine Rolle gespielt haben, die innerhalb der SS sich mit der Frage beschäftigten, wer Himmlers Nachfolger werden könnte, falls diesem etwas zustoßen würde. Heydrich oder Wolff? Seit eh und je gehörte es zu Hitlers Taktik, führende Männer in seiner Bewegung zu verunsichern, indem er den Anschein erweckte, als baue er einen Kronprinzen auf.

Auf das weltpolitische Geschehen jener letzten Augusttage 1939 in Berlin gewährte er indessen weder Wolff noch Himmler den geringsten Einfluß. Er fragte sie nicht einmal nach ihrer Meinung. Sie standen wie so viele aus der Oberklasse der Parteigenossen in der Reichskanzlei herum und warteten auf eine Entscheidung, die auch für sie schicksalsträchtig sein mußte. Kam es zum Krieg, dann konnte der Sieg Ansehen und Macht vermehren, aber eine Niederlage konnte sie ins Verderben stürzen. Es muß offen bleiben, was der SS-

Gruppenführer Karl Wolff in den Nachmittagsstunden des 25. August empfand, als er glaubte, die Kanonen würden für den nächsten Tag schon geladen. Von Himmler und ihm wurde behauptet, daß sie in der Tschechenkrise zu den Hurrapatrioten gehört hätten; diesmal sollen sie jedoch Abwiegler gewesen sein.
Wolff hatte damit gerechnet, am nächsten Tag zur Reichstagssitzung befohlen zu werden und anschließend seinen Marschbefehl ins Führerhauptquartier zu bekommen. Das erwies sich im Lauf des Abends als Irrtum. Um 19 Uhr zog Hitler seinen Angriffsbefehl zurück, knapp zehn Stunden, ehe sich seine Armeen in Bewegung setzen sollten. Er wollte noch »herausbekommen, ob wir diese englische Einmischung aus der Welt schaffen können«, sagte er zu Göring. Doch die Alarmtelegramme an die vielen hundert Abgeordneten im Reich konnten nicht mehr gestoppt werden; die Herren stiegen noch an diesem Abend in die Schlafwagen nach Berlin. Erst als sie am 26. August in der Reichshauptstadt angekommen waren und sich in den Hotels gemeldet hatten, wurde ihnen mitgeteilt, daß sie vorläufig nicht gebraucht würden, sich aber zur Verfügung halten müßten, bis ihnen ihr Zuchtmeister Martin Bormann weitere Befehle bringen würde.
Der 26. August wurde für viele Deutsche zu einem turbulenten Tag. Feriengäste brachen den Urlaub ab, aber die Züge der Reichsbahn fuhren schon nicht mehr fahrplanmäßig, weil Militärtransporte Vorrang hatten. Wer mit dem Auto heimreisen wollte, mußte erleben, daß Tankstellen geschlossen waren, weil ihre Benzinvorräte von der Wehrmacht beschlagnahmt waren. Aus den Zeitungen dieses Samstagabends und aus den Rundfunknachrichten erfuhren die Deutschen, daß sie künftig Lebensmittel, Bekleidung, Kohle und andere lebenswichtige Dinge nur noch gegen Bezugsscheine oder Karten erhalten würden. Von der Kriegsbegeisterung, wie sie Wolff vom Ersten Weltkrieg her in Erinnerung hatte, war nichts zu spüren. Die Menschen waren ernst, viele von schlimmen Ahnungen niedergedrückt. Die meisten hofften, der Führer werde es nicht zum Krieg kommen lassen und wie bisher in letzter Minute mit einem diplomatischen Sieg die Krise beenden.
Diese Hoffnung hatte Wolff bereits aufgegeben. Er hatte erfahren, daß Hitler am 22. August vor sämtlichen kommandierenden Generälen in der Halle des Berghofes verkündet hatte, er werde diesen unvermeidlichen Krieg jetzt führen, weil derzeit der deutsche Rüstungsvorsprung am größten sei. Zudem sei er sich der Gefolgschaft der Deutschen sicherer als jedes Staatsoberhaupt zuvor, aber er könne auch »jederzeit von einem Verbrecher, einem Idioten beseitigt werden«. Durch seine Übereinkunft mit Stalin sei die Situation für den Krieg so günstig wie sie nie wieder sein werde. Wolff wußte: Der Termin für den Angriff war verschoben, aber aufgehoben war der Angriff nicht.
Bestätigt wurde diese Auffassung, als sich Himmler, Wolff, Heydrich zusammen mit Goebbels und Bormann am 27. August um 17 Uhr in der Reichskanzlei einfanden. Hitler wollte dort den unschlüssig und nervös wartenden Abgeordneten des Reichstags, darunter allen Gauleitern, eine hinhaltende Erklärung

geben. Sie wurden in ihre Wohnsitze entlassen, aber er würde sie bald wieder rufen, denn er sei entschlossen, die »Ostfrage so oder so zu lösen«. Er werde dann den Krieg »mit brutalsten und unmenschlichsten Mitteln führen«. Was er nicht verriet: Wie auch immer Frankreich oder England sich entscheiden würden, so war doch der 1. September 4.45 Uhr sein letzter und unwiderruflicher Termin für den Überfall auf Polen. Als dann die Briten diesmal nicht mit sich handeln ließen, prophezeite er – wie Oberst Nikolaus von Vormann, Verbindungsoffizier des Heeres notierte –, »daß Frankreich und England nur so machen werden, als ob sie Krieg führen wollten«, bis Polen besiegt sei. Diese Ansicht teilten unzählige Deutsche, und auch Wolff gehörte zu ihnen.

So wurden denn die Abgeordneten des Reichstags am 31. August zum zweiten Mal telegrafisch alarmiert. Als sie sich am Vormittag des 1. September in der Krolloper versammelten, unter ihnen auch Wolff, fehlten mehr als hundert; sie waren zur Wehrmacht eingerückt. Sie hätten ohnehin nichts entscheiden dürfen; ihre Aufgabe war es, Hitler zu feiern. Auf der Fahrt von der Reichskanzlei zur Krolloper hatte er diesmal freilich auf das gewohnte Jubelspalier verzichten müssen. Der Korrespondent der »Zürcher Zeitung« bemerkte nur »eine dünne Reihe von Zuschauern. Einige Beifallskundgebungen waren zu hören.« Die Abgeordneten jedoch begrüßten ihren Führer stürmisch, wie es ihre Pflicht war. Er trug eine feldgraue Uniform, von der er in seiner Rede sagte, er werde sie »nur ausziehen nach dem Sieg – oder –, ich werde dieses Ende nicht überleben«. Der Beifall war so lang und so laut wie üblich, denn der Reichspräsident Hermann Göring hatte den professionellen Jubelchor auf normale Stärke gebracht, indem er anstelle der zur Wehrmacht einberufenen Männer kurzerhand andere zuverlässige Parteigenossen in die Sessel plaziert hatte.

Von dieser Stunde an harrte Wolff des Rufs seines Führers. Er mußte allerdings noch warten, bis die offiziellen Kriegserklärungen Englands und Frankreichs in der Reichskanzlei eingetroffen waren. Zwei Tage lang pendelte der Chef des Persönlichen Stabes Reichsführer-SS zwischen seinem Büro und der Reichskanzlei, immer mit griffbereitem Marschgepäck. Erst am 3. September entschloß sich Hitler zur Abreise – »an die Front«, wie er in vier Proklamationen dem Volke, den Soldaten der Ostarmeen, der Westarmeen und den Parteigenossen verkündete.

»Zu meiner großen und, wie ich offen gestehe, freudigen Überraschung wurde ich in das engste Führerhauptquartier berufen«, erinnerte sich Karl Wolff noch achtzigjährig. »Hitler wollte mich in seiner Nähe haben, weil er wußte, daß er sich auf mich absolut verlassen konnte. Er kannte mich schon lange und gut.« Und nicht ohne Stolz erzählte er, schon vor Kriegsbeginn sei er häufig ein gern gesehener Gast jener »Tafelrunde« gewesen, die Hitler in der Reichskanzlei seinen Vertrauten anzubieten pflegte.

Von diesem Vorrecht machte Wolff während der aufregenden Tage vor der Abreise an die Front nach Möglichkeit Gebrauch. Kulinarisch profitierte er dabei wenig; der Vegetarier Hitler war alles andere als ein Gourmet, litt unter Verdauungsbeschwerden und befürchtete, daß allein schon der Ansatz eines

Bauches und erst recht der Verdacht der Prasserei seine Popularität mindern würde. Nun aber, da alle Deutschen durch die Lebensmittelkarten auf Kriegsration gesetzt waren, sollten die Köche in der Reichskanzlei mit dem auskommen, was Normalverbrauchern zustand. Diese Vorschrift galt bis zum letzten Lebenstag Hitlers. Seine Umgebung umging sie ständig, ohne daß er es merkte. Der Haushofmeister Arthur Kannenberg hatte wie jeder Gastronom seine Beziehungen, und Martin Bormann rief aus parteieigenen Bauernwirtschaften (auf dem Obersalzberg und in Mecklenburg) ständig Lebensmittel ab für den Tisch des Führers.
Als Wolff sich am 3. September mittags in der Reichskanzlei einfand, trug er die feldgraue SS-Uniform, den Hoheitsadler mit dem Hakenkreuz am linken Oberarm. Es wurde ihm eine Gasmaske verpaßt; wie alle Soldaten sollten sie auch alle Mitglieder des Führerhauptquartieres in ihrer grauen Blechdose stets bei sich tragen. Man sagte ihm, gegessen würde erst am späten Nachmittag. Er habe jedoch sein Gepäck für den Transport ins Hauptquartier bereitzustellen.
In einem Raum war eine großflächige Landkarte von Polen an die Wand geheftet und mit Fähnchen besteckt. Erfreut stellte Wolff fest, daß wie am Vortag die Armeen in raschem Vormarsch begriffen waren. Der Wallfahrtsort Tschenstochau war mit einem »Sepp«-Fähnchen markiert; das freute die SS-Führer besonders, denn der Name besagte, daß dort die Leibstandarte gekämpft hatte unter ihrem Kommandeur Sepp Dietrich.
Am Nachmittag war die Tischgesellschaft zahlreicher als gemeinhin; Parteigrößen, Minister, Generäle und Künstler vom Theater, die bei Hitler in Gunst standen, bemühten sich, Zuversicht zu verbreiten, obwohl der Rundfunk in den zweiten Mittagsnachrichten gemeldet hatte, daß nun auch England sich mit dem Reich im Krieg befinde. Serviert wurde ein Eintopfgericht, wie es auch Feldküchen für Soldaten im Einsatz aus den Kesseln schöpfen konnten. Der Exgefreite wollte verhindern, daß seine Landser sich eines Spruchs von 1917 erinnerten: »Gleicher Sold und gleiches Essen, wär' der Krieg bereits vergessen.«
Gegen 20 Uhr wurde dem Gefolge befohlen, die vorgesehenen Plätze in den Kraftwagen im Hof der Reichskanzlei einzunehmen. Vom Himmel strahlten die Sterne besonders hell, weil die für das ganze Reichsgebiet geltende Verdunkelung auch hier galt. Nicht jeder fand gleich seinen Wagen. Als letzter kam Hitler mit seinem Adjutanten. Die Wache präsentierte, die Kolonne rollte hinaus auf die Wilhelmstraße zum Stettiner Bahnhof. In den Straßen waren alle Lampen gelöscht, aus den Häusern sickerte nur selten Licht in schmalem Spalt. Die Scheinwerfer der Autos waren mit schwarzen Masken verhüllt, die nur einen schwachen Schimmer auf das Pflaster fallen ließen. Die Kolonne begegnete kaum Privatwagen; viele waren für die Wehrmacht beschlagnahmt und die anderen hatten nur wenig Treibstoff zugeteilt bekommen. Das Staatsoberhaupt schlich sich aus seiner Hauptstadt wie ein Dieb in der Nacht. Am Stettiner Bahnhof wies das Schummerlicht blau getönter Taschenlampen den Weg zum Eingang. Auf dem schwach beleuchteten Bahnsteig wartete der Sonderzug, der für die nächste Zeit das Führerhauptquartier sein sollte. Alle kannten darin

schon ihre Plätze. Um 20 Uhr hatte die Kolonne die Reichskanzlei verlassen. Um 21 Uhr fuhr der Zug aus der Halle.

Er bestand aus mehr als zehn Waggons des D-Zug-Formats, zwei Lokomotiven, zwei flachen offenen Güterwagen, bestückt mit Vierlings-Flakgeschützen und eines Waggons mit Gepäck, Geräten, elektrischen Aggregaten. Hitlers Aufenthalts- und Besprechungsraum nahm im nächsten Waggon etwa die Fläche von drei D-Zug-Abteilen ein. Beratungen fanden an einem Tisch mit acht Stühlen statt. Zwei weitere Abteile waren das Schlaf- und das Badezimmer Hitlers. In den restlichen Abteilen dieses Waggons wohnten und schliefen seine Adjutanten und Diener.

Die Befehlszentrale mit Fernschreibern und Funkgeräten war im folgenden Waggon, dazu noch der Raum für die »Lage«; darin wurde an einem großen Kartentisch dem Führer zweimal täglich der Stand der Fronten vorgetragen. Die Militärs hatten ihre Abteile im dritten Waggon: Generaloberst Wilhelm Keitel (Chef des Oberkommandos der Wehrmacht), Generalmajor Alfred Jodl (Chef des Wehrmachtsführungsamtes, gewissermaßen des Generalstabs), dann die Verbindungsoffiziere zu Heer, Marine, Luftwaffe. Im Zug hausten ferner deren Adjutanten, der General Karl Bodenschatz als Vertreter Görings und der SS-Gruppenführer Karl Wolff. Einer der Mitreisenden, der Reichspressechef Dr. Otto Dietrich, gab gleich nach dem Ende des Polenfeldzugs ein Buch heraus (»Auf den Straßen des Sieges«), und darin zählte er Wolff keineswegs unter den Militärs auf, sondern reihte ihn ein zwischen dem Legationsrat Walter Hewel, Verbindungsmann zum Reichsaußenminister, und dem »Reichsbildberichterstatter« Heinrich Hoffmann, Hitlers Hoffotografen. Wolff wird vorgestellt als »Verbindungsmann zum Reichsführer-SS«. Überdies ist der Name fälschlich mit einem f gedruckt; demnach sind sich die beiden Männer in Polen ziemlich fremd geblieben, obwohl Dietrich einen hohen Ehrenrang in der SS hatte und obwohl beide schon bei der Besetzung Prags in Hitlers Nähe amtiert hatten.

6
». . . und morgen die ganze Welt!«

In der Nacht zum 4. September rollte der Zug weniger als 300 km weit, nach Pommern bis Bad Polzin, einem Städtchen mit 6000 Einwohnern und etwas mehr als 10000 Badegästen pro Jahr. Als die Reisenden morgens aus dem Fenster blickten, sahen sie den Zug umstellt von Soldaten einer motorisierten Abteilung. Ihr Kommandeur war der Generalmajor Erwin Rommel, Träger des Ordens »Pour le mérite« aus dem Ersten Weltkrieg. Diese Einheit sicherte in Polen mit Panzerspähwagen und Kradschützen sowohl den Sonderzug als auch die Kolonne der Fahrzeuge, mit denen Hitler zur Front fuhr. Eigentlich sollte diese Kolonne nur aus sieben offenen, mit Schlechtwetterverdeck ausgerüsteten grauen Mercedes-Wagen bestehen, alle dreiachsig und damit ziemlich geländegängig, und mit starken Motoren bestückt. Doch wo auch immer diese Wagen auftauchten, machten sie offenkundig, daß Hitler in der Nähe war. So waren denn auch nach Bad Polzin zahlreiche Prominente von Partei und Staat geströmt, aus ganz Pommern und sogar aus Berlin. Sie hängten sich nun mit ihren Wagen an die Kolonne.

Wolff ärgerte sich darüber, weil er sein Privileg abgewertet sah, einer der wenigen Begleiter des Führers zu sein, aber weil Hitler offenbar in diesem unprogrammierten Zulauf einen Liebesbeweis des Volkes sah, wagte niemand, den nachgewachsenen Schwanz der Kolonne zu kupieren. Als sie jenseits der polnischen Grenze häufig genötigt war, auf unbefestigten Wegen durch die Tucheler Heide in Richtung auf Graudenz und den Weichselbogen zu fahren, waren die Wagen in gewaltige Staubwolken gehüllt. Stieg Hitler aus, um sich das Bild der polnischen Niederlage anzusehen oder um sich von einem Divisionskommandeur berichten zu lassen, dann gab es zwischen den Schlachtenbummlern beim Start erbitterte Positionskämpfe und Rangstreitigkeiten. Erst ab der dritten Frontfahrt Hitlers, die von Neudorf in Oberschlesien am 10. September ausging, mußten die Zaungäste zurückbleiben; die Männer des Hauptquartiers flogen in drei Passagiermaschinen vom Typ Ju 52 tief nach Polen hinein und stiegen erst dort in die vorausgeschickten Kraftwagen – ein Verfahren, das freilich erst möglich wurde, nachdem die gegnerische Luftwaffe ausgeschaltet war.

Hitler hat nach dem Feldzug behauptet, er habe den polnischen Staat innerhalb von 18 Tagen zerschlagen. Dietrichs Buch will das belegen; seine Zeittafel schließt mit dem 18. September ab, obwohl um Warschau noch erbittert gekämpft wurde. Der 18. September war jedoch der Tag, an dem die Rote Armee in jene östlichen Teile Polens einrückte, die Stalin in dem geheimen Zusatzprotokoll des kurz vor Kriegsbeginn abgeschlossenen deutsch-sowjetischen Nichtangriffspaktes zugestanden worden waren. Mit der Terminierung wollte Hitler verhindern, daß in den Augen der Welt Moskau an dem Sieg beteiligt werden könnte.

Als prächtige Kulisse für eine Siegesproklamation bot sich die ehemalige Hansestadt Danzig an. Sie war einschließlich ihrer Umgebung seit dem Versailler Frieden von einem Kommissar des Völkerbundes betreut worden, gewissermaßen freischwebend zwischen Warschau und Berlin. Nun, am 19. September, hielt Hitler, aus Pommern kommend, seinen triumphalen Einzug in die Stadt. Er fuhr, wie seinerzeit in Wien, im Sudetengau und in Memel im offenen Kraftwagen durch Straßen, in denen die Hakenkreuzfahnen die Fassaden fast zudeckten, durch Massen jubelnder Menschen, die ihre Heimkehr ins Reich mit ohrenbetäubendem Heil-Geschrei und häufig mit Tränen der Freude feierten.

Trotz des offiziell abgeschlossenen Feldzugs war jedoch das Führerhauptquartier noch nicht aufgelöst. Gleich nach dem Jubelsturm wurde Wolff daran erinnert, daß er nicht nur Führerbegleiter, sondern auch weiterhin Chef des Persönlichen Stabes Reichsführer-SS war. Himmler war auch in Danzig. Bisher hatte er sich vorwiegend in seinem eigenen Hauptquartier aufgehalten, ein Sonderzug mit dem Decknamen »Heinrich«, den er mit Reichsminister Dr. Heinrich Lammers, dem Bürochef der Reichskanzlei, und Reichsaußenminister Joachim von Ribbentrop teilen mußte. Bis zum 25. September hielt Hitler Hof im feudalen Casino-Hotel des Ostseebades Zoppot, in dessen Spielbank sich bisher die Reichen Europas ein Stelldichein gegeben hatten. Nun gab es in dem Prachtbau Gewinne anderer Art: Hitler verteilte aus der Kriegsbeute neue Zuständigkeiten und neue Machtbereiche. Himmler gelang es, ein ansehnliches Stück einzuheimsen, nicht zuletzt dank des Beobachters, der für ihn in den vergangenen Wochen im Hauptquartier Ohren und Augen offengehalten hatte.

Das eroberte Land – so des Führers Wille – mußte nun gesäubert und nutzbar gemacht werden. Niemand schien dazu besser geeignet als Heinrich Himmler. Einen neuen Auftrag hatte er schon vor Kriegsbeginn erhalten; demgemäß waren unmittelbar hinter den kämpfenden Soldaten fünf Einsatzgruppen, jede um 500 Mann stark, in das eroberte Land eingefallen. Sie hatten den geheimen Auftrag, die Oberschicht des polnischen Volkes auszurotten, damit es künftig leichter zu beherrschen und auszubeuten sei. Sie wirkten so gründlich, daß ihr Chef Heydrich schon am 25. September melden konnte: »Von dem polnischen Führertum sind in den okkupierten Gebieten höchstens noch drei Prozent erhalten.«

In Danzig mußte Himmler verhindern, daß ihm bei diesem Geschäft ein Konkurrent den Rang ablief. Der dortige Gauleiter, Albert Forster, wollte sich an die Spitze spontan entstandener Freischaren deutscher Volkszugehörigkeit stellen, die an den Polen für jahrelange Unterdrückung und für die bestialischen

Untaten in den letzten Wochen mordend und plündernd Rache nehmen wollten. Sie nannten ihre Organisation »Selbstschutz«, aber in Wahrheit waren nur noch die Polen in den von beiden Volksgruppen bewohnten Gebieten gefährdet. Unstreitig waren viele Tausende Volksdeutsche von aufgehetztem polnischen Mob mißhandelt oder auch umgebracht worden, aber nun, da angeblich eine neue und bessere Ordnung eingeführt werden sollte, hätte die Sühne solcher Untaten ordentlichen Gerichten überlassen bleiben sollen.

Um Forster zuvorzukommen und zugleich auch Methode in die »Säuberung« des Landes zu bringen, setzte Himmler SS-Führer ein, die regional die Spitze der Selbstschutz-Einheiten übernahmen. Einer von ihnen war der SS-Oberführer Ludolf von Alvensleben. Im westpreußischen Bezirk Bromberg entschied er willkürlich über Leben und Tod polnischer Menschen. Er glaubte sich dazu berechtigt, weil gerade in dieser Gegend Volksdeutsche besonders schlimm drangsaliert und auf bestialische Art ermordet worden waren. Als Himmler und Wolff diesen Bezirk inspizierten, konnte Alvensleben ihnen eine Attraktion bieten: Er ließ etwa 20 Häftlinge erschießen, die durch sein Standgericht angeblich als Mörder überführt und deswegen zum Tode verurteilt worden waren. Der Zuschauer Wolff war überzeugt, daß diese Strafe in jedem einzelnen Fall gerecht war. Er sah der Vollstreckung zu, ohne Skrupel, ohne Mitleid. Dagegen empörte ihn das Verhalten des SS-Oberführers von Alvensleben, als dieser etlichen nur mangelhaft Exekutierten mit einer Pistole den tödlichen »Fangschuß« gab – so drückte sich der passionierte Jäger Wolff aus. Er tadelte: »Eine Handlung, die nach altpreußischen Offiziersgrundsätzen unmöglich war.« Auch ein Hesse wußte das.

Wesentlich größeren Ärger als solche bedauerlichen »Formfehler« bereiteten der SS und damit auch Himmler und Wolff die Untaten der von Heydrich auf die Polen losgelassenen Einsatzkommandos. Auch sie waren mit altpreußischen Offiziersgrundsätzen nicht vereinbar und deshalb protestierte die Wehrmacht. Wolff hatte von diesen Vorkommnissen angeblich keine Ahnung. Eine Probe der SS-Übergriffe hatte die Wehrmachtsführung gleich in den ersten Tagen bekommen. Zu einem aus Ostpreußen angreifenden Panzerverband gehörte auch eine SS- und Polizeieinheit; sie hatte in einem gerade eroberten Dorf die Juden in eine Kirche getrieben und dort ermordet. Als dem Armeebefehlshaber, General Georg von Küchler, dies gemeldet worden war, hatte er die SS-Verbände dem Oberkommando der Wehrmacht zur Verfügung gestellt, weil er sie nicht mehr in seinen Reihen haben wollte. Ein Kriegsgericht der SS befaßte sich mit der Untat, aber der Urteilsspruch fiel so mild aus, daß der Gerichtsherr von Küchler sich weigerte, ihn zu bestätigen.

Eine gerichtliche Sühne brauchte eine von Himmler in den oberschlesischen Raum entsandte Einsatzgruppe »zur besonderen Verwendung« unter dem SS-Obergruppenführer Udo von Woyrsch nicht zu befürchten. Sie hatte die Aufgabe, in dem eroberten Gebiet panikartigen Schrecken zu verbreiten, damit die dort ansässigen Juden fluchtartig nach Osten abwanderten. Daraufhin hatte die 14. Armee dem Oberbefehlshaber Ost, dem Generaloberst Gerd von Rundstedt

gemeldet, massenhafte und willkürliche Erschießungen durch die SS hätten die Truppe aufs höchste empört, weil das Sonderkommando wehrlose Menschen umbringe, statt an der Front zu kämpfen. Rundstedt hatte daraufhin von Himmler den Abzug der Einsatzgruppe Woyrsch aus dem Operationsgebiet verlangt. Das geschah zwar, doch statt des Kommandos mit wechselndem Standort etablierten sich daraufhin in dem ganzen Gebiet feste Dienststellen des Reichssicherheitshauptamtes, die weniger auffällig, aber nicht weniger brutal mordeten.
Solche Vorkommnisse häuften sich, je weiter die deutschen Armeen in das Land eindrangen. Sie wurden natürlich auch im Hauptquartier Hitlers unter den Militärs besprochen. Wolff mußte seinem Reichsführer den Abscheu und die Empörung in Wehrmachtskreisen melden. Es war zu erwarten, daß Beschwerden an Hitler herangetragen wurden. Zuständig für eine solche Anklage war der Oberbefehlshaber des Heeres, Generaloberst von Brauchitsch. Allerdings dürften ihn und seine Mitarbeiter die Massenmorde im Grunde nicht überrascht haben, denn schon am 12. September hatte Hitler dem Generalobersten zu verstehen gegeben, daß er in Polen einen Ausrottungskrieg zu führen gedenke. Wenn die Wehrmacht nichts damit zu tun haben wolle, dann müsse sie es hinnehmen, daß SS und Gestapo neben ihr wirken würden.
Es brauchten also weder Himmler noch Wolff zu fürchten, sie könnten bei ihrem Führer in Ungnade wegen der Morde geraten, sondern höchstens, weil nicht heimlich genug gemordet worden war. Andererseits hatte es auch der Oberbefehlshaber des Heeres nicht eilig mit einer Anklage; er war eher bestrebt, die Empörung in der Truppe zu dämpfen. Am 21. September erinnerte er die Befehlshaber, »daß die Einsatzgruppen der Polizei ... im Auftrag des Führers und nach Weisungen des Führers gewisse volkspolitische Aufgaben im besetzten Gebiet durchzuführen« hätten, die »außerhalb der Verantwortlichkeit der Oberbefehlshaber liegen«. Am folgenden Tag besprach er die Situation mit Heydrich, dem er – vergebens – zur Mäßigung riet, indessen sein Gesprächspartner ihm klarzumachen versuchte, daß jede Mäßigung unmöglich sei, wenn SS und Polizei ihren Auftrag erfüllen wollten. Was Heydrich aus diesem Gespräch schlußfolgerte, teilte er eine Woche später seinen Einsatzgruppen in einem Schnellbrief mit. Er ermahnte sie, »die erforderlichen Maßnahmen in engstem Zusammenwirken« mit den zuständigen Militärs durchzuführen, befahl aber zugleich, die Juden auf wenige und zu diesem Zweck ausgesuchte Gegenden zu konzentrieren »als erste Voraussetzung für eine Endlösung«. Wolff sollte noch Gelegenheit bekommen, sich in diesem Komplex einzuschalten.
Um die gleiche Zeit gewann Himmler einen weiteren Auftrag, mit dem der in Gang gekommene Massenmord einen im Geist des Nationalsozialismus höheren Sinn bekommen sollte. Ein Hitler-Erlaß der im Wortlaut nie veröffentlicht wurde, ernannte den Reichsführer-SS am 7. Oktober 1939 zum »Reichskommissar für die Festigung des deutschen Volkstums.« Zu dessen Aufgaben gehörte »die Ausschaltung des schädigenden Einflusses von solchen volksfremden Bevölkerungsteilen, die eine Gefahr für das Reich und die deutsche Volksge-

meinschaft bedeuteten«. Zum Leiter eines dafür neu etablierten SS-Hauptamtes wurde der SS-Oberführer Ulrich Greifelt bestellt, der bisher eine »Leitstelle« im Persönlichen Stab unter Wolff innegehabt hatte. Selbstverständlich riß die Bindung zum Hauptamt Wolffs nicht plötzlich ab; dieser wurde im Gegenteil bevorzugt informiert, welche Gebiete von Juden und Polen zugunsten deutschstämmiger Siedler geräumt wurden und mit welchen Methoden gearbeitet wurde.

Wolff fand nun auch wieder Zeit, sich um die bürokratischen Angelegenheiten seines Amtes zu kümmern. Am 26. September kehrte er im Troß Hitlers nach Berlin zurück. Offiziell war das Führerhauptquartier jetzt in der Reichskanzlei, aber in der Praxis löste es sich auf, weil mangels kriegerischer Aktivität für eine ganze Anzahl der Männer des Gefolges vorübergehend nur noch wenig zu tun war. Der Krieg im Westen hatte faktisch noch gar nicht begonnen, wenn man von gelegentlichen Gefechten zwischen Maginot-Linie und Westwall absah. Hitler hoffte auch, daß die große Auseinandersetzung gar nicht stattfinden würde, weil England und Frankreich sich mit dem jetzt geschaffenen Zustand einer Teilung Polens zwischen Berlin und Moskau notgedrungen abfinden würden. Am 5. Oktober flog er, mit Himmler und Wolff im Gefolge, noch einmal in das eroberte Land zur Siegesparade auf der Ujazdowski-Allee in Warschau.

Bei dieser Gelegenheit jedoch beklagte sich bei ihm der Danziger Gauleiter Forster über die Militärs, weil sie ihm bei seiner brutalen Befriedungspolitik im eroberten Land zuviel dreinredeten. Das brachte wohl bei Hitler das Faß zum überlaufen. Zug um Zug wurde das Heer aus den neuen Gauen des Reiches hinauskomplimentiert. Die Militärs verloren ihre Kompetenzen zunächst in den Gebieten um Danzig und um Posen, die ja jetzt dem Reich einverleibt waren, ebenso in jenen Landstrichen, die dem Gau Ostpreußens und dem Gau Schlesien zugeschlagen wurden. Der Rest des besetzten Gebietes wurde am 26. Oktober 1939 dem ehemaligen Münchner Rechtsanwalt Dr. Hans Frank, derzeit Obmann aller deutschen Juristen, in der Form eines Generalgouvernements ausgeliefert. Von nun an hatte die Wehrmacht auf polnischem Gebiet nur noch wenig zu sagen; sie wurde dort nicht mehr benötigt. Für die Ruhe im Land sorgten fortan die Polizei, der SD und die SS, dirigiert von Höheren SS- und Polizeiführern, die von Himmler ernannt wurden und ihm auch unterstanden.

Ihm durfte es trotzdem nicht gleichgültig sein, was die Wehrmacht von der SS dachte oder gar über sie sagte. Noch brauchte Hitler die Generäle und die von ihnen geführte Truppe – um so mehr, als nun im Lauf des Spätherbstes immer deutlicher wurde, daß der Waffengang im Westen nicht zu vermeiden war. Ende November verfaßte der neue Oberbefehlshaber Ost, der Generaloberst Johannes Blaskowitz, eine Denkschrift, in der er gegen die Verbrechen von SS und Polizei protestierte, weil die Gefahr ernster Auseinandersetzungen – gemeint: zwischen Heer und SS – wachse und weil sie bisher nur unter »hohen Anforderungen an die Disziplin der Truppe« vermieden worden seien. Blaskowitz schrieb, die Truppe lehne es ab, »mit den Greuelhandlungen der Sicherheitspolizei identifiziert zu werden«. Sie verweigere »von sich aus jedes Zusammengehen mit diesen fast ausschließlich als Exekutivkommandos arbeitenden Einsatzgruppen«.

Die Denkschrift ging an Brauchitsch, aber er hatte Hemmungen, sie Hitler vorzulegen. Also bekam sie zur Weitergabe der Heeresadjutant des Führers, Major Gerhard Engel, der sie schließlich am 18. November seinem Dienstherrn zu lesen gab. Der regte sich keineswegs über den Inhalt auf, wohl aber über den Verfasser. Es sei ein Fehler des Oberkommandos des Heeres gewesen, einem Mann wie Blaskowitz eine Armee anzuvertrauen. Dessen Vorwürfe zeigten nur die »kindliche Einstellung« der Heeresführung. Diese sammelte jedoch trotz der Abfuhr weitere Berichte über Greueltaten; sie hoffte, ihren noch immer unentschlossenen Oberbefehlshaber zu einem förmlichen Protest bei Hitler bewegen zu können.

Daran war Himmler wenig gelegen. Bei einer solchen Aktion wurden notwendigerweise Akten produziert, die zwar durch Geheimstempel versiegelt wurden, aber doch immer wieder gelesen werden konnten. Wolff als bewährter Abwiegler bekam den Auftrag, die Militärs zu beschwichtigen. Schließlich war es ja auch eine seiner Aufgaben im Führerhauptquartier gewesen, seine ohnehin schon freundschaftlichen Beziehungen zu hohen Militärs weiter auszubauen. Sein Vorschlag gefiel denn auch beiden Seiten: Sowohl der Generaloberst von Brauchitsch als auch der Reichsführer-SS waren bereit, sich einmal gründlich und unter vier Augen auszusprechen. Damit dies nicht nach Streit und Hader aussehen konnte, trafen sich die beiden Herren beim Tee am 24. Januar 1940. Dabei einigten sie sich auf einen weiteren Vorschlag Wolffs: Das Heer übergab Himmler die ganze Sammlung der Greuelberichte, und er beauftragte SS-Führer aus dem Hauptamt SS-Gericht, die Anschuldigungen zu untersuchen. Gegen überführte Schuldige, so versprach Himmler, werde er Strafverfahren einleiten, und die Urteile würden gerecht und streng ausfallen.

»Meiner Erinnerung nach waren etwa 46 Fälle von Übergriffen gemeldet«, kramte Wolff viele Jahre später in seinem Gedächtnis, das bei anderen Gelegenheiten angeblich so vorzüglich funktionierte, daß er seine Gespräche mit Hitler oder Himmler stets im Wortlaut zitierte. »Bei der Nachprüfung schmolzen die berechtigten Vorwürfe auf sieben oder acht Fälle zusammen.« Die für schuldig Erkannten seien dann auch hart bestraft worden. Bei einem zweiten Teenachmittag zwischen Himmler und Brauchitsch wurde dann (laut Wolff) »die Erledigung des Streits . . . auf eine möglichst unkomplizierte Ebene heruntergespielt«.

Das Glück der Versöhnung war bei allen Beteiligten von kurzer Dauer. Zur Stunde, als sie mit diesem zweiten Teenachmittag gefeiert wurde, verfaßte der General Wilhelm Ulex im polnischen Süden eine neue Anklage, in der von der »Vertierung der SS-Einsatzgruppen« berichtet wurde, die »durch ihre Taten die Ehre des ganzen deutschen Volkes befleckten«. Als Blaskowitz diesen Bericht gelesen hatte, verfaßte er eine weitere Denkschrift mit neuem Material für Brauchitsch. Er sorgte ferner dafür, daß ihr Inhalt nun auch unter den Offizieren an der Westfront bekannt wurde. »Die Einstellung der Truppe«, schrieb Blasko-

witz, »zur SS und Polizei schwankt zwischen Abscheu und Haß. Jeder Soldat fühlt sich angewidert durch die Verbrechen.« Es häuften sich die Fälle, daß Heeresoffiziere sich weigerten, SS-Führern bei der Begrüßung die Hand zu geben. Reichenau wurde vom Offizierskorps so dringlich zu einer Intervention gedrängt, daß eine weitere Teestunde mit Himmler nicht genügen würde, seine Autorität im Heer zu bewahren.
Wiederum oblag es Wolff, den Frieden zwischen der Armee und Himmlers Schwarzem Haufen wiederherzustellen. Er schlug am 2. März einem Beauftragten Reichenaus, dem Major im Generalstab Radke, vor, daß sich der Reichsführer-SS höchstpersönlich den Spitzen des Heeres und deren Kritik stellen werde. In einem Vortrag werde er über seinen vom Führer erhaltenen Auftrag berichten. Schon einen Tag später konnte Wolff dem Major telefonisch versichern, daß »Reichsführer-SS nach Darlegung der mitgeteilten Gründe Verständnis für die Auffassung des Oberbefehlshabers des Heeres« habe und dessen »Wünsche für die Behandlung des Vortrags über Ostfragen« anerkenne.
Der versierte Verhandlungstaktiker schlug dann noch vor, den Himmler-Vortrag »abends, möglichst im Anschluß an ein gemeinsames Essen« zu terminieren, »weil die Abendzeit für die Zuhörer stimmungsmäßig wirkungsvoller« sei und auch die »Möglichkeit einer kameradschaftlichen Aussprache über dieses immerhin schwierige Problem günstiger« sei. Eine Zusammenkunft im Westen – sagte Wolff am Fernsprecher – sei Himmler lieber als in Berlin.
Am 13. März 1940 versammelte sich die höhere Generalität des Heeres – die Geladenen waren mindestens im Rang eines Armeeführers – in Koblenz im Hauptquartier der Heeresgruppe A. Himmler erzählte, daß die Härte in Polen notwendig gewesen sei, weil die Unterworfenen schon während der letzten Kämpfe einen allgemeinen Aufstand vorbereitet hätten. Die Schuldigen habe man nach Kriegsrecht hingerichtet und auf diese Weise dem Heer einen schlimmen Partisanenkrieg erspart. Soweit Übergriffe bekannt geworden seien, habe er sie gründlich untersuchen lassen. Schuldige seien bestraft worden. Dies war allerdings durch SS-Richter geschehen, denn das Schwarze Korps erfreute sich einer eigenen Gerichtsbarkeit.
Zusammenfassend verriet Himmler: »In diesem Gremium der höchsten Offiziere kann ich es wohl offen aussprechen: Ich tue nichts, was der Führer nicht weiß.« Er sei bereit, vor der Welt die Verantwortung zu übernehmen, da die Person des Führers »nicht damit in Zusammenhang gebracht werden darf«. Es gab zwar anschließend noch eine kleine Diskussion, weil die Generäle Fragen stellten, aber den Reichsführer-SS brachten sie nicht in Bedrängnis; als Versammlungsredner während mehr als einem Jahrzehnt hatte er Erfahrungen gesammelt, wie man unbequemen Antworten ausweicht. Wolff jedenfalls fand, daß Himmler sich sehr gut gehalten hatte. Außerdem glaubten alle Versammelten insgeheim an Hitlers Grundsatz, daß die Untaten des Siegers stets vergessen und nur diejenigen des Besiegten gesühnt werden.
Die folgenden Wochen schienen diesen Lehrsatz zu bestätigen. Zwei Monate nach der Himmler-Rede überrannte die Wehrmacht Holland, Belgien und

Frankreich, nachdem zuvor schon Dänemark und Norwegen besetzt worden waren. Über so viel Ruhm, so viele Beförderungen und Orden waren die Greuel im Osten nicht nur bei den Generälen schnell vergessen. Zu ihrem Beruf gehört es ohnehin, vor Blut nicht zu erschrecken, sofern es für höhere Zwecke vergossen wird.

In der SS kursierten zweierlei Ansichten zu dem Streit mit dem Heer. Sie stammten von den beiden Männern, die zu jener Zeit als die wichtigsten Berater Himmlers galten. Wolff behauptete, Greuel seien nur geschehen, weil der Reichsführer-SS den Einsatzgruppen gegenüber allzu vertrauensselig gewesen sei und es an der notwendigen Überwachung habe fehlen lassen. Das war nun einmal seine sanfte Tour. Demgegenüber erklärte Heydrich, sowohl die Heeresführung, also Brauchitsch, als auch die Führung der Sicherheitspolizei hätten versäumt, die Befehlshaber der einzelnen Armeen hinreichend über den Auftrag der Einsatzgruppen zu unterrichten. Das war die harte und schlichte Wahrheit.

Ernster genommen als die Proteste gegen Unmenschlichkeiten wurde von Hitler und Himmler ein anderer Gesichtspunkt aus Blaskowitz' Denkschrift. Am 27. November 1939 hatte er gewarnt: »Der augenblickliche Zustand treibt einer Entscheidung entgegen, die ... die Ausnützung des Landes zugunsten der Truppe und der Wehrwirtschaft unmöglich macht.« Auch der Generaloberst wußte, daß Hitlers Reich den Feinden hinsichtlich der Bevölkerungszahl, der Rohstoffquellen und der Industriekapazität auf die Dauer unterlegen sein würde. Militärische Siege konnten daran nur etwas ändern, wenn in den eroberten Ländern für den deutschen Sieg gearbeitet wurde. Auch die SS wußte, daß Ermordete nichts mehr produzieren konnten, aber sie rechnete damit, daß ihr Terror die Überlebenden gefügig machen und zu hoher Leistung antreiben würde.

Als Reichskommissar für die Festigung des deutschen Volkstums war Himmler von Amts wegen verpflichtet, sich Gedanken darüber zu machen, wie mit den Millionen Polen weiterverfahren werden sollte. Deren Intelligenzschicht – Priester, Professoren, Politiker, Beamte der gehobenen Ränge – waren nach Möglichkeit gleich in den ersten Wochen der Eroberung durch die Einsatzkommandos liquidiert worden. Himmler bedrängte die Sorge, daß diesem geburtenfreudigen Volk auf die Dauer eben doch wieder fähige Führer nachwachsen würden. Dies zu verhindern, entwarf er ein Programm. Seine Notizen für den Vortrag vor den Generälen enthielten schon den Kern dafür. »Hinrichtung aller potentiellen Widerstandsführer« stand auf einem seiner Merkzettel. Auf einem anderen stand: »Wir müssen hart bleiben. Eine Million Arbeitssklaven und wie sie zu behandeln sind.«

Anhand solcher Stichworte verfaßte er einige Zeit später eine ausführliche Gebrauchsanweisung für die Herrschaft über Polen; sie trug die Überschrift: »Einige Gedanken über die Behandlung der Fremdvölkischen im Osten.« Mit dem Stempel »Geheime Reichssache« erhielt das Papier den Charakter eines Staatsgeheimnisses des höchsten Grades. Wolff bekam es als erster zu lesen mit der Anweisung, darüber mit dem Leiter des Rassenpolitischen Amtes der NSDAP zu sprechen, dem Mediziner Dr. Walter Groß. Dessen Dienststelle gehörte zum Apparat des Stellvertreters des Führers Rudolf Heß. Dort regierte der Reichsleiter Martin Bormann unumschränkt. War das Papier erst eimal von ihm gebilligt, dann würde es in Kürze auch mit den besten Empfehlungen auf des Führers Tisch liegen. Da Himmler vor jedem Gespräch mit Hitler zitterte, wollte er dessen Zustimmung auf dem bürokratischen Umweg gewinnen.

Was Wolff las, ließ ihm – so sagte er vier Jahrzehnte später – »offengestanden die Haare zu Berge stehen. Denn es war in unverhüllter, brutalster Form eine Anhäufung despotischer Unterdrückung«, mit der die Besiegten »auf eine reine Sklavenstufe herabgedrückt« werden sollten. Himmler empfahl, das stark enwickelte Nationalbewußtsein der Polen abzuwürgen, indem die ethnischen Eigenarten einzelner Volksgruppen – Weißrussen, Goralen, Ukrainer – so stark gefördert werden sollten, daß am Ende das frühere Staatsvolk in viele Splittergruppen zerfallen würde. Alle Macht gehörte dann den Deutschen. Bürgermeister sollte das höchste Amt sein, das ein Nichtdeutscher erreichen durfte. Die Bevölkerung sollte rassisch gesiebt werden; wer sich als hinreichend nordisch-germanisch erweisen würde, sollte nach Möglichkeit eingedeutscht werden.

»Für die nichtdeutsche Bevölkerung«, las Wolff, »darf es keine höhere Schule geben als eine vierklassige Volksschule.« Ihr Lehrziel: »Einfaches Rechnen bis höchstens 500, Schreiben des Namens«, das Einbläuen eines Gebots, »den Deutschen gehorsam zu sein, ehrlich fleißig und brav zu sein«. Begabte Kinder kommen, wenn sie »rassisch tadellos« sind, nach Deutschland und bleiben dort für die Dauer, werden also den Eltern weggenommen. »Die Bevölkerung wird als führerloses Arbeitsvolk zur Verfügung stehen und bei eigener Kulturlosigkeit unter der strengen, konsequenten und gerechten Leitung des deutschen Volkes berufen sein, an dessen ewigen Kulturtaten und Bauwerken mitzuarbeiten.«

Wolff erzählte, er habe Himmler »in der zwischen uns üblichen Offenheit, aber natürlich auch Höflichkeit« gesagt, was in diesem Plan »dem fortgeschrittenen 20. Jahrhundert ja wohl kaum entsprechen dürfte«. Er bat Himmler, »zu erklären, wie ich als Ihr Kanzler dieses Ritterordens später derartig krasse Standpunkte vertreten soll«. Daraufhin habe Himmler zwar Wolffs »menschlich liebenswerte Eigenschaften« gelobt, ihn aber andererseits einen hoffnungslosen Idealisten und Optimisten« genannt, mit dem man »keine Politik im besiegten Feindesland machen kann«.

Wolff mit melodramatischem Pathos: »Hier ist etwas zerbrochen!« Er habe sich gefragt, ob er noch richtig sei in der SS, an die er doch »die mehr als 300jährige Tradition meines hessischen Leibgarderegiments« habe weiterreichen wollen. Andererseits hat er jedoch keine Anstalten gemacht, die Schwarze Garde zu verlassen oder sich auch nur aus seiner exponierten Position in der ersten Reihe zurückzuziehen. Unstreitig hat er in mancherlei Hinsicht entgegen dem Reglement der SS seine »Guttaten« verrichtet – dieses Wort benutzte er später, als mit den Nazis abgerechnet wurde. Er hat Juden gerettet, Verfolgten geholfen, Willkür verhindert, drakonische Gesetze umgangen, aber er hat nie den Vortei-

len entsagt, die ihm Amt und Rang boten. Sein Leitsatz stammt offenbar vom Humoristen Wilhelm Busch: Das Gute ist stets das Böse, das man läßt.
Bezeichnend für seinen »Widerstand« ist sein Versuch, sich um die von Himmler angeordnete Tätowierung zu drücken, mit der alle SS-Männer ihre Blutgruppen in der linken Achselhöhle vermerkt bekamen. Der Zweck: Falls eine Blutübertragung dringlich sein sollte, könnten sich Ärzte langwierige Laboruntersuchungen sparen und damit mehr Zeit zur Rettung des Lebens gewinnen. Wolff sah damals schon die Nachteile, die dann ja auch zutage traten, als immer mehr SS-Krieger in feindliche Gefangenschaft gerieten und mehr als die übrigen Deutschen für den Krieg und für Unmenschlichkeiten verantwortlich gemacht wurden. Wolff versuchte vergeblich, seinem Reichsführer-SS die Idee auszureden. Er erntete nur die Drohung, Himmler werde beim gemeinsamen Sport gelegentlich die Achselhöhle des Chefs seines Persönlichen Stabes mustern. Als dann eines Tages ein SS-Arzt, von Himmler selber geschickt, sich bei Wolff zum Tätowieren einfand, ließ sich der Mediziner bereden, die Farbe nur in die oberste Hautschicht zu stechen. Der kontrollierende Himmler wurde damit zufriedengestellt – und Wolff auch, denn als der Krieg zu Ende ging, war von der Markierung nichts mehr zu sehen. Auch dieser Fall habe – laut Wolff – dazu beigetragen, »unser jahrelang ausgezeichnetes menschliches und dienstliches Verhältnis zu beeinträchtigen«.
In den reichlich vorhandenen Akten »Persönlicher Stab« hat diese Abkühlung keinen Niederschlag hinterlassen. Himmler benutzte im Gespräch und beim Schreiben noch immer die Zärtlichkeitsform »Wölfchen«. Als sie zusammen nach Finnland reisten (wo für Wolff wieder mal ein Orden abfiel), empfahl der Reichsführer seinem Gefolgsmann, lange Unterhosen anzuziehen, weil es in jenem Land so kalt sei. Nach wie vor steht auch in den ersten vier Kriegsjahren auf sehr vielen an Himmler gerichteten Briefen links vermerkt, daß sie an Wolff zur Bearbeitung weiterzureichen seien, wie andererseits auf sehr vielen Briefen, die Himmler abschickte, ein Vermerk anzeigt, daß Wolff einen Durchschlag erhielt.
Nach wie vor schob ihm Himmler alle heiklen Fälle und auch viele seiner persönlichen Angelegenheiten zu. So zum Beispiel, als die im Kreis Rosenheim ansässige 63jährige Alice Gollwitzer, Witwe eines Sanitätsrates, Schwiegermutter eines Wehrmachtsgenerals und mit Himmler befreundet, der Gestapo aufgefallen war, weil sie die Besetzung des Sudetenlandes ein Verbrechen Hitlers genannt und beim Überfall auf Polen erklärt hatte, der Krieg sei sofort zu Ende, wenn jemand Hitler ermorde. Sie, eine gebürtige Schweizerin, werde ihn erschießen, wenn die feigen Deutschen dazu den Mut nicht aufbrächten. Damit hätte sich die Frau um Kopf und Kragen geredet, wenn sie sich bei ihrer Vernehmung nicht auf ihre langjährige Freundschaft mit Himmler berufen hätte. Der Reichsführer-SS bestätigte, die Frau G. sei »in der Kampfzeit begeisterte und treue Anhängerin des Führers« gewesen und habe »der SS in Augsburg unendlich viel geholfen«. Er bremste über Heydrich die Gestapo, meinte, die alte Dame habe eben mal »dumm dahergeredet«. Er beauftragte

Wolff, den Fall ohne Aufsehen zu erledigen und seine alte Bekannte zum Schweigen zu veranlassen.

Sie gab jedoch keine Ruhe, fing mit Gott und der Welt Streit an und wollte die SS-Macht eingesetzt wissen gegen ihre Widersacher. Bei ihr versagte sogar Wolffs sanfte Diplomatie. Er konnte schließlich Himmler nur noch vorschlagen, die Frau in einem Sanatorium unterzubringen. So geschah es.

Das von Wolff so kritisch bewertete Programm für die Behandlung der Fremdvölkischen wurde entgegen seinen Erwartungen vom Führer mit dickem Lob bedacht. Es in die Tat umzusetzen, wetteiferten zwei Gauleiter: Albert Forster, zuständig für Danzig-Westpreußen, und Arthur Greiser, der in Posen den Warthegau regierte. Beide waren mit SS-Ehrenrängen bedacht und demgemäß als Gruppenführer uniformiert, und beide wetteiferten, wer dem Führer zuerst seinen Gau als »polen- und judenfrei« melden könnte.

Sie vertrieben massenweise Juden und Polen über die Gaugrenzen nach Osten ins Generalgouvernement des Dr. Hans Frank. Der jedoch verwahrte sich bald gegen solchen Zuzug. Greiser kam auf die Idee, er könne den polnischen Bevölkerungsanteil in einem Gau mit einer ähnlichen Methode vermindern, wie dies durch die Einsatzgruppen geschehen war, nämlich durch Mord. Da verhältnismäßig viele Juden und Polen an Tuberkulose litten, erklärte er die Kranken zur öffentlichen Gefahr, und weil sie außerdem für harte Sklavenarbeit untauglich waren, hatte er keine Hemmungen, sich der unnützen Esser zu entledigen.

Der um Rat befragte Reichsleiter Martin Bormann verwies ihn an den Reichsleiter Philipp Bouhler, der einer ominösen »Kanzlei des Führers« vorstand, zuständig war für dunkle Machenschaften und dem gerade ein paar Trupps geübter Massenmörder arbeitslos geworden waren.

Diese Leute hatten seit Kriegsbeginn auf des Führers Befehl in den Heil- und Pflegeanstalten innerhalb des Reiches einige tausend (nach Ansichten der NS-Ärzte) unheilbarer Geisteskranker durch Giftspritzen und Motorabgase ums Leben gebracht. »Euthanasie« nannten sie ihre Aktion oder auch »Sterbehilfe für lebensunwertes Leben«. Ob es wirklich nicht wert war, gelebt zu werden, durften weder die Angehörigen noch die Opfer entscheiden. Der Massenmord wurde geleitet von einem Münchner SS-Brigadeführer, dem Arztsohn Viktor Brack. Sein erster Exekutor war der als Polizist zum Hauptmann avancierte Alkoholiker Christian Wirth, der sich noch lauthals über seine Opfer lustig zu machen pflegte. Die Taten waren nicht so geheim geblieben wie geplant, und so hatten Proteste, in erster Linie von seiten der Kirche, Hitler bewogen, die Sterbehilfe vorübergehend zu stoppen.

Brack kam nun mit seiner Mannschaft in den Warthegau. Weil dort noch alles im turbulenten Aufbau war, konnten sie ihr makabres Treiben wiederaufnehmen. Wolff wußte mit Sicherheit darüber Bescheid, nicht nur aufgrund der Durchschläge von Himmlers diesbezüglicher Korrespondenz; schließlich war er seit Anfang der dreißiger Jahre mit Viktor Brack befreundet. Deshalb dürfte Wolff auch erfahren haben, daß die »Sterbehelfer« im Jahre 1942 noch immer im Osten wirkten, beim SS- und Polizeiführer von Lublin, Odilo Globocnik, bei

»Globus«, dem guten alten Freund. Bracks Spezialisten bauten nach dem Massenmord an den Kranken die Gaskammern in den Vernichtungslagern Belzec, Sobibor, Treblinka und bedienten sie ebenso wie die Vernichtungsmaschinerie im Konzentrationslager Maidanek. Von all dem – sagte Wolff jedoch – habe er erst nach dem Krieg erfahren.
Im Gau Danzig-Westpreußen hatte sich Gauleiter Forster außer Arbeitslager und Vertreibung einen weiteren Trick einfallen lassen, um die Zahl der Polen zu reduzieren. Wer nicht gerade politisch übel beleumundet und ein verbissener polnischer Nationalist war, wurde kurzerhand zum deutschen Staatsbürger oder wenigstens zum Anwärter auf diese Würde. Himmler und die örtlich zuständige SS-Führerschaft nahmen hingegen als Rassenpäpste ein Mitspracherecht für sich in Anspruch. Der frischgebackene Reichskommissar für die Festigung des deutschen Volkstums argwöhnte, daß in Forsters Gau zuviel »polnisches Blut« in das deutsche Volk einsickerte. Früher oder später, drohte er, werde er seine Rassenexperten nach Westpreußen schicken und unter den Neubürgern fürchterlich Musterung halten lassen.
Forsters Reaktion war knallhart. Er sagte: »Wenn ich so aussehen würde wie Himmler, würde ich nicht von Rasse reden!« Dem für Danzig zuständigen Höheren SS- und Polizeiführer, dem Obergruppenführer Richard Hildebrand, wurde die Lästerrede zugetragen. Er beeilte sich, Wolff anzurufen und die schlimme Verunglimpfung zu melden. Hildebrand mußte daraufhin stante pede im Reichssicherheitshauptamt in der Prinz-Albrecht-Straße zu Berlin noch einmal vortragen, diesmal seinem Reichsführer. Zu dritt berieten sie dann, was gegen den Verleumder zu unternehmen sei.
Die beiden Reserveoffiziere des Ersten Weltkriegs, Wolff und Hildebrand, wollten die Beleidigung sofort gerächt haben; wenn Hitler nicht den Zweikampf mit der Waffe zwischen Parteigenossen verboten hätte, wäre nach ihrer Meinung nur eine Forderung auf Pistolen gerechtfertigt gewesen. So war das Nächstliegende eine Klage beim Obersten Parteigericht. Doch Himmler wiegelte ab; der Streit mit einem Gauleiter würde ihm die Gegnerschaft mit allen anderen und möglicherweise auch noch von Martin Bormann bescheren, dem Vertrauten des Führers und dessen rechte Hand. So viele Feinde, meinte er, könne er sich zur Zeit nicht leisten. Als eine Art Nachhutgefecht ließ er einige Ohrenzeugen der Beleidigung durch Gestapo-Beamte vernehmen, aber das war nur eine Drohgebärde. Wolff: »Daß er seine Ehre nicht besser verteidigte, war eine weitere Enttäuschung.«
In der Tat war Heinrich Himmler zu dieser Zeit im Führerhauptquartier nicht gut angeschrieben. Er und seine Polizisten hatten nach Hitlers Meinung in einem gravierenden Fall versagt: Sie hatten nicht beweisen können, daß der englische Geheimdienst eine Bombe gebastelt und gezündet hatte, die am 8. November 1939 in einer Säule des Münchner Bürgerbräukellers während der traditionellen Gedenkfeier zum Hitlerputsch von 1923 explodiert war. Sie sollte den Führer des deutschen Volkes nach Walhall schicken; er pflegte bei dieser alljährlich praktizierten Veranstaltung stets eine lange Rede zu halten. Doch aus unerfind-

lichen Gründen faßte der Redner sich diesmal kurz, fuhr sofort mit Gefolge – darunter auch Himmler und Wolff – zum Bahnhof und stieg in die Waggons, die seinetwegen an einen fahrplanmäßigen D-Zug nach Berlin angehängt worden waren.
In Nürnberg hatte der dortige Polizeipräsident das »Hauptquartier« – diese Ortsangabe benutzten Hitler wie Wolff, wo immer sie sich in den Kriegstagen aufhielten – stoppen lassen und gemeldet, daß eine Anzahl der Parteiveteranen von Trümmern begraben worden waren. Acht wurden schließlich tot geborgen. Zehn Minuten nachdem Hitler den Saal verlassen hatte, war die Höllenmaschine explodiert. Er war sofort überzeugt und blieb es auch, daß ihm der englische Geheimdienst eine Falle gestellt hatte.
Da traf es sich günstig, daß der SS-Oberführer Walter Schellenberg, im SD für Auslandsnachrichten zuständig, gerade zwei Mitglieder des Secret Service schon eine Weile als angeblicher NS-Gegner an der Nase herumgeführt und an die holländische Grenze gelockt hatte. Er kidnappte nun auf Befehl Himmlers die beiden Engländer auf niederländischem Gebiet und entführte sie über die Grenze. Bald stellte es sich jedoch heraus, daß sie mit dem Anschlag nichts zu tun hatten. Die besten Spezialisten der Gestapo waren ratlos.
Dabei saß der Schuldige schon kurz nach der Explosion im Gefängnis. Es war der Tischler Georg Elser aus Königsbronn bei Heidenheim in Württemberg. Er hatte die Bombe aus einer Weckeruhr, einer elektrischen Batterie und Sprengstoff gebastelt und sie heimlich in nächtlicher Arbeit in die Säule des Bürgerbräukellers eingebaut. Dann war er ohne Gepäck mit der Eisenbahn an den Bodensee gefahren, auf der Suche nach einem Schlupfloch in die Schweiz. Wo Konstanz und Kreuzlingen fast nahtlos ineinander übergehen, vermutete er die besten Chancen. Doch in einem Wirtshausgarten, unmittelbar an der Grenze, lief er in der Dunkelheit einem als Hilfsgrenzer eingesetzten Mitglied des NS-Kraftfahrkorps in die Hände, der dort, statt Streife zu gehen, darauf wartete, daß die Kellnerin die letzten Gäste nach Hause schicken würde. Fluchend gehorchte er seiner Pflicht, indem er auf ein Schäferstündchen verzichtete und den mutmaßlichen Herumtreiber zur Polizei brachte.
Hier wurde Elser verhört, aber man wurde nicht schlau aus ihm. Man überlegte, ob man ihn nicht einfach in ein Arbeitslager stecken sollte. Doch dann stellte es sich heraus, daß er einmal als Kommunist gegolten hatte, in einem KZ gewesen war, und zudem fand man in seiner Jackentasche eine Ansichtskarte vom Bürgerbräukeller. Diese Nachricht machte der in München versammelten SS-Spitze und den Kriminalisten wieder Hoffnung. Elser wurde dorthin überführt. Er gestand, aber was er aussagte, genügte ihnen nicht. Für die Hüter von Hitlers Sicherheit war es ein miserables Zeugnis, daß ein einzelner ohne Hilfe, ohne eine Organisation im Hintergrund es fast geschafft hätte, ihren Führer umzubringen. »Mit *einem* Mann ist uns nicht gedient«, bemängelte Wolff in einem Brief an einen SS-Führer das Ergebnis. Doch aus Elser war nicht mehr herauszuholen, obgleich ihn Himmler selber verhörte und mißhandelte. Er kam in ein KZ, wurde aber schonend behandelt. Vielleicht hoffte die Gestapo, ihn nutz-

bringend verwenden zu können. Erst in den letzten Kriegstagen wurde er ermordet.
Wolff war der Ansicht, das Münchner Attentat habe verhindert, daß eine Verschwörung von Generälen des Heeres zu einem Handstreich gegen den Diktator gedieh. Die Militärs hätten Hitler festnehmen und damit verhindern wollen, daß der nach ihrer Meinung aussichtslose Krieg im Westen weitergeführt werde. Sie hätten jedoch ihren Plan aufgegeben, als die anscheinend wunderbare Rettung Hitlers im Volk die Überzeugung gestärkt habe, daß er von der Vorsehung beschützt werde und zu Großem ausersehen sei. Mit soviel Popularität und Verehrung wollten angeblich die Generäle nicht konkurrieren.
Offen bleibt, woher Wolff seine Informationen über diese Pläne bezogen hat. Vielleicht von seinem Freund Reinhard Heydrich? Von den Militärs wohl kaum, denn so groß kann bei ihnen der »Personalkredit« eines SS-Gruppenführers und Himmler-Vertrauten nicht gewesen sein. Fest steht jedoch, daß sich Wolff zu dieser Zeit eifrig um Vertrauen in Offizierskreisen bemühte. Um der Wehrmacht sein Wohlwollen zu zeigen, benutzte er beispielsweise einen Brief, den der Gefreite Hermann Weinrich, in Friedenszeiten Obersturmbannführer in der Allgemeinen SS, von der Westfront an Himmler geschrieben hatte. Darin beklagte sich Weinrich, daß er und auch andere SS-Mitglieder in der gleichen Infanterie-Einheit als gottgläubige Nichtchristen wiederholt zum Kirchgang befohlen worden seien, als ihr Regiment vorübergehend in einem rückwärtigen Dorf in Ruhestellung gelegen habe. Auf seine Weigerung habe man gedroht, gegen ihn ein kriegsgerichtliches Verfahren wegen Befehlsverweigerung einzuleiten. Von Himmler wollte er wissen, wie weit er solchen Befehlen gehorchen müsse und ob es eine Vorschrift gebe, die ihn zur Teilnahme an einer christlichen Kultübung zwinge.
Der scheinbar harmlose Vorfall berührte eine neuralgische Stelle im Verhältnis zwischen SS und Wehrmacht. Den Militärs, noch immer angetan vom historischen Bündnis zwischen Staatsmacht und Altar und noch immer überzeugt, daß ein Herr der Heerscharen die Siege verteile, ging das Neuheidentum gegen den Strich. Viele Offiziere mußten an jene marxistisch-gottlosen Spartakisten denken, die in ihren Augen die Niederlage im Ersten Weltkrieg verschuldet hatten, indem sie dem »im Felde unbesiegten« Heer mit einer Revolution in der Heimat den »Dolchstoß in den Rücken« versetzt hatten. Zudem galt in ihren Kreisen der Grundsatz »Befehl ist Befehl«; wenn einer Kolonne während des Marsches befohlen wurde, von der Straße nach rechts und links auszutreten, zum Pinkeln nämlich, dann durfte kein Soldat sich davon ausschließen; wer nicht mußte oder konnte, der sollte eben so tun als ob ... Gleiches galt hinsichtlich des Gottesdienstes; der Heide braucht ja nicht das Vaterunser mitzusprechen, wenn er nur dem Kommando folgte: »Helm ab zum Gebet.«
Himmler mochte sich mit dieser heiklen Angelegenheit nicht befassen, und also landete der Weinrich-Brief am 6. Januar 1940 bei Wolff. Der erinnerte sich – wenngleich mit der bei Wolff üblichen Verspätung – seines Gesprächspartners

bei der Planung der Himmler-Rede vor den Generälen, des Major Radke. Am 25. April bat er den Major brieflich, »diese Angelegenheit einmal nachprüfen zu lassen und mir dann Ihre Stellungnahme mitteilen zu wollen«. Dazu ein Nachsatz: »Verhüten Sie aber bitte, daß der Unglückselige geschlachtet wird.«
Hätte Wolff streng amtlich eine Untersuchung gefordert und auf Bestrafung der christlichen Vorgesetzten des Gefreiten bestanden, dann wäre daraus ein für die Wehrmacht unangenehmer Präzedenzfall geworden. Denn Weinrich war im Recht. Das Oberkommando des Heeres arbeitete schnell. Schon Anfang Mai konnte Wolff mit einem Oberst im Generalstab des Heeres den Fall bereden. Doch ehe Weinrich Bescheid bekam, dauerte es bis Ende Juni. Aus dem Brief erfuhr er, »daß bei einer offiziellen Verfolgung der Angelegenheit in diesem Einzelfalle ohne Zweifel das Recht auf Ihrer Seite gestanden hätte«. »In anderer Beziehung«, erfuhr der Adressat, hätte er jedoch »vielleicht . . . nachteilige Folgen . . . in dienstlicher Hinsicht« in Kauf nehmen müssen. »Nach dem Krieg«, schlug Wolff vor, möge der SS-Führer Weinrich ihm schreiben, wie für ihn die Sache abgelaufen sei, und er werde ihm dann antworten, »was in diesem Fall noch zu sagen übrig bleibt«.
Den Durchschlag des Briefes in den Akten des Persönlichen Stabes zieren drei handgeschriebene Buchstaben »W. n. K.« = Wiedervorlage nach dem Krieg. Der Zeitpunkt schien in jenen Tagen nicht mehr fern zu sein. Mitte Januar hatte Weinrich an Himmler geschrieben. Die Antwort bekam er fünf Monate später. Sie hatten Hitler zum Beherrscher der Hälfte Europas gemacht; vom Grenzfluß Bug im Osten, bis zum Atlantikstrand im Westen, von den Karawanken im Süden bis zum arktischen Nordkap an der Spitze Norwegens reichte seine Macht. War sie erst einmal gefestigt, dann würden alle Widerstrebenden die Härte der Diktatur zu spüren bekommen – auch die bigotten Militärs. Wie Hitler die Abrechnung mit rebellischen, kirchlichen Kreisen auf die Zeit nach dem Endsieg verschob, so taktierten auch die Ordensmeister Heinrich Himmler und sein Ordenskanzler Karl Wolff.
Was immer geschehen war in jenen fünf Monaten des Jahres 1940, Wolff konnte als Mitglied des Führerhauptquartiers sagen, er sei (fast überall) dabeigewesen. Am 18. März 1940 war er im Sonderzug des Führers zu einem Treffen mit Mussolini auf den Brennerpaß gereist, nicht nur als dekorativer Statist, wie ihn Hitler zumeist bei Begegnungen mit ausländischen Staatsmännern einsetzte. Wolff war vielmehr darauf angesetzt, als zeitweiliger Ehrenbegleitoffizier des Duce die Bekanntschaften mit den Würdenträgern des Bundesgenossen auszubauen. Außerdem wollte er versuchen, eine Aktion zu beschleunigen, mit der Himmler seit dem 23. Juni 1939 beauftragt war und die nicht richtig in Gang kommen wollte.
Damals war auf Hitlers Geheiß eine »Leitstelle für Ein- und Rückwanderung« durch die SS eingerichtet worden, deren Aufgabe sein sollte, die Heimkehr der Südtiroler ins Reich zu organisieren, nachdem der Führer des deutschen Volkes den Anspruch auf diese vorwiegend deutschsprachige Region seinem Freund, dem Duce Italiens, geopfert hatte zum Dank für dessen Unterstützung beim

Anschluß der »Ostmark«. Die Leitstelle hatte sich inzwischen in eine sehr viel großspurigere Dienststelle des Reichskommissars für die Festigung des deutschen Volkstums aufgebläht; aber in Südtirol war trotzdem nicht viel geschehen. Wolff war zuständig, denn diese Dienststelle blieb zunächst noch dem Persönlichen Stab angegliedert. Bis zum Jahresende 1939 hatten sich fast alle deutschsprachigen Bewohner des Landes und sogar die Ladiner in die Umsiedlerlisten eingeschrieben. Sie waren der Schikanen überdrüssig, mit denen seit fast zwei Jahrzehnten versucht wurde, sie zu waschechten Italienern umzumodeln. In einem italienisch-deutschen Abkommen erhielten sie die Zusicherung, daß sie ihr Vermögen und ihre bewegliche Habe mitnehmen könnten, für Grundbesitz sollten sie entschädigt werden. Zur Erfassung und Musterung von Kunstwerken und des Kulturguts deutscher Art war seitens der SS das »Ahnenerbe« eingeschaltet worden – eine Himmler-Gründung, in der Wissenschaftler und solche, die Himmler dafür hielt, an den unterschiedlichsten Projekten arbeiteten. Da auch das »Ahnenerbe« zum Persönlichen Stab zählte, war Wolff doppelt legitimiert, sich um die Umsiedlung zu kümmern. Spätestens am 31. Dezember 1942 sollte sie – so war es vereinbart – abgeschlossen sein.

Die Aktion wurde als ein Muster wahrer Völkerfreundschaft propagiert, aber es zeigte sich, daß die sogenannte »Achse Berlin-Rom« für die Aktion nicht genug Antriebskraft entwickelte. Alle Beteiligten hatten sich von der Umsiedlung etwas anderes versprochen. Himmler und Hitler wollten – wenigstens zu Anfang – die Südtiroler als Siedler für eroberte oder noch zu erobernde Gebiete im Osten, zugleich erstrebten sie eine beruhigte Grenze am Brenner. Die Italiener erhofften sich gleichfalls Ruhe, nämlich in der bis dahin aufsässigen Region, aber sie waren nur gewillt, die lautesten Rufer nach Autonomie über die Grenze zu lassen. Die anderen würden sich – so hofften sie – dann ohne Schwierigkeiten zu Italienern umerziehen lassen. Nun mußten sie feststellen, daß sowohl das wohlhabende Bürgertum in den Städten als auch die Bergbauern hoch droben auf den Almen ihre Heimat verlassen wollten. Die Talregionen hätten sich möglicherweise mit Zuwanderern aus dem armen italienischen Süden bevölkern lassen, aber eine florierende Wirtschaft hätte sich mit ihnen nicht aufbauen lassen. Für die Bergbauernhöfe fanden sich kaum Bewerber; wenn es gelang, eine italienische Familie dorthin zu locken, dann kehrte sie wenig später heimlich wieder in ihre frühere Heimat zurück. Diese Menschen litten zwischen den Gipfeln und den Matten unter der Einsamkeit, unter dem rauhen Klima, und sie konnten sich mit der körperlich harten und manchmal gefährlichen Arbeit nicht abfinden. Deshalb wollte die italienische Obrigkeit die Südtiroler im Grunde gar nicht hergeben.

Wolffs oft bewährtes Verhandlungsgeschick nutzte in dieser Situation nichts. Auch die Südtiroler hatten es jetzt mit der Umsiedlung nicht mehr so eilig; sie rechneten sich aus, daß sie als Reichsbürger bald zu den Waffen gerufen würden. Als italienische Staatsbürger blieben sie vom Kriegsdienst verschont – wenigstens vorläufig noch, denn der Duce zögerte, sich gemäß dem Bündnisvertrag am Krieg zu beteiligen. Erst wollte er wissen, wem der Sieg zufallen würde.

Ärger gab es noch zusätzlich, als eine gemischte Kommission darüber zu streiten anfing, welche Kunstwerke deutscher Herkunft waren und deshalb zur Ausfuhr nach Deutschland freigegeben werden mußten. Als Wolff drei Jahre später wieder nach Südtirol kam, diesmal als höchster SS- und Polizeiführer Italiens, stritten sich die Experten immer noch, hatten nur wenige die Region verlassen und von ihrer Ansiedlung im Osten wagten nur noch leichtgläubige Phantasten zu sprechen.
Wolff war überhaupt viel unterwegs in jenen Wochen, als der Krieg Pause machte. Solange im Führerhauptquartier die Generäle mit den Vorbereitungen neuer *Heldentaten* beschäftigt waren, konnte man dekorative Figuren entbehren. In den Monaten um die Jahreswende reiste er in Himmlers Gefolge in Polen herum. Im Frühjahr besichtigte der Reichsführer-SS etliche Standorte von Reserveeinheiten der Verfügungstruppe und am Westwall eingesetzte Regimenter – nicht ohne Wolff, versteht sich. Auch Konzentrationslager wurden inspiziert; Anfang April waren Buchenwald bei Weimar und Floßenbürg in der Oberpfalz an der Reihe, Ende April Dachau bei München. Zuvor hatten Himmler und Wolff sich in den Gebieten umgesehen, die Ostpreußen angegliedert worden waren, und dort eine neu aufgestellte Totenkopfstandarte gemustert. Dann ging die Reise nach Warschau. Dort quartierte man Himmler und Wolff im Haus des Ministerrats ein – bezeichnend für das Ansehen des Gruppenführers – indessen alle anderen Mitreisenden mit Hotelzimmern vorliebnehmen mußten.
Am 20. April war Wolff in Berlin, beim Führergeburtstag. Er wurde diesmal nur häuslich gefeiert. Um die Mittagsstunden gratulierten der Reichsführer-SS und der Chef des Persönlichen Stabes. Den letzteren erreichte im Mai, wenige Tage vor seinem eigenen Geburtstag – es war der 40. – frohe Kunde aus der Reichskanzlei: Er war zum Generalleutnant der Verfügungstruppe ernannt. Allerdings bekam er damit noch keine militärischen Aufgaben; er besaß Rangabzeichen, aber keine Truppe.
Die Verfügungstruppe, der er nun angehörte, hatte ihre schwarzen Schafe, und er kannte sie auch. Wenn er dann und wann in Friedenszeiten Ausländer oder etwa die Mitglieder des »Freundeskreises« Himmlers durch ein Konzentrationslager geführt hatte, waren ihm die Totenköpfler – so nannte sie der spätere Massenmörder Adolf Eichmann – als Wachmannschaft begegnet. Er dürfte bei solchen Gelegenheiten kaum Schreckliches gesehen haben, denn die von ihm geführten Neugierigen mußten ja durch Augenschein überzeugt werden, daß hinter dem hohen Zaun aus Stacheldraht die Volksschädlinge zwar streng, aber gerecht und ohne physische Gewalt zu staatsbürgerlicher Rechtschaffenheit erzogen wurden. War Wolff gefragt worden, hatte er sogar eingeräumt, daß es vereinzelt Übergriffe und Roheitsakte seitens der Bewacher gegeben habe. Doch die Schuldigen, so hatte Wolff versichert, seien hart bestraft worden, so daß ein Lagerhäftling in Deutschland sicherer sei vor Not und Tod als jeder US-Bürger, der abends in New Yorker Parkanlagen spazierengehe.
Sollte er das alles damals selber geglaubt haben, so mußte er nun entdecken, daß

er dieses Schwarze Korps nicht ganz richtig gesehen hatte. Denn am 5. Mai 1940 besuchte er, im Schmuck der neuen Generalsepauletten, zusammen mit Himmler Freund »Globus«, den Exgauleiter von Wien, Odilo Globocnik, jetzt als SS-Gruppenführer im Amt eines SS- und Polizeiführers für den Bezirk Lublin im südlichen Polen. Dieser Mann ohne Skrupel war im Begriff, ein großes Konzentrationslager für Juden und Polen anzulegen; außerdem mußte er aufgrund eines Führerauftrages drei kleinere Lager errichten lassen, in die man unentwegt Menschen hineintreiben konnte, auch wenn keiner der Häftlinge es je lebend verließ. Totenköpfler – so genannt nach dem zusätzlichen Totenkopf auf dem Kragenspiegel, den ansonsten die übrigen SS-Verbände aus vernickeltem Blech auf dem Mützenband trugen – überwachten den Aufbau durch Häftlinge. Beim Mittagessen im Casino war nebenbei die Rede davon, daß demnächst eine Euthanasie-Mannschaft hierher versetzt werde. Bei dieser Gelegenheit lernte Wolff den SS-Standartenführer Hermann Fegelein kennen, der zu einer berittenen SS-Einheit gehörte und später sein Nachfolger im Führerhauptquartier werden sollte.
Für den 6. Mai 1940 notierte Himmlers Adjutant Jochen Peiper »Fortsetzung des Programms« – nämlich der Besprechung und Besichtigungen rund um Lublin, ausgerichtet auf Globocniks künftige Aufgaben. Darunter steht »Rückflug nach Berlin«. Dort stand ein Ereignis an, das Himmler und Wolff nicht versäumen durften: die Offensive Richtung Westen. Wann, wie und wo das geschehen würde, wußte noch niemand aus der Reisegesellschaft. Es war jedoch der Ruf Bormanns eingetroffen, daß die zum Führerhauptquartier gehörenden Herren sich zur Abreise mit dem Sonderzug Hitlers bereithalten müßten.
Am 9. Mai war es soweit. Auch diesmal blieb die Abfahrt unbemerkt von der Öffentlichkeit, obwohl sie am hellen Nachmittag, kurz nach 16 Uhr, stattfand. Der Zug wartete auf dem kleinen Vorortsbahnhof »Finkenkrug«, einem Berliner Ausflugsziel an der Strecke Spandau-Nauen. Die Reise ging zunächst nach Nordwesten in Richtung auf Hamburg, »der Tarnung wegen«, wie Bormann in seinem Tagebuch notierte. In der Tat mutmaßten etliche Passagiere, es gehe nach Norwegen. Doch dann bog der Zug nach Celle ab, fuhr weiterhin westwärts und kam endgültig erst bei tiefer Dunkelheit in einem Bahnhof zu Halt, dessen Schilder mit dem Ortsnamen entfernt worden waren. Es war Euskirchen, westlich von Bonn, und hier wartete schon die aus Polen gewohnte Kolonne der Kraftwagen. Über Münstereifel rollte sie zum »Felsennest« nach dem Eifeldorf Rodert, eine mit Betonbunkern, Flakstellungen und Baracken zum Hauptquartier ausgebaute Anhöhe. Am Vorabend hatte Hitler sich im Zug noch die Wettervorhersage geben lassen. Sie verhieß klares Fliegerwetter. Daraufhin hatte er den Beginn des Angriffs für 5.30 Uhr befohlen.
Die Männer und Frauen (d. h. Hitlers Sekretärinnen) waren noch kaum den Autos entstiegen, als im Westen auf breiter Front die Geschütze zu *grummeln* begannen. Die Gefahr war weit weg; hier mußte man kein Held sein. Die meisten Männer waren damit beschäftigt, die Schlacht zu lenken. Womit sich Wolff vom 10. Mai bis zum 3. Juni im »Felsennest« beschäftigte, muß der

Phantasie des Lesers überlassen bleiben; die Militärs konnten und wollten ihn nicht verwenden und die im Westen kämpfenden SS-Verbände waren zahlenmäßig so gering, daß sie keiner eigenen Vertretung im Hauptquartier bedurften. Es waren drei Divisionen und ein Regiment, und sie wurden nie geschlossen eingesetzt.
Mit den breiten Schulterstücken, wie sie die Wehrmachtsgeneräle trugen, mußte sich Wolff in der titel- und ranghohen Gesellschaft nicht mehr inferior fühlen. Der vom Weltkriegshauptmann nicht weniger sprunghaft zum Feldmarschall aufgestiegene Hermann Göring konnte es sich leisten, scheinbar arglos nach Ursache und Sinn des neuen Uniformschmuckes zu fragen. Wolff erzählte, er habe in seiner Antwort auf »rein militärisch gewordene« Aufgaben als Verbindungsmann der Waffen-SS hingewiesen; er bedürfe dafür der »Rangabzeichen, die jeder Soldat kennt«. Bei dieser Ernennung wurde erstmalig der Begriff »Waffen-SS« amtlich verwendet. Daß nach dem Krieg die Vereinigung der ehemaligen Waffen-SS-Soldaten ihren ersten General nicht als einen der ihrigen anerkennen wollten, steht auf einem anderen Blatt. Wolff beklagte damals häufig, (wie in seinen Kreisen üblich), daß er nicht im Gefecht und nur am Schreibtisch seine vaterländische Pflicht erfüllen dürfe. Doch auch er ließ sich damit trösten, daß der Führer schon wisse, warum es so sein müsse. So bearbeitete er eben die Post, die ihm aus seinem SS-Hauptamt in Berlin nachgeschickt wurde, knüpfte Kontakte und nahm – so behauptete er – regelmäßig an den täglichen Lagebesprechungen der Schlachtenlenker teil. Andererseits tauchte jedoch sein Name nur selten in den Anwesenheitslisten auf. Ein Mitspracherecht hätten ihm die Generäle des Heeres keinesfalls eingeräumt. Im Kriegstagebuch des Generaloberst Franz Halder, damals Chef des Generalstabs, taucht sein Name nur einmal auf und sehr beiläufig, nämlich anläßlich seines schon erwähnten Gesprächs mit dem Major Radke. Daß Himmler und Wolff bei Hitler entbehrlich waren zu dieser Zeit, beweist auch ein von Himmler im Stil eines Schulaufsatzes verfaßter Bericht über eine gemeinsame Autofahrt durch erobertes Land. Der Reichsführer hatte seinen Sonderzug »Heinrich« bei Altenkirchen im Westerwald stationiert. Er, vier weitere SS-Führer und die Fahrer zweier Kraftwagen starteten am 17. Mai in Richtung Aachen. Abends überschritten sie die Grenze nach Holland. Zum Essen in einem Dorfgasthaus luden sie einen Sturmbannführer der dort einquartierten SS-Standarte »Der Führer« ein, einen Münchner, der am 7. Oktober 1931 zur Wache im Braunen Haus gehört hatte und der Wolff für die SS geworben hatte, als dieser in die Partei eintrat.
Am 18. Mai fuhren sie noch in Holland herum, aßen »unvorstellbar gut und reichlich« und stellten fest, es sei »eine wahre Freude, die Männer und Frauen und die Kinder zu sehen«. Himmler notierte: »Sie sind ein Gewinn für Deutschland«, was besagt, daß zumindest er entschlossen war, die Niederlande nie wieder zu räumen. In der Nacht fanden sie nur notdürftig ein Unterkommen; Wolff und Himmler mußten sich ein Hotelzimmer teilen.
Nach solchen kriegsbedingten Strapazen strebten sie nach Brüssel, aber sie

kamen der Stadt nur langsam näher, weil gesprengte Brücken sie immer wieder zu Umwegen nötigten. Amüsiert erzählt Himmler in seinem Bericht, wie er und seine wenigen Begleiter das flandrische Städtchen Rumst eroberten. Dorthin waren offenbar noch keine deutschen Soldaten gekommen, und so warteten der Bürgermeister mit Gemeinderat und Bürgerwehr im Rathaus auf jemanden, dem sie ihre Stadt übergeben konnten. Sie baten, man möge sie nun wieder mit Wasser, Strom und Gas versorgen; das fanden die Deutschen sehr komisch. Noch mehr freute sich Himmler über Wolff: »Er erzählte den braven Männern zum Schluß, daß ich der Chef der Gestapo sei.« Im übrigen waren die Reisenden sich einig, daß sich Deutsche in einer solchen Situation sehr viel würdevoller benommen hätten.

Sie übernachteten in Brüssel. Auf der Weiterfahrt trafen sie die »Leibstandarte-SS-Adolf Hitler«. Ihr Kommandeur, der Obergruppenführer Sepp Dietrich, hatte sich ein Schloß als Stabsquartier ausgesucht. Mit ihm tafelten die Reisenden noch gründlich, ehe sie zu den mageren Fleischtöpfen des »Felsennestes« zurückkehrten. Noch am gleichen Abend erstatteten sie ihrem Führer Bericht.

Offenbar entwickelte sich bei ihnen auf dieser Fahrt erst richtig das Siegesbewußtsein. Nachdem sie das alles gesehen hatten, konnten sie voller Überzeugung singen, daß ihnen nicht nur Deutschland, sondern »morgen die ganze Welt« gehören werde. Sie sahen unterwegs viele zerstörte Häuser, fuhren vorbei an Kolonnen verängstigter Flüchtlinge, trafen auf erschöpfte und verwundete Soldaten, und sie konnten auch die Toten am Straßenrand nicht übersehen haben. Doch vom Elend des Krieges ist in diesem Bericht nicht die Rede.

Unterwegs wurde fleißig fotografiert. Beim Tanken im belgischen Städtchen Brie wurde Himmler von einigen Soldaten einer Heereskolonne erkannt; sie waren zu Hause SS-Mitglieder. Er stellte sich in ihre Mitte für ein Erinnerungsfoto. Wolff ist auf dem Bild der dritte von links, aber wie er sich präsentiert – Kopf hochgereckt, Nacken gestrafft, Kinn angezogen, die breite Brust herausgewölbt, Bauch eingezogen, die Beine etwas gespreizt, aber die Knie durchgedrückt –, ist er nicht nur durch den Glanz des frischen Goldlitzengeflechts auf seinen Schultern der Mittelpunkt der Gruppe. Himmler steht zwar in der Bildmitte, aber er wirkt ebenso unbedeutend wie jener Landser neben ihm. Das Foto erklärt, weshalb der Wagner-Fan Hitler den strahlenden Siegfried, dritter von links, lieber sah als den bezwickerten Himmler.

Vom nächsten Hauptquartier nahe dem belgischen Dorf Bruly le Pêche, wußte Wolff nichts Bemerkenswertes zu berichten – es sei denn, daß er dort zwischen dem 3. und dem 25. Juni übel von Mücken zerstochen worden sei.

Zum Abendessen pflegte Hitler einige Gäste zu bitten; es waren in erster Linie die Sekretärinnen, Bormann, aber auch Wolff und abwechselnd der eine oder andere Offizier. Über Krieg und Politik wurde nicht gesprochen, sofern Hitler nicht davon anfing; man wollte seine Nerven schonen.

Am 28. Juni, sechs Tage nach dem Abschluß des Waffenstillstandes mit Frankreich, besuchte Hitler Paris mit wenigen Auserwählten. Sein Hofstaat nutzte seine Abwesenheit, um aufzuessen und wegzutrinken, was sich in Bruly le Pêche

an Vorräten angesammelt hatte und was in der Umgebung an Fleisch und Wein noch zu holen war. Es war Räumungsverkauf. Auf dem Kniebis bei Freudenstadt, am Steilabfall des Schwarzwaldes gegen das Rheintal, trafen sich Hitler und seine Trabanten wieder. Sie hausten in einem unwirtlichen Bunkersystem des Westwalls, und wenn der permanente Regen aufhörte, konnten sie einen weiten Blick bis hinüber zum Kamm der Vogesen tun. Hitler und einige seiner Vertrauten besuchten auf zwei Autoausflügen Straßburg, die Maginot-Linie und die Stadt Mühlhausen. Wolff und die meisten des Gefolges langweilten sich in den nassen Betonhöhlen. Sie waren froh, als ihr Führersonderzug am 6. Juni gegen 15 Uhr in Berlin in die Halle des Anhalter-Bahnhofs einfuhr.
Damit waren die »Mitläufer« des Hauptquartiers quasi beurlaubt. Hitler ging auf den Obersalzberg. Ihn beschäftigte der Plan, in England mit einem Invasionsheer zu landen; er verfaßte dazu eine »Weisung Nr. 16« an die Streitkräfte und legte schon sein nächstes Hauptquartier fest: Ziegenberg bei Bad Nauheim. Doch er war zur Landung noch keineswegs entschlossen. Er hoffte, die Engländer wünschten Frieden und würden ihm den Kontinent Europa zur freien Verfügung überlassen. Da sie sich darauf nicht einließen, ging er nicht nach Ziegenberg, oder vielmehr nicht gleich. Erst im Dezember 1944 zog er dort ein, als er seinen Krieg schon längst verloren hatte und er seine Feinde im Westen mit einem verzweifelten Schlag verhandlungsbereit machen wollte.
Der vom Hofdienst beurlaubte Wolff und sein Chef hatten jetzt Muße anzuschauen, was sie (vielmehr die Soldaten) eigentlich erobert hatten. Mitte Juli gingen sie auf die Reise. Drei Tage lang musterten sie Burgund.
Von Freiburg im Breisgau abfahrend, legten sie fast tausend Kilometer zurück. Die sommerliche Schönheit dieses gesegneten und vom Krieg kaum berührten Landes machte sie begehrlich. Hatten hier nicht vor fast fünfzehnhundert Jahren während der Völkerwanderung die germanischen Burgunder gesiegt und geherrscht? Hatte nicht Lothar, einer der Erben des großen Karl (der nun kein Schlächter mehr sein durfte), hier ein Königreich regiert, das von der Rhonemündung bis Antwerpen reichte? Waren diese rebenbepflanzten Hänge nicht wie geschaffen für die Südtiroler? Schon träumten die Reisenden von einem SS-Staat, der dem Reich aufs engste verbunden bleiben und dessen erster Ordensmeister Heinrich Himmler mit seinem Kanzler Karl Wolff sein würde. Erfüllt von solchen Aussichten flogen sie nach Berlin zurück. Sie wurden in der Kroll-Oper gebraucht, als Chorsänger in einem triumphalen Werk. Hitler ließ den Reichstag antreten zur – wie die Presse schrieb – »gewaltigsten Ehrung der deutschen Geschichte«.
Er verstreute in seiner Rede Lob nach allen Seiten. Es regnete Beförderungen auf die Militärs. Es gab elf neue Feldmarschälle. Göring wurde Reichsmarschall, einen Rang, zu dem es nicht einmal der große Prinz Eugen gebracht hatte. Auch etliche Spitzenfunktionäre der Partei wurden gerühmt. Himmler war nicht darunter, aber ein Satz in des Führers Rede bot Wolff Anlaß zu besonderer Freude. Hitler erwähnte auch »die tapferen Divisionen und Standarten der Waffen-SS«. Es war die erste öffentliche Erwähnung als Truppenteil, mit einem

neuen Namen, der prägnanter war als die verwaschene Bezeichnung »Verfügungstruppe«.
Da sich Hitler wieder auf den Obersalzberg zurückzog, konnte das Gespann Himmler-Wolff von neuem auf Fahrt gehen. Im Westen waren das Elsaß und Lothringen noch zu besichtigen. Das geschah Anfang September im Verlauf von 4 Tagen. Sie begannen ihre Autofahrt bei Belfort. In Natzweiler ließen sie sich vom SS-Gruppenführer Oswald Pohl, Chef des Wirtschafts- und Verwaltungsamtes der SS, in Steinbrüche führen, die sich vorzüglich für ein Konzentrationslager eigneten. Der Glanzpunkt ihrer Reise war jedoch die Endstation: die alte Festungsstadt Metz. Dort hatte die Leibstandarte Quartier bezogen, vier Bataillone motorisierter Infanterie, ein Pionierbataillon, zwei Artillerieabteilungen. In einem Fort aus der Hohenzollernzeit übergab ihnen Himmler eine neue Standarte. Sie wurde feierlich mit viel Blechmusik »geweiht« und besungen mit den Nationalhymnen und mit dem Stammlied der SS: »Wenn alle untreu werden...« Die wenig deutsch- und gar nicht NS-freundlichen Metzer sahen mit stummer Wut, wie die langen Kerls dieser auf Hochglanz polierten Truppe mit Tschingderassabum durch die enge und gewundene Hauptstraße, die Rue Serpenoise, marschierten. Sie war schon umgetauft in Adolf-Hitler-Straße.
Bei dieser Veranstaltung hätte der erste und vorläufig noch einzige General der Waffen-SS eigentlich auf ein Podest gestellt werden müssen, aber dafür gibt es keinen Hinweis. Ob Himmler sein Wölfchen nicht im Vordergrund sehen wollte, damit er selber besser zu Geltung kam, oder der Kommandeur der Leibstandarte, der Obergruppenführer Sepp Dietrich, verhinderte, daß außer ihm noch ein zweiter hoher SS-Führer ins Scheinwerferlicht geriet, ist fraglich. Zwischen diesem Troupier, der seinen grobschlächtigen Umgangston aus dem Münchner Bierkellermilieu nicht ablegen wollte und dem auf Casino-Benimm eingestimmten Ex-Gardeleutnant gab es nicht viel Verbindendes außer der Uniform. Daß Dietrich und seine Krieger in Polen und Frankreich Heldenlorbeer geerntet hatten, machte die Distanz für beide noch fühlbarer.
Wolff war stets bemüht, als Mustersoldat zu gelten, aber nun mußte er fürchten, die Rolle nur noch bedingt glaubhaft darstellen zu können. Das verrät ein Brief, den er Mitte Juni 1940, als der Sieg im Westen schon in vollem Ausmaß sichtbar war, an den befreundeten SS-Gruppenführer Richard Hildebrand schrieb. Der in Danzig als Höherer SS- und Polizeiführer eingesetzte Hildebrand, Offizier des Ersten Weltkrieges wie Wolff, hatte sich freiwillig zum Waffendienst gemeldet. »So groß an sich die Ehre ist«, schrieb ihm Wolff, »in unmittelbarer Umgebung des Führers im Führerhauptquartier weilen zu dürfen, so sehr möchte ich Dich eigentlich beneiden um Deine Einberufung als Batterieführer. Du hast doch eher eine Gelegenheit, einmal richtig Frontluft zu atmen, indem Du doch gewiß bald ein Frontkommando bekommen wirst.« Einen dürftigen Ersatz für die Gloriole des Kriegers gewährte sich Wolff selber, indem er in diesem Brief seine Reise durch erobertes Land »längeren Frontfahrten, die ich in Begleitung des Reichsführers-SS unternommen habe«, aufwertete.
Welchen Nutzen die Frontsoldaten der Waffen-SS von ihrem Fürsprecher bei

Hitler hatten, läßt sich kaum feststellen. Wolff selber hat sich dazu nur sehr vage geäußert. Damit stützte er die Version, (die Jahrzehnte später ein Staatsanwalt formulierte), er sei im Führerhauptquartier in erster Linie »Himmlers Auge und Ohr« gewesen. Gewiß konnte er, der bei Hitler wohlgelitten war, im Rahmen unterhaltender Gespräche manchmal Wünsche und Anregungen vortragen oder auch durchsetzen, aber Himmler blieb stets der Stärkere, dem nichts zuviel war für seine Schwarzen Soldaten. Zudem war Wolff keineswegs der einzige hohe SS-Führer, der für die Soldaten zuständig war. Da gab es deren Stabschef, den Gruppenführer Hans Jüttner, Chef des SS-Führungshauptamtes. Da war ferner der schlitzohrige Gruppenführer Gottlob Berger, Chef des SS-Hauptamts, dem die Ergänzung der Fronttruppe oblag und der wegen der hohen Verluste der Verbände ständig neue Rekruten anwerben mußte. In mancherlei Hinsicht war auch das Wirtschafts- und Verwaltungshauptamt unter Gruppenführer Oswald Pohl zuständig. Ebenso das SS-Personal-Hauptamt; mit ihm hatte Wolff kaum Schwierigkeiten, denn dessen Chef, der Gruppenführer Maximilian von Herff, war ein Regimentskamerad des Darmstädter Gardeleutnants gewesen, und Wolff hatte ihn in die SS geholt. Schwieriger war es dagegen mit dem Gruppenführer August Heißmeyer auszukommen, der aus nationalsozialistisch gedrillten Jugendlichen den Nachwuchs für das Offizierskorps der Waffen-SS beschaffen sollte.

Es rührten also viele Köche im Brei der »Waffen-SS«, und jeder war darauf aus, seine Zuständigkeit gegenüber den Kollegen zu wahren, und wenn möglich auf deren Kosten noch zu mehren. An taktischem Geschick und diplomatischer Argumentation war Wolff allen überlegen. Die Vielfalt der Ämter des Persönlichen Stabes – ein Sammelsurium Himmlerscher Verschrobenheit und Bürokratie – erlaubte es Wolff, sich in fast jeden Vorgang im Bereich der SS einzumischen. Das machte ihn im Kreis seiner Kameraden der SS-Spitze nicht beliebt. Einige behaupteten, er sei intrigant, andere bezichtigten ihn der Liebedienerei, doch solche Züge ließen sich fast allen hohen Chargen im Dunstkreis Hitlers und Himmlers nachsagen. Wolff war allemal geschickter und einfallsreicher im Kleinkrieg des nationalsozialistischen Klüngels als die meisten.

Berger versuchte zeitweilig, sich mit devotem Übereifer gegenüber Himmler an die Spitze der Ordensbürder zu manövrieren. Als er jedoch merkte, daß er damit den Chef des Persönlichen Stabes nicht aus der besonderen Gunst des Reichsführers-SS verdrängen konnte, änderte er seine Taktik. Er wurde in seiner Karriere behindert durch einige Unebenheiten: Der Uralt-Parteigenosse war in Württemberg einer der dienstältesten SA-Führer gewesen, und das galt seit den Morden an Röhm und dessen Gefolgschaft als Makel in der SS. Außerdem war er mit den Parteibonzen seiner Heimat verfeindet. Mangels sonstigen Rückhalts zog er es nun vor, sich um Wolffs Wohlwollen zu bewerben. So beschwor er ihn in einem Brief, um Gesundheit und Leben Himmlers bemüht zu sein. Zugleich versicherte er, daß im Fall eines Falles nur Wolff als Nachfolger im Amt des Reichsführers-SS denkbar sei. Vermutlich wußte der bauernschlaue Berger, daß er damit eine heimliche Überzeugung Wolffs aussprach.

Als Wolff sein Amt im Hauptquartier angetreten hatte, angeblich als Vertreter der Waffen-SS, bestand diese aus drei zwar einsatzfähigen, aber noch keineswegs erstklassig ausgerüsteten Divisionen und einem Regiment, der Leibstandarte, die bis dahin vorwiegend auf Paradeauftritte gedrillt war. Einiges hatte sich inzwischen verändert. Die Leibstandarte war im Begriff, sich zur Brigade auszuweiten. Die anderen Regimenter waren motorisiert und stärker bewaffnet worden, aber das war nicht das Werk Wolffs, denn das gleiche war auch mit vielen Infanteriedivisionen des Heeres geschehen. Verständlicherweise strebten Himmler und die SS-Spitze danach, die Kampfkraft ihrer Truppe zu verstärken, auch durch neue Einheiten. Ebenso verständlich ist es, daß die Führung des Heeres gegen ein weiteres Anwachsen der schwarzen Konkurrenz war. Sogar Hitler, auf den es letzten Endes ankam, schien zeitweilig gewillt, die Waffen-SS klein zu halten, getreu seinem Prinzip, niemand so stark werden zu lassen, daß nicht ein Gegengewicht dessen Abhängigkeit bewahrte. Zudem wollte er die Generalität des Heeres, die ihm bisher mit ihren vielen Divisionen die Siege geliefert hatten, nicht verärgern.
Wenn die Waffen-SS eine neue Division aufstellen wollte, mußten Himmler und Wolff im Hauptquartier dazu die Genehmigung einholen. Hitler hatte dem Oberkommando des Heeres zugesichert, »daß die Verbände der Waffen-SS im allgemeinen die Stärke von 5–10 Prozent der Friedensstärke des Heeres nicht überschreiten.« Er brauche diese bewaffnete Macht – so hatte Hitler die SS-Existenz begründet – als »eine Staatstruppenpolizei . . ., die in jeder Situation befähigt ist, die Autorität des Reiches im Innern zu vertreten und durchzusetzen«. Denn »das Großdeutsche Reich« werde »in seiner endgültigen Gestalt . . . mit seinen Grenzen nicht ausschließlich Volkskörper umspannen, die von vornherein dem Reich wohlwollend gegenüberstehen«.
Wie üblich hielt sich Hitler auch nicht an diese Vereinbarung. Bis Kriegsende kam die Waffen-SS auf 38 Divisionen. Viele von ihnen blieben an Kopfstärke, Bewaffnung und Ausrüstung hinter der Papierstärke eines solchen Verbandes zurück, aber das Limit wurde bei weitem überschritten. Berger, der ebenso wie die meisten Hauptamtchefs ohne eine entsprechende Vorbildung den Rang eines Generals bekam, schätzte, daß etwa 800000 Mann die Uniform der Waffen-SS getragen haben. Er und nicht Wolff war der Motor dieser Entwicklung, indem er immer wieder neue Möglichkeiten in Rekrutenwerbung entdeckte. Wolff hat ihm gewiß im Führerhauptquartier die Wege geebnet, und er hat sicherlich auch mit den Wehrmachtsgenerälen erfolgreich über die Zuteilung von Waffen, Munition und Fahrzeugen verhandelt, aber er hat sich dabei auch gehütet, seinen oft zitierten »Personalkredit« zu überziehen.
Himmler hat ihm zudem die Vertretung der Waffen-SS im Hauptquartier keineswegs allein überlassen. Als der Reichsführer-SS am 22. September 1942 im Hauptquartier »Werwolf« in der Ukraine bei seinem Führer vorsprach, berichtete er – so besagt sein Vermerk für die Akten – »über den Zustand der Waffen-SS«. Wolff erfuhr erst aus dem Durchschlag, daß den vier ältesten SS-Divisionen bei dieser Gelegenheit durch Führerbefehl jeweils eine zweite

Panzerabteilung und je eine Sturmgeschützabteilung angegliedert wurden. Belege solcher Art könnten beweisen, daß der Chef des Persönlichen Stabes sich intensiv für die Truppe einsetzte, aber sie sucht man vergebens in der sonst so reichlich vorhandenen Korrespondenz dieses Hauptamtes. Es scheinen andererseits auch die Kommandeure der SS-Division nie das Bedürfnis gehabt zu haben, sich des Fürsprechers im Hauptquartier zu bedienen.

Eine Ausnahme macht nur der Gruppenführer Theodor Eicke, Kommandeur der übel beleumundeten Totenkopf-Division, die anfangs vorwiegend aus KZ-Bewachern zusammengesetzt wurde und auch ihre Ergänzungen dorther bezog. Eicke schrieb Wolff immer, wenn er in Schwierigkeiten geraten war – und das war bei ihm der Normalzustand, weil er keine Gelegenheit zum Streit ausließ und ohne Hemmungen sich über Vorschriften hinwegsetzte. Wegen dieser Charaktermängel hatte ihn schon die Polizei der Weimarer Republik trotz bestandener Prüfungen nicht eingestellt und der Gauleiter der Pfalz, Josef Brückel, hatte den Parteigenossen Eicke schon als unverbesserlichen Querulanten vorübergehend in eine Irrenanstalt gesteckt. Bei der Röhm-Affäre hatten ihn sein verkümmertes Gewissen und sein robustes Gemüt zu einem Mord befähigt: Als der Stabschef der SA sich in seiner Gefängniszelle geweigert hatte, sich selber zu erschießen, hatte Eickes Pistole nachgeholfen.

Eicke pflegte Wolff seinen Freund zu nennen. Ihm klagte er in einer Kette von Briefen während des Jahres 1940 sein Leid. Er rebellierte gegen die Vorschriften, die ihm das Oberkommando des Heeres machte. Er verlangte, Wolff möge ihm zu einer Anzahl Haubitzen vom Kaliber 15 Zentimeter verhelfen, die angeblich herrenlos in den Werkshallen der Skoda-Werke in Pilsen herumständen. Er deutete auch die Möglichkeit an, daß er sie mittels eines Stoßtruppunternehmens dort abholen lassen könne, wenn seine Division nicht auf andere Weise zu einer Abteilung schwerer Artillerie käme. Auch bei der Beschaffung von Gewehren für Scharfschützen aus der polnischen Beute sollte Wolff behilflich sein. Dann wieder erbat er dessen Unterstützung gegen Berger, der das Ansehen Eickes bei Himmler untergrabe. Andererseits beklagte sich auch Berger bei Wolff über Eicke, weil dieser bei der Ausbildung von Rekruten Mißhandlungen durch Vorgesetzte zulasse. Auch gegen Jüttner sollte Wolff Beistand leisten; Eicke hatte einen seiner Offiziere, den geschicktesten »Organisierer« (wie man beim Kommiß Leute nannte, die mit List und Tücke für die Einheit stehlen konnten) ins Lager Dachau entsandt, weil er von den dortigen Beständen manches brauchen konnte, aber dieser Mann war festgenommen worden, als er sich mit einer Wagenkolonne voller Diebesgut aus dem Tor stehlen wollte. Nun sollte Wolff das Kriegsgerichtsverfahren gegen diesen Offizier verhindern, denn dabei würde zutage kommen, daß dies alles auf Befehl des Kommandeurs Eicke geschehen sei.

Im Frankreich-Feldzug benahmen sich Eicke und seine Männer wie die Freibeuter auf den Meeren. Als sich deswegen bei Himmler die Klagen häuften, schrieb Eicke am 8. 10. 1940 an Wolff: »Seitdem ich die Heimat verlassen habe, haben es gewisse Kreise darauf abgesehen, das Vertrauen des Reichsführers-SS, das ich

38: Von Spendengeldern
s »Freundeskreises« bezahlt,
nenkt die SS Hitler ein
iginalgemälde von Menzel
m Geburtstag.
Hintergrund: Der Chef
r Leibstandarte Hitlers, Sepp
etrich, und Wolff.
ten: Großer Bahnhof für
ler, der nach dem Anschluß
sterreichs nach Berlin
rückkehrt. Im Gefolge Wolff
Paradeuniform mit weißen
ntelaufschlägen.

Himmler (Mitte) auf der Pirsch mit Wolff und (rechts im Bild) Polizeigeneral Kurt Daluege.

SS-Staatsbesuch in Italien. Himmler nach der Kranzniederlegung am Gefallenen-Ehrenmal in Rom. Im Gefolge: (von links) Wolff, Daluege und Heydrich.

f in Öl, im Gesellschaftsanzug der SS-Führer

: Auf der Prager Burg, dem Hradschin,
der Besetzung der Rest-Tschechoslowakei.
es Foto: Martin Bormann, Himmler, Wolff.

1939: In harmonischer Übereinstimmung. Himmler und sein Chefadjutant, den er freundschaftlich »Wölfchen« nennt. Unten: Hitler beim Manöver des SS-Regimentes »Deutschland« in Munsterlager. Links von Hitler: Wolff und Himmler. Mit dem Rücken zur Kamera: Regimentskommandeur Felix Steiner.

jahrelang besessen habe, mit allen Mitteln zu untergraben.« Wiederum half Wolff. Es scheint, als habe er manche Beschuldigungen gegen SS-Einheiten abgefangen, ehe sie zu Himmler gelangten. Wolff war dabei nicht immer erfolgreich, aber wenn es dann zu einer Auseinandersetzung kam, konnte niemand die Gemüter besser beschwichtigen als er, und kein anderer verstand es so gut, Strittiges auf den St. Nimmerleinstag zu verschieben.

Erholung von solchem Kameradenzwist gewann Wolff während der zweiten Hälfte des Jahres 1940 bei ausgedehnten Reisen. Himmler und sein ständiger Begleiter konnten jetzt unbesorgt Berlin verlassen; sie wußten, daß keine weltbewegenden Ereignisse zu erwarten waren. Für das »Unternehmen Seelöwe« hatte Hitler zwar einen gewaltigen Auftrieb von Prähmen und Kähnen der unterschiedlichsten Art in den festländischen Kanalhäfen zusammengezogen, aber dann ließ er die Vorbereitungen für eine Landung in England einschlafen. Sein Plan setzte nämlich voraus, daß die Luftwaffe zuvor die britische Air Force nahezu vernichte – und eben dies gelang nicht. So war denn jetzt die Rede davon, man werde den letzten und zähesten Feind auf andere Weise in die Knie zwingen – mit U-Booten, Bomben und mit Tritten in den »weichen Unterleib« in Afrika und Asien. Frankreich und Spanien sollten dabei Bundesgenossen sein. Mit der deutschen Besatzung in der Hälfte ihres Staatsgebietes waren die Franzosen auf Hitlers Wohlwollen angewiesen, und die Spanier schuldeten ihm Dank, weil die deutschen Soldaten der »Legion Condor« dem Generalissimus Franco geholfen hatten, die Republikaner zu besiegen. Mittels einer herbstlichen Reise zu den Staatschefs, zu Marschall Petain und zu Franco, hoffte Hitler, sie für seine Pläne zu gewinnen.

Das alles berührte in keiner Weise die Zuständigkeit der SS, aber Himmler glaubte wohl, es sei seinem Ansehen dienlich, wenn er sich als Vorkommando aufspiele. Also flogen er, Wolff und der übliche Troß am 17. Oktober nach Paris. Dort nahm von ihrer Landung niemand Notiz; die französische Regierung hatte sich bei der Niederlage in das Heilbad Vichy im unbesetzten Teil Frankreichs zurückgezogen, und der deutsche Militärbefehlshaber in der Hauptstadt des Landes sah wohl keinen Anlaß, dieser Reisegruppe wegen zum Flughafen Le Bourget zu fahren. Nach einem eilig eingenommenen Mittagessen konnte die SS-Mannschaft wieder in ihre Maschine steigen. Kurz vor Einbruch der Nacht landete sie in Bordeaux. Dort hatte Wolff das Vergnügen, von seinem Freund Theodor Eicke begrüßt zu werden. Dessen Totenkopf-Division war im französischen Süden einquartiert. Sie zelebrierte für Himmler natürlich eine Parade.

Am folgenden Samstag überschritten die Reisenden in Irun die Grenze nach Spanien. Hier wie auch während der weiteren Reise in San Sebastian, Burgos, Madrid, Toledo und Barcelona ließ die spanische Höflichkeit keine Gelegenheit aus, die Gäste zu ehren und ihnen zu zeigen, was das Land an Sehenswürdigkeiten bieten konnte. Sie sahen einen Stierkampf, besichtigten die Prunkresidenz Escorial, den im Bürgerkrieg heiß umkämpften Alcazar und die Gemälde im Prado. Alles spielte sich, obgleich auf fünf Tage verteilt, im Eiltempo ab. Sie speisten mit dem Innenminister, wurden von Franco empfangen, bekamen

Orden angesteckt, aber längere Gespräche waren nur bei den Mahlzeiten möglich, und sie blieben am Tisch ebenso unpolitisch wie unverbindlich.
Wie ihr Führer, der sich am Tag ihres Rückflugs nach Berlin mit Franco in Hendaye an der französischen Grenze traf, lief sich auch der SS-Stoßtrupp in der zeremoniellen Perfektion der Gastgeber fest. Himmler war insofern besser dran als Hitler, als er wenigstens etwas mitnehmen konnte. In Segovia hatten sich vor eineinhalbtausend Jahren die germanischen Westgoten im Verlauf der Völkerwanderung niedergelassen, und nun waren Archäologen dabei, ihre Hinterlassenschaften auszugraben. Der Zufall und der spanische Innenminister wollten es, daß in Anwesenheit des hohen Gastes aus Neu-Germanien ein paar Restbestände frisch entdeckt wurden. Der Reichsführer-SS bekam sie geschenkt.
Auf diese Weise führten Himmler und sein Clan ein Leben, wie es Siegern zusteht, und sie konnten sogar sagen, daß sie im Dienst für das Vaterland sich abrackerten. Sie besuchten und sie wurden besucht, sie besichtigten und zeigten im Gegenzug Sehenswertes des Dritten Reiches. So bekamen niederländische Faschisten das KZ Dachau zu sehen, ein Vertrauensbeweis unter Stammverwandten. Die ebenfalls stammverwandten Norweger konnten sogar schon eine landeseigene SS präsentieren, als Himmler und Wolff ihr Land bis Narvik im hohen Norden bereisten. Überall und bei jeder Gelegenheit wurden kernige Worte gesprochen, und an manchen Tagen wurde festlich getafelt, indessen die Deutschen daheim sich mit den Rationen begnügen mußten, die sie auf ihre Lebensmittelkarten zugeteilt bekamen, und die Menschen in den besiegten Ländern noch knapper gehalten wurden.
Zwischendurch mußte von Amts wegen weniger Amüsantes in Kauf genommen werden. So die Besichtigung eines Steinbruches bei Groß-Rosen, 45 Autominuten von Breslau entfernt. Er war im Fahrtenprogramm nicht ausdrücklich als Konzentrationslager gekennzeichnet, weil Peinliches ungern beim Namen genannt wird. Am 1. März 1941 ließen sich Himmler und Wolff durch das KZ Auschwitz führen. Dort war die Mordmaschinerie noch nicht angelaufen; erst fünf Monate später gab der Reichsführer-SS dem Lagerkommandanten Rudolf Höß den Befehl, im Nebenlager Birkenau einen Großbetrieb zur Vernichtung von Menschen einzurichten. Die Eindrücke waren deshalb noch nicht ernst genug, um etwa die Stimmung bei der anschließenden fröhlichen Feier zu beeinträchtigen; der SS-Gruppenführer Erich von dem Bach-Zelewski hatte Geburtstag. Er war künftig für Aufgaben vorgesehen, die einen Mann ohne Skrupel erforderten.

7
Der Messias der nächsten 2000 Jahre

Die Männer der SS-Spitze kannten zu diesem Zeitpunkt gewiß schon Hitlers »Weisung Nr. 16« zum »Fall Barbarossa«, datiert vom 16. Dezember 1940 – wenn nicht im Wortlaut, so doch in der Tendenz. Es war der Befehl, den Angriff auf die Sowjetunion vorzubereiten. Deshalb war es gewiß kein Zufall, daß Himmler und Wolff gerade jetzt ein Lager besichtigten, das durch die bevorstehenden Ereignisse erst einen besonderen Rang bekommen würde. Der Geburtstagsfeier taten solche Gedanken keinen Abbruch. Sie dauerte bis in den Morgen des folgenden Tages; das Programm für die Vormittagsstunden war in kluger Voraussicht locker gehalten und ohne feste Uhrzeiten geblieben.
Sollten Himmler und sein Trabant bis zu diesem Tag noch nicht gewußt haben, wo der Schwerpunkt ihrer künftigen Aufgaben liegen würde, so erfuhren sie es spätestens am 13. März 1941. Hitler verfügte in der ihm eigenen, für Außenseiter vieldeutigen Formulierung: »Im Operationsgebiet des Heeres« (beim Ostfeldzug) »erhält der Reichsführer-SS zur Vorbereitung der politischen Verwaltung Sonderaufgaben, die sich aus dem endgültig auszutragenden Kampf zweier entgegengesetzter politischer Systeme ergeben. Im Rahmen dieser Aufgaben handelt der Reichsführer-SS selbständig in eigener Verantwortung.«
In jenen Tagen füllte sich das Führerhauptquartier wieder mit seinen gewohnten Akteuren. Sie waren zwischenzeitlich nur sporadisch in Anspruch genommen worden; Hitler war häufig unterwegs gewesen, auf dem Berghof, in Wien, Linz. Doch als ein Militärputsch in Belgrad die jugoslawische Regierung stürzte, weil sie eben erst mit Hitler paktiert hatte, kam Alarmstimmung auf in der Berliner Reichskanzlei. Er drohte, er werde die Länder des Balkan mit einem Blitzfeldzug unterwerfen, soweit sie sich nicht der Achsenpolitik anschlössen. Ihm schien dies um so dringlicher, als die Streikräfte des Duce bei dessen mutwillig begonnenem Feldzug gegen den Zwergstaat Albanien wie auch bei seinem Angriff auf Griechenland schlimme Schläge bezogen hatten. Das Prestige der Achse stand auf dem Spiel. Die Schlappe drohte verhängnisvoller zu werden, weil bereits englische Truppen auf griechischem Gebiet gelandet waren, um den Angegriffenen zu Hilfe zu kommen und um (wie schon im Ersten Weltkrieg von Winston Churchill, dem nunmehrigen britischen Premierminister geplant) die Deutschen im Rücken zu fassen.
Solche Sorgen hatten Hitler nicht gerade friedlich gestimmt, als ihm am 7. April

die SS gleichsam mit einem Terzett in stärkster Besetzung wieder einmal ihre Beschwerden vortrug. Himmler, Heydrich und Wolff forderten mehr Vollmachten für das Schwarze Korps auf Kosten des Heeres. Sie klagten Wehrmachtsgeneräle in Polen, Holland und Norwegen an, sie würden die »Befriedungsaktionen« der SS in diesen Ländern sabotieren. Sie verlangten, die Feldkommandaturen der Militärverwaltungen müßten mit SS-Führern besetzt werden. Sie berichteten, die unterworfene Bevölkerung würde aufsässig, sobald sie merkte, daß eine Heeresdienststelle die Polizeimaßnahmen nicht billigte. Es könnte doch wohl nicht erwünscht sein, daß Wehrmachtsärzte kranke Polen behandelten. In Radom habe ein Arzt in der Uniform des Heeres sogar die Leitung eines polnischen Krankenhauses übernommen, das zudem noch von katholischen Schwestern betrieben würde.
Himmler erläuterte seine Pläne, wonach alle Polen in einigen Gebieten ihres Landes konzentriert und damit auch isoliert würden. Krakau sollte eine rein deutsche Stadt werden. In Holland plane die SS Reichsschulen, ebenso in Norwegen; auf lange Sicht gesehen sollten damit die dort Ansässigen wieder enger mit ihrer germanischen Herkunft und damit auch mit dem deutschen Stammesland verbunden werden. Auch in Flandern werde in der gleichen Richtung gearbeitet, aber die SS-Anstrengungen würden beeinträchtigt durch den Widerstand der Militärverwaltung, die sich mit der katholischen Geistlichkeit verbünde. Zeugen dieser SS-Anklagen waren der Generalfeldmarschall Keitel und Hitlers Heeresadjutant Gerhard Engel. Dieser vermerkte in seinen Notizen, die SS habe wieder einmal mehr gegen das Heer gehetzt. Die drei hätten ihre Klagen »bieder« geschickt, aber auch gemein vorgetragen, so daß sie mit einem »gelungenen Schuß« gegen das Heer wieder einmal Hitlers Zustimmung gefunden hätten.
Als Hitler sich dieses Lamento anhörte, lagen bereits seit Stunden Teile der jugoslawischen Hauptstadt in Trümmern. Ohne Kriegserklärung hatten deutsche Bomberstaffeln am 6. April 1942 in den frühen Morgenstunden Belgrad angegriffen. Vier Tage später stieg Hitler abends wieder mit Gefolge in seinen Sonderzug. Sie machten kurz Station in München. Am Abend des 11. April ging die Reise weiter in die Steiermark. Etliche Dutzend Kilometer von der jugoslawischen Grenze entfernt, beim Bahnhof Mönichkirchen, war der Zug wie schon in Polen Sitz des Hauptquartiers. Die Bahnstrecke war weithin abgesperrt, und bei Luftangriffen war vorgesehen, daß der Zug in einem Tunnel verschwinden würde. Die Vorsicht war unnötig; die feindlichen Flugzeuge der Balkanstaaten waren schon in den ersten beiden Tagen des Feldzugs am Boden zerstört worden. Zehn Tage nach Beginn der Kämpfe, an Hitlers Geburstag, war der Krieg faktisch beendet, als sich die noch kampffähigen Reste der griechischen Streitmacht der SS-Leibstandarte ergaben. Jugoslawiens Soldaten hatten schon einige Tage zuvor kapituliert. Dem SS-Generalleutnant Wolff gab der kurze Feldzug fast nichts zu tun, wohl aber durfte er bei zwei Staatsbesuchen wieder einmal eine dekorative Statistenrolle spielen: König Boris von Bulgarien und Ungarns Staatsoberhaupt, der Reichsverweser Admiral Nikolaus von Horthy,

machten im Hauptquartier dem Sieger ihre Aufwartung. Ihre Streitkräfte hatten in beschränktem Umfang am Krieg mitgewirkt, und nun wollten sie sich die Belohnung zusichern lassen.
Am 28. April waren Hitler und Gefolge wieder am gewohnten Ort in Berlin, doch mit der Ruhe war es nun vorbei. Der Balkanfeldzug hatte des Führers ursprünglichen Zeitplan für das Unternehmen »Barbarossa« durcheinandergebracht. Jetzt drängten die weiteren Vorbereitungen für den Ostfeldzug; die Vernichtungsschlachten sollten gewonnen und Stalins Staat zerschlagen sein, ehe die Schlammzeit Ende Oktober und der daran anschließende Winter die motorisierten Divisionen lahmlegen würden.
Schon einen Tag nach der Rückkehr in die Reichshauptstadt standen Himmler und Wolff wieder im Scheinwerferlicht. Offiziersanwärter des Heeres, der Luftwaffe, der Marine und der Waffen-SS waren in den Berliner Sportpalast beordert worden, damit Hitler sie mit einer großen Rede auf die Zukunft vorbereite. Er ließ sich zusichern, daß diese 9000 jungen Männer »heldenhaft sterben« würden. Nach weiteren fünf Tagen erlebte Wolff in seinem Reichstagssessel, wie sein Führer den Sieg im Balkankrieg feierte.
Während des ganzen Mai bis in den Juni hinein ging es im Hauptquartier turbulent zu. Schauplatz war meist der Berghof über Berchtesgaden. Dort erhielt Hitler die Nachricht, daß sein Stellvertreter in der Partei, Rudolf Heß, im Alleinflug mit einer Messerschmidt-Maschine nach Schottland geflogen war, weil er wähnte, durch Verhandlungen Frieden mit Großbritannien stiften zu können. Weil ein Bataillon freiwilliger Mitstreiter aus Frankreich in die Wehrmacht aufgenommen wurde, kam Admiral Darlan, Vizepräsident des französischen Ministerrats auf den Obersalzberg.
Im Iran brach ein vom SD-Auslandssektor angezettelter Aufstand gegen die britische Mandatsherrschaft aus; wenige deutsche Soldaten wurden nach Bagdad geflogen, aber wenn man im Hauptquartier gehofft hatte, die ganze arabische Welt werde nun zu den Waffen eilen, dann war das ein Irrtum. Bereits nach einer Woche war der Aufstand niedergeschlagen. Einige der arabischen Würdenträger entkamen nach Berlin. Sie wurden dort vom SD betreut; das einzig Bemerkenswerte an ihnen blieb auf die Dauer nur ihr Frauenkonsum.
In der zweiten Maihälfte erlitten die Engländer doch noch eine Schlappe: Kreta wurde von deutschen Soldaten, in erster Linie Fallschirmjäger, unter großen Verlusten erobert. Staatsakte gab es außerdem noch; Hitler traf sich einmal mehr mit Mussolini, und zu Besuch kamen der rumänische Staatschef General Antonescu sowie Ante Pawelitsch, Diktator eines aus jugoslawischen Restbeständen neu etablierten Kroatenstaates.
Ob zu dieser Zeit Himmler und Wolff schon wußten, daß am 22. Juni 1941 drei Stunden nach Mitternacht der Angriff auf Stalins Staat an der 1500 Kilometer langen Grenze von der Ostsee bis zum Schwarzen Meer beginnen würde? Daß die Sowjetunion das Opfer des nächsten Feldzugs sein werde, war längst ein offenes Geheimnis in ihren Kreisen, aber das genaue Datum galt als streng geheim. Gemäß einem generellen Befehl Hitlers durfte jedermann nur soviel

wissen, wie er benötigte, um seine Aufgabe zu erfüllen, und er durfte es nicht früher erfahren als unbedingt nötig. Der Reichspressechef, Dr. Otto Dietrich, behauptete, er habe erst am Vortag des Angriffs an dem hektischen Betrieb in der Reichskanzlei gemerkt, daß »etwas Ungeheuerliches gegen Rußland im Gange war«. Dabei war er immerhin ein Angehöriger des Persönlichen Stabes Reichsführer-SS mit dem Ehrenrang eines Gruppenführers und (was noch höher anzusetzen ist) in der Spitzenmannschaft der NSDAP ebenso zuhause wie im Propagandaministerium. Andererseits jedoch verriet ein deutscher Unteroffizier, der Tage zuvor zu den Russen desertiert war, den bevorstehenden Angriff und den Termin – freilich ohne ernst genommen zu werden.
In den ersten Tagen nach dem 22. Juni hörten die Deutschen wenig vom Verlauf des Ostfeldzugs. Hitler wartete, weil er als Auftakt einen großen Sieg verkünden wollte und weil die Generäle den fliehenden Gegner nicht über den Stand der Front informieren wollten. Die Reichskanzlei blieb noch für 36 Stunden der Sitz des Hauptquartiers. Erst am 23. Juni um die Mittagszeit fuhr wieder die Autoschlange aus dem Regierungssitz hinaus auf die Wilhelmstraße, diesmal zum Anhalter-Bahnhof. Das Ziel des Sonderzuges lag in Ostpreußen, in der Nähe der Kleinstadt Rastenburg, mit ihren 15000 Einwohnern etwa 80 Kilometer von der russischen Grenze entfernt. Acht Kilometer entfernt war in einem dichten Nadelholzwald ein festes Hauptquartier vorbereitet worden. Hitler gab ihm den Namen »Wolfsschanze«. Der Gruppenführer Karl Wolff hatte dort für die nächsten zwanzig Monate seine mehr oder weniger feste Bleibe.
So romantisch auch Wolff in den ersten Tagen nach dem Einzug in die »Wolfsschanze« ein Leben mitten im Wald und ständig auf Tuchfühlung mit seinem Führer empfunden haben mag – auf die Dauer müssen die Eintönigkeit der Umgebung, die immer gleichen Gesichter und der fast unveränderliche Tagesablauf doch auf die Stimmung geschlagen haben. Auch die strengen Sicherheitsmaßnahmen mußten ihm mit der Zeit lästig fallen. Es gab drei Sperrkreise, deren innerster mit der Nummer III rund um den Führerbunker gezogen war und nur von Auserwählten betreten werden durfte.
Etwa ein Kilometer davon entfernt hemmten ein Zaun und ein Wachkommando den Weg in den Sperrkreis I; es kontrollierte in der »Försterei Görlitz« Ausweis und Person von jedermann, der durch das Tor wollte. Wolff kannte die meisten SS-Männer des Wachkommandos; sie kamen zumeist aus München, oder er hatte sie im Lauf seiner Tätigkeit als Adjutant von Himmler kennengelernt. Bei ihm verzichteten sie häufig auf die umständlichen und zeitraubenden Prozeduren, denen jeder Besucher unterworfen wurde. Auf einer gut ausgebauten Waldstraße erreichte man die Unterkünfte, die in zwei Komplexe aufgeteilt rechts und links der Hauptstraße in lockerer Ordnung zwischen den Bäumen standen. Es waren vielfach schlichte Wehrmachtsbaracken aus Holz, aber im Sperrkreis II und in III waren eine Anzahl aus Beton gebaut, mit Decken und Wänden bis zu sechs Metern Stärke. Diese massive Bauweise war freilich nur für den Schutz der Schlafräume aufgewendet worden; die Arbeitsräume im vorderen Teil einer Unterkunft waren nur splittersicher.

Wolffs Unterkunft lag im Sperrkreis III, nur 200 Meter von Hitlers Bunker entfernt. In unmittelbarer Nähe hausten der NSDAP-Reichsleiter Martin Bormann, der Reichspressechef Dr. Dietrich, Generalfeldmarschall Wilhelm Keitel und Generaloberst Alfred Jodl. Innerhalb dieses Sperrkreises lebten auch die Adjutanten Hitlers, seine Sektretärinnen und seine Diener. Jeder kannte jeden in diesem viereckigen Areal von etwa 500 Meter auf 250 Meter, aber die Rangunterschiede verhinderten meist, daß man sich menschlich näherkam. Zwangsläufig entstanden Cliquen, deren Mitglieder untereinander Informationen austauschten und Bündnisse schlossen. Die Ranghöchsten trafen sich täglich im Casino, wenn Hitler seine Mahlzeiten einnahm. Keitel, Jodl und Bormann saßen ständig am Tisch auf festen Plätzen in der Nähe Hitlers. Er ließ in den ersten Monaten das Mittagsmahl regelmäßig um 14 Uhr auftragen. Abendessen gab es um 19.30 Uhr. Häufig geriet Hitler nach den Mahlzeiten ins Proklamieren und Deklamieren; war er erst ins Reden gekommen, ließ er sich kaum bremsen. Es wagte auch niemand, ihm zu widersprechen.

Wer zum ersten Mal in einem der zwanzig eichenen Sessel an der massiven Tischplatte aus gleichem Holz Platz nahm, wurde enttäuscht. Häufig wurde Gemüsesuppe serviert, dazu Brot, manchmal ein wenig Quark und noch weniger Butter. Wie schon in Berlin bekamen die Köche nur zugeteilt, was jedem Soldaten zustand. An jedem Sonntag, für den die Partei ein Eintopfgericht vorgesehen hatte, gab es solch ein frugales Mahl. Das abendliche Beisammensein pflegte Hitler immer mehr in die Länge zu ziehen, bis tief in die Nacht, und in seinen Monologen wiederholte er sich ständig. Mancher Zuhörer vernahm die Stimme seines Herrn oft nur noch im Halbschlaf.

Den Vormittag nutzte Wolff zumeist, um die aus seinem Hauptamt per Kurier nachgesandten Akten und die Post zu studieren. Da ihm im Hauptquartier keine Schreibkraft zugeteilt wurde, schrieb er auf Briefe nur Stichworte, aus denen seine Dienststelle in Berlin die Antwort formulierte. Sie kamen zur Unterschrift wieder nach Ostpreußen. Um 12 Uhr begann im Lager der offizielle Dienstbetrieb mit der Lagebesprechung, in der die militärischen Ereignisse der letzten 20 Stunden vorgetragen wurden. Wolff sah man bei gutem Wetter schon vorher auf Fahrstraßen und Fußwegen lustwandeln. Sein hoher militärischer Rang erlaubte es ihm, die meisten Männer, denen er begegnete, vor allem aber die Adjutanten Hitlers mit der Frage nach Neuigkeiten in ein Gespräch zu verwickeln. Da er zur Lagebesprechung nicht generell zugelassen war, mußte er auch auf diese Weise Informationen sammeln. Bei den jüngeren Jahrgängen hieß er deswegen bald ziemlich respektlos »General-was-gibt's-Neues«. Auch bei der Nachmittagslage um 16 Uhr waren die Vertreter der Wehrmachtsführung lieber unter sich. Sie fehlten dann zumeist in den abendlichen und bis lange nach Mitternacht andauernden Gesprächsrunden, in denen zumeist nur Hitlers Stimme zu hören war. Wolff war dabei ein von seinem Führer gern gesehener Gast – vielleicht weil er schweigsam war. Soweit diese Gepräche aufgezeichnet wurden, wird sein Name nie erwähnt.

Nach seiner eigenen Darstellung war es seine Aufgabe, Befehle Hitlers an

Himmler weiterzugeben und umgekehrt Himmlers Wünsche bei Hitler vorzutragen. Außerdem verhandelte er im Auftrag des Reichsführer-SS mit Dienststellen der Wehrmacht, der Partei und des Staates, soweit sie im Hauptquartier einen Beauftragten unterhielten. Verhandlungen dieser Art fielen an, weil Hitler einen Vorschlag erst dann durch seine Unterschrift absegnete, wenn die Zustimmung aller beteiligten Institutionen vorlag. Sehr viel beschäftigte Wolff der fast pausenlose Streit zwischen dem Reichsführer-SS und dem Reichsaußenminister von Ribbentrop.

Viele Menschen, die Hitler aus der Nähe erlebten, bescheinigten ihm eine gewinnende, ja sogar charmante Freundlichkeit, die sich in keiner Weise deckt mit dem historischen Bild des Gewaltherrschers und Massenmörders. Auch Wolff, der seinen Führer seit Jahren kannte, verehrte und bewunderte ihn um so mehr, als Hitler den hochgewachsenen SS-Gruppenführer gelegentlich durch vertraulichen Umgang auszeichnete, etwa indem er ihn aufforderte, er möge ihn bei seinem morgendlichen Kurzspaziergang im Wald des Sperrkreises III begleiten. Bei solchen Gelegenheiten vertrug Hitler sogar Widerspruch – weil niemand Zeuge war, wie seine Autorität in Frage gestellt wurde. Auch traf Wolff mit seinem geschraubten Casino-Deutsch genau den Ton, den sein Führer als charakteristisch für einen ehrlichen und ergebenen Gefolgsmann wertete.

Es wäre ein Wunder gewesen, wenn Wolff unter solchen Umständen im Hauptquartier nur Sympathien begegnet wäre. Hängt alles vom Willen eines Potentaten ab, dann liegen die Menschen seiner Umgebung ständig auf der Lauer, wie sie Konkurrenten ausschalten können. Durch Gerüchte, Halbwahrheiten, Andeutungen entstehen und vergehen Freund- und Feindschaften. Auch Klima und Landschaft waren nicht dazu angetan, die gespannte Atmosphäre in diesem Zentrum der Macht aufzulockern. Die Baracken und Bunker wurden überragt von hohen Bäumen mit dichten Kronen. Sie schützten vor Fliegersicht, nahmen aber auch das Licht weg. Der Waldbestand war eintönig. Jenseits des äußersten Zaunes lagen zwei Seen mit reizvollen Ufern, aber innerhalb des Lagers waren weite Flächen sumpfig und damit vom Frühjahr bis tief in den Herbst hinein Brutstätten für Mückenschwärme. Die Betonbunker waren fensterlos, die Wände meist kühl und feucht. Der Chefdolmetscher des Auswärtigen Amtes, Dr. Paul Schmidt, sah, daß »in Hitlers Räumen unter den dunklen Schatten der Waldbäume oft den ganzen Tag über das elektrische Licht« brannte. Er empfand die Dämmeratmosphäre »niederdrückend« und er atmete jedesmal erleichtert auf, wenn er »den finsteren Wald wieder verlassen konnte«.

Schmidt bedauerte alle, die »dienstlich . . . wochen- ja sogar monatelang wie die Gefangenen in dem großen Walde leben mußten«. Generaloberst Alfred Jodl schilderte bei seiner Vernehmung im Nürnberger Kriegsverbrecherprozeß das Hauptquartier als ein »Mittelding zwischen Kloster und Konzentrationslager«.

Wolff war besser dran als die meisten der Mitbewohner. In regelmäßigen Abständen konnte er sich für Tage nach Berlin beurlauben lassen, in sein Amt und nebenbei auch zu seiner Geliebten, der verwitweten Gräfin Bernstorff, die in Berlin eine Wohnung gemietet hatte. Ebenso häufig fuhr er zu Himmler, der in einem eigenen Hauptquartier hauste, dem Sonderzug »Heinrich«, der etwa 30 Kilometer von der »Wolfsschanze« entfernt stationiert war. Dann und wann forderte ihn Himmler auch für eine Reise an. Vermißt wurde er bei solchen Abwesenheiten im Hauptquartier nicht, wie er denn überhaupt in diesem Kreis weniger die Rolle eines Handelnden als die eines Beobachters spielte. Wer immer in der »Wolfsschanze« gelebt und später darüber geschrieben hat, erwähnt Wolff überhaupt nicht oder nur beiläufig. Zum Teil mag die Ursache sein, daß man ihm trotz seiner jovialen Freundlichkeit nicht traute; er galt immerhin als die rechte Hand eines Mannes, der die Gestapo, den SD und auch die Konzentrationslager unter sich hatte. Außerdem: was schon während der ersten Wochen des Feldzugs über Einheiten der SS mehr getuschelt als geredet wurde, war nicht dazu angetan, das Vertrauen in deren lokalen Generalvertreter zu stärken.

Schon im März 1941, also lange vor Feldzugsbeginn, hatte Hitler sowohl den Spitzen der Wehrmacht als auch der Partei und der SS verkündet, was demnächst im Osten beginne, sei »mehr als nur ein Kampf mit Waffen«. Was er damit meinte, enthüllte der sogenannte »Kommissarbefehl«. Er schrieb vor, alle politischen Kommissare der Roten Armee, »wenn im Kampf oder Widerstand ergriffen . . ., grundsätzlich sofort mit der Waffe zu erledigen«. Vorgesehen wurden dafür Sonderkommandos der SS mit dem Auftrag, in den Kriegsgefangenenlagern alle kommunistisch aktiven Elemente auszusondern und zu liquidieren. Auch die Juden als Quelle allen Übels in der Welt waren auszumerzen. Wie schon im Polenfeldzug, nur noch stärker an Zahl und brutaler wüteten seit Kriegsbeginn Einsatzgruppen und ihre Einsatzkommandos hinter der Front. Reinhard Heydrich, Chef der Sicherheitspolizei, hatte vier Einsatzgruppen mit 3000 Mann hinter den vorrückenden Soldaten hergeschickt und sie auf einen »Einsatz von unerhörter Härte« vorbereitet. Im Rußlandfeldzug kamen sie gleich mit den ersten Panzern in die Dörfer, damit niemand Zeit fände, zu fliehen oder sich zu tarnen. Ihre Opfer waren die kommunistischen Funktionäre, die Beamten des Staates und die Juden. Natürlich bekämpften sie auch Partisanen, wenn diese im Rücken der kämpfenden Wehrmacht die Bahnlinien sprengten, Transporte auf den Straßen überfielen, Wachtposten und Etappeneinheiten niedermachten. Wie während des Polenfeldzugs war es auch jetzt wieder Wolffs Aufgabe, das blutbefleckte Wappenschild des Schwarzen Ordens zu säubern – wenigstens insoweit, als die Offiziere der Wehrmacht sich darüber empörten.

Schon während der ersten Feldzugswochen hatten die Einsatzkommandos im Mittelabschnitt der Ostfront viel Arbeit. Mitte Juli lagerten bereits 300000 Rotarmisten als Kriegsgefangene hinter Stacheldraht. Den deutschen Kameraden durften sie gemäß einer Weisung Hitlers nicht als »Kamerad« gelten; sie blieben, wenngleich entwaffnet, weiterhin Feinde und damit zur Vernichtung bestimmt. Eine der vier Einsatzgruppen im Mittelabschnitt befehligte der SS-Brigadeführer Otto Ohlendorf. Er hat 1946 bei seiner Vernehmung vor dem

Internationalen Militärgericht in Nürnberg geschildert, wie den Kommandoführern »vor dem Abmarsch mündlich Weisung erteilt« worden war, »daß ... im russischen Territorium die Juden zu liquidieren seien ebenso wie die politischen Kommissare der Sowjets«. Himmler habe mitgeteilt, daß dieser Befehl auf Hitlers Weisung basiere und daß auch die Spitzen der Wehrmacht unterrichtet seien.

Bereits Ende Juli 1941 trafen im Führerhauptquartier so viele Proteste und Anklagen gegen die Mordpraktiken der Einsatzgruppen ein, daß Himmler sich zu Inspektionsreisen entschloß. Einer seiner Adjutanten bekam Befehl, diese Reisen vorzubereiten. So erfuhr denn der Höhere SS- und Polizeiführer Mitte, Erich von dem Bach-Zelewski, SS-Gruppenführer und Generalleutnant der Polizei per Funk: »RFSS beabsichtigt zweitätige Reise durch Ihr Gebiet.« Vorgesehen wurden Besuche in Baranowicze, Minsk, Orscha. Für die Übernachtungen und die Mahlzeiten hatte von dem Bach zu sorgen. Die Teilnehmerliste führt nach Himmler als ersten Wolff auf. Sie nennt ferner einen prominenten Zivilisten, den von Hitler hochgeschätzten »Reichsbühnenbildner« Benno von Arent, der nicht nur die Bühnen der namhaftesten Theater dekorierte, sondern auch berufen wurde, wenn wichtige Partei- und Staatsakte ein besonders eindrucksvolles Bild bieten sollten.

Was der Theaterfachmann auf dieser Reise am 15. und 16. August 1941 zu sehen bekam, dürfte ihn mehr als jedes von ihm in Szene gesetzte Drama erschüttert haben. In Minsk berichtete der Führer der Einsatzgruppe Mitte, der SS-Brigadeführer Arthur Nebe, über die Sicherheitslage in seinem Bereich und von dem Bach schilderte, wie die Mordkommandos ihre Opfer einfingen – bei Razzien in Stadt und Land, beim Durchkämmen von Kriegsgefangenenlagern, bei stoßtruppähnlichen Unternehmen in die Weite des Landes und besonders bei größeren Aktionen gegen Dörfer mit jüdischer Bevölkerung. Wo auch nur ein Verdacht auf Sabotage oder auf Unterstützung von Partisanen bestand, hielten sie sich nicht mit der Suche nach den Schuldigen auf; sie erschossen sofort Geiseln.

Dienstsitz der Einsatzgruppe war ein vielgeschossiger Betonbau in der Minsker Innenstadt. Bis vor kurzem hatte dort das NKWD, Stalins politische Polizei, ihren Sitz gehabt. Da die neuen Benutzer sich von den früheren kaum unterschieden, eignete sich der Komplex hervorragend für die deutsche Sicherheitspolizei. Hier schilderte Nebe, im Frieden einer der fähigsten Kriminalisten jener Tage, dem inspizierenden Himmler, wie zäh, bedürfnislos und fanatisch die Gegner seien. Bei den Partisanen und Saboteuren finde man zwar kaum Juden, aber sie seien nichtsdestoweniger gefährlich, weil sie ein engmaschiges Nachrichtennetz über das Land gelegt hätten und dadurch die Überfälle und die Sabotageakte erst ermöglichten. Himmlers Reaktion: noch härter vorgehen.

Dazu meinte Wolff 1961 gegenüber einem Journalisten: »Heute halte ich es für möglich, daß er (Himmler) in diesen Minuten in Minsk auf die furchtbare Idee kam, die Millionen Juden im Osten, von denen ja nur ein kleiner Teil Spione war, zu vernichten.« Die Frage ist, ob er das ernsthaft meinte. Oder nutzte Wolff

diese Rückbetrachtung nur, um zu verschleiern, daß er die Mordbefehle eben doch von Anfang an gekannt hatte? Wenn nicht, dann mußte er sie an diesem Tag spätestens in ihrer ganzen Härte erleben. Einer der Teilnehmer an diesem Treffen, Dr. Otto Bradfisch, SS-Obersturmführer und Chef des Einsatzkommandos 8, gestand nach dem Krieg, ihm sei sehr bald klargeworden, daß die Juden keine Gefahr für die kämpfende Truppe bildeten und daß man sie schlicht und einfach ausrotten wollte. Er habe deshalb Himmler in Minsk gefragt, wer denn diese Taten verantworten werde; Himmler habe ihm erklärt, der Führer und er, der Reichsführer-SS, würden dafür geradestehen.
Wolff hatte von dem, was in Minsk geschah, eine andere Vorstellung als das Münchner Schwurgericht, das sich viele Jahre später bemühte, den wahren Sachverhalt zu ermitteln. Es stellte aufgrund von Aussagen der Augenzeugen und an Hand von Dokumenten fest, daß in jener Zeit, knapp vier Wochen nach Beginn des Ostfeldzugs, die Partisanen im Raum um Minsk noch wenig aktiv waren. Zahlreich und damit gefährlich wurden sie erst, als das Wirken der Mordkommandos sie belehrte, daß sie verloren sein würden, wenn die Deutschen den Krieg gewännen. Demnach ist es schon unwahrscheinlich, daß Hitler den Reichsführer-SS nur der Partisanen wegen losgeschickt und dabei gesagt hat: »Wolff kann Sie begleiten und mir dann später Bericht erstatten.« Wahrscheinlicher ist, daß Hitler erfahren wollte, wie gut der Judenmord funktionierte.
Unwahrscheinlich ist ferner, daß Wolff und Himmler im Minsker Quartier der Einsatzgruppe nur ganz zufällig, und als sie schon im Weggehen waren, erfuhren, daß für die nächste Stunde »eine Hinrichtung von rund hundert Spionen und Saboteuren« angesetzt war. Denn der Leiter dieser Exekution war eben jener Dr. Bradfisch, der eben erst Himmler seine Bedenken gegen solche Methoden genannt hatte. Wolff erzählte, Himmler habe sich kurz entschlossen: »Wir fahren mit. Es ist gut, daß ich mir so etwas mal ansehen kann.« Dazu Wolff: »Mich überlief es eiskalt!« Er habe abraten wollen, sei aber nicht zu Wort gekommen. »Und Sie fahren mit«, habe Himmler befohlen.
Für die Morde war ein Feld-Wald-Wiesengelände außerhalb der Stadt vorbereitet worden. Alle Mitwirkenden fuhren mit Kraftwagen dorthin, die Todeskandidaten nur schubweise. Sie sollten die Schüsse nicht hören, wenn ihre Leidensgenossen starben. Gefangene hatten zwei Gruben ausgehoben, jede etwa acht Meter lang, zwei Meter tief und zwei Meter breit. Das war im Osten die übliche Prozedur für ein Massengrab. Was dann geschah, hätte Wolff weder dem Journalisten einer Illustrierten noch dem Gericht in aller Ausführlichkeit erzählen müssen, denn auch die Mordmethode war die übliche. Die ersten Häftlinge wurden zur Grube gefahren, von der Pritsche des Lastkraftwagens gejagt, in eine der Gruben getrieben, und sobald sie sich bäuchlings auf die Erde gelegt hatten, knallten die Schüsse der über ihnen am Grabenrand Stehenden. Das Ziel waren die Köpfe, die Entfernung etwas mehr als vier Meter.
Wie viele Schilderungen seiner Erlebnisse hat Wolff auch diese mit einer besonderen Pointe geschmückt. »Nach mehreren Salven sah ich, wie Himmler

zusammenzuckte. Wie er sich mit der Hand ins Gesicht fuhr und wie er taumelte. ›Das hätten Sie sich und mir ersparen können‹, sagte ich zu ihm. Sein Gesicht war fast grün. Und dann sagte er: ›Ein Stück Gehirn ist mir ins Gesicht gespritzt.‹ Gleich darauf erbrach er sich.«

Das ist eine Geschichte zum Gruseln, aber der Vorgang muß sich doch wohl anders abgespielt haben. Auch wenn man annimmt, daß Himmler unmittelbar an einer senkrecht abfallenden Grabenwand stand, so dürfte doch der Kopf des Opfers mehr als drei Meter von seinen Füßen und damit um die fünf Meter von seinem Gesicht entfernt gelegen haben. Geschossen wurde mit dem üblichen Karabiner 98 k und der normalen Gewehrmunition. Sie durchschlägt aus so kurzer Entfernung den Schädelknochen glatt und reißt erst beim Austritt ein größeres Loch und bohrt sich dann noch ziemlich tief in die Erde. Wenn also durch den Innendruck, der bei einem Schußtreffer auf dem Gehirn entsteht und durch den Einschlag des Geschosses Teile des Gehirns herausgeschleudert werden, dann fliegen sie bestimmt nicht fast vier Meter hoch und über eine Entfernung von fünf Meter.

Dem Gericht diesen Unsinn aufzutischen, wagte Wolff übrigens nicht. Anders als bei seiner Erzählung gegenüber dem Journalisten flog bei der forensischen Aussage ein »mit Blut gemischtes Hirnteil von etwa 2–3 cm« nur bis zu Himmlers Mantel.

Als Grund für Himmlers angeblichen Schock führte Wolff an, sein Vorgesetzter (kein Frontsoldat, wie der Leutnant a. D. Wolff) habe noch keine Erschossenen, geschweige denn eine Erschießung gesehen. Dabei überging er die »Frontfahrten«, die sie gemeinsam im polnischen Feldzug, im Westen und auf dem Balkan unternommen hatten; sie waren dabei zwar nicht gerade bis zur kämpfenden Truppe vorgestoßen, aber doch über Schlachtfelder gekommen, die noch nicht abgeräumt waren. Er vergaß außerdem, daß er und Himmler zugesehen hatten, wie der SS-Oberführer Ludolf von Alvensleben in Bromberg eine Anzahl von Polen hatte erschießen lassen, weil sie angeblich Volksdeutsche umgebracht hatten.

Das Münchner Schwurgericht, vor dem sich Wolff 1964 verantworten mußte und von dessen Urteil noch mehrfach die Rede sein wird, hat aus gutem Grund die melodramatische Schilderung unbeachtet gelassen. Es hat durch Aussagen von Augen- und Tatzeugen ermittelt, daß Himmler nach dem letzten dieser 120 Morde – die Wolff angeblich wiederum für die Vollstreckung kriegsgerichtlicher Urteile wegen Spionage und anderer Delikte gehalten hat – noch genug Spannkraft aufbrachte für eine markige Ansprache. Den Schützen des Einsatzkommandos versicherte er, es werde bis hinauf in die höchsten Stellen von Staat und Partei anerkannt, welch harte Arbeit ihnen auferlegt sei. Sie geschehe jedoch für Volk, Reich und Führer, damit die Deutschen künftig in Freiheit, Sicherheit und Frieden leben könnten. Diese Rede und die Anwesenheit Wolffs – so wurde im Gerichtssaal gesagt – habe Offiziere und Mannschaften des Einsatzkommandos bestärkt in dem Glauben, daß ihr Handeln nicht nur rechtmäßig, sondern sogar höchst verdienstvoll sei.

In der Münchner Gerichtsverhandlung erzählte Wolff, er habe nach den Minsker Morden seinen Reichsführer gewarnt, »so etwas noch mal mit mir zu machen«. Bei seiner Vernehmung vermochte er wieder einmal mehr wörtlich zu zitieren, was er vor über zwei Jahrzehnten noch zu Himmler gesagt habe: »Reichsführer, was Sie mir heute entgegen meiner ausdrücklichen Bitte mit dem Teilnahmebefehl als Nicht-Polizeiangehörigem unnötig angetan haben, belastet unser bisher so gutes Einvernehmen bis zum Zerreißen.« Das sei keine Phrase gewesen, denn in Wahrheit habe das ohnehin schon gespannte Verhältnis zu Himmler durch die Minsker Ereignisse zu einem »innerlichen Bruch« geführt. Folgt man Wolffs autobiographischen Erzählungen, dann wäre dies keineswegs der erste gewesen.

Dabei war diese Inspektion der Einsatzgruppe B nicht die erste und schon gar nicht die letzte, die das Duo Himmler/Wolff 1941 im Osten unternahm. Sie waren Ende Juli in Kowno, Riga und Dünaburg gewesen, im Bereich der Einsatzgruppe A. Die dort eingesetzten Mörder hatten »die sicherheitspolitische Säuberungsarbeit gemäß den grundsätzlichen Befehlen« und das bedeutet »eine möglichst umfassende Beseitigung der Juden« zum Ziel – so der Einsatzgruppenchef, SS-Brigadeführer Dr. Walter Stahlecker. Über die Zahl seiner Opfer führte er, wie vorgeschrieben, genau Buch; ein Vierteljahr nach Himmlers erster Inspektion konnte er in einer vorläufigen Bilanz mit 135000 Leichen aufwarten, von denen mehr als 120000 Juden waren. Ob er wohl über diese Tätigkeiten nicht mit dem Reichsführer-SS und dem Chef von dessen Persönlichem Stab gesprochen hat? Eine weitere Inspektionsreise von Himmler/Wolff führte sie in der zweiten Septemberhälfte wieder ins Baltikum, in die Städte Riga, Reval und Dorpat. Anfang Oktober reisten sie südwärts, besuchten in Kiew den Brigadeführer Dr. Otto Rasch mit seiner für die Ukraine zuständigen Einsatzgruppe C.

Daß sie im Herbst auch noch die Einsatzgruppe D tief im Süden unter dem SS-Standartenführer Otto Ohlendorf inspizierten, geht aus dessen Aussage vor dem Nürnberger Internationalen Militärgericht hervor. Zweck dieser Reise war, wankende Charaktere auf Vordermann zu bringen. Wiederum hielt Himmler die Rede, die er schon in Minsk zur Aufmunterung der Mörder benutzt hatte. Außerdem mußten nun auch die Höheren SS- und Polizeiführer instruiert werden, daß sie die Arbeit der Einsatzgruppen weiterzuführen hätten, wenn diese den nach Osten vorrückenden Armeen folgten und deshalb ihre Aktionen vorverlegen mußten. Soweit die den Höheren SS- und Polizeiführern zur Verfügung stehenden Einheiten nicht ausreichten, durften sie Hilfswillige aus der eingesessenen Bevölkerung anwerben, uniformieren und mit Handfeuerwaffen ausrüsten. In den baltischen Ländern und in der Ukraine fanden sie zeitweilig genug freiwillige Mörder, sofern es nur gegen die Juden ging.

Es darf demnach angenommen werden, daß die beiden ranghöchsten Inspektoren an allen Orten, die sie besuchten, das für jene Zeit und für sie wichtigste Problem eingehend besprochen haben. Zugunsten von Wolff darf angenommen werden, daß er dabei nicht die treibende Kraft war. Er hat nach dem Krieg

immer behauptet, er habe mit den Verbrechen an den Juden nichts zu schaffen gehabt. Das mag insofern richtig sein, als er den Antisemitismus der Nazis nur insoweit mitmachte, wie es für seine Karriere nötig schien. Er zählte sich zur besten Gesellschaft, sammelte in seinem Bekanntenkreis Adelige, Wirtschaftsgrößen und berühmte Künstler wie andere Leute Briefmarken sammeln, und er verlor nur ganz selten die Contenance des Salonoffiziers. Nach den Maßstäben der NS-Rassenlehre durfte er sich für einen Ausbund von nordischem Edelgermanen halten. Für einen Mann solcher Art waren die ärmlichen, jiddisch sprechenden, gestikulierenden und (soweit männlich) langbärtigen und langmähnigen Juden des europäischen Ostens etwas so Unberührbares, daß er keine Ursache sah, sich um deren Wohl oder auch Wehe zu kümmern.
Als das Jahr 1941 dem Ende zuging, entfiel für die SS-Spitze die Notwendigkeit, die Zahl der Ermordeten durch persönlichen Einsatz immer höher zu treiben. Der *superkluge*, inzwischen zum Obergruppenführer aufgerückte Reinhard Heydrich hatte ein System entwickelt, das den Mord an den Juden bürokratisierte und automatisierte. Es sollte in einer Konferenz allen mit der Judenfrage befaßten Instanzen von Staat und Partei vorgestellt und zugleich auch als ein von höchster Stelle angeordnetes Verfahren allgemein eingeführt werden. Der Termin für diese Konferenz mußte zwar ein paarmal verschoben werden, aber am 20. Januar 1942 fand sie statt.
Es trafen sich in Berlin, in der Villa am Großen Wannsee Nr. 56, die leitenden Funktionäre und Beamten jener Institutionen, die mitreden durften, wenn es um Juden ging – und das waren eine ganze Anzahl. Eingeladen hatte Heydrich, dem mündlich von Hitler und Himmler befohlen war, die »Endlösung« der Judenfrage vorzubereiten. Auch von Hermann Göring, dem designierten Nachfolger Hitlers, hatte er sich bevollmächtigen lassen, und zwar schriftlich. Er habe, so hieß es in dem Schreiben, »alle erforderlichen Vorbereitungen in organisatorischer und materieller Hinsicht zu treffen für eine Gesamtlösung der Judenfrage«. Der Einlader Heydrich war auch der Leiter der Versammlung.
Weil das Thema heikel war, ließen sich die Minister und Reichsleiter der Partei ausnahmslos vertreten. Das Protokoll führte, mit einer Stenotypistin in einer Ecke sitzend und wenig beachtet, der Judendezernent von Gestapo und SD, Adolf Eichmann. Er schien als SS-Sturmbannführer wenig mehr zu sein als ein Komparse in dieser »Staatssekretärsbesprechung« – wie später die Zusammenkunft im Amtsbrauch genannt wurde. Als 1960 der Untersuchungshäftling Eichmann, verdächtig des Mordes an Millionen Juden, vom israelischen Polizei-Hauptmann Avner W. Less verhört wurde, bestritt er, daß bei dieser Konferenz »von der Tötung geprochen« worden sei. Nur vom »Arbeitseinsatz im Osten« sei die Rede gewesen. »Die nackten, brutalen Worte« (meinte Eichmann), wie ermorden, töten, erschießen, umbringen, vergasen, wurden dort vermieden. Der ganze Mordapparat entwickelte in der Folge seine eigene Tarnsprache, die es allen Mitwissern und Schreibtischtätern erlaubte, unästhetische Vorstellungen zu verdrängen. Man sagte evakuieren, verschicken, sprach von Umsiedlung

und von Sonderbehandlung. Auch die Verantwortung wurde ständig hin- und hergeschoben. Wer gab wem welchen Auftrag oder Befehl? Hitler an Himmler? Himmler an Heydrich? Hitler an Heydrich? Göring an Heydrich? Heydrich an wen? Sie zogen alle am selben Strang und so konnte jeder behaupten, er habe nicht allein und schon gar nicht am stärksten gezogen. Ihre Taktik erleichterte es vielen Deutschen, sich einzureden, sie hätten von diesen Untaten nie etwas gehört und schon gar nicht gesehen. Auch Wolff verlegte sich darauf, er gehörte ohnehin zu den Naturen, die nur glauben, was sie glauben möchten, und die statt der Wirklichkeit nur sehen, was sie sehen wollen.

Für die Zukunft des Karl Wolff wurde es bedeutungsvoll, wann er Kenntnis bekommen hat von den Verbrechen der Gestapo und des SD. Noch als alter Mann beteuerte er, erst wenige Wochen vor Kriegsende habe er durch Kontakte mit Schweizer Bürgern die »Wahrheit« erfahren – nach seiner Ansicht soll man das Wort mit Anführungszeichen versehen, weil die Greueltaten aus mancherlei Gründen übertrieben und verallgemeinert würden. Doch auch dieses Argument ist ein von vielen Deutschen benutztes Versteck, in das sie ihre Schuldgefühle wegen der Vergangenheit verdrängen, ähnlich jener unverheirateten Mutter, die meint, es lohne sich nicht, über ihr Kind zu reden, weil es doch so winzig sei. Wolff behauptete stets, ihm habe Himmler und ebenso seine Freunde Heydrich, Pohl, Eicke und andere das Wissen um die Untaten vorenthalten, weil sie sein empfindsames Gemüt nicht belasten und ihn nicht zum Austritt aus dem Schwarzen Orden treiben wollten. Doch soviel Rücksicht auf zartbesaitete Seelen pflegte die Männergesellschaft der SS nicht zu nehmen; vielmehr waren die Herren der höheren Ränge geradezu stolz darauf, daß sie mannhaft auch Schreckliches und Scheußliches ohne merkliche Erschütterung überstehen konnten. Auch wenn der Gruppenführer Karl Wolff – »unter allen SS-Führern Reichsführers Vertrautester«, (so Kollege Berger Ende 1941 in einem Brief an Himmler) – tatsächlich vom Wissen um die Verbrechen ausgeschlossen gewesen sein sollte, so hätte ihn doch auf die Dauer beim ständigen Umgang mit den vielen Eingeweihten manches stutzig machen müssen, zumal der »General-was-gibt's-Neues« ein sehr wachsamer Beobachter war.

Der mit ihm befreundete Erich von dem Bach-Zelewski, nach dem Krieg wegen Beteiligung an Massenmorden zu lebenslanger Freiheitsstrafe verurteilt, sagte als Zeuge in Wolffs Münchner Prozeß aus, er halte es für unwahrscheinlich, daß ein Führer von dessen Rang und Stellung von den Verbrechen nichts erfahren habe. Als die beiden sich in Minsk Mitte August 1941 begegneten, hatte der ehemalige Reichswehroffizier schon in Ostoberschlesien blutige Spuren hinterlassen. Beide waren gleichrangig und so sehr miteinander vertraut, daß sie sich mit Du anredeten und daß Briefe mit »Liebes Wölfchen« zu beginnen pflegten. Sollte er seinem Freund nicht doch etwas über sein schlimmes Handwerk erzählt haben? Von dem Bach wurde nach dem Minsker Treffen krank. In der SS-Heilstätte Hohenlychen diagnostizierte der Reichsarzt-SS, Dr. Ernst Grawitz, Darmkoliken und einen Nervenzusammenbruch. Er nannte auch die Ursache: »Er leidet insbesondere an Vorstellungen im Zusammenhang mit den von ihm

selbst geleiteten Judenerschießungen und anderen schweren Erlebnissen im Osten.« »Seelische Betreuung« mache deshalb »einen erheblichen Faktor im gesamten Heilplan aus«.
Dem Arzt gegenüber verheimlichte der Kranke also keineswegs, was ihn bedrückte. »Kunststück, daß ich fertig bin«, sagte er zu jenem. »Wissen Sie denn nicht, was in Rußland geschieht? Da wird das ganze jüdische Volk ausgerottet.« Liegt nicht die Vermutung nahe, daß er seinem Duz-Freund dasselbe sagte, als dieser ihn als Abgesandter Himmlers am Krankenbett besuchte? Dabei zeigte sich der Zustand des Kranken noch immer wenig gebessert. Er war außerdem benommen durch eine abklingende Äthernarkose. Auf jeden Fall war Himmler durch Wolffs Bericht so beunruhigt, daß er anordnete, am Krankenbett eines Mitwissers von Staatsgeheimnissen habe künftig ein hochrangiger SS-Führer Wache zu halten. Der Kranke war zu dieser Zeit bereits Obergruppenführer, ebenso Wolff, der sich am 30. Januar die Spiegel eines Obergruppenführers an den Uniformkragen hatte nähen lassen.
Sollte Wolff jedoch noch immer ahnungslos von Hohenlychen zurückgekehrt sein, so wurde ihm nun von anderer Seite Aufklärung zuteil. Da gab es im besetzten Serbien einen als Chef der Militärverwaltung tätigen SS-Gruppenführer, den Staatsrat Dr. Harald Turner. Er hatte im Oktober 1941 als Vergeltung für Partisanenüberfälle auf deutsche Soldaten 4000 Juden und 200 Zigeuner erschießen lassen. »Eine schöne Arbeit ist das nicht«, schrieb er an den Wolff-Freund Richard Hildebrand, SS-Gruppenführer und Höherer SS- und Polizeiführer in Danzig, »aber es löst sich auf diese Weise die Judenfrage am schnellsten.«
Die Militärs waren mit seinen rüden Praktiken nicht einverstanden. Sie versuchten, Turner mit bürokratischen Winkelzügen loszuwerden. Doch der wandte sich auf Hildebrands Rat an Wolff mit der Bitte um Fürsprache bei Himmler. Als Turner daraufhin wieder sicher in seinem Amt saß, dankte er Wolff am 11. April 1942 brieflich, »da ich überzeugt bin, daß das ganze allein Ihrem Einfluß zu verdanken ist«.
Weiter heißt es in diesem Brief: »Immerhin weiß ich, daß Sie für diese Dinge Interesse haben, und warum ich jetzt darauf aufmerksam mache, hat einfach seinen Grund darin, daß demnächst diese Frage mehr als akut wird. Schon vor Monaten habe ich alles an Juden im hiesigen Lande Greifbare erschießen und sämtliche Judenfrauen und -kinder in einem Lager konzentrieren lassen und zugleich mit Hilfe des SD einen Entlausungswagen angeschafft«, (Anmerkung: ein Lkw mit Kastenaufbau, in dem die Todeskandidaten eng zusammengedrängt durch Motorabgase getötet wurden) »der nun in etwa 14 Tagen bis 4 Wochen auch die Räumung des Lagers endgültig durchführen wird... Dann ist der Augenblick gekommen, in dem die unter der Genfer Konvention im Kriegsgefangenenlager befindlichen jüdischen Offiziere nolens volens hinter die nicht mehr vorhandenen Angehörigen kommen... Werden nun die Betreffenden entlassen, so werden sie im Augenblick der Ankunft

ihre endgültige Freiheit haben, aber wie ihre Rassegenossen nicht allzu lange und damit dürfte diese ganze Frage endgültig erledigt sein ...«

Es darf angenommen werden, daß der Adressat diesen Brief gelesen hat, denn er war ja keine »Lesepost«, wie Wolff jene Durchschläge einstufte, die Himmler und andere ihm häufig »zur Kenntnisnahme« schickten. Darin war zwar manchmal auch von solchen mörderischen Dingen die Rede, aber ausgerechnet sie gingen – so Wolff – immer ungelesen in die Ablage, weil der Vielbeschäftigte gar nicht die Zeit fand, so viel Papier zu verarbeiten.

Es gibt noch ein weiteres Indiz, daß er so ahnungslos nicht gewesen sein kann. Am 5. Juli 1942 wies er seinen persönlichen Referenten, den Obersturmführer Heinrich Heckenstaller, in der Berliner Dienststelle telefonisch an, über den Sekretär Himmlers, Dr. Rudolf Brandt, den Reichsführer-SS zu benachrichtigen, daß am folgenden Tag beim Wehrmachtsführungsstab eine wichtige Besprechung stattfinde, in der die SS unbedingt vertreten sein müsse. Es gehe um die von Hitler befohlene Räumung der eroberten Halbinsel Krim von allen dort Ansässigen. Der Zweck: Dort sollten die Südtiroler Deutschen angesiedelt werden. In dem von Heckenstaller auf Anweisung Wolffs verfaßten »Vermerk für den SS-Obersturmbannführer Dr. Brandt« heißt es: »Besprechungsgegenstand ist neben der Anlage von Sammellagern, der Umsiedlung, der rassischen Musterung und über die im Zusammenhang mit der Umsiedlung nötigen Sicherheitskräfte, der Bewachung von Lagern, der Liquidierung durch Einsatzkommandos das Gesamtproblem aller berührenden Fragen.«

In klares Deutsch übersetzt bedeutet dies: Die Bewohner der Krim werden in Konzentrationslagern gesammelt. Die rassisch Brauchbaren werden ausgesondert und alle anderen den Einsatzkommandos überantwortet. Wolff hätte wahrscheinlich diesen Text anders verfaßt, weniger verratend und vielleicht auch in besserem Deutsch, aber der Sinn wäre zwangsläufig derselbe geblieben.

Was also konnte, was mußte Wolff wissen über den Massenmord? Es mußte ihm doch auffallen, daß Hitler im ersten Halbjahr 1942 den Juden mehr denn je Gewalt oder den Tod androhte – in nicht weniger als sechs öffentlichen Reden und Verlautbarungen und mindestens achtmal während der sogenannten Tischgespräche im Führerhauptquartier. Diese Häufung wird rückblickend erklärbar, weil um diese Zeit gerade die Massenvernichtung in den Todeslagern in voller Stärke einsetzte.

Wolff mußte dies auffallen; er war ein ambitionierter Beobachter, und gerade das war auch seine Aufgabe. So konnte es ihm auch nicht entgehen, daß sein Führer zunehmend im kleinen Kreis am Tisch von »Drecksjuden« sprach, von »jüdischen Dreckschweinen«, von »Judengeschmeiß«, und daß er seine Erzfeinde nur noch als »Ungeziefer« ansah – vielleicht weil er auf diese Weise seinem Unterbewußtsein beweisen wollte, daß er keineswegs Menschen ermorden ließ.

Wer wie Wolff autoritätsgläubig in einer so vergifteten Atmosphäre lebte, zwischen Generälen, die täglich über Tod oder Leben von Tausenden Soldaten entschieden, fand es am Ende auch nicht mehr so entsetzlich, daß jeweils noch ein paar tausend Juden und andere Minderrassige durch Hitlers Fleischwolf gedreht

wurden. Der Mann freilich, der die »Endlösung« in Gang gebracht hatte, starb am 4. Juni 1942 nach einem Attentat, das nicht einmal dem Judenmörder, sondern dem Reichsprotektor von Böhmen und Mähren gegolten hatte. Der SS-Obergruppenführer Heydrich hatte sein Amt als Chef der Sicherheitspolizei behalten, als er nach Prag geschickt worden war, um die Tschechen das Fürchten zu lehren. Für den Toten ordnete Hitler ein Staatsbegräbnis in Berlin an. Dabei hielten im Mosaiksaal der Reichskanzlei die höchsten SS-Führer am Sarg die Ehrenwache, unter ihnen auch Wolff. Nun lag neben ihm der Freund, der Kamerad und auch der Rivale – wie er geglaubt hatte – in der Nachfolge Himmlers. Der Reichsführer selbst hatte eines Tages gesagt: »Wenn mir etwas passieren sollte, gibt es nur Heydrich oder Sie als Nachfolger; wer es sein wird, kann nur der Führer entscheiden.«
Wolff sah den Tod Heydrichs noch unter einem anderen Aspekt: Es sei nun auch der Reichsführer von einem Rivalen befreit worden. Himmler habe den von Hitler als »Mann mit dem eisernen Herzen« charakterisierten Heydrich gefürchtet, denn der Chef des Reichssicherheitshauptamtes hatte nicht nur einen furchterregenden Apparat totaler Überwachung geschaffen, sondern habe auch seinen Vorgesetzten übertroffen an Schärfe des Verstandes, an Entschlußkraft und sogar an Skrupellosigkeit. Als Himmler und Wolff gemeinsam in Prag die Leiche abgeholt hatten, habe Heydrichs Adjutant ihnen versiegelte Briefumschläge übergeben: Abschiedsworte des Sterbenden. Das Vermächtnis an Wolff habe die Bitte enthalten, dem Reichsführer-SS stets mutig und schonungslos die Wahrheit zu sagen. Auf die Ermordung der Juden sei Heydrich mit keinem Wort eingegangen. Im Flugzeug nach Berlin habe Wolff sein Schreiben Himmler lesen lassen, aber der erwartete Austausch habe nicht stattgefunden. Wolff vermutet, weil Heydrich in dem Brief an Himmler auf sein »schmutziges Handwerk« eingegangen sei, von dem der Chef des Persönlichen Stabes doch nichts erfahren durfte.
Der Held dieses Berichts ergänzte seine Schilderung vom SS-Parsival, dem reinen Toren, gelegentlich durch eine nächtliche Szene, die sich Anfang Juli 1942 in der Gestapo-Zentrale in der Prinz-Albrecht-Straße Nummer 8 abgespielt haben soll. Gegen halb zwei Uhr ging er unangemeldet (was sein Vorrecht war) aus seinen Büroräumen hinüber in die benachbarten Diensträume Himmlers. Er traf ihn »seelisch und körperlich zusammengebrochen an seinem Schreibtisch«. Die mitleidige Frage, ob sein getreuer Paladin Trost spenden könne, beantwortete Himmler mit wehem Lächeln und Kopfschütteln. Wolff mutmaßte daraufhin, Schwierigkeiten in Liebe und Ehe müßten wohl die Ursache sein. In dieses Himmlersche Problem war er eingeweiht: Frau Marga, sieben Jahre älter als ihr Ehemann, war Krankenschwester gewesen, als sie ihm durch ihre mütterliche Fürsorglichkeit gefiel, und inzwischen war eigentlich nur noch ihr voluminöses Untergestell an ihr bemerkenswert. Er hatte zunehmend Hemmungen, sie öffentlich vorzuzeigen. Sie reagierte auf diese Entfremdung mit Zank. Also hatte Himmler weiblichen Trost gesucht und gefunden bei seiner persönlichen Sekretärin Hedwig Potthast. Vor kurzem, im Februar, hatte sie ihm einen Sohn

geboren. Da Wolff in dieser Sache vielfach als Beichtvater gedient hatte, war er nun auch noch als Pate behilflich – ein Umstand, der nicht gerade auf Entfremdung oder gar auf ein Zerwürfnis hindeutet.

Familiäre Sorgen seien es nicht, sagte der Reichsführer. »Das, liebes Wölfchen, werde ich schon schaffen. Aber Sie können sich keine Vorstellung machen, was ich alles dem Führer stillschweigend abnehmen muß, damit er, der Messias der nächsten 2000 Jahre, absolut sündenfrei bleibt. Sie wissen genau, daß, zumal jetzt nach Heydrichs Tod, im Falle meines Ablebens oder meiner Dienstunfähigkeit nur Sie mein Nachfolger werden können. Es ist dann besser für Sie und für Deutschland, wenn Sie mit den mich bedrückenden Dingen weder etwas zu tun hatten noch davon wissen.«

Diese Sätze stammen nicht aus einem Politkrimi eines bekannten Fernsehautors; Wolff notierte sie, 45 Jahre nachdem sie gesprochen worden waren, frei aus seinem phänomenalen Gedächtnis heraus. Er war zu diesem Zeitpunkt 77 Jahre alt und darauf fixiert, der Welt nachzuweisen, daß er von den Verbrechen Himmlers und der ganzen schwarzen Schar nicht gewußt habe. Die Vermutung ist zulässig, daß er sich dieser Worte so genau erinnert, weil sie ihm als Alibi dienen könnten. »Ich habe«, schrieb er weiter, »mehrere Nächte vergeblich gegrübelt, was er wohl gemeint haben könnte ... Erst nach Kriegsende habe ich auf der Suche nach der Wahrheit die Lösung gefunden: daß es sich um das Judenproblem gehandelt hat.«

Diese Gründe über Himmlers Schweigsamkeit übernahm Wolff jedoch nur zeitweilig. Manchmal argumentierte er auch, Himmler habe befürchtet, daß den peniblen Gardeoffizier die Erkenntnis vom Mißbrauch seines Idealismus, diesen in den Selbstmord treiben könnte. Ein weiteres Argument: Himmler habe nichts von den Morden gesagt, weil er sich damit in die Hand eines Rivalen begeben hätte. Dieser Gedanke setzt freilich voraus, daß die Verbrechen von einem übereifrigen Reichsführer hinter Hitlers Rücken begangen wurden – eine Mutmaßung, die in Wolffs historischen Reminiszenzen dann und wann vorgetragen wurde.

Hitler und sein Hauptquartier zogen am 17. Juli 1942 um, von der »Wolfsschanze« nach »Werwolf«, eine Barackensiedlung in der Ukraine, 15 Kilometer nördlich von Winniza. Sie lag in einem Wäldchen nahe dem Ufer des Bug, einigermaßen weit entfernt von der in jenen Tagen siegreich vordringenden Front im Südabschnitt, aber doch nahe genug, um dem Größten Feldherrn aller Zeiten (vom Volksmund zu GRÖFAZ zusammengezogen) das Siegen zu erleichtern. Auch Wolff war mitgezogen. Himmler war mit seinem Sonderzug ziemlich weit nördlich stationiert. Er wollte der polnischen Grenze näher sein, denn er hatte sich zum Ziel gesetzt, »die Umsiedlung der gesamten jüdischen Bevölkerung des Generalgouvernements bis 31. Dezember 1942« zu beenden. Nun mußte er einsehen, daß dies kaum zu schaffen sein würde.

Dafür gab es zwei Gründe. Tausende und Abertausende Juden arbeiteten im ehemaligen Polen für die Wehrmacht, produzierten Munition, Uniformen, Kochgeschirre. Sie waren eingearbeitet und ließen sich nur schwer ersetzen.

Andererseits fehlte es an Waggons, mit denen die »Umsiedler« dorthin verfrachtet werden sollten, wo sie mittels Gaskammer, Krematorien und Verbrennungsrosten so gründlich vernichtet werden sollten, daß nichts mehr von ihnen übrig bleiben würde. Die Todesmühlen für diese Aktion waren fertig: Treblinka, Sobibor, Belzec, Auschwitz-Birkenau. Allein im Warschauer Getto lebten eine halbe Million Juden, aber es fehlte an Eisenbahnzügen, um sie wegzuschaffen. Die dafür zuständige Ostbahn, ein Zweig der Reichsbahn, bedauerte, nicht dienen zu können. Die deutschen Offensiven im sowjetischen Süden gegen Stalingrad und gegen den Kaukasus gingen vor. Die Soldaten brauchten Nachschub, und auf den wachsenden Strecken waren die Züge immer länger unterwegs. Für Judentransporte gab die Wehrmacht keine Waggons frei.

Als Himmler am 16. Juli 1942 im Hauptquartier »Werwolf« erschien, sprach er wahrscheinlich auch mit Hitler über die Hemmnisse in der Judenvernichtung, aber dieser war mit strategischen Plänen im Weltmaßstab beschäftigt, die sogar einen Feldzug nach Indien einschlossen. Mit der Beschaffung von Eisenbahnwaggons konnte sich der Führer unmöglich abgeben. Also kam Himmler mit seinen Sorgen zu seinem örtlichen Generalvertreter, der durch geschicktes Verhandeln schon manches Unmögliche möglich gemacht hatte. Wolff erinnerte sich guter Kontakte zum Stellvertreter des Reichsverkehrsministers, dem Staatssekretär Dr. Albert Ganzenmüller. Per Blitzgespräch, das übliche im Hauptquartier, bekam er aus Berlin zugesichert, daß Waggons und Lokomotiven gestellt würden und daß Einzelheiten noch schriftlich mitgeteilt würden.

Als ihm später vorgeworfen wurde, er habe auf diese Weise mitgeholfen, 300000 Juden in den Tod zu befördern, wies er jede Schuld von sich. Er habe (erstens) nur auf Befehl Himmlers telefoniert. Er habe (zweitens) annehmen dürfen, daß die Juden in eine Art Reservation gefahren würden, ähnlich denen der Indianer in den USA, denn Himmler habe ihm erzählt, sie würden auf wenige große Gebiete konzentriert, damit das Bewachungspersonal verringert werden könne. Und (drittens) habe Himmler eigentlich selbst telefonieren wollen, sei jedoch zu Blitzgesprächen nicht befugt gewesen, weil er bei der Fernsprechzentrale nicht als Mitglied des Hauptquartiers gegolten habe.

Vermutlich wäre dieser Beitrag Wolffs zum Völkermord nie aktenkundig geworden, wenn der Staatssekretär Ganzenmüller nicht mit bürokratischer Gründlichkeit die Absprache schriftlich ergänzt hätte. So erfuhr der »Herr Obergruppenführer Wolff, Berlin, SW 11, Prinz-Albrecht-Straße 8«, unter dem Datum vom 28. Juli 1942: »Unter Bezugnahme auf unser Ferngespräch am 16. Juli teile ich Ihnen folgende Meldung meiner Generaldirektion der Ostbahnen (Gedob) in Krakau zu Ihrer gefälligen Unterrichtung mit: ›Seit dem 22. 7. fährt täglich ein Zug mit je 5000 Juden von Warschau über Malkinia nach Treblinka, außerdem zweimal wöchentlich ein Zug mit 5000 Juden von Przemysl nach Belzec. Gedob steht in ständiger Fühlung mit dem Sicherheitsdienst in Krakau. Dieser ist damit einverstanden, daß die Transporte von Warschau über Lublin nach Sobibor (bei Lublin) so lange ruhen, wie die Umbauarbeiten auf dieser Strecke diese Transporte unmöglich machen (ungefähr Oktober 1942)...‹ Heil Hitler! Ihr ergebener Ganzenmüller.«

Am 2. August erreichte der Brief den Adressaten in »Werwolf«. Der Empfänger vermerkte auf dem Bogen von Hand: »Herzl. danken, auch im Namen von RF«. Ferner sollten Durchschläge geschickt werden an Dr. Brandt (Sekretär Himmlers), Globocnik (der in Lublin seine Mordaktion leitete) und an den Obergruppenführer Friedrich-Wilhelm Krüger (der als Höherer SS- und Polizeiführer im Generalgouvernement zuständig war für die Judenvernichtung). Sie alle waren eingeweiht in das für führende Kreise längst öffentliche Staatsgeheimnis des Großdeutschen Reiches. Wenn man ihnen später hätte erzählen können, der Obergruppenführer Karl Wolff sei davon ausgeschlossen gewesen, dann hätten sie sich darüber fast totgelacht. Das war freilich nicht möglich; Brandt wurde in Nürnberg von einem alliierten Gericht wegen Verbrechen gegen die Menschlichkeit zum Tode verurteilt und gehenkt. Globocnik brachte sich in den letzten Kriegstagen selbst um. Krüger ist in den Wirren des Kriegsendes spurlos verschwunden.

In Wolffs Berliner Dienststelle formulierte einer seiner Mitarbeiter den Antwortbrief an den »lieben Parteigenossen Ganzenmüller«. Unter dem Datum vom 13. August 1942 heißt es dort u. a.: »Mit besonderer Freude habe ich von Ihrer Mitteilung Kenntnis genommen, daß nun schon seit 14 Tagen täglich ein Zug mit je 5000 Angehörigen des auserwählten Volkes nach Treblinka fährt, und wir doch auf diese Weise in die Lage versetzt sind, diese Bevölkerungsbewegung in einem beschleunigten Tempo durchzuführen. Ich habe von mir aus mit den beteiligten Stellen Fühlung genommen, so daß eine reibungslose Durchführung der gesamten Maßnahmen gewährleistet erscheint. Ich danke Ihnen nochmals für die Bemühungen in dieser Angelegenheit und darf Sie gleichzeitig bitten, diesen Dingen auch weiterhin Ihre Beachtung zu schenken.«

In der »Werwolf«-Baracke hat Wolff dann diesen Brief unterschrieben. Als ihm in späteren Jahren vorgehalten wurde, daß die Formulierung eindeutig aus dem Wörterbuch der Unmenschen stamme, und als man davon ableitete, daß er eben doch nicht harm-, arg- und ahnungslos in den Massenmord verwickelt worden sei, erklärte er, dieser Text habe ihm auch mißfallen, weil er kein Antisemit gewesen sei. Unterschrieben habe er den Brief nur, weil er ihn für eilig angesehen habe und nicht noch einen neuen Entwurf aus Berlin habe anfordern wollen. Daß er sich nichts Böses bei diesem Brief gedacht habe, gehe auch daraus hervor, daß er ihn ohne den Geheimvermerk abgeschickt habe, der bei Judenangelegenheiten obligatorisch gewesen sei. Er habe den Brief nur als ein Dankschreiben angesehen und ihn deswegen so gründlich vergessen, daß er sich seiner erst wieder erinnert habe, als man ihm sein Schreiben in einem Kriegsverbrecherprozeß präsentierte, in dem er als Zeuge vernommen wurde.

Am 22. Juli 1942 rollte also der erste von Wolff bestellte Eisenbahnzug mit etwa 50 abschließbaren, überdachten und zusätzlich mit Stacheldraht abgesicherten Waggons in Warschau auf ein Gleis neben dem jüdischen Krankenhaus. Am frühen Morgen war dem Judenrat, der scheinbaren Selbstverwaltung des Gettos, mitgeteilt worden, daß »alle jüdischen Personen, gleichgültig welchen Alters und Geschlechts ... nach dem Osten umgesiedelt« werden. »Der Judenrat sorgt dafür, daß täglich 6000 Juden am Sammelplatz« beim Krankenhaus »gestellt werden«. Die mit Schlagstöcken ausgerüsteten tausend Männer des jüdischen Ordnungsdienstes mußten die »Umsiedler« jeden Tag zusammentreiben und jeweils hundert davon in einen Waggon pferchen. Die Generaldirektion der Ostbahn in Krakau sorgte gemäß der »Fahrplanordnung Nr. 548«, daß die Lieferungen bei den Gaskammern pünktlich eintrafen. Sie schaffte es sogar, weiteres Transportmaterial freizumachen, so daß ab dem 6. August täglich auch noch ein Sonderzug nach Treblinka abgefertigt werden konnte.

War es purer Zufall, daß an diesem 22. Juli, während der erste Schub in das Vernichtungslager rollte, der Erbauer und Betreiber dieser Lager aus Lublin an Wolff einen langen und freundschaftlichen Brief diktierte? Odilo Globocnik, der SS-Brigadeführer, freute sich über den zu erwartenden Andrang: »Der Reichsführer war hier und hat uns viel neue Arbeit gegeben, daß nun alle unsere geheimsten Wünsche in Erfüllung gehen. Ich bin ihm so sehr dankbar dafür, denn das eine kann er gewiß sein, daß diese Dinge, die er wünscht, in kürzester Zeit erfüllt werden. Ihnen aber, Obergruppenführer, danke ich auch, denn es steht für mich fest, daß Sie bei diesem Besuch mitgeholfen haben ...«

Was kann dieser Gemütsmensch wohl gemeint haben mit der neuen Arbeit und mit »unseren geheimsten Wünschen«? Welche Dinge, die Himmler wünscht, werden in Kürze erfüllt werden? Übers Jahr konnte Globocnik an den Reichsführer-SS melden, er habe »mit dem 19. 10. 1943 die Aktion ›Reinhard‹« (so nannte er seine Aufgabe) »abgeschlossen und alle Lager aufgelöst«. Unklar und vieldeutig bleibt freilich, wofür er Wolff noch besonders dankte. Hatte der Generaldirektor der Todesmühlen etwa befürchtet, daß er seine Betriebe mangels Aufträge vorzeitig schließen müsse? Und hatte ihn etwa der ahnungslose Obergruppenführer Wolff durch eine Fürsprache bei Himmler von solchen Sorgen befreit? Man darf an dieser Stelle an einen Hinweis erinnern, den Heydrich einmal dem Chef des SD-Auslands-Nachrichtendienstes, dem Brigadeführer Walter Schellenberg, mit auf den Weg gegeben hatte: »Achten Sie besonders auf Wölfchen. Ohne Wolff pflegt Himmler selten etwas zu unternehmen, alles wird zuerst mit ihm beratschlagt.«

Im Grundsatz mag dieses wohl zutreffen, aber während des Krieges behinderte die zeitweise räumliche Trennung eine so enge Zusammenarbeit. Dennoch war Himmler bemüht, den Chef seines Persönlichen Stabes auf dem laufenden zu halten; von fast allen wichtigen Schriftstücken bekam er die Durchschläge ins Führerhauptquartier geschickt – die schon erwähnte »Lesepost«, die Wolff angeblich zumeist nicht las. Daraus erfuhr er (vielleicht auch nicht) Himmlers Befehl an den Höheren SS- und Polizeiführer Ukraine, den Obergruppenführer Hans Prützmann; dieser mußte »trotz bestehender wirtschaftlicher Bedenken das Getto Pinks sofort« ausheben und vernichten (datiert vom 27. 10. 1942). Oder er las den »SS-Befehl«, geltend für den gesamten Osten, wonach bei Aktionen gegen Partisanen »bandenverdächtige Männer, Frauen und Kinder zu

sammeln und in Sammeltransporten in die Lager Lublin und Auschwitz zu verbringen« sind. Was mit den Erwachsenen dort geschehen soll, wird in dem Befehl nicht ausdrücklich gesagt – sie wurden Zwangsarbeiter und sollten an Erschöpfung sterben. Die Kinder und Halbwüchsigen aber sollten rassisch gemustert werden; die Wertlosen wurden als Anlernlinge in Konzentrationslager gesteckt und zu »bedingungsloser Unterordnung« gegenüber den deutschen Herren erzogen, indessen die rassisch Guten in NS-Erziehungsanstalten eingedeutscht werden sollten. (Befehl vom 6. 1. 1943).
Fünf Tage später, am 11. Januar, ordnete Himmler an, »daß nun laufend alle bandenverdächtigen proletarischen Elemente männlichen und weiblichen Geschlechts festgenommen und den KL« (Konzentrationslagern) »in Lublin, Auschwitz und im Reich zugeführt werden... Die Aktion ist mit größter Beschleunigung durchzuführen. SS-Obergruppenführer Wolff habe ich gebeten, die Frage der Zugbestellung mit Staatsekretär Ganzenmüller zu besprechen. Bitten und Wünsche in dieser Richtung sind im Großen an SS-Obergruppenführer Wolff zu richten.« Es waren die Wochen, in denen ohnehin alle Räder an Waggons und Lokomotiven rollen mußten – nicht, wie ein Propagandaslogan suggerierte, für den Sieg, vielmehr um aus der Schlacht um Stalingrad nicht eine Katastrophe für die ganze Ostfront entstehen zu lassen.
Möglicherweise waren die Erfolge bei der Beschaffung rollenden Materials die Ursache, daß Himmler sein Wölfchen am 9. Januar 1943 nach Warschau mitnahm. Es mag dabei auch mitgespielt haben, daß Wolff im Umgang mit der Wehrmacht (und wenn es dabei um Juden ging) einige Erfahrung hatte. Dem Reichsführer war gemeldet worden, daß noch immer 35000 Juden im Warschauer Getto lebten. Tatsächlich waren es, die Illegalen eingeschlossen, noch sehr viel mehr. Davon waren 20000 in Betrieben beschäftigt, die vom Rüstungskommando der Wehrmacht kontrolliert wurden. Im September 1942 hatte der Wehrkreisbefehlshaber im Generalkommando gefordert, die Aussiedlung dieser Arbeiter und ihrer nächsten Angehörigen auszusetzen, bis die kriegswichtigen Aufträge der Betriebe abgewickelt seien.
Himmler hatte es abgelehnt und behauptet, daß die Hinweise auf »Angebliche Rüstungsinteressen... in Wirklichkeit lediglich die Juden und ihre Geschäfte unterstützen wollen«. Die Atmosphäre zwischen SS und Wehrmacht war also wieder einmal mit Spannung geladen. Himmlers Besuch war dem Warschauer Leiter des Rüstungskommandos, einem Oberst der Wehrmacht, nicht angemeldet worden; die Unhöflichkeit war beabsichtigt. Der Reichsführer-SS fragte provokant, weshalb sein Befehl nicht befolgt worden sei, wonach die Warschauer Betriebe mit ihren Arbeitern nach Lublin zu verlegen seien. Jedermann in seiner Dienststelle wußte, was dort mit ihnen geschehen würde. »Auch dort sollen die Juden«, so hatte Himmler in einer seiner Anordnungen geschrieben, »eines Tages dem Wunsche des Führers entsprechend wieder verschwinden.«
Als der Angeklagte Wolff während seines Münchner Prozesses über diese Zusammenkunft befragt wurde, konnte er sich zunächst »beim besten Willen« nicht mehr daran erinnern. Er verlangte, daß man ihm seine Anwesenheit

nachweise. Das gelang dann auch, denn es lag dem Gericht das Kriegstagebuch der Warschauer Rüstungsinspektion vor mit dem Vermerk über Himmlers Begleiter. Zusätzlich konnte auch noch jener Offizier als Zeuge vernommen werden, der das Tagebuch geführt hatte. Wolff entdeckte daraufhin bei sich eine »ganz dunkle Erinnerung an den Besuch«, aber er blieb eine Erklärung schuldig, weshalb Himmler wohl den Chef seines Persönlichen Stabes nach Warschau mitgenommen hatte, da dieser doch mit Judenfragen nie befaßt worden war.

Die Lücken in seinem sonst so stolz gerühmten Gedächtnis erklärte Wolff damit, daß er in jenen Januartagen des Jahres 1943 gesundheitlich »schwer angeschlagen« gewesen sei. Außerdem sei er auch seelisch belastet gewesen, weil er damals die Scheidung seiner ersten Ehe und die Heirat mit seiner Geliebten betrieben habe. Nach den Statuten der SS benötigte er dazu die Genehmigung Himmlers. Weil sie ihm verweigert worden sei, habe sich die ohnehin schon weit fortgeschrittene Entfremdung zwischen ihm und dem Reichsführer auf beiden Seiten in Abneigung verwandelt. Auch das habe sein Gemüt zusätzlich belastet.

So wollte denn das Gericht wenigstens von ihm wissen, wie er denn jenen Satz Himmlers verstanden habe, in dem vom Verschwinden der Juden die Rede war. Er habe dabei an Madagaskar gedacht, sagte Wolff. Tatsächlich hatten SD und Gestapo sich zeitweilig mit dem utopischen Plan beschäftigt, alle Juden des deutschen Machtbereichs auf diese Insel im Indischen Ozean zu deportieren. Doch die Wannsee-Konferenz hatte inzwischen die sehr viel billigere »Endlösung« proklamiert.

Nach Himmlers Besuch im Januar begann in Warschau am 18. Januar 1943 die zweite Welle der »Umsiedlung«. Er ordnete zunächst einmal die »Errichtung eines Konzentrationslagers im Getto Warschau« an, das »so rasch wie möglich nach Lublin und Umgebung umzusetzen« ist. Die Umgebung waren die drei Vernichtungslager des Odilo Globocnik. Durchschläge aller diesbezüglichen Anordnungen ließ Himmler auch Wolff zugehen, den doch – wie man meinen sollte – das alles von Amts wegen gar nichts anging. Es darf deshalb auch angenommen werden, daß der Chef des Persönlichen Stabes die Durchschläge aus Zeitmangel alle ungelesen in die Ablage geschickt hat.

Als Himmler schließlich seinen Schergen befahl, das Getto mit Gewalt zu räumen und es dem Erdboden gleichzumachen, entschlossen sich die Todgeweihten Juden zum Aufstand. Sie hatten nichts mehr zu verlieren als ihr Leben, und das war auch verloren, wenn sie sich nicht wehrten. Mitte April 1943 begann ihr Kampf. Erst nach 28 Tagen konnte der zur Niederschlagung des Aufstandes eingesetzte SS-Brigadeführer, Jürgen Stroop, seinem Reichsführer melden, das Getto Warschau habe aufgehört zu bestehen. Wolff erfuhr davon auf dem Krankenbett; er war nicht nur dienstunfähig, sondern auch kaltgestellt. Die Leitung seines SS-Hauptamtes hatte Himmler selbst übernommen.

Es stimmt, was Wolff immer wieder beteuerte: Es war nicht die Aufgabe des Chefs des Persönlichen Stabs, Juden zu vernichten. Doch wer immer in der SS sich über das gewöhnliche Fußvolk erhob, bekam früher oder später mit diesem Sektor der Naziverbrechen zu tun. Das muß erst recht gelten für Wolff, denn er hatte sein Amt so angelegt, daß sein Wirkungsbereich praktisch unbegrenzt geblieben war. Wenn es ihm gefiel, konnte er sich in jedes Gebiet der NS-Politik einmischen. Davon hat er manchmal auch Gebrauch gemacht, um den einen oder anderen Menschen zu retten, wenngleich es immer problematisch ist, nachträglich zu entscheiden, was geschehen wäre, wenn er nicht eingegriffen hätte.

Andererseits gibt es jedoch Bereiche seiner Tätigkeit, wo man die gelegentlich entwickelte Humanität schmerzlich vermißt. Eines der sieben Ämter seines Hauptamtes – und nicht das unwichtigste – nannte sich »Ahnenerbe«. Als führenden Kopf gewann Himmler den renommierten Münchner Universitätsprofessor Dr. Walther Wüst. Dessen Ansehen diente dazu, Gelehrte der unterschiedlichsten Fachrichtungen der SS zuzuführen und sie für deren Ziele einzuspannen. Soweit sie mit Uniformen und Ehrenrängen bedacht wurden, gliederte man sie dem Persönlichen Stab ein. Wolff wurde damit der Direktor eines Warenhauses der Gelehrsamkeit, in dem Qualität und Schund, Kunst und Kitsch der unterschiedlichsten Gebiete feilgeboten wurden. Nicht zuletzt durch Himmlers Neigung zum Skurrilen und zum Okkulten war das Feld der Betätigung so weitläufig, daß niemand fähig gewesen wäre, alle Bestrebungen zu koordinieren; Wolff selber schon gar nicht, denn seine kulturellen Interessen gingen über die eines konservativen Bürgers der gehobenen Mittelschicht nicht hinaus.

Aus diesem Grunde überließ er das interne Management dem SS-Führer Wolfgang Sievers, einem unsteten Karrieremenschen aus den Kreisen völkischer Sektierer. Es ist deshalb nicht Wolff anzurechnen, wenn im »Ahnenerbe« so lächerliche Pannen passierten wie etwa der große Jubel um die »Ura Linda-Chronik«, die der obskure Vorgeschichtsforscher Herman Wirth als Zeugnis früher germanischer Hochkultur entdeckte und die sich dann als Falschmeldung erwies. Es gab aber auch Projekte im »Ahnenerbe«, die ebenso menschenverachtend und inhuman waren wie die Judenverfolgungen, wenn auch das Ausmaß dieser Aktionen nicht im entferntesten an den Völkermord im Osten heranreichte. Wolff kannte unbestreitbar diese Projekte; sie gehörten in den Bereich seines Hauptamtes, und er sammelte für sie sogar Geld bei den reichen Männern im »Freundeskreis Reichsführer-SS«.

Eines dieser Projekte kam schon im April 1939 in Gang, als die Münchner Konzertsängerin Karoline Diehl ihr früheres Techtelmechtel mit Heinrich Himmler benützte, um ihm ihren derzeitigen Geliebten zu empfehlen. Es war der Assistenzarzt Dr. Siegmund Rascher, der neben seiner Arbeit in einem Münchner Krankenhaus private Krebsforschung betrieb und dafür finanzielle Hilfe suchte. Eine Woche später war er schon eingereiht ins »Ahnenerbe« und nach einem halben Jahr durfte er die schwarze Uniform eines Untersturmführers der Allgemeinen SS anziehen.

Allerdings war er zu dieser Zeit auch schon genötigt, die Uniform eines Unterarztes der Luftwaffe zu tragen. Sie hatte ihn mit Kriegsbeginn einberufen. Es gelang ihm, sich an das Institut für Luftfahrtmedizin in München abstellen zu lassen. Dort erprobte man, wie Piloten in großer Höhe in der sauerstoffarmen

Luft ihrer Sinne mächtig bleiben könnten, ein Problem, das vor allem die Jagdfliegerei betraf. Dafür stand den Ärzten eine Unterdruckkammer zur Verfügung, in der die Luftverhältnisse verschiedener Höhen simuliert werden konnten. Es fehlte nur an Menschen, die sich freiwillig zu Versuchen in die Kabine einschließen ließen und damit die Risiken gesundheitlicher Schäden in Kauf nahmen. Rascher wußte Rat: Mitte Mai 1941 fragte er Himmler, ob ihm dafür nicht »zwei oder drei Berufsverbrecher zur Verfügung gestellt werden könnten«.

Der Reichsführer-SS, im Umgang mit Menschenleben nicht zimperlich, gab seine Genehmigung. Die Versuche wurden daraufhin ins Konzentrationslager Dachau verlegt. Dort sahen etliche SS-Größen zu, darunter auch Wolff, wie in der Kabine ein geschundener Mensch nach Luft rang, schrie, kollabierte und dann, je nach Raschers Willkür, entweder rechtzeitig mit Luft versorgt und dem Leben zurückgegeben wurde oder bei einem »terminal angesetzten Versuch« elend an Embolien im Gehirn verreckte. Bis Mitte Mai 1942 wurden etwa 150 Versuche dieser Art durchgespielt: Die Hälfte endete tödlich.

Als Wolff nach dem Krieg über diese Verbrechen befragt wurde, behauptete er, die Versuchspersonen hätten sich freiwillig zur Verfügung gestellt, weil sie damit ihre Entlassung aus dem Lager hätten erreichen können. Ihm kam wohl nicht der Gedanke, daß ein für unbestimmte Zeit hinter Stacheldraht als Zwangsarbeiter vegetierender Häftling bei einer solchen Entscheidung keines freien Willens fähig ist. Zwei oder drei Versuchspersonen seien gestorben, meinte Wolff, und sie seien ohnehin schon zum Tode verurteilt gewesen. Daß dies nicht stimmte, wußte er, denn Todesurteile wurden im NS-Staat im Zuchthaus vollstreckt, indessen KZ-Häftlinge ohne Urteil eingesperrt wurden. Daß es viel mehr Todesfälle gab, hätte er Raschers Berichten an Himmler entnehmen können, wenn er gewollt hätte. Gelassen versicherte er bei seinem Verhör, er selbst hätte sich notfalls für diese Experimente zur Verfügung gestellt. Er habe Häftlinge gesehen, die schon wenige Minuten nach ihrer Bergung aus der Druckkammer »springlebendig« gewesen seien, und sie hätten sich gefreut, einen Beitrag für den Sieg geleistet zu haben. Tatsächlich wurden auch einige Überlebende belohnt – wenn man dies so nennen darf, denn statt in die Freiheit wurden sie in die Wehrmacht entlassen, in das Strafbataillon Dirlewanger, einer Bewährungseinheit für Himmelfahrtskommandos.

Sollte Wolff bei den Höhenversuchen Raschers noch leicht- oder auch gutgläubig gewesen sein, so galt das nicht mehr, als der Doktor sich vom 15. August 1942 ab mit einer neuen Serie von Experimenten als Sadist entlarvte, der sich am Leiden und Sterben von Menschen delektierte. Anlaß für die neuerlichen Versuche waren Flieger, die im kalten Meerwasser niedergehen mußten. Zumeist starben sie trotz Schwimmwesten an Unterkühlung. Bei den Versuchen in Dachau wurden die Versuchspersonen mit brachialer Gewalt in ein Becken mit eiskaltem Wasser geworfen. Erst wenn ihre Körpertemperatur unter 30 Grad Celsius abgesunken war, wurden sie ohnmächtig aus dem Becken herausgefischt. Nun sollte erforscht werden, wie sie am zweckmäßigsten erwärmt und somit wieder zum Leben erweckt werden konnten. Als eine Möglichkeit wurde auf Anraten Himmlers die »Belebung durch animalische Wärme« erprobt. Zu diesem Zweck wurden aus dem Konzentrationslager Ravensbrück ehemalige Prostituierte nach Dachau geschickt, die nackt unter einer Decke den kalten Mann an ihrer Seite erwärmen und zum Koitus bringen sollten. Rascher hat mit seinen Kälteversuchen über 280 Menschen mißbraucht. Davon starb jeder dritte.

Wolff gab später vor, er habe von diesen Experimenten nichts gewußt. Doch als man ihm einen Brief vorlegte, den er am 27. November 1942 an den Generalfeldmarschall Erhard Milch geschrieben hatte, den höchsten Vorgesetzten des Luftwaffenarztes Rascher, mußte der Obergruppenführer a. D. klein beigeben. Denn darin hatte er dafür plädiert, die Kaltwasserexperimente weiterzuführen, auch wenn die Luftwaffe ihre Mitwirkung zurückziehen sollte. Der Versuchspersonen wegen brauche man sich keine Sorgen zu machen; es seien nur Schwerverbrecher und Asoziale. Rascher müßte dann eben aus der Luftwaffe in die Waffen-SS überstellt werden. So geschah es dann auch. Wolff bestritt daraufhin, diesen Brief diktiert oder auch nur gelesen zu haben. Unterschrieben habe er ihn nur, weil ihm dies durch einen Zettel Himmlers befohlen worden sei. Nur weil der schauerliche Fall Rascher mit einer makabren Groteske endete, die bezeichnend ist für die SS, lohnt es sich, dafür noch ein paar Zeilen aufzuwenden. Das ehrgeizige und geltungssüchtige Paar Diehl/Rascher wollte auch noch von Himmlers manischer Geburtenförderung profitieren. Ende 1939 gebar die schon 46jährige Witwe Diehl in Prag angeblich einen Sohn; in Wahrheit ließ sie sich das Kind durch eine Hebamme vermitteln. Im Frühjahr 1941 beschaffte sie sich den zweiten Sohn auf ähnliche Weise, den dritten im November 1942, aber beim vierten, den sie in München in einem Bahnhof zu stehlen versuchte, hatte sie Pech. Sie wurde gefaßt und auf Anordnung Himmlers ohne Prozeß ins KZ Ravensbrück gebracht. Als sie dort kurz vor Kriegsende eine Wärterin überfiel, wurde sie gehenkt.

Ihr Ehemann – sie hatte nach dem zweiten Kindsbetrug geheiratet – wurde zunächst in einer Münchner SS-Kaserne gefangengehalten und dann in das KZ Buchenwald gebracht. Himmler lag viel daran, den Fall geheimzuhalten, weil er damit der Lächerlichkeit ausgesetzt gewesen wäre. Als das KZ Buchenwald Anfang April 1945 geräumt wurde, weil die Amerikaner nahten, wurde Rascher mit einer Gruppe prominenter Häftlinge nach Dachau geschickt. Die Gruppe wurde schließlich mit Wolffs Hilfe in Südtirol befreit, aber Rascher war nicht mehr dabei. Er war am 26. April 1945 in Dachau auf Befehl Himmlers durch Genickschuß getötet worden.

Noch ein zweiter Arzt wurde als Angehöriger des Persönlichen Stabes vom »Ahnenerbe« bei Verbrechen unterstützt. Im Dezember 1941 machte ein SS-Führer und gefährlicher Rassennarr den Vorschlag, eine Sammlung von Judenschädeln für Zwecke der vergleichenden Anthropologie anzulegen. Ein Vierteljahr später wurde dieser, der Anatomieprofessor Dr. August Hirt, an der neuen Reichsuniversität Straßburg damit beauftragt. Geplant wurde zunächst, den im

Ostfeldzug gefangenen jüdischen Kommissaren der Roten Armee – sie waren durch Hitlers Kommissarbefehl vogelfrei – die Köpfe abzuschneiden; aber aus verschiedenen Gründen kam das Vorhaben nicht in Gang. Der Professor beschäftigte sich deshalb zunächst einmal mit dem Gift Lost, das als Gelbkreuz schon während des Ersten Weltkrieges gasförmig verwendet worden war. Häftlinge des KZ Natzweiler-Struthof im Elsaß waren die Versuchsobjekte. Viele starben; die Überlebenden wurden in Lager des Ostens transportiert und als Tatzeugen umgebracht.

Es ist mehr als wahrscheinlich, daß Wolff auch von diesen Verbrechen erfahren hat, aber er brauchte nicht mehr selber fördernd einzugreifen. Der übereifrige »Ahnenerbe« – Geschäftsführer Wolfram Sievers wollte möglichst alles selber arrangieren, und wo er es nicht allein schaffte, fand er Hilfe bei Himmlers Sekretär, Dr. Rudolf Brandt, der sich mehr und mehr bemühte, dem Chef des Persönlichen Stabes das Wasser abzugraben. So dürfte denn Wolff auch den Plan, statt der Schädel gleich ganze Skelette zu sammeln, nicht mehr dienstlich erfahren haben. Als Himmler ja dazu sagte, lag Wolff schwerkrank im Lazarett. Bei dieser »Forschung« wurden auf Hirts Anforderung »115 Personen, davon 79 Juden, 2 Polen, 4 Innerasiaten und 30 Jüdinnen« aus der Masse der Häftlinge des Lagers Auschwitz nach Natzweiler überstellt. Sie wurden dort in einer eigens dafür angelegten Gaskammer ermordet. Ihre Körper gingen in die Straßburger Anatomie zu Hirt. Um sie zu skelettieren, wurden vom »Ahnenerbe« neue Geräte angeschafft.

8
»Auch die Garde muß gehorchen!«

Solange Wolff gesund war, ließ er sich nicht ganz aus dem Komplex der medizinischen Experimente verdrängen. Rascher und Hirt waren dem »Institut für wehrwirtschaftliche Zweckforschung« zugeteilt, einer geheimen Abteilung des »Ahnenerbes«. Sie waren deshalb auch weiterhin auf Wolffs Kasse angewiesen, wenngleich das große Geld jetzt vom SS-Wirtschafts- und Verwaltungshauptamt kam. Wenn er schon Zuschüsse von seinem »Sonderkonto R« überweisen mußte, dann dürfte er doch auch gelegentlich gefragt haben, wofür dieses Geld verwendet wurde.
Daß an den Beinen von Wolffs Chefsessel von seinen Untergebenen im Hauptamt gesägt wurde, konnte ihn nicht überraschen. So etwas gehörte ohnehin zum Brauchtum der NS-Organisationen; nach Hitlers darwinistischem Leitsatz, daß der Stärkere und damit auch der Bessere das Recht hat, sich durchzusetzen, war diese Praxis keineswegs anrüchig. Dazuhin ermunterte Wolffs häufige Abwesenheit von seiner Berliner Dienststelle die Karrierejäger ebenso wie die nur sporadische Anwesenheit in Himmlers Feldquartier. Der Jurist Dr. Rudolf Brandt schaffte ja auch den Aufstieg, und vom Obersturmführer Werner Grothmann, der die Hauptabteilung »SS-Adjutantur« leitete, hatte Wolff auch das Gefühl, daß er ihm als Verfolger im Nacken sitze. Außerdem hatten ihn die vielen Jahre an Himmlers Seite belehrt, daß auf die Treue (laut SS-Grundsatz »das Mark der Ehre«) des Reichsführers nur bedingt Verlaß war.
Trotzdem machte sich der Chef des Persönlichen Stabes keine großen Sorgen. Das »Prachtstück« des Hauptquartiers war sicher, daß ihm der Reichsführer kaum Böses antun konnte, weil Hitler im Ernstfall seine schützende Hand über ihn halten würde. Deshalb pflegte der ehemalige Bankangestellte sorgfältig seinen »Personalkredit« beim Führer des deutschen Volkes, indem er regelmäßig bei den nächtlichen Schwatzstunden als dankbarer Zuhörer mitwirkte. Andererseits tat er nicht viel, um etwa den Personalkredit Himmlers auf der Höhe zu halten. In den Ansätzen zu seiner Autobiographie erzählte er episch breit und mit untergründiger Befriedigung, wie ihm Hitler einmal eine Gelegenheit bot, den Reichsführer-SS zu demütigen.
Es muß im November 1942 gewesen sein – das Datum kann Wolff nicht genau nennen –, als er nach ermüdenden, weil langweiligen Teestunden und genervt von den endlosen Monologen des Führers lange nach Mitternacht erst ins Bett

gekommen war. Er wurde durch einen Telefonanruf geweckt und auf dem schnellsten Weg in den Bunker des Führers beordert. Hochdramatisch und wie üblich mit wörtlichen Zitaten schildert Wolff in seinem Manuskript, wie Hitler ihn geradezu beschwor, wahrheitsgemäß alle Fragen zu beantworten und in keiner Weise etwa seinen Chef zu decken.

»Wolff«, fragte der Führer, »wissen Sie, wo Horia Sima sich zur Zeit befindet?« Als der Obergruppenführer ihm »unerschrocken wie immer in die Augen« sehen konnte und »sofort und spontan« sein Nein schmetterte, richtete sich Hitler (der »entsprechend der schlechten Lage ... etwas zusammengesunken« war) auf »und sagte leise, gequält und zugleich erleichtert: ›Gottseidank!‹«.

Dieser Horia Sima war ein Rumäne. In seinem Heimatland war er der Chef einer faschistischen Organisation gewesen, der »Eisernen Garde«. Sie hatte 1940 gemeinsam mit der Armee gegen den König Carol geputscht und dem General Antonescu zur Macht verholfen. Die SS setzte auf diese Garde, weil sie die Juden terrorisierte und die francophile Oberschicht ablehnte. Hitler aber hielt es für zweckmäßiger, wenn er den General unterstützte. Im Januar 1941 kam es zwischen den beiden Partnern zum Streit. Die Legionäre unterlagen, wurden verfolgt, viele auch ermordet. Etwa 200 von ihnen gelang mit Hilfe des SD die Flucht nach Deutschland. Antonescu wurde durch Ribbentrop beruhigt, seine Feinde befänden sich im Konzentrationslager; dafür bürge ein Ehrenwort Hitlers. Dieser war jedoch durchaus einverstanden, daß der SD sie in einer seiner Schulungsstätten versteckte, denn damit verfügte er über einen Kettenhund, den er loslassen konnte, falls der rumänische Staatschef einmal nicht gehorchen sollte.

Nun aber war dieses kostbare Stück Politik aus dem Gewahrsam entwichen und offenbar auf dem Weg in sein Heimatland. Antonescus Geheimdienst hatte Horia Sima entdeckt. Der General ließ über den deutschen Gesandten in Bukarest den Reichsaußenminister fragen, Hitler wolle doch wohl nicht sein Versprechen brechen. Da Ribbentrop mit Himmler permanent im Streit lag, nutzte er die Gelegenheit, Hitler gegen den Reichsführer-SS aufzubringen.

Walter Schellenberg, SS-Brigadeführer und Chef des SD-Geheimdienstes, berichtete nach dem Krieg, Hitler habe in seiner Wut der »Schwarzen Pest« gedroht, er werde sie »ausradieren«, wenn sie nicht gehorche. Es muß wohl stürmisch zugegangen sein in jener Nacht im Führerbunker, denn Wolff berichtete, es sei »das einzige Mal« gewesen, »daß ich erlebt habe, daß der Führer getobt hat – in diesem Fall mit Recht«. Hitler habe ihm dann erklärt, weshalb gerade jetzt der Fall zu gravierend sei; rumänische Divisionen stünden bei Stalingrad in schweren Abwehrkämpfen, und das Reich sei auf die Ölquellen von Ploesti ebenso angewiesen wie auf die Lebensmittel, die dieses Agrarland in großen Mengen ins Reich liefere.

Wolff wurde beauftragt, unverzüglich telefonisch bei Himmler in dessen 30 Kilometer entferntem Feldquartier anzufragen, wie sich die Sache mit Horia Sima verhalte. Das gelang ihm nur mit Verzögerung; in Himmlers Standort weigerte sich der diensttuende SS-Führer, seinen Chef zu wecken, denn dies sei

strengstens verboten. Erst als Wolff sich auf den Führerbefehl berief und seinerseits mit harten Strafen drohte, klingelte Himmlers Telefon.
Kleinlaut habe Himmler gesagt: »Ich bitte den Führer gehorsamst um Entschuldigung, aber der Horia Sima ist tatsächlich vor einer Woche entflohen.« Er habe es gleich melden wollen, aber der Gestapochef, Gruppenführer Heinrich Müller, habe abgeraten; Hitler sei ohnehin wegen der schwierigen Lage bei Stalingrad und wegen des Rückzugs von Rommel in Nordafrika nervlich überfordert. Die neuerliche Aufregung könne man ihm ersparen, denn in wenigen Tagen sei der Flüchtling eingefangen. Wolff: »Ich muß sagen, ich habe vom Reichsführer eine mannhaftere Stellungnahme erwartet.«
Noch viel weniger war Hitler mit dieser Auskunft zufrieden. Eine Viertelstunde lang – berichtete Wolff – sei sein Führer brüllend in dem kleinen Raum auf und ab gerannt. Die Verdammung der »Schwarzen Pest« hat sein hervorragendes Gedächtnis nicht registriert, wohl aber eine Lobpreisung: Die SS sei »eine wunderbare Sache«, und »ich bin glücklich, daß ich sie habe, aber auch die Garde muß gehorchen«. Wolff mußte gleich noch einmal telefonieren und an Himmler folgendes weitergeben: Der Führer spreche ihm sein persönliches Mißfallen aus; der Führer wolle ihn im Hauptquartier nicht sehen, und er werde ihm auch die Hand nicht geben, bis Horia Sima wieder in Haft sei; der Führer verlange zweimal täglich Meldung, was die Polizei unternehme.
Wolff erlaubte sich, eine andere Prozedur vorzuschlagen. Er wies darauf hin, daß die Telefonzentrale von einer Wehrmachtseinheit bedient werde. Die Soldaten würden nachts um drei Uhr schon aus Langeweile alle Gespräche mithören, obwohl dies verboten sei. Sie würden sich freuen, wenn die SS gerüffelt würde, und sie würden dies natürlich weitererzählen. Es sei deshalb auch nicht wünschenswert, wenn etwa Generalfeldmarschall Keitel oder Generaloberst Jodl von der Sache erführen. Sie sei ja nicht aus Böswilligkeit, sondern nur durch »irgendeine Unachtsamkeit heraufbeschworen« worden. Zu Hitler sagte er angeblich: »Ich muß das hier aussprechen, denn ich muß das alles wieder in Ordnung bringen.« Zweckmäßiger fahre er mit dem Auto zu Himmler und überbringe ihm unter vier Augen Hitlers Botschaft.
Dies geschah dann am Vormittag. Als Wolff sein Sprüchlein aufsagte, sei Himmler »ganz blaß« geworden. Seiner Meinung nach hätte der Reichsführer aus dem Mißtrauen und der Ungnade Hitlers »seine Konsequenzen ziehen müssen«. Welche? Rechnete der Obergruppenführer mit dem Rücktritt seines Vorgesetzten? Sah er sich schon als Nachfolger? Wenn ja, so irrte er. »Er hat ganz flau geantwortet«, erzählte Wolff. »Ich habe das stillschweigend für ihn in Ordnung gebracht, aber das hat er mir nie verziehen. Er glaubte, daß die Reihenfolge nicht mehr die alte war – nämlich oben der Führer als oberster Kriegsherr, dann der Reichsführer-SS und dann erst der Verbindungsgeneral der Waffen-SS im Führerhauptquartier. Er fand, daß ich jetzt über ihm stand.«
In jenen Tagen des ausklingenden Jahres 1942 war Wolff überzeugt, daß seine weitere Karriere nicht mehr aufzuhalten sei. Er glaubte, er habe sich die Gunst Hitlers ein für allemal gesichert. »Der Führer sprach mit mir die gleiche Sprache

des Frontsoldaten des Ersten Weltkrieges, während Himmler wie ein Zivilist daherquatschte.« Dies schrieb er rückblickend und rückbewertend als alter Mann, mehr als dreißig Jahre nach dem Untergang des Dritten Reiches; noch immer war er ein nordischer Herrenmensch.

Die Gefahr für die Karriere kam unvermutet und aus einem Bereich, den der Held unserer Geschichte mit leichter Hand zu ordnen pflegte – aus seinen privaten Verhältnissen. Nach strengen Maßstäben bürgerlicher Moral waren sie etwas in Unordnung, denn er genoß schon seit geraumer Zeit die Freuden doppelten Familienlebens, ohne daß er deswegen strafrechtliche Folgen hätte befürchten müssen. In der SS-Oberschicht war dies bekannt, aber niemand sah ihn deswegen scheel an. Kebsweiber (wenn diese biblische Benennung hier am Platz ist) waren bei den NS-Größen Usus; den aus kleinen Verhältnissen emporgekommenen Leitern und Führern aller Art vermochten die Ehefrauen beim Höhenflug nicht nachzufolgen, wie sie denn auch mit der Zeit nicht mehr repräsentabel für Staatsempfänge waren. Und weil solche Männer allein schon aufgrund ihrer Stellung begehrenswert für andere Frauen geworden waren, erlag so mancher Parteimensch der Versuchung, sich Jüngeres und Schöneres zuzulegen.

Wie erinnerlich, wohnte die legitime Familie Wolff in Rottach-Egern am Tegernsee in einem Zehn-Zimmer-Eigenheim mit Seeufer, Boots- und Badehaus. Die Ehefrau Frieda, geborene von Römheld, erzog dort ihre vier Kinder, zwei Mädchen und zwei Knaben. Wenn Hitler auf dem Obersalzberg über Berchtesgaden residierte, konnte Karl Wolff bei seiner Familie wohnen. War er abwesend, wie zumeist, mußten sich die Seinen mit einem lebensgroßen und lebensnahen Porträt trösten.

Das Heim der zweiten Familie war eine Sechs-Zimmer-Wohnung in Berlin-Charlottenburg. Hier lebte die verwitwete Gräfin Ingeborg Bernstorff, geborene Christensen, aus Hamburg stammend, mit ihren drei Kindern, deren jüngstes, der Wolff-Sohn, jetzt fünf Jahre alt war. Vorläufig war sie nur die Wolff-Gefährtin für die Reichsteile nördlich der Mainlinie. Sie bezog eine Beamtenpension, weil ihr verstorbener, bislang letzter Ehemann preußischer Landrat gewesen war. Sie hatte schon zwei Kinder, als sie 1937 den Sohn von Karl Wolff gebar; dies geschah, wie bereits berichtet, in Budapest, damit das freudige Ereignis nicht zu viele Leute erfreute. Der kleine Junge mit dem germanischen Vornamen Widukind Thorsun durfte deshalb auch nicht gleich mit der Mutter nach Berlin kommen. Für diskrete Fälle dieser Art gab es im Hauptamt des Chefs des Persönlichen Stabes Reichsführer-SS ein Amt »Lebensborn«. Es war gegründet worden, damit Freundinnen von SS-Männern, in aller Stille und unbelästigt vom Verdikt ihrer Umgebung, ihre Kinder zur Welt bringen konnten, und auch, damit solche Säuglinge, sofern sie rassisch einwandfrei ausgefallen waren, verdienten SS-Ehepaaren zur Adoption vermittelt werden konnten. Hier war nun ein solcher Fall gegeben. Der Wolff-Sohn wurde in das Lebensbornheim in Steinhöring gegeben, dort während der ersten Lebensmonate betreut und dann als Pflegekind der leiblichen Mutter anvertraut.

: Himmler und Stab unterwegs im besiegten
n. Mitte: In der südpolnischen Stadt Zamoshe.
n: Rast am Wege. In der Mitte sitzend:
nler, Wolff zweiter von rechts.

Unten: Zum Gruppenbild
angetreten: Die Hitler-Gefolgsch
Frankreich-Feldzug. Vordere Rei
von links: Adjutant Brückner,
Pressechef Dietrich, Generalobe
Keitel, Hitler, General Jodl,
Bormann, Luftwaffenadjutant vo
Hitler-Fotograf Hoffmann.
Zwischen Jodl und Below:
Wolff und der Arzt Hitlers,
Professor Morell.

1940: Kurz vor dem Frankreich-Feldzug ernennt Hitler Wolff zum ersten Generalleutnant der SS-Verfügungstruppe, womit er den Generälen der Wehrmacht gleichgestellt ist. Unten: Von nun an zählt Wolff zum engsten Kreise Hitlers. Von links: Hitler, Bormann, Wolff.

Himmler besucht Hitler im Hauptquartier. Von links: Die Hitler-Sekretärin Schröder, Flugkapitän Baur, Hitler, (halb verdeckt) Adjutant Schaub, Wolff, Himmler, Fotograf Hoffmann, Dr. Brandt, Adjutant Brückner. Unten: In einem zerstörten Dorf im Elsaß. Wolff rechts von Hitler.

1940: Hitler und Gefolge vor dem Straßburger Münster. Links von ihm Wolff. Rechts: Die Adjutanten Schaub und Brückner sowie der Arzt Morell.

Unten: 1941: Jugoslawien-Feldzug. Wolff im Gespräch mit seinem Adjutanten vor dem Sonderzug Hitlers, der als Hauptquartier dient.

Daß Widukind blond und blauäugig war wie er, freute den leiblichen Vater besonders. Er war aber auch bemüht, für den Bernstorff-Nachkommen zu sorgen, der später durch die zweite Ehe sein Stiefsohn werden würde. Dessen Onkel, also der Bruder seines verstorbenen Vaters, war der Graf Albrecht von Bernstorff. Er war wie einige seiner Vorfahren Diplomat geworden. Als Botschaftsrat in London war er aus dem Staatsdienst 1933 ausgeschieden; er war ein Gegner Hitlers. Nun war er im Bankgewerbe tätig. Weil er keine direkten Nachkommen besaß und über ein Vermögen verfügte, verlangte Ingeborg von Bernstorff, daß er ihren Sohn, den jungen Grafen, durch ein unwiderrufbares Testament zum Erben einsetzte. Als er sich weigerte – so sagte ein Zeuge im Münchner Strafprozeß gegen Karl Wolff aus – sei er von der Gestapo abgeholt und ins KZ Dachau gebracht worden. Wolff habe ihm beteuert, er werde erst freikommen, wenn er den Erbvertrag unterschreibe. Dazu sei es dann nach längeren Verhandlungen gekommen. Doch 1943 wurde der Graf zum zweiten Mal festgenommen, und im April 1945 wurde er von der SS erschossen.
Dem Münchner Schwurgericht wurde von der Staatsanwaltschaft auch ein Brief präsentiert, den Wolff im Februar 1939 aus Taormina auf Sizilien an seine Frau Frieda geschrieben hatte.
Er kann durchaus als ein Symptom seiner SS-Besessenheit gewertet werden. Es heißt in dem Brief: »... Das Schicksal hat mich als engsten Mitarbeiter neben einen einmaligen Mann, den Reichsführer-SS gestellt, den ich nicht nur aufgrund seiner ganz außerordentlichen Qualitäten grenzenlos verehre, sondern an dessen geschichtliche Sendung ich zutiefst glaube. Unsere gemeinsame, mich unendlich befriedigende Arbeit... wurzelt im Rassegedanken. Mein ganzes Sein und Trachten gilt der SS und ihren fernen Zielen. Kein Wunder also, daß der Gedanke, daß meine Söhne nach menschlicher Voraussicht den in 15–20 Jahren gültigen Auslesebedingungen der SS nicht genügen werden, mich selber sehr bedrückt, zumal da ich theoretisch meinem Volk rassisch noch höher qualifizierte Kinder schenken könnte. Welcher Mangel an Kindern mit ganz umfassenden SS-Qualitäten vorhanden ist, brauche ich Dir nicht auseinanderzusetzen ...« Widukind Thorsun war ein Unikat, bis jetzt.
Das also war sein privater Kummer seit Jahren: Die Frau in Rottach-Egern und die vier Kinder waren zwar gesund, aber vom Schicksal mit braunem Haar und braunen Augen geschlagen. Hätte der Schüler Karl im Biologieunterricht auf dem Gymnasium besser aufgepaßt, dann hätte er dieses Unglück vermeiden können; daß Dunkles über Blondes dominiert, ist ein Gesetz in der Vererbungslehre. Inzwischen fühlte sich der SS-Mann Karl schuldig, sein nordisches Erbgut verschwendet zu haben. Es war ihm klargeworden, daß er aus seiner Ehe keinen einwandfreien Nachwuchs erwarten konnte. Anders von Gräfin Ingeborg; ihre Kinder und erst recht der Wolff-Sohn waren einwandfrei geraten.
Es mag dahingestellt bleiben, wie er die Situation auf die Dauer zu entwirren gedachte. Doch immer war es seine Stärke, daß er Probleme wortreich und trotzdem klammheimlich unter einen Teppich kehren konnte; er vertraute auf die Zeit, die manches Wichtige unwichtig machen kann. Als 1941 immer mehr

Männer im Krieg starben, stellten die NS-Bevölkerungspolitiker besorgte Rechnungen auf, wie man diesen Ausfall künftig aufholen und wie man mit dem Überschuß an Frauen fertig werden könne. Das Wort »domina« ging in der Parteiprominenz um. Es bedeutete, daß künftig jeder Mann, der sich um das Vaterland verdient gemacht hatte, von der Partei die Erlaubnis erhalten konnte, eine zweite Frau zu heiraten. Die erste dürfte dabei in ihren Rechten nicht geschmälert werden; sie werde für ihre Toleranz mit dem Ehrentitel »domina«, gleich Herrin, belohnt, aber die zweite sei darum nicht weniger legitim und achtenswert. Man behauptete, nach dem Dreißigjährigen Krieg sei dies im Reichsgebiet gang und gäbe gewesen; der Führer und die Reichsfrauenführerin Gertrud Scholtz-Klink hätten über die erforderlichen Gesetze für die Nachkriegszeit schon beraten.
Wie so viele aus der Prominenz des Hakenkreuzes spielte auch Wolff zeitweise in Gedanken mit dieser Möglichkeit. Er fühlte sich dazu um so mehr animiert, als sogar der Reichsleiter Martin Bormann, der jetzt Sekretär des Führers geworden war und dessen Pläne besser kannte als sonst jemand, dieses Projekt befürwortete. Nun war freilich der Frieden noch fern, aber dem Liebespendler zwischen Spree und Tegernsee wäre wahrscheinlich der Schwebezustand auch noch lange gut genug gewesen. Doch die Gräfin Inge wollte einen Mann für sich allein, und für die Rolle einer Zweitfrau war sie schon gar nicht zu haben. Sie forderte, was ihr Liebhaber ihr schon vor langem und immer wieder aufs neue versprochen hatte: die Scheidung, und damit Wolffs Entscheidung zwischen seinen Frauen.
Warum sie ihren Willen am Ende durchsetzen konnte? Sie war die energischere der beiden Frauen; aber dem von seinen eigenen Rassenqualitäten so sehr überzeugten Bilderbuch-Germanen ist es auch zuzutrauen, daß er glaubte, er müsse die im Erscheinungsbild mißratene Familie auf dem Altar des Vaterlandes opfern. Die Aufnordung des Volkes, ein Programmpunkt der SS, schien ihm jetzt notwendiger als je zuvor, und gerade in seiner Stellung sollte er dem Volk mit gutem Beispiel vorangehen. Wenn er dabei ein etwas lädiertes Gewissen in Kauf nahm, so konnten ihn doch das Vergnügen in der legitimierten Beziehung zu der Jüngeren und deren attraktive Erscheinung entschädigen.
Das SS-Statut verpflichtete ihn, die Scheidung und die nachfolgende Eheschließung von Himmler genehmigen zu lassen. Doch der lehnte beides ab; Eheskandale in führenden Kreisen verdürben die Volksstimmung, argumentierte er. »Später vielleicht!« Und: »Warten Sie ab! Es wäre möglich, wenn wir die Familiennachricht hinter einem großen Sieg verschwinden lassen könnten!« Das zog sich so über Monate hin, bis es der Gräfin, die endlich keine mehr sein wollte, zuviel wurde. Sie drang in Himmlers Diensträume in der Prinz-Albrecht-Straße ein, schlug mit der Faust auf seinen Schreibtisch und protestierte so hörbar, daß der Reichsführer ihr versprach, er werde ihrem Wunsch nicht mehr im Wege stehen. Trotzdem zog er seine Zustimmung noch weiter hinaus.

Für dieses Zögern nannte Wolff zwei Gründe. Erstens: Der Reichsführer fürchtete, die resolute Hamburger Inge könnte ihm in der SS-Spitzenclique manchen Ärger bereiten, während die moderate und vornehm erzogene Frieda aus dem Darmstädter Beamtenadel dies nicht erwarten ließ. Ferner mutmaßte Wolff: »Wenn Staatsempfänge waren, dann ging der Reichsführer voran mit seiner Frau – weißblondes Haar und blaue Augen, aber solche Backenknochen und solche Hüften, alles andere als germanisch. Und hinterher käme dann ich, und wenn nun noch der Supertyp einer schönen Friesin an meiner Seite geht, dann gibt es noch ein weiteres Gefälle.«

Nach der neuerlichen Verzögerung unternahm Wolff offenbar nichts mehr, um die Situation zu klären. Er wartete wieder, vielleicht auf den Domina-Tag. Doch im Februar 1943 plagten ihn zunehmende Schmerzen in der Hüfte. Als er Himmler seine Beschwerden meldete, empfahl dieser den Mann, der ihm bei anscheinend ähnlichen Übeln half, den Masseur Felix Kersten. Der Heilpraktiker aus Finnland befreite Himmler seit Jahren mit knetenden Händen von Magenschmerzen, Verdauungsstörungen, Darmkoliken, Atemnot. Kurz, er war ein Wunderheiler. Als Wolff sich wieder einmal für ein paar Tage bei Hitler abgemeldet hatte, um in seinem Berliner Büro nach dem Rechten zu sehen und einer Einladung von SS-Gruppenführer Gottlieb Berger zur Jagd auf einen Keiler im Warthegau zu folgen, setzte der Patriarch Himmler statt der Jagd eine Massage auf Kerstens Gut »Harzwalde« an, hundert Kilometer nördlich von Berlin.

In der nun beginnenden Krankengeschichte weichen Wolffs Berichte in einigen Punkten voneinander ab. In der aggressivsten Fassung wußte Himmler, daß Wolff an einer Nierenbeckenentzündung litt. Der Reichsführer soll sogar die Absicht gehabt haben, mit der Massage ernsthaft die Nieren beschädigen zu lassen. Wie dem auch sei, hinterher hatte Wolff Blut im Urin, und weil in der Nähe des Kersten-Guts die vielgerühmte SS-Heilstätte Hohenlychen lag, schilderte Wolff am 18. Februar 1943 dem dortigen Chefarzt, Professor Dr. Karl Gebhardt, am Telefon die Symptome seines Leidens. Der entschied: Sofort herkommen! Und man entdeckte auf dem Röntgenschirm als Ursache einen mehr als bohnengroßen Nierenstein, der nur operativ zu entfernen war. Es werde, sagte der Chirurg Gebhardt, keine einfache Operation sein und der Allgemeinzustand Wolffs sei auch nicht mehr der beste. Kurz, es könne auch zu einer ernsten Situation kommen.

Es ist verständlich, daß dies für den Kranken ein ziemlicher Schock war. Wie jeder Unglückliche suchte er einen Schuldigen. Bis zuletzt behauptete er, Himmler habe ihn zur Massage befohlen, weil er gehofft habe, er könne sich damit einen gefährlichen Konkurrenten vom Halse schaffen. Gebhardt, der in einem Kriegsverbrecherprozeß später zum Tode verurteilt wurde, habe ihm diesen Verdacht vor seiner Hinrichtung durch die Amerikaner quasi bestätigt, obwohl der SS-Arzt ein Jugendfreund Himmlers war. Der zur Operation hinzugezogene Urologe habe gleich ein bedenkliches Gesicht gemacht und hinterher zu Himmler am Telefon gesagt, einen so schwierigen Eingriff überlebe

erfahrungsgemäß nur einer von drei Patienten. Dabei ist Wolffs Verdacht, mit der von Himmler angeordneten mörderischen Massage seien Teile seiner Niere durch den scharfkantigen Stein zerrieben und damit eine Sepsis verursacht worden, nach Ansicht von Medizinern insofern abwegig, als diese schmerzhafte Prozedur kaum ein Mensch ertragen hätte.
Solche trüben Aussichten bewogen Wolff, noch vor der Operation seine privaten Verhältnisse in Ordnung zu bringen. Einmal mehr bat er Himmler, er möge nun die Scheidung und die zweite Ehe genehmigen. Und einmal mehr bekam er eine hinhaltende Antwort – wie er später erfuhr mit dem Hintergedanken, man könne darüber ja noch entscheiden, wenn der Kranke wieder gesund sei. Wolff glaubte sich berechtigt, nun die höchste Instanz anzurufen. Um in geziemender Haltung an Hitler zu schreiben, stand er eigens von seinem Schmerzenslager auf und zog seine Generalsuniform an. Es traf sich gut, daß er sein Gesuch einem hochkarätigen Boten mitgeben konnte; der Partei- und SS-Veteran Julius Schaub, vertrautester Adjutant Hitlers aus der Mannschaft des Führerhauptquartiers, reiste gerade in den ersten Märztagen von Berlin nach »Werwolf« in der Ukraine, dem derzeitigen Standort des Obersten Kriegsherrn. Außer Wolffs Brief nahm Schaub ein zweites Scheidungsgesuch mit, das ein Reichsleiter der Partei eingereicht hatte. Nicht ohne stolze Eitelkeit berichtete Wolff, daß nur sein Gesuch genehmigt wurde. Sein oft gerühmter Personalkredit hat zweifellos dabei eine Rolle gespielt, aber entscheidend war wohl ein Brief der Ehefrau Frieda, der Hitler gleichzeitig vorlag. In ihm verzichtete sie nach mehr als zwei Jahrzehnten gemeinsamen Lebens mit rührenden Worten auf den noch immer geliebten Ehemann, und sie unterstützte sein Gesuch, weil sie seinem Glück nicht im Wege stehen wollte.
Die Scheidung wurde am 6. März vollzogen. So konnte schließlich am 9. März 1943 in Hohenlychen Wolffs zweite Ehe amtlich registriert werden. Für Ingeborg, geborene Christensen, verwitwete Gräfin Bernstorff, war es die dritte Prozedur dieser Art. Sie war vor ihrer gräflichen Ehe schon einmal mit einem bürgerlichen Kaufmann verheiratet gewesen und nach kurzer Zeit von ihm geschieden worden.
Am 12. März wurde der Patient operiert, vom besten Ärzteteam, das Hohenlychen aufbieten konnte. Zwei Rippen mußten gekürzt werden, um den Nierenstein erreichen zu können. Durch ein Rundschreiben gab Himmler bekannt, daß der Chef seines Persönlichen Stabes schwer erkrankt sei – so schwer, daß es untunlich sei, ihn zu besuchen, zu schreiben oder auch nur Geschenke zu schicken. Dem Hauptamt werde er vorläufig selber vorstehen. Von einem Ersatz als Vertreter der Waffen-SS im Führerhauptquartier war gar nicht die Rede; erst im Spätherbst übernahm dort ein neuer Mann den Dienst, und daraus darf man schließen, daß der Posten nicht unbedingt besetzt sein mußte. Der Reichsführer-SS kam nie ans Bett des Kranken, was dieser übel bemerkte. Einmal schickte er seine Sekretärin, die ja auch seine Geliebte war. Sie verschwieg, daß die Rückkehr Wolffs in seine bisherigen Dienststellungen nicht vorgesehen und daß seine künftige Verwendung offen war. Als sie ihm vorwarf,

sein Frauenwechsel sei moralisch nicht zu rechtfertigen und er habe sich auch Himmler gegenüber unfair gezeigt, als er sich direkt an Hitler gewandt hatte, da merkte der Obergruppenführer, daß er bei seinem Ordensoberen in Ungnade gefallen war.
Sollte er sich darüber grämen? Wie oft hatte er – sofern man seinen Bekenntnissen immer glauben kann – in den letzten Jahren schon behauptet, der Reichsführer habe ihn wieder einmal mehr zutiefst enttäuscht. Und wie oft hatte er sich schon gefragt, ob er in der SS überhaupt noch seine Ideale verwirklichen könne? Trotz seiner Einwände gab es immer noch den korrupten Gauleiter Erich Koch in Ostpreußen, und er war inzwischen auch noch absoluter Herrscher über die Ukraine geworden. Noch immer galten unwiderrufen Himmlers Grundsätze für die Behandlung der Menschen im eroberten Osten. Noch immer wirkten die Einsatzgruppen, wie er sie in Minsk erlebt hatte. Und noch immer stellten sich Gauleiter gegen die SS und Himmler, ohne daß der so mächtige Reichsführer-SS und Chef der Deutschen Polizei den Mut gefunden hätte, etwa einen Parteigenossen wie den Danziger Gauleiter Forster beim Obersten Parteigericht zu verklagen.
Abzuwägen bleibt jedoch, ob er diese Mängel an seinem Idol (siehe den Brief aus Taormina) im Jahr 1943 schon als ebenso gravierend empfand, wie er sie nach dem Zusammenbruch ihres gemeinsamen Unternehmens schilderte. Glaubhaft ist es schon, daß die zeitbedingten schweren Belastungen, das permanente Balancieren zwischen Sieg und Untergang, den früher so vertraulichen Umgang sachlich-nüchtern gemacht hatten; bei ihren gemeinsamen lichtscheuen Aktionen waren sie Spießgesellen geworden, und in dieser Kategorie gibt es kein vorbehaltloses Vertrauen mehr, weil jeder vom anderen schon zuviel weiß. Wenn Wolff sich nun nach Heydrichs Tod als präsumtiver Nachfolger Himmlers sah, dann war es diesem nicht zu verdenken, daß er die Chance nutzte, seinen Rivalen zu schwächen, indem er ihm Ämter entzog. Verständlich auch, daß er ihm die Horia-Sima-Affäre ankreidete; welcher Vorgesetzte schätzt es schon, wenn ihm ein Untergebener den Rüffel des Allerhöchsten überbringt? Daß Hitler dann auch noch Wolffs Scheidung und die neue Ehe genehmigte, konnte von Himmler doch nur so gedeutet werden, daß der Obergruppenführer von höchster Stelle mehr Gunst zu erwarten hatte als er selber.
So mag es denn dahingestellt bleiben, ob der Zustand des Patienten nach der Operation so lebensbedrohend war, wie er das schilderte. Er lag immerhin zwei Monate in Hohenlychen. Am 15. Mai 1943 reiste er zur Brunnenkur nach Karlsbad im Sudetengau, um dort die Nieren zu spülen. Ende Juni wechselte er nach Bad Gastein, am Nordhang der Tauern; in tausend Meter Höhe hoffte er neue Kraft zu gewinnen. Er dürfte noch lange damit gerechnet haben, er könne wieder auf seine gewohnten Plätze zurückkehren, nach Berlin in die Prinz-Albrecht-Straße und in das Führerhauptquatier. Doch als in der Berliner Dienststelle seines Hauptamtes einige Mitarbeiter gegen neue Kräfte ausgewechselt wurden und als Dr. Rudolf Brandt zunehmend die Geschäfte des bisherigen Hauptamtchefs an sich nahm, kamen ihm doch Zweifel.

Gegenüber seinem Leibgarde-Kameraden Maximilian von Herff, jetzt Chef im SS-Personal-Hauptamt und im Rang gleichfalls Obergruppenführer, verheimlichte er seine Befürchtungen nicht, als er auch in der dritten Juliwoche seines Aufenthaltes in Bad Gastein noch nicht wußte, wo Mitte August, nach Ablauf seines Urlaubs, sein Platz sein würde. Herff antwortete ihm in einem Brief: »Ich hielte es ja für sehr wünschenswert, wenn Du zumindest noch einige Monate wieder in Deinem bisherigen Wirkungskreis verwandt würdest, um jedem etwaigen Gerede die Spitze abzubrechen, aber das wird ja auch schon entsprechend gemacht werden.«
Als Herff dies schrieb, im August 1943, wußte er noch nicht, daß sein Kamerad inzwischen durch ein geschichtswürdiges Ereignis in eine neue Laufbahn gestoßen war. Am 25. Juli wurde Italiens Diktator Benito Mussolini, der Duce und Verfechter der Achsenpolitik seines Landes, nach einem Vortrag bei Italiens König Viktor Emanuel II. verhaftet und heimlich in einem Krankenwagen aus dem Palast geschafft. Zunächst erfuhr niemand, wo er gefangengehalten wurde. Die meisten seiner politischen Freunde im Faschistischen Großrat waren von ihm abgefallen. Sie glaubten nicht mehr an den Sieg der Achse, seit Soldaten der Alliierten italienischen Boden eroberten, und sie fürchteten einen Bruch jener Tradition, wonach ihr Staat bei jedem Friedensschluß auf der Seite der Sieger zu finden gewesen war. An des Duces Stelle ernannte der König den Marschall Pietro Badoglio zum Regierungschef. Beide verkündeten zwar, sie würden treu zum Bündnis stehen, aber insgeheim steuerten sie auf eine Allianz mit den Engländern und Amerikanern zu.
Deren Siege waren beeindruckend; sie hatten die Soldaten der Achse aus den italienischen Kolonien in Afrika vertrieben, waren nun auch auf Sizilien gelandet, und es war vorauszusehen, daß sie auch bald in Süditalien Fuß fassen würden. Während die deutschen Truppen sich kämpfend bei hinhaltendem Widerstand heimwärts zurückzogen, streckten italienische Verbände massenweise die Waffen. Damit wurde die Situation für die weit im Süden stehenden deutschen Divisionen prekär. Sie wußten, daß ihr stärkster Verbündeter in Europa über kurz oder lang zum Feind überlaufen würde, aber sie konnten nichts dagegen unternehmen; solange er noch intakte Truppen besaß, durften sie nicht riskieren, daß auch sie noch den Feind verstärkten. So war es denn auch politisch zweckmäßig, am zerfallenden Bündnis pro forma festzuhalten, bis die neue Regierung Italiens es brechen würde.
Wohl aber war es möglich, sich auf diesen Tag vorzubereiten. Die militärischen Notwendigkeiten waren einigermaßen klar: Es mußte verhindert werden, daß beim Frontwechsel der Italiener die deutschen Verbände im Süden von ihren Verbindungen zum Reich abgeschnitten wurden. Deshalb baute man in aller Stille unter dem in Afrika einst siegreichen Feldmarschall Erwin Rommel in Österreich, Süddeutschland und Norditalien eine neue Heeresgruppe auf. Daneben aber mußte auch ein deutscher Polizeiapparat vorbereitet werden, der hinter den kämpfenden Einheiten den Nachschub sicherte, die Benutzung der Wirtschaft und der Arbeitskräfte für den deutschen Bedarf überwachte, wie dies

auch in den anderen besetzten Ländern geschah. Dort war dies die Sache von Höheren SS- und Polizeiführern. Für eine ähnlich geartete Aufgabe in Italien wurde nun der geeignete Mann gesucht.

Dieser Mann mußte das Land kennen und mit den Italienern einigermaßen vertraut sein. Er mußte geschickt verhandeln können, weil man den bisherigen Bündnispartner nicht wie die Polen behandeln konnte. Der Mann mußte außerdem mit zwei Feldmarschällen zurechtkommen, die sich gegenseitig nicht ausstehen konnten, mit Rommel im Norden und dem Oberbefehlsheber der Südfront, dem Generalfeldmarschall Albert Kesselring. Beide galten mit Recht als sehr eigenwillig, und deshalb konnten sie sich nicht vertragen.

Wolff wurde am 27. Juli 1943 im Hotel in Bad Gastein von Himmler angerufen. Er bekam Befehl, unverzüglich, wie immer sein Gesundheitszustand sei, ins Feldquartier bei Lötzen unweit Rastenburg zu kommen. Dort erfuhr er, er habe sich auf den Einsatz in Italien vorzubereiten. Er sei, so meinte er, als exzellenter Kenner Italiens zu dieser Aufgabe berufen worden, aber das war er wohl nur bedingt; zwar hatte er das Land mehrmals bereist, zumeist als Begleiter des Reichsführers-SS, und er hatte wegen der Umsiedlung der Südtiroler mehrmals mit Italienern verhandelt, aber ohne Dolmetscher kam er nie zurecht. Er hatte eine Anzahl an Männern vorwiegend aus der faschistischen Partei kennengelernt, die er seitdem seine Freunde nannte, aber er bewertete sie nach deutschen Moralgrundsätzen, die auch von seinen Landsleuten stets proklamiert, aber keineswegs immer praktiziert wurden. Es gab in der SS gewiß etliche Männer mit gleichermaßen günstigen Vorraussetzungen, aber sie waren im Rang weit unter ihm. Am meisten aber empfahl ihn, daß er vorzüglich mit Mussolini umgehen konnte, der ihn seit der Episode mit dem Tambourstock auf dem Münchner königlichen Platz schätzte. Freilich mußte der Duce erst einmal gefunden und befreit werden, doch Hitler war fest entschlossen, dafür alle Mittel einzusetzen; er brauchte Mussolini als Scheinherrscher, damit er das Land besser in seinen Krieg einspannen konnte.

Wolffs Aufgabe war es, die Machtübernahme im zivilen Sektor Italiens vorzubereiten. Er richtete in München eine zunächst geheime Dienststelle ein. Er wußte, daß er nicht genötigt sein würde, zimperlich vorzugehen. Hitler hatte auf die Nachricht hin, daß der Duce verhaftet sei, in seiner ersten Wut verlangt, Kesselring müsse mit der bei Rom als Reserve stehenden 3. Panzergrenadier-Division »kurzerhand in die Stadt hineinfahren . . . und die ganze Regierung, den König und die ganze Blase sofort verhaften«. Als Himmler seinen Obergruppenführer darüber instruierte, setzte er noch hinzu: »Die Signores haben noch eine Gnadenfrist, aber aufgehoben ist nicht aufgeschoben.«

Bekannt war auch, daß Hitler den Italienern grundsätzlich nicht traute. Sie waren für ihn als Österreicher die »Katzlmacher«, besaßen kaum Disziplin, entwickelten Mut nur, wenn sie sich in Szene setzen konnten und waren im übrigen alle mehr oder weniger Anarchisten. Wolff sollte in einer Denkschrift vorschlagen, wie er mit diesem Land und diesem Volk künftig verfahren werde; sie müsse, verlangte Himmler, innerhalb von vierzehn Tagen Hitler vorgelegt

werden. Es läßt sich nicht mehr genau feststellen, an welchem Tag dies geschah. Zwischen dem 19. August und dem Monatsende war Himmler ungewöhnlich häufig, nämlich an sechs Tagen, im Führerhauptquartier. Hitlers Kammerdiener, der SS-Obersturmführer Heinz Linge, hat diese Besuche in seinem Tagebuch notiert. Wolffs Name taucht in dieser Zeitspanne bei Linge nicht auf – und das deckt sich auch mit Wolffs Aussagen.
Danach ließ sich Himmler in seinem Feldquartier die Denkschrift übergeben. Er las sie, sagte nichts und forderte den Verfasser auf, er möge ihn ins Führerhauptquartier begleiten. Während der etwa halbstündigen Fahrt dorthin ließ er sich in seinem Maybachwagen – ein Nobeltyp jener Zeit – einige Punkte zusätzlich erläutern. Die Denkschrift gab er nicht mehr aus der Hand. Am Schlagbaum der »Wolfsschanze« angekommen, sagte Himmler: »Sie können schwimmen gehen, Wolff! Ich brauche Sie heute nicht mehr!« Das war die Aufforderung, den Wagen zu verlassen; der Reichsführer wollte die Denkschrift selber vortragen, und es war ein gewollter Affront. Wolff hatte gehofft, er könne sich bei Hitler in Erinnerung bringen, der Leute schon nach kurzer Zeit aus seinen Kalkulationen zu streichen pflegte, wenn er sie nicht mehr zu sehen bekam. Darauf spekulierte Himmler offenbar. Es war auch eine berechnete Demütigung, daß er den Obergruppenführer in einer Form wegschickte, die er gemeinhin gegenüber einem Chauffeur gebrauchte. Zeuge der Demütigung waren außer dem Fahrer noch ein Adjutant und ein Kriminalkommissar, der den Reichsführer als Leibwächter ständig begleitete. Es war noch kein halbes Jahr her, daß Wolff durch das Tor fast täglich als ein Privilegierter gegangen war. Die Wachposten kannten ihn und erlebten nun, wie er offensichtlich aus dem Kreis der Vertrauenswürdigen ausgeschlossen wurde.
So kam es, daß Wolff sich nur mühsam bezähmte, als er am nächsten Tag die Entscheidung Hitlers in Himmlers Feldquartier holen wollte. Schon beim Eintritt in dessen Arbeitsraum wurde ihm demonstriert, daß er keineswegs in Gnaden aufgenommen war; vor dem Schreibtisch des Reichsführers fehlte der übliche Besuchersessel. Wolff sollte stehend abgefertigt werden. Die nun folgende Szene rechtfertigte er damit, daß er als ein im Krieg für Tapferkeit dekorierter Offizier gedemütigt werden sollte von einem Mann, »der noch keinen Schuß Pulver gerochen hatte«. Tatsächlich war Himmler ebenso wie der gleichaltrige Wolff 1917 als Kriegsfreiwilliger eingerückt, war bis zum Fähnrich aufgestiegen, aber war nie aus bayrischen Garnisonen an die Front gekommen. Das war nach den Maßstäben der Partei, die den Frontkämpfer über alles stellte, immerhin ein kleiner Webfehler. Die neuerliche Schikane ließ deshalb das sonst so konziliante Wölfchen das Offiziersreglement vergessen. Er habe – so erzählte er – seinem Reichsführer Prügel angedroht und sei mit geballten Fäusten auf ihn losgegangen. Himmler habe hinter dem Schreibtisch Deckung gesucht; bleich und schwer atmend habe er abgewiegelt: »Um Gottes willen, machen Sie sich nicht unglücklich. Der tätliche Angriff auf einen Vorgesetzten kann Sie den Kopf kosten!«

Hat Wolff wirklich entgegnet: »Wenn ich Sie verprügelt habe, gehe ich zum Führer und melde ihm, was ich getan habe. Ich glaube, daß er mich dann belohnen wird«? Zeugen gibt es nicht. Vielleicht darf man auch aus diesem Kapitel der Wolff-Erzählung Details in Frage stellen, denn zum einen handelt es sich um sehr subjektive Eindrücke, und zum anderen könnten die Vorgänge einem hohen SS-Führer einen Abglanz von der Gloriole des Widerstands verleihen. Wie es auch gewesen sein mag, die beiden Kampfhähne zogen es vor, sich wieder zu vertragen. Es gehe um Deutschland, sei ihre Einigungsformel gewesen.

Nicht nur dem Biographen stellt sich die Frage, weshalb der Herr über jede Art von Polizei, über einen Geheimdienst und über die Konzentrationslager so rasch auf Weiterungen verzichtete. Die Vermutung liegt nahe, daß es einen Faktor gab, der Himmler bremste – eine Sache, in die er und Wolff gleichermaßen verwickelt waren, so daß er fürchten mußte, es könnte Unangenehmes zutage kommen. Zum Beispiel wäre die Situation für den Chef der Deutschen Polizei prekär geworden, wenn Wolff die Namen Popitz und Langbehn erwähnt hätte. Das waren zwei Männer, die den Sturz Hitlers, die Entmachtung der Partei und die Beendigung des Krieges betrieben. Sie gehörten zu einer der Gruppen des Widerstandes, in denen hohe Militärs, einflußreiche Staatsdiener, ehemalige Gewerkschafter, Vertreter der Kirchen und eine Menge einflußreicher Prominenz zusammenwirkten. Die Bindungen von Popitz und Langbehn zu diesen Gruppen reichten einige Jahre zurück, aber jetzt hatten diese Zusammenschlüsse den Charakter einer weitgespannten Verschwörung angenommen. Für sie war Wolff die Anlaufstelle bei der SS, der Berliner Rechtsanwalt Dr. Carl Langbehn das Bindeglied von der anderen Seite.

Der Anfang ihrer Bekanntschaft lag im Jahr 1938. Der Anwalt vertrat damals einen ehemaligen Kollegen, den Juristen Dr. Maximilian von Rogister, der sich als Vermögensverwalter reicher Familien betätigt hatte und nach Holland emigriert war, weil er wegen angeblicher Steuer- und Devisenvergehen gesucht wurde. Möglicherweise dienten diese Beschuldigungen jedoch in erster Linie dazu, ihn zu erpressen. Mit Rogisters Hilfe wollte Himmler nämlich erreichen, daß die vor langer Zeit auf der Krim entdeckten und in deutschen Besitz gelangten Stücke altgotischen Goldschmucks, die Diergardtsche Sammlung, der SS zur Verfügung gestellt würde. Sie sollte aus der Verwahrung durch die Stadt Köln auf die Wewelsburg gebracht werden, dem künftigen Mittelpunkt des Schwarzen Ordens, und als Zeugnisse hoher germanischer Kultur aus der Zeit der Völkerwanderung eine Zierde der dort zusammengetragenen Sammlung bilden. Dagegen stemmte sich Rogister als Verwandter und Finanzberater der Eigentümerfamilie nicht nur, weil er Himmlers angemaßte Rolle als Hüter des germanischen Kulturguts lächerlich fand, sondern auch, weil er, als Mitglied des konservativen Berliner Herrenclubs die rüden Emporkömmlinge vom Hakenkreuz verachtete.

Himmler hatte Dr. von Rogister 1936 mehrmals in seine Dienststelle in der Prinz-Albrecht-Straße bestellt. Weil er sich jedesmal eine Abfuhr geholt hatte, mußte sich Rogister auch im folgenden Jahr noch einmal die Forderung anhören, diesmal aber verstärkt durch den Hinweis, daß einer seiner Brüder bereits wegen Schmähreden gegen Hitler in einem Konzentrationslager sei. Wolff war Zeuge des Gesprächs. Er kannte die Rogister-Brüder als Mitschüler im Ludwig-Georg-Gymnasium von Darmstadt. Adlige Schulkameraden vergaß er nicht so leicht. Nach dem Ende des Dritten Reiches versicherte Wolff an Eidesstatt, er habe damals seinen Bekannten aus den Jugendjahren vor Himmlers Rache gewarnt. Andere, dem Juristen wohlgesinnte Parteigenossen, machten Rogister auch darauf aufmerksam, daß die Gestapo eine Sammlung seiner lästerlichen Redensarten anlegte. Als er 1937 nach Holland floh, beauftragte er den Rechtsanwalt Dr. Carl Langbehn in Berlin mit der Wahrnehmung seiner Rechte und wies ihn darauf hin, daß möglicherweise von Wolff Wohlwollen zu erwarten sei.

Für Himmler war auch Langbehn um diese Zeit kein Unbekannter mehr. Seine Tochter Gudrun lebte 1936 in einem Internat bei Bad Tölz, gemeinsam mit Wolffs ältester Tochter Irene und der Tochter Langbehns. Die drei Mädchen waren jeweils etwa 16 Jahre alt; sie freundeten sich an und besuchten sich auch gegenseitig zuhause. Eines Tages trafen sich dann auch die Väter, und bei einer solchen Gelegenheit gelang es Langbehn, für seinen früheren Lehrer von der Universität Göttingen, den Professor der Rechtswissenschaften Fritz Pringsheim, ein gutes Wort einzulegen, der nun als Jude geächtet und ohne Lehrstuhl war. Sowohl Wolff wie auch Langbehn schrieben es sich zugute, daß der Professor wenig später ausreisen und in London eine neue Existenz gründen konnte; alles geschah noch vor Kriegsbeginn zu einer Zeit, als der SD noch die Auswanderung von Juden förderte.

Langbehn konnte sich solche Fürsprachen gelegentlich leisten. Er war Parteigenosse seit dem Frühjahr 1933 (ein Märzgefallener, wie die alten Kämpfer der NSDAP abfällig sagten), hatte jedoch nachweislich schon früher mit der Partei sympathisiert und war Reserveoffizier. Er wurde bei Kriegsausbruch seiner Sprachkenntnisse wegen zur Abwehr, dem Geheimdienst der Wehrmacht, eingezogen, aber bald wieder für zivile Dienste in der Rüstungsindustrie freigestellt. Dadurch konnte er auch während des Krieges gelegentlich ins neutrale Ausland reisen. Er scheute sich nicht, dabei Informationen für den SD zu sammeln und – dadurch gedeckt – mit Geheimdiensten der westlichen Alliierten zu reden.

Zu den Männern, die mit ihm gemeinsam Umsturzpläne schmiedeten, gehörte Dr. Johannes Popitz. Er war 1933 vom frisch ernannten preußischen Ministerpräsidenten Hermann Göring als Landesfinanzminister eingesetzt worden, hatte inzwischen für seine Verdienste sogar das Goldene Parteiabzeichen der NSDAP erhalten, war aber zur Überzeugung gekommen, daß Hitler und seine braunen Gesellen das Volk ins Verderben führten. Er und Langbehn gehörten zu einem Kreis von Oppositionellen, die sich um Dr. Carl Friedrich Goerdeler gruppierten, der als Oberbürgermeister der Stadt Leipzig von den Nationalsozialisten 1933 in das Amt eines Reichskommissars berufen worden war.

Davon war er 1937 zurückgetreten. Seine Widerstandsgruppe sah in ihm den künftigen Kanzler.
Alle Gruppen des Widerstandes gegen das NS-System waren sich einig, daß auch im Krieg trotz der steigenden Zahl von Gefallenen, trotz der Verluste an Eigentum durch Luftangriffe, trotz der Rationierung von Lebensmitteln und Textilien und trotz aller Unfreiheit ein Aufstand des Volkes gegen die derzeitigen Machthaber nicht zu erwarten und auch nicht zu entfachen sei. Dagegen stand bei der Bevölkerung einerseits die Furcht vor harten und rücksichtslosen Strafen für »Staatsfeinde«, andererseits aber auch der noch immer weit verbreitete Glaube, der Halbgott Hitler rette letzten Endes die Deutschen vor ihrer Vernichtung durch eine Welt von Feinden. Die Verschwörer hofften zunächst, das Heer werde sie von dem Diktator und seinem Klüngel befreien, aber die Aktionen kamen entweder nicht in Gang, oder sie versackten in unvorhergesehenen Schwierigkeiten. So verfiel man in Goerdelers Gruppe auf die Idee, die SS für einen Staatsstreich zu gewinnen. Sie besaß Waffen, sie verfügte über eine straffe und weitgespannte Organisation, sie hatte einen eigenen Informationsapparat, und sie befehligte die Polizei. Mit Himmlers Hilfe – so sah der Plan vor – wäre es möglich, Hitler zu entmachten. Eine so begonnene Revolution ließ sich dann unschwer weitertreiben, um die SS nach noch auszuschalten.
Aus Gesprächen mit Wolff erfuhr Langbehn schon 1942, daß die Spitzenmänner der Partei einander eifersüchtig belauerten und ebenso besorgt wie uneins waren über die Politik und die Kriegführung. Er machte sich anheischig, bei Wolff vorzufühlen, wie weit der Reichsführer-SS bereit sei, an einer Veränderung der jetzigen Machtverhältnisse mitzuwirken und daran zu partizipieren. Im Herbst 1942 trafen sich der Anwalt und der Obergruppenführer einige Male. Der Inhalt ihrer Gespräche wurde verständlicherweise nicht schriftlich festgehalten; er ist nur rekonstruierbar aus dem daraus entspringenden Geschehen. Wolff unterrichtete den Reichsführer nach jedem Treffen; sie waren sich einig, daß der Kontakt weiterzuführen sei. Es blieb offen, welches Ziel sie verfolgten. Ein Jahr später, nachdem Langbehn in die Fänge der Gestapo geraten war, behaupteten Himmler und Wolff, sie hätten nur ermitteln wollen, wie weit die Verschwörung schon gediehen sei. Es gibt aber auch Indizien dafür, daß die beiden SS-Gewaltigen bereit waren, auf beiden Schultern Wasser zu tragen, und daß sie sich die Chance einer Absicherung gegen einen Bankrott des Hitlerschen Unternehmens offenhalten wollten.
Es ist nicht möglich und auch nicht erforderlich, hier den breiten Komplex der Widerstandsbewegung zu schildern. Hier geht es nur um einen Ausschnitt aus den Rollen der SS, sei es, daß sie die Rebellen als Hitlertreuen Staatsschutz bekämpfte, sei es, daß sie mit den Verschwörern paktierte. Auch die Mutmaßung, daß die SS beide Rollen gleichzeitig spielte, läßt sich am Schicksal des Anwalts Langbehn entwickeln. Ende 1942 vereinbarte er mit Wolff, daß Himmler sich mit Popitz, der ja immer noch preußischer Staatsminister war, über die deutsche Situation unterhalten werde. Sie kamen aber nicht mehr dazu, den Termin festzulegen, weil Wolff erkrankte und von Hohenlychen aus nicht

agieren konnte. Er griff den Faden erst wieder auf, als er in Bad Gastein genug Kräfte für das Wagnis gesammelt hatte.
Im Einvernehmen mit Himmler trafen sich der Obergruppenführer und der Anwalt am 21. August 1943. Sie vereinbarten, daß Popitz und Himmler am 26. August im Reichsinnenministerium miteinander reden würden – einen Tag nachdem der Chef der deutschen Polizei seinen bisherigen, wenn auch nur nominellen Vorgesetzten, den Innenminister Dr. Wilhelm Frick, in dessen Amt ablösen würde. Als Wolff später der Gestapo über sein Gespräch mit Langbehn Auskunft gab, sagte er aus, sein Partner habe argumentiert, der Krieg könne nicht mehr gewonnen werden, und wenn Deutschland eine Katastrophe vermeiden wolle, müsse die Führung von Staat und Wehrmacht erneuert werden. Der Führer müsse sich Einschränkungen seiner Macht gefallen lassen. Die Feindmächte würden mit Hitler nie über einen Frieden verhandeln, wohl aber mit den Männern des Widerstandes. Popitz habe darüber schon vorbereitend Verbindung aufgenommen.
Dessen Treffen mit Himmler fand im Reichsinnenministerium statt. Wolff hatte darum im Schreibtisch seines Chefs ein Mikrophon einbauen und das Gespräch aufzeichnen lassen. Noch Jahrzehnte später stellte er voller Stolz fest: »Es klappte ausgezeichnet.« Während Popitz sich mühte, den neuen Reichsinnenminister zu überzeugen, daß nur ein grundsätzlicher Wandel Deutschland vor den verheerenden Folgen einer Niederlage ohnegleichen bewahren könne, diskutierten Wolff und Langbehn im Vorzimmer. An Himmler liege es, sagte Popitz, das Volk, den Staat und das Gute im nationalsozialistischen Gedankengut in eine bessere Zukunft hinüberzuretten. Das sei jetzt noch möglich, da Großbritannien und die USA die bolschewistische Gefahr fürchteten. Doch die Führung der Wehrmacht und der Politik müßten neuen Männern anvertraut werden. Popitz nannte dafür auch schon Namen.
Während er die Pläne der Verschwörer noch relativ vorsichtig darlegte, sprach Langbehn mit Wolff »wirklich offen und rückhaltlos« – um eine Formulierung aus der Anklageschrift des Oberreichsanwalts gegen die beiden Verschworenen zu zitieren. »Nur eine offene Aussprache habe Sinn«, habe Langbehn gesagt, »selbst wenn man dabei Kopf und Kragen riskiert ... In Deutschland« müsse »von klugen, sauberen und weitblickenden Männern wieder ein Rechtsstaat errichtet« werden, »und die allmählich unerträglich gewordene Willkür« müsse verschwinden. Was Wolff erwidert hat, wird in der Anklageschrift nicht gesagt, wie auch keine Entgegnung von Himmler zitiert wird. Der Oberreichsanwalt als höchste deutsche Anklageinstanz stellte lediglich fest, daß Wolff nur (und damit auch Himmler) »sich aus dem Grunde auf die Unterredung einließ, um festzustellen, wohin die Bestrebungen ... liefen«. Er habe entgegnet, »daß der Reichsführer in Treue zum Führer stünde und sich über diese Bindungen nicht hinwegsetzen könne«.
Obwohl die oberste SS-Führung mit diesen Aussagen bereits am 26. August 1943 wesentliche Fäden der Verschwörung in die Hand bekommen hatte, brach sie die Verbindung noch nicht ab. Schon am folgenden Tag trafen sich Wolff und

Langbehn wiederum. Sie vereinbarten ein weiteres Gespräch Himmler/Popitz. Das Datum legten sie noch nicht fest, offenbar weil Langbehn noch die Mitverschworenen unterrichten und auf einer Reise in die Schweiz feststellen wollte, wie die Alliierten auf eine Beteiligung Himmlers reagieren würden.
Das alles spielte sich ab unmittelbar vor oder nach der angeblich nur knapp vermiedenen Schlägerei zwischen dem Reichsführer-SS und seinem Obergruppenführer. Entgegen späteren Behauptungen Himmlers hatte Hitler zunächst keine Ahnung von den SS-Gesprächen mit seinen Todfeinden. Er erfuhr davon erst, als ihm die Gestapo mitteilte, daß sie – es geschah in der ersten Septemberhälfte – den Rechtsanwalt Dr. Langbehn nach seiner Rückkehr aus Bern wegen Kontakten mit Vertretern eines feindlichen Nachrichtendienstes verhaftet habe. Er wurde damit das erste und vorläufig einzige Opfer der Affäre.
In Bern hatte Langbehn mit einem Beauftragten der europäischen Geheimdienstzentrale, mit dem Deutsch-Amerikaner Gero von Gaevernitz gesprochen und ihm mitgeteilt, daß die Verschwörer auf die Mitwirkung der SS angewiesen seien; sie werde den Aufstand mit der Besetzung des Führerhauptquartiers einleiten, und die Wehrmacht werde dann mitmachen. Das Schicksal Hitlers sei in diesem Plan noch offen. Das alles hatte die Gestapo aus einem geheimnisvollen Funkspruch einer alliierten Stelle erfahren, den sie aufgefangen und entschlüsselt hatte. Gestapochef Heinrich Müller, SS-Gruppenführer, unterließ es seltsamerweise, seinen Chef Himmler von diesem Fang zu unterrichten; er meldete seinen Erfolg direkt ins Führerhauptquartier und damit dem verschlagenen Martin Bormann, zu dieser Zeit Himmlers Gegner und Hitlers engster Berater.
Das war ja wohl die Leiche, die Himmler und Wolff gemeinsam im Keller der SS verborgen hielten. Durch sie ließe sich manches erklären. So beispielsweise, weshalb Himmler verhinderte, daß Wolff den Italienplan seinem Führer selber vortragen konnte. Der Obergruppenführer mußte von Hitler ferngehalten werden, denn wenn der General mit dem hohen Personalkredit seine Version über die Verhandlungen mit den Verschwörern erwähnt hätte, wäre der bei Hitler unbeliebte Himmler ins Bodenlose gestürzt, und Wolff wäre auf der Stelle sein Nachfolger geworden. Der Reichsführer hatte nach den Vorgängen der letzten Monate genug Anlaß, Wolff einen solchen Überraschungscoup zuzutrauen. Erklärbar würde damit auch, weshalb die turbulente Auseinandersetzung im Feldquartier ohne Folgen blieb.
Auch nach dem Krieg hat Wolff noch geleugnet, daß er Männer des Widerstandes an die SS herangeführt habe. Vor seinem Prozeß in München, ehe er überhaupt irgendwelcher Verbrechen beschuldigt wurde, sagte er 1961 zu einem Journalisten, er habe mit Popitz und Langbehn »schon mal über den Führer gesprochen«, nämlich »daß er überlastet ist und vielleicht irgendwelche Aufgaben an andere abgeben sollte. Vielleicht auch an mich.« Welchen Auftrag er dann gern übernommen hätte, verriet er nicht. Wie Jahre zuvor der Gestapo sagte er dem Journalisten, er habe damals nur herauskriegen wollen, »wer eigentlich hinter Popitz und Langbehn steht.« Keinesfalls habe er Langbehn den

Auftrag gegeben, »nach Bern zu fahren... Das wäre ja lebensgefährlich gewesen!«

Himmler zog sich seinerzeit aus der Klemme, indem er Langbehn aus der Gestapohaft in ein Konzentrationslager schaffen ließ. Dort genoß der Anwalt zunächst eine bevorzugte Behandlung. Er hütete sich, bei seinen Vernehmungen auch nur den Anschein zu erwecken, als seien Wolff oder Himmler auf die Pläne der Verschworenen eingegangen; er wußte, daß er dann als ein Belastungszeuge sofort beseitigt würde. Die staatsanwaltschaftliche Anklage gegen ihn wurde erst Ende September 1944, also nach einem Jahr erhoben. Zusammen mit Popitz wurde er vom Volksgerichtshof zum Tode verurteilt – und dabei ging der Prozeß in den vielen Verfahren unter, die mit dem Attentat auf Hitler am 20. Juli 1944 zusammenhingen. Doch selbst jetzt noch bemühte sich die SS, die Verbindungen zum Widerstand zu verschleiern. Vor Prozeßbeginn schrieb der Chef des Reichssicherheitshauptamtes Dr. Ernst Kaltenbrunner an den Reichsminister der Justiz: »... Im Hinblick auf den auch Ihnen bekannten Sachverhalt, nämlich Besprechungen Reichsführer-SS/Popitz, bitte ich, anordnen zu wollen, daß die Hauptverhandlung unter praktischem Ausschluß der Öffentlichkeit durchgeführt werden. Ihr Einverständnis voraussetzend, würde ich zu diesem Termin etwa zehn meiner Mitarbeiter als Zuhörer abordnen. Wegen eines weiteren Kreises von Zuhörern bitte ich schließlich, mir ein Überprüfungsrecht zuzubilligen.« Schon kurz nach dem Urteilsspruch, am 12. Oktober 1944, wurde Langbehn hingerichtet. Himmler hatte es mit ihm jetzt eilig. Dagegen ließ er sich mit Popitz Zeit, da dieser nun keinen Zeugen mehr dafür hatte, daß Himmler einem Bündnis mit den Veschwörern beinahe zugestimmt hätte. Es gibt aber aus den Ermittlungen gegen die Attentäter vom 20. Juli noch manche Indizien, die für einen Verrat Himmlers an seinem Führer sprechen. Popitz durfte noch bis zum 2. Februar 1945 leben. An diesem Tag wurde er erhängt.

Während der Anwalt Langbehn sich mühte, im Untergrund den Aufmarsch gegen Hitler zu organisieren, bereitete Wolff in München seinen Einmarsch in Italien vor. Seine Aufgabe schien hinreichend klar: Er würde die vollziehende Gewalt in einem Gebiet ausüben, das vom Brennerpaß im Norden südwärts reichte bis zum Hinterland der kämpfenden Truppe. Ausgenommen war ein Streifen entlang der weitgestreckten Küsten, wo die deutsche Kriegsmarine dominierte. Im zivilen Bereich durfte er sich als des Führers Statthalter fühlen, unabhängig davon, wer künftig eine italienische Regierung bilden würde. Freilich mußten die bisherigen Verbündeten nicht nur durch Drohungen und Terror, sondern auch durch Versprechungen und Diplomatie dem Führerwillen gefügig gemacht werden, also ein wenig anders als in den übrigen besetzten Gebieten, aber letzten Endes lief es doch darauf hinaus, daß der Unterlegene gehorchen mußte.

Damit das Besondere seiner Stellung wenigstens vorgetäuscht würde, wertete man Amt und Person in der Titulierung auf. Aus dem üblichen »Höheren SS- und Polizeiführer« wurde in seinem Fall ein »Höchster«, aus dem Komperativ

also der von den NS-Bombastikern so geschätzte Superlativ. Zugleich wurde auch Wolffs Selbstbewußtsein damit befriedigt; als gewesener Chef eines SS-Hauptamtes würde auch er in seiner neuen Dienststellung alle im deutschen Herrschaftsgebiet amtierenden Kollegen um eine Haupteslänge überragen.
Noch war in den ersten Septembertagen 1943 nicht abzusehen, wann sein neues Amt offiziell wurde. Ehe die Italiener der Polizeiherrschaft der SS ausgeliefert werden konnten, mußte erst das Bündnis durch ihre Schuld zerbrechen. Faktisch bestand es schon seit geraumer Zeit nicht mehr; hinter Versicherungen unverbrüchlicher Freundschaft versteckte sich wachsendes Mißtrauen. Womit bereits Mussolini begonnen hatte, nämlich die italienischen Befestigungen entlang dem Alpenkamm heimlich auszubauen, wurde von seinen Nachfolgern verstärkt fortgesetzt, und während Rommel seine Divisionen bedrohlich an der Grenze sammelte, schaffte Badoglio ständig und unauffällig Truppen aus dem Süden in die italienischen Alpenländer, statt sie im Süden gegen die Armeen der Westalliierten einzusetzen.
Wo immer sich Militärs oder Diplomaten des Achsenbündnisses trafen, gab es Vorwürfe, Verdächtigungen, Drohungen. Nach einem solchen Gespräch, am 6. August in Tarvisio, nahm der Reichsaußenminister kurzerhand den in Rom akkreditierten Botschafter, Hans Georg Viktor von Mackensen, in seinem Sonderzug mit ins Reich zurück. Seit dieser formlosen Abberufung fungierte der Botschafter zwangsweise in der »Wolfsschanze« als Berater. Auch Prinz Philipp von Hessen mußte sich dort aufhalten; er war mit der italienischen Königstochter Mafalda verheiratet und wurde deshalb von Hitler stets als Vermittler benutzt, wenn der Haussegen im Bündnis schief hing.
Alle Eingeweihten wußten, daß die Tage des Bündnisses gezählt waren, aber so sehr auch Hitler dem neuen Regime in Rom mißtraute, so wenig Verdächtiges wußten seine Späher von dort zu melden. Generalfeldmarschall Kesselring, der an Stelle des Botschafters amtierende Gesandte Dr. Rudolf Rahn, der vielseitig verwendbare SS-Standartenführer Dr. Eugen Dollmann, derzeit als Verbindungsoffizier eingesetzt, der Polizeiattaché SS-Standartenführer Herbert Kappler, der SD und der Geheimdienst der Wehrmacht, alle meldeten sie, ein Frontwechsel sei nicht in Sicht. Niemand entdeckte die Fäden, die immer dichter zwischen den Alliierten und der italienischen Führung gesponnen wurden.
Unterdessen wurde die Situation für die erst auf Sizilien und dann im Süden des italienischen Stiefels kämpfenden deutschen Divisionen mit jedem Tag schwieriger. Ihre Verbündeten streckten der Reihe nach die Waffen und, soweit sie nicht singend bei Engländern oder Amerikanern in die Gefangenschaft marschierten, lösten sich die Einheiten nach und nach auf, indem die Krieger sich einzeln in die Heimat absetzten. Bei hinhaltendem Widerstand räumten die Deutschen das Land vor dem zögernd nachdrängenden Feind. Was aber würde geschehen – und das war die große Sorge –, wenn es dem König und Badoglio einfiele, abrupt die Front zu wechseln, sich mit den Feinden zu verbünden?
Solchen Befürchtungen entsprang am 7. September ein Befehl des deutschen Hauptquartiers, den italienischen Soldaten die Waffen wegzunehmen. Viele

von ihnen waren froh, auf diese Weise aus dem Krieg entlassen zu werden. Sie ahnten nicht, daß ihnen die Zwangsarbeit bei den Deutschen drohte. Andere jedoch, in erster Linie die in den Norden transportierten Elite-Einheiten, verschwanden truppweise in den Bergen, verbargen dort ihre Waffen und bereiteten damit den künftigen Widerstand gegen die deutsche Besatzung vor. Der SS-General Wolff sollte sich noch damit beschäftigen müssen.

9
»Besetzen Sie den Vatikan!«

Wolff war von diesem Schauplatz in den ersten Septembertagen weit entfernt. Himmler und Hitler hatten ihn ins Hauptquartier beordert. Was er über diese Begegnung berichtete, teils in Gesprächen mit Journalisten und Historikern, teils auch in autobiographischen Rudimenten, mutet in manchen Punkten so sensationell an, daß Zweifel berechtigt erscheinen, ob das Erinnerungsvermögen des Generals nicht durch sein Selbstbewußtsein gelegentlich getrübt wurde. Seine Erzählungen sind um so schwieriger zu bewerten, als einerseits niemand mehr lebt, der sie bestätigen könnte, und als andererseits Wolff aus seiner Glanzzeit keine persönlichen Notizen in die Gegenwart retten konnte, so daß er schon bei der Datierung seiner Erlebnisse in Schwierigkeiten geriet. Es fällt deshalb manchmal schwer, seine Version einzuordnen in einen schon bekannten Ablauf. Dazu kommt dann wohl auch die bei fast allen altgewordenen Kriegern anzutreffende Schwäche, die Dimensionen des eigenen Anteils an geschichtlichen Vorgängen richtig zu bemessen.

Zweifelsohne saß er am 6. September 1943 von 14.45 Uhr bis 16.55 Uhr (laut Linges Tagebuch) in der »Wolfsschanze« an Hitlers Mittagstisch. Zusammen mit Himmler, Ribbentrop und dem Botschafter Walter Hewel, des Außenministers Horchposten im Führerhauptquartier. Mit dem frugalen Mahl dürften sie schon nach zehn Minuten fertig geworden sein. Zweifelsohne redeten sie in den restlichen zwei Stunden vorwiegend über Italien und auch über Wolffs italienische Sendung. Sie enthielt, wenn man seinen Bericht übernimmt, zusätzlich einen Auftrag, der nicht einmal in diesem vertrauenswürdigen Kreis beredet wurde; eingeweiht wurden angeblich von Hitler nur Himmler und sein Obergruppenführer.

Himmler habe ihn, sagt Wolff, schon in seinem Feldquartier darauf vorbereitet, ihm werde befohlen, den Vatikan auszuräumen. Diesen Auftrag habe der Reichsführer gleich dahingehend erweitert, daß bei dieser Gelegenheit auch alle Zeugnisse germanischer Kultur mitzunehmen seien, die angeblich im früheren Mittelalter bei der Christianisierung der Germanen von Missionaren und Mönchen als Trophäen aus dem heidnischen Norden in das heilige Rom verschleppt worden seien. »Der Führer«, so zitierte Wolff den Reichsführer-SS »denkt jetzt in erster Linie an politische Munition aus den Archiven. Wir aber als die Hüter der ewigen Werte unserer Rasse müssen Künftiges planen.«

Während des gemeinsamen Essens verkündete Hitler, er werde in den nächsten Tagen die »unerträgliche Situation in Italien so oder so« beenden. Mussolinis Gefängnis sei ermittelt, die Befreiung vorbereitet, aber zurückgestellt, weil man erst den König, seinen Hofstaat, Badoglio und dessen Generäle kassieren wolle. Zwar würde man dem Duce wieder zu Amt und Würden verhelfen, aber die Faschisten seien künftig stets auf deutsche Unterstützung angewiesen, damit ihnen das Volk nicht noch einmal die Parteibüros demoliere und ihre Fahnen verbrenne. Ribbentrops und Rahns Aufgabe sei es, eine künftig faschistische Regierung fest an die Achsenpolitik zu ketten. Himmler und Wolff hätten Ruhe und Sicherheit zu garantieren. Mussolini müsse künftig besser geschützt werden. Zu Wolff: »Sie haften mir für den Duce. Ein Kommando ausgesuchter SS-Männer darf ihn nicht aus den Augen lassen.« Den geheimen Auftrag, sagt Wolff, habe ihm Hitler ohne zuhörende Zeugen erteilt. Dabei wurde ihm befohlen, den Vatikan zu besetzen, ihn auszuräumen, die dort amtierenden hohen Kleriker einschließlich des Papstes und erst recht einschließlich der dort akkreditierten Diplomaten und der Asylanten abtransportieren zu lassen. »Der SD soll Ihnen eine Liste der gefährlichsten Pfaffen zusammenstellen«, habe Hitler gesagt. »Das gibt zwar in der Welt ein Mordsgeschrei, aber das legt sich bald.« Sicherzustellen seien die politischen Dokumente der letzten Jahrzehnte. »Das gibt eine Ernte, reicher noch als die von 1940 in Frankreich!« (Gemeint waren die in Eisenbahnwagen erbeuteten Akten des Pariser Außenministeriums.)

Der Abtransport der hohen Geistlichkeit und der Diplomaten müsse natürlich ihrem hohen Rang entsprechen. Als Unterkünfte für die Kleriker seien Klosterkomplexe oder auch Schlösser vorzusehen. Wenn der Papst es wünsche, könne er später mit seinen Mitarbeitern in das Fürstentum Liechtenstein gehen, »so daß niemand behaupten kann, wir würden seine Heiligkeit schlecht behandeln«.

Als Hitler gefragt habe, wann diese Aktion stattfinden könne, will Wolff nach Ausflüchten gesucht und auf die schwierigen Vorbereitungen hingewiesen haben. Die ganze Vatikanstadt müsse zerniert werden, Leute müßten gefunden werden, die in den alten Bauten jede Treppe und jede Mansarde kennen, Sachkundige müßten angeworben werden, die mit Akten umgehen können und Latein und Griechisch beherrschten. Als Wolff sechs Wochen als Mindestzeit für Vorbereitungen beansprucht habe, sei Hitler enttäuscht gewesen, habe aber dann mit den Worten eingewilligt: »Wenn man eine erstklassige Durchführung wünscht, kann man so etwas nicht aus dem Boden stampfen.« Er habe aber dafür verlangt, daß er regelmäßig über den Fortgang der Vorbereitungen Wolffs unterrichtet werde.

Bekanntlich hat diese Aktion nie stattgefunden. Wolff rechnet es sich als Verdienst an, daß er den Vollzug so lange hinausgezögert habe, bis Hitler davon abgekommen sei. Da er diese »Guttat« zum Kontoausgleich gegenüber NS-Belastungen verbucht bekommen will, ist die Frage gestattet, ob ihm dieser Befehl überhaupt im Ernst gegeben worden ist. Die Wahrscheinlichkeit besteht

zunächst. Obgleich Hitler bis zu seinem Selbstmord seine Kirchensteuer als Katholik regelmäßig ablieferte, sah er in der Geistlichkeit stets einen bösen Feind. Sie hatte ihn vor 1933 gehindert, in den katholischen Teilen des Reiches die Stimmenmehrheit zu erobern; mit der Warnung vor den Neuheiden verteidigte der »Zentrums-Turm« (die Partei der Katholiken nannte sich Zentrum) seinen Einfluß auf die Gläubigen. Daß Hitler nach der Machtergreifung einen Konkordatsvertrag mit der katholischen Kirche abschloß, wertete er nur als einen einstweiligen Waffenstillstand. Er schwor Rache, als ihn der Münsteraner Bischof Clemens Augustus Graf von Galen durch öffentliche Proteste zwang, die »Euthanasie«, den Massenmord an Behinderten und Geisteskranken in den Heilanstalten abzubrechen. In verbissener Wut verkündete er mehrmals, wenn er den Krieg erst siegreich beendet habe, werde er mit den Geistlichen aller Konfessionen abrechnen.
Es konnte also bei der Tischgesellschaft am 6. September durchaus die Rede auf den Vatikan gekommen sein. Es konnte auch gefragt worden sein, welche Folgen es habe, wenn Pius XII. aus dem Machtbereich der Alliierten seelsorgerische Weisungen an die Katholiken unter dem Hakenkreuz gäbe. Zwar hatte der Papst bisher, offenbar beeinflußt durch seinen langjährigen Aufenthalt in Deutschland als Nuntius, die harte Konfrontation mit den Nationalsozialisten vermieden, aber das konnte sich auch ändern.
Diese Fakten waren Wolff natürlich bekannt. Sie lassen den Plan einer Aktion gegen den Vatikan glaubhaft erscheinen. Außerdem gab es bereits mindestens zwei Äußerungen Hitlers, die anscheinend den Befehl an Wolff inhaltlich vorwegnahmen. Eine fiel am 13. Dezember 1941 in der »Wolfsschanze« beim Mittagessen, im Beisein von drei Reichsministern und vermutlich auch von Wolff. In jenen Tagen lagen deutsche Divisionen vor Moskau, vom russischen Winter gelähmt, und wehrten nur noch mit dem Mut der Verzweiflung die frisch in den Kampf geworfenen sibirischen Verbände der Roten Armee ab. Davon ablenkend sagte Hitler: »Der Krieg wird ein Ende nehmen. Die letzte große Aufgabe unserer Zeit ist ... das Kirchenproblem. ... Ich kümmere mich nicht um Glaubenssätze, aber ich dulde auch nicht, daß ein Pfaffe sich um irdische Sachen kümmert ... Soweit müßte man es bringen, daß auf der Kanzel nur noch Deppen und vor ihnen nur noch alte Weiblein sitzen. Die gesunde Jugend ist bei uns ...« Und mit Bezug auf Mussolinis Situation: »Ich würde in den Vatikan hineinmarschieren und die ganze Gesellschaft herausholen. Ich würde dann sagen: »Verzeihung! Ich habe mich geirrt! Aber sie wären weg.«
Ähnlich äußerte sich Hitler 18 Monate später in der Lagebesprechung am 26. Juli 1943, als nacheinander immer neue Hiobsbotschaften aus Rom über den Zusammenbruch des faschistischen Systems eintrafen. Damals drohte er: »Ich gehe in den Vatikan sofort hinein. Glauben Sie, daß mich der Vatikan geniert? Der wird sofort gepackt. Da ist vor allen Dingen das ganze diplomatische Korps drin. Das ist mir wurscht. Das Pack ist da, das ganze Schweinepack holen wir raus. Was ist das schon? Dann entschuldigen wir uns hinter-

her, das kann uns egal sein . . . Da werden wir Dokumente kriegen. Da holen wir was raus an Verrat!« War es nur ein Ausbruch blinder Wut?
Es steht also fest, daß Hitler eine solche Aktion mindestens erwogen hat. Offen bleibt die Frage, ob er die Tat auch plante. Daß er nie einen derartigen Befehl schriftlich gegeben hat, ist nicht absonderlich; es entsprach Hitlers Praxis, Verbrechen nur mündlich zu befehlen, so wie er es ja auch vermieden hat, die Verantwortung für die Judenmorde zu dokumentieren. Denkbar ist auch, daß Wolff an jenem Tag aus dem Tischgespräch die Überzeugung gewonnen hat, er müsse eine Wunschvorstellung seines Führers verwirklichen. Er hat ja auch öfter die Meinung geäußert, Hitler habe vielleicht die Ermordung der Juden erwogen, aber er habe sie nie befohlen. Himmler und Heydrich hätten ihm, selbständig handelnd, die Verantwortung abgenommen. Offen bleibt auch die Möglichkeit, daß Wolff den Befehl nur erfunden hat, in der Hoffnung, er könne seine Mitmenschen milde stimmen mit der Methode des Wilhelm Busch, der behauptet, das Gute sei das Böse, das man läßt. Immerhin ist auffällig, daß Wolff den Vatikanbefehl erst viele Jahre nach Kriegsende vorbrachte, und zwar, als es ihm wirklich an den Kragen ging.
Der Plan Hitlers, den König, Badoglio und »die ganze Blase« in Rom abholen zu lassen, wurde auch nie durchgeführt. Zwar hätte Kesselring dafür eine rund um die Hauptstadt stationierte Panzergrenadier-Division einsetzen können, aber dieser Ring wurde von einem weiteren Ring umschlossen, der aus sechs italienischen Divisionen bestand. Nun wartete jeder der verfeindeten Verbündeten auf den nächsten Zug des Achsenpartners. Noch am 8. September versicherte der König um die Mittagsstunde dem Gesandten Rahn, er werde treu zu den Vertragsverpflichtungen stehen. Doch wenige Stunden später wurde Rahn zum italienischen Außenminister gerufen, der ihm eröffnete, was gerade die Rundfunksender in die Welt hinausposaunten: Marschall Badoglio habe sich »angesichts der aussichtslosen militärischen Lage gezwungen gesehen . . ., um einen Waffenstillstand zu bitten«. Es war eine bedingungslose Kapitulation gegenüber den Alliierten als Ergebnis wochenlanger Geheimverhandlungen.
Am Abend kam aus dem Führerhauptquartier das Codewort »Achse«. Es löste die Maßnahmen aus, die für den Fall des »Verrats« vorgesehen waren. Es alarmierte auch Wolff und seinen Stab in München. Sie starteten noch in der Nacht und rollten am folgenden Morgen Punkt sechs Uhr über den Scheitel des Brennerpasses. Dort waren weder italienische Soldaten noch Beamte mehr zu sehen. Zwar hatten ihre Regierung und ihr Oberkommando Befehle für diesen Fall vorbereitet, aber sie waren irgendwo liegengeblieben, oder sie wurden ignoriert, weil alle des Krieges überdrüssig waren. Es gab nun auch keine oberste Führung mehr. In der Nacht zum 9. September waren die königliche Sippe, Marschall Badoglio, sein militärischer Stab und seine Minister in einer Kolonne prächtiger Limousinen aus Rom entwichen, südwärts, den Adriahafen im Visier. Dort wartete auf sie ein kleines Schiff der Kriegsmarine, das sie zu den alliierten Truppen im Süden Italiens brachte.
Es war dem tatendurstigen Wolff auf seinem Vormarsch nicht vergönnt, in das

aufregende Geschehen jener frühherbstlichen Tage soldatisch einzugreifen. Seine Streitmacht war noch minimal; SS- und Polizeieinheiten würden später folgen, weitere mußte er sich selber zusammensuchen. Er verfügte über eine Kriegskasse mit 70000 Reichsmark in bar als »Vorschuß f. neu errichtete Dienststelle«. Rommels Soldaten waren gerade dabei, ihre bisherigen Mitstreiter in Gefangenenlager zu treiben; sie wurden dann in Güterwaggons zumeist gezwungenermaßen als Fremdarbeiter nach Norden deportiert. Die Bewohner von Südtirol begrüßten die SS-Kolonne mit freundlichem Winken; sie nahmen an, daß ihnen von nun an ihre deutsche Sprache und ihre althergebrachten Sitten gestattet sein würden und daß sie nicht mehr, wie unter dem faschistischen Regime, von der Staatsgewalt gepreßt würden, sich in waschechte Italiener zu verwandeln. Es mag ihnen auch insofern ein Stein vom Herzen gefallen sein, als die oft angekündigte, aber nie voll in Gang gekommene Umsiedlung jetzt wohl nicht mehr nötig sein würde.
Während der nächsten Tage kam der neue Herr über das zivile Leben in Italien noch nicht zum Regieren. Er war unterwegs; in den Bezirksstädten mußten die Polizeidienststellen besetzt werden, vorhandene Posten mußten inspiziert werden, und es waren vor allem Antrittsbesuche abzuleisten. Da sein Amt noch nicht einmal über Ansätze zu einem Apparat verfügte, verzichtete er klugerweise auf den vielerorts geübten Hahnenkampf zwischen SS-Befehlsstelle und Wehrmachtsgeneralität. Auf Anhieb und freiwillig unterstellte er sich, soweit seine Aufgaben die militärischen Belange tangierten, dem Generalfeldmarschall Kesselring. Damit gewann er einen einflußreichen Gönner. Den bisherigen Polizeiattaché der Botschaft, Herbert Kappler, setzte er als Polizeigewaltigen in der Hauptstadt ein – eine Aufwertung, die der SS-Standartenführer später jahrzehntelang in einer italienischen Zuchthauszelle verfluchen würde.
Beim Gesandten Rahn holte Wolff sich Rat, wie es denn nun künftig in Italien weitergehen könnte. Da der Obergruppenführer ständig über die Aktionen zur Befreiung Mussolinis auf dem laufenden gehalten wurde, konnte er davon ausgehen, daß Hitler den Duce allein schon der Optik wegen wieder an die Spitze stellen würde. Sollte er Staatsoberhaupt sein? Oder Ministerpräsident? Auch Parteichef? Der Diktator mit dem Gehabe eines altrömischen Tribunen konnte künftig manchen Ärger bereiten. Ob man ihn als Symbolfigur so hoch plazieren könnte, daß er dem politischen Alltag entrückt blieb? Wer könnte dann an seiner Stelle Regierungschef sein?
Rahn schlug einen Altfaschisten vor, den seine Parteigenossen beiseite geschoben hatten, weil er zu sehr auf Sauberkeit geachtet hatte: den ehemaligen Landwirtschaftsminister Renato Tassinari, jetzt nur noch Gutsbesitzer und Professor der Agrarwissenschaft an der Universität Bologna. Er hatte im Gegensatz zur Faschistenprominenz eine unbefleckte Weste, war kein Gewaltmensch und genoß auch beim Volk Ansehen. Gemeinsam mit Dollmann, der nun als Wolffs Verbindungsoffizier zu Kesselring eingesetzt wurde, wollten sie Tassinari zu einer Kandidatur für das Amt des Regierungschefs überreden.
Dies alles einschließlich der Frage, wo künftig die Regierung und damit auch

Wolff ihren Sitz haben würde, konnte erst entschieden werden, wenn der Duce wieder die Bühne des Welttheaters betreten und wenn Hitler ihm seine Rolle zugewiesen haben würde. Den Auftrag zur Befreiung hatte der General der Flieger Kurt Student, bekommen, der dafür seine Fallschirmjäger einsetzen konnte. Doch Himmler hatte es bei Hitler durchgesetzt, daß auch der SD beteiligt werden mußte. Also wurde nun neben einer kleinen Zahl SS-Männer auch der hünenhafte, ehrgeizige und abenteuernde SS-Hauptsturmführer Otto Skorzeny beauftragt. Er war dann dabei, als die Lastensegler der Fallschirmjäger am Gran Sasso landeten, dem höchsten Berg der Abruzzen, wo Mussolini in einem Sporthotel mehr schlecht als recht gefangengehalten wurde. Die Bewacher ergaben sich. Skorzeny war bei der ganzen Aktion nur ein Mitläufer. Doch auf den Fotos der Kriegsberichterstatter steht er immer neben dem Befreiten, und also wurde er als Befreier gefeiert.

Das geschah am 12. September 1943 und von diesem Augenblick an wartete Wolff auf einen Ruf aus der »Wolfsschanze«. Hitler hatte ihm zugesagt, er sei dabei, wenn Mussolini empfangen würde. Weil der Obergruppenführer seinen Kandidaten Tassinari in der Hinterhand hatte, mußte er mit seinem Führer reden, ehe die Würfel fallen würden. Ihm kam dabei zustatten, daß Hitler seinen Duce-Freund nicht sofort sehen wollte. Der Duce wurde nach Wien transportiert, am folgenden Tag nach München geflogen und dort mit seiner Familie zusammengebracht. Erst am 14. September war er in der »Wolfsschanze« willkommen.

Grund dieses späten Termins war, daß Hitler sich zuvor über seine künftige Politik gegenüber Italien klarwerden wollte. Nun kannte er den desolaten Zustand Mussolinis und seiner Familie, wußte Bescheid über den Zerfall der faschistischen Partei, hatte er die völlige Demoralisierung der italienischen Streitkräfte festgestellt. Am 12. September saß er mit Himmler, Bormann, dem Reichsminister Dr. Hans Heinrich Lammers, der als Staatsnotar diente, mit dem Rüstungsminister Albert Speer und den Gauleitern Franz Hofer (Tirol) und Friedrich Rainer (Kärnten) am Tisch. Dabei konnte er den Duce unmöglich brauchen, denn der Sieger verteilte Stücke des italienischen Kuchens: Südtirol wurde faktisch dem Gau Tirol zugeschlagen und von Innsbruck aus regiert. Östlich gelegene Teile der Region an der adriatischen Küste gingen an den Gau Kärnten. Die neu und vorläufig nur lose dem Reich angeschlossenen Gebiete blieben trotzdem weiterhin im Befehlsbereich des Höchsten SS- und Polizeiführers Wolff, aber auf die Gauleiter mußte er Rücksicht nehmen. Es war ein Kompetenzwirrwarr mehr, wie er typisch ist für das System Hitlers; er stiftete so bewußt Unfrieden, damit er von Zeit zu Zeit zeigen konnte, daß er der Herr im Hause war, und damit jedermann auf ihn angewiesen blieb.

Der Ruf aus dem Führerhauptquartier erreichte Wolff erst im Lauf des 13. September. Er verfügte neuerdings über ein eigenes Flugzeug, eine dreimotorige Ju 52, in Friedenszeit eine Passagiermaschine der Lufthansa, eine zuverlässige Kutsche, aber langsamer als alle Militärflugzeuge. Damit Begegnungen mit feindlichen Maschinen vermieden wurden, ließ er sich mit Tassinari während der

Nacht nach Ostpreußen fliegen. Sie landeten am frühen Morgen bei Rastenburg und besuchten zuerst den Reichsführer-SS. Auf ihn machte der bürgerlich-konservative Tassinari einen zahmen Eindruck, denn Himmler riet ihm, er möge in einem künftigen Kabinett einige Ministersessel mit dynamischen Altfunktionären aus der Partei besetzen, auch wenn sie weniger gut beleumundet seien; etwa mit Alessandro Pavolini, Roberto Farinacci oder gar Guido Buffarini. Besonders der letztere wurde von Himmler favorisiert; mit dem ehemaligen Staatssekretär im Innenministerium, zuständig für die Polizei, hatte Himmler Freundschaft geschlossen, obgleich dieser ein bestechlicher und zynischer Genießer war, also in mancher Hinsicht das Gegenteil des Puristen und Moralpredigers Himmler.

Die nächste Station war noch am gleichen Vormittag der Reichsaußenminister. Dessen Feldquartier war derzeit das Schloß Steinort bei Angerburg, ein Besitz der Grafen Lehndorf. Wolff wurde von Ribbentrop immer wohlwollend empfangen; der Minister war ihm gewogen, weil der Obergruppenführer ihm beigestanden hatte, als er durch eine Intrige innerhalb seines Ministeriums in Schwierigkeiten geraten war. Außerdem hatte Wolff gelegentlich familiäre Erinnerungen bei der Ehefrau des Ministers ausgenützt, als er erwähnte, daß die Familien Wolff und von Römheld aus Darmstadt bei festlichen Gelegenheiten in ihrem Elternhaus (der Sektfamilie Henkell) in Wiesbaden zu Gast gewesen waren. Der sonst so arrogant auf Abstand bedachte Minister hatte dem Obergruppenführer sogar eines Tages das Du angetragen. Nun begutachtete er gutgelaunt den Professor und fand keinen Grund, gegen dessen politische Aufwertung zu opponieren.

Schwieriger schien es, in der Adjutantur des Führerhauptquartiers noch einen Termin für die Präsentation Tassinaris bei Hitler zu bekommen. Dessen Tagesablauf sei ausgebucht, sagte man Wolff. Doch der hatte nicht umsonst dreieinhalb Jahre diesem exklusiven Männerclub angehört, und er war in dieser Zeit manchmal manchem Mann gefällig gewesen. Er bekam sogar zwei Termine, allerdings nach Minuten bemessen. Bei dem ersten, noch vor der Lagebesprechung, sollte er über die Situation in Italien berichten. Zum zweiten, unmittelbar anschließend an die »Lage«, sollte er Tassinari mitbringen.

Lange nach Kriegsende hat Wolff die Eindrücke jenes Tages beschrieben. Darin schildert er, wie er im Auto bis zum innersten Sperrkreis gefahren wurde. Von dort an mußte er »ebenso wie Göring die 150 Meter bis zur Baracke Hitlers zu Fuß gehen«. Von der Leibwache wurde er »ehrerbietig und sehr korrekt« begrüßt; es waren zum Teil Männer, die mit ihm schon vor 1933 in der Eliteformation der schwarzen Garde, in der »ersten und ältesten SS-Standarte 1 in München« marschiert waren.

Kammerdiener Linge notierte den Beginn des Gesprächs mit dem »O'gruf. Wolff« um 12.25 Uhr. Zwei Stunden zuvor hatte Hitler noch geschlafen, war nach dem Aufstehen 15 Minuten lang im umzäunten Wäldchen spaziert, hatte gefrühstückt und anschließend mit dem Reichsleiter Martin Bormann und dem Generalstabschef Kurt Zeitzler konferiert. Hinter Wolff stand noch vor der

Mittags-Lagebesprechung ein General auf der Warteliste. Gegessen sollte erst werden, wenn Mussolini eingetroffen sein würde.
Es freute Wolff, daß ihn Hitler gleich nach seiner Gesundheit fragte. Er erinnerte sich: »Es war ein nettes Gespräch.« Wolff berichtete seine Erlebnisse, erzählte vom Wüten der Italiener gegen die Faschisten, sagte, sie sähen in den Deutschen nur noch mißliebige Besatzer und Kriegsverlängerer. Es müsse deshalb möglichst bald eine Regierung die Verantwortung für eine Zusammenarbeit mit den Deutschen übernehmen. Der Professor Tassinari, den er mitgebracht habe und als einen Mann von Ehre kenne, sei dazu bereit, und dieser könne mit der Achtung seiner Landsleute rechnen.
Eine Stunde später saß Wolff wiederum in Hitlers Arbeitszimmer, diesmal gemeinsam mit Ribbentrop und Tassinari. Der großgewachsene Italiener gefiel offensichtlich; Hitler gab sich charmant. Doch als Tassinari angesichts solcher Freundlichkeit alle Ratschläge vergaß und auf die Frage nach seinen künftigen Ministern nicht einen Namen aus Mussolinis alter Mannschaft nannte, wurde Hitler dringlich: Ob denn nicht dieser oder jener bewährte Mann aus der Parteispitze einen Platz im Kabinett verdiene, fragte er. Es war unüberhörbar, daß er damit eine Forderung aussprach. Doch Tassinari blieb taub. Er zählte die Namen faschistischer Größen der Reihe nach auf und schilderte, wie unzuverlässig dieser, wie habgierig jener und wie bösartig der dritte sich in der Vergangenheit gezeigt hatte.
Hitler blieb höflich. Er bedauerte, an diesem Tag nur wenig Zeit für ein so wichtiges Gespräch zu haben. In einer Stunde werde der Duce eintreffen. Tassinari, der davon noch nichts gewußt hatte, wurde hinauskomplimentiert mit der Bitte, er möge schriftlich »ganz klare Vorschläge« schicken. Zu Wolff sagte Hitler: »Der Mann hat eine Chance gehabt, aber er hat sie nicht erkannt. Er ist eben kein Politiker.« Dennoch verzichtete er noch nicht auf den Professor. Er gab Wolff den Befehl: »Sorgen Sie dafür, daß Tassinari noch hierbleibt. Er ist vielleicht nur bockig, weil er sich an ein utopisches Ideal klammert.« Als Konkurrent konnte er ihn noch verwenden.
Eine halbe Stunde später landete an diesem 14. September 1943 auf dem Rastenburger Flugplatz eine aus München kommende Condor-Maschine der Flugbereitschaft des Hauptquartiers. Als Hitler auf die Tür des Flugzeuges zuging, folgte ihm mit nur zwei Schritten Abstand der Höchste SS- und Polizeiführer Italiens. Der Duce sollte beim Aussteigen gleich seinen Beschützer und Bewacher sehen, ein vertrautes Gesicht und eine Warnung zugleich. Als sich die Tür öffnete, stand Mussolini gealtert, abgemagert, bleich, in einem viel zu weiten Mantel und einem schlotternden Anzug auf der Treppe. Es war nicht mehr der legendäre »Schmied von Rom«, der Kraftprotz mit dem muskulösen Nacken und dem bronzenen Cäsarenkopf. Mit ausgebreiteten Armen ging er auf Hitler zu. Wolff hörte, wie er auf deutsch rief: »Wie soll ich Ihnen danken, Führer, für alles, was Sie für mich und meine Familie getan haben?« Einen Teil dieses Dankes nahm Wolff für sich in Anspruch; schon von München aus und erst recht in den letzten Tagen hatte er mitgeholfen, die Sippe des Duce

einschließlich der angeheirateten Verwandten ins Reich in Sicherheit zu bringen. Der bisher bei Mussolini-Besuchen übliche große Bahnhof mit Nationalhymnen, Präsidentenmarsch und Ehrenfront fiel aus. Wolff wußte auch weshalb: »Damit hätten wir ihn ja bereits als Staatsoberhaupt anerkannt, ehe wir unsere Forderungen durchgesetzt hatten.«
Das gemeinsame Essen begann um 15 Uhr. Es dauerte zwei Stunden. Am Abend saß die gleiche Tafelrunde noch einmal beisammen. In der Zwischenzeit brachte Wolff im Auftrag Hitlers den Duce mit Tassinari zusammen; der befreite Diktator sollte merken, daß man auf ihn nicht angewiesen war. Die beiden Italiener hatten sich nichts zu sagen; sie mißtrauten einander. Als Hitler am abendlichen Tisch scheinheilig erklärte, er habe Tassinari kommen lassen, weil Mussolini ihn vielleicht als Landwirtschaftsminister wünschte, lehnte der Duce wortkarg ab; er sagte, solche Sittenwächter nach Art des alten Römers Cato bereiteten einer Regierung gerade in kritischen Zeiten nur unnötige Schwierigkeiten.
Es entsprach nicht Wolffs Art, nach einem Fehlschlag die Beziehungen zu einem Mann abzubrechen, den er vielleicht noch einmal brauchen würde. Von Tassinari konnte er noch viele Geschichten aus der Vergangenheit des Duce und dessen Trabanten erfahren. Um es gleich vorweg zu nehmen: der SS-General und der Professor trafen sich in der Folgezeit dann und wann, was ihnen um so leichter fiel, als Tassinari unweit des späteren Dienstsitzes von Wolff am Gardasee ein Château besaß. Als in der letzten Phase des Krieges der private Autoverkehr wegen des Mangels an Treibstoff verboten wurde, beschaffte ihm Wolff die Erlaubnis, einen kleinen Fiat zu fahren, und auch das dafür nötige Benzin. Doch diese Gefälligkeit brachte den Professor ums Leben: Ein britischer Jagdflieger beschoß (mit seinen Bordkanonen) den winzigen Wagen auf der Uferstraße am Gardasee und tötete den Fahrer.
Nach dem nächtlichen Tee im Führerhauptquartier am 14. September hätte sich der »Höchste SS- und Polizeiführer Italien« eigentlich in sein Vizekönigreich begeben müssen zur Machtübernahme, aber der Duce war noch nicht reif für sein Vaterland. Wolff war ihm auch jetzt wieder ausdrücklich attachiert durch eine »Anordnung des Führers«. Mit dem Datum vom 10. September 1943 war er auch schon zum »Sonderberater für polizeiliche Angelegenheiten bei der Italienischen Faschistischen Nationalregierung« ernannt worden, die es an diesem Tag noch gar nicht geben konnte, weil Mussolini noch auf dem Gran Sasso inhaftiert war. Es existierte auch jetzt, in der Septembermitte, von ihr noch keine Spur, es sei denn, man sah sie komprimiert in dem gealterten und innerlich zerbrochenen einstigen Ministerpräsidenten des Königreichs Italien. Er stellte den kümmerlichen Rest imperialer Herrlichkeit dar, aber er war auch der einzige Anspruch auf Legitimität für die deutsche Politik – es sei denn, sie erklärte Italien zum Feindesland. Deshalb mußte Wolff den Duce behüten vor den vielen Feinden (die er zweifellos hatte) und überwachen, damit er seinen Freunden (die sich dafür ausgaben) nicht entlaufen konnte.
Zunächst jedoch mußte Wolff eine standesgemäße Unterkunft für den gefalle-

nen Diktator suchen. Am 19. September zogen Mussolini und seine Frau Rachele in das Schloß Hirschberg ein, in der wasserreichen Voralpenlandschaft südlich des Starnberger Sees. Es war vor dem Ersten Weltkrieg gebaut worden, bot also einigen Wohnkomfort, aber die neuen Gäste fühlten sich darin nie wohl. Das Klima war ihnen zu kühl und feucht, das Interieur nicht nach ihrem Geschmack, das Essen zu deutsch, die Aufwartung duch SS-Ordonnanzen zu zackig, die SS-Wachmannschaft zu laut und zu aufdringlich.
In der Nähe, in einer Ortschaft am Starnberger See, waren Graf Galeazzo Ciano, einstens Außenminister in Rom, und dessen Ehefrau, die Mussolini-Tochter Edda einquartiert. Er hatte zu den Rebellen im Faschistischen Großrat gehört, die seinen Schwiegervater gestürzt hatten, aber weil dem Paar dennoch die Rache der Antifaschisten drohte, hatte es sich mit Hilfe des SD und Wolffs ins Reich geflüchtet. Sie vermochten sich mit den deutschen Verhältnissen noch viel weniger abzufinden als der Duce. Anders als der Schwiegervater hatte sich Ciano für die Flucht reichlich mit Bargeld und Preziosen versorgt. Das Paar plante die Auswanderung nach Argentinien.
Von Mussolini erwarteten die Deutschen, daß er nun endlich regiere – natürlich nur zum Schein, denn die Entscheidungen würden Hitler und seine Statthalter Wolff und Rahn fällen. Lange waren sie unschlüssig, wo Mussolini künftig residieren könne. Rom war ungeeignet; der Feind war schon zu nah und das Volk war in der großen Stadt schwer im Zaum zu halten. In den Städten des Nordens waren die Industriearbeiter zu aufsässig. Da Mussolini ohnehin Sehnsucht hatte nach dem privaten Familienbesitz Rocca delle Caminate, holte ihn Wolff am 23. September von Hirschberg im Auto ab. Von München flogen sie gemeinsam über die Alpen. Mussolini saß zeitweilig am Steuer der Maschine. Vom Flugplatz Forli aus fuhren sie in die Berge hinein. Das Heim der Familie glich einer Burg aus dem 15. Jahrhundert, war aber erst im 20. gebaut worden. Vor dem Tor stand jetzt eine Wache; Wolff hatte ein Kommando der in der Nähe einquartierten SS-Leibstandarte herbeibeordert, das nun, gegürtet mit dekorativem weißen Lederzeug, die Gewehre präsentierte.
Am gleichen Tag flog Wolff eilig nach Rom weiter. Es galt, einen repräsentativen Verteidigungsminister für die neue Regierung zu finden. Rahn und Wolff baten den Marschall Rodolfo Graziani in die Botschaft. Dort appellierten sie erfolgreich an seine Vaterlandsliebe mit dem Argument, durch seine Mitarbeit werde dem grollenden Hitler bewiesen, daß die wahren Italiener sich von den Verrätern distanzieren wollten.
Noch aus München, im August, hatte Wolff an seine geschiedene Frau geschrieben, wie »freudig und zuversichtlich« er seine »erste große und selbständige Aufgabe« angepackt habe. »Das Vertrauen des Führers und des Reichsführers-SS ist natürlich eine große Verpflichtung für mich.« In einem weiteren Brief, vom 29. September, bekannte er: »Soviel wie in den letzten 14 Tagen habe ich noch nie geschafft ... Oft kein Schlaf, selten mehr wie 3–4 Stunden. Aber es macht mir eine unbeschreibliche Freude, endlich einmal etwas selbständig machen und meistern zu können. Zwar sind die Verhältnisse in Italien augen-

blicklich äußerst schwierig und die mir zur Verfügung stehenden Polizeikräfte lächerlich gering, aber drum macht es auch besonderen Spaß.«

Als er dies schrieb, hatte er die Residenz Mussolinis bereits gefunden: Am Gardasee, in einer der reizvollsten Landschaften Italiens, die auf drei Seiten von hohen Bergen gegen die Kälte und Stürme abgeschottet ist und deren Kurorte fast das ganze Jahr hindurch Saison haben. Bisher waren dort in beschlagnahmten Hotels und feudalen Villen verwundete und genesende Soldaten einquartiert gewesen, und man hatte das Tal zur Lazarettzone deklariert. Nun wurden die Gebäude geräumt für Mussolini, seine Familie, für Gefolge, Minister und Behörden des neuen Staates und natürlich auch für deutsche Dienststellen. Sie alle profitierten nun vom Rotkreuz-Zeichen; die feindlichen Luftstreitkräfte ließen die Gegend nahezu unbehelligt.

Die Ungnade Himmlers – wenn es sie je in der von Wolff geschilderten Art und Intensität gegeben hat – war längst wieder freundlichem Wohlwollen gewichen. In einer Rede in Posen rühmte er am 4. Oktober 1943 des Langen und Breiten (natürlich streng geheim) die Judenmörder in den Vernichtungslagern und bei den Einsatzkommandos; sie hätten »durchgehalten, wenn 500 daliegen oder tausend daliegen ... Das ist ein niemals geschriebenes und niemals zu schreibendes Ruhmesblatt in unserer Geschichte.« Die gesamte oberste Führerschaft der SS hörte zu, mit Ausnahme von Wolff. Er war in Italien unabkömmlich, aber den Wortlaut der Rede dürfte er wenige Tage später im Feldquartier Himmlers nachgelesen haben, weil er darin von Himmler als einer seiner »engsten und ältesten Mitarbeiter« gefeiert wurde. Zusätzlich bekam er auch noch Lob, weil er ein Mittel gefunden habe, gegen den weitverbreiteten Zank um Zuständigkeit: Werde ein Übelstand erkennbar, so sei jedermann zuständig, der in der Lage sei, ihn abzustellen. Längst begannen die Himmler Briefe an Wolff wieder mit der Anrede »liebes Wölfchen«.

Was immer er sich für ein neues Amt vorgenommen hatte, so konnte er unmöglich gehofft haben, er könne nun, da die Judenverfolgung die grausamste Form angenommen hatte, für Italien eine Ausnahme erreichen. Wolff wußte ja, wie lange Himmler sich schon bemüht hatte, den Duce für einen aggressiven Antisemitismus zu gewinnen. Im Oktober 1942 war der Reichsführer-SS deshalb mit Wolff in Rom gewesen. Ein Protokoll hatte den letzteren informiert, was Himmler und Mussolini in einem vertraulichen Gespräch beredet hatten. Die Juden – so faßte Himmler in diesem Protokoll seine Argumente zusammen – seien »überall die Träger der Sabotage, Spionage ..., sowie der Bandenbildung ... In Rußland hatten wir eine nicht unerhebliche Anzahl ... Mann und Weib erschießen müssen.« Ferner hatte Wolff durch eine Mitteilung des Oberkommandos der Wehrmacht erfahren, daß seit Anfang Dezember 1942 im italienisch besetzten Teil Frankreichs alle Juden festgenommen werden sollten, daß aber diese Vereinbarung vom italienischen Oberkommando sabotiert wurde. Er wußte auch, daß Ribbentrop im Januar 1943 die Regierung in Rom bedrängt hatte, »ihr Vorgehen gegen die Juden dem unsrigen anzupassen.«

Alle diese Mahnungen waren – auch das wußte Wolff – erfolglos geblieben. Die

in Deutschland geltenden Rassedogmen waren den Italienern unverständlich. Auch wenn er von sich aus keine antisemitische Aktion in Gang bringen wollte, so mußte er doch damit rechnen, daß Himmler den »Rückstand« in der Judenverfolgung baldigst ausgleichen würde, weil er jetzt dazu die Macht hatte. Anfang Oktober erfuhr der bei der deutschen Botschaft in Rom tätige Konsul Eitel Friedrich Moellhausen, daß der für die deutsche Sicherheitspolizei in Rom zuständige SS-Obersturmbannführer Herbert Kappler den Befehl bekommen hatte, die etwa 8000 in der Hauptstadt lebenden Juden »festzunehmen und nach Oberitalien zu bringen, wo sie liquidiert werden sollen«. Der hier zitierte Satzteil stammt aus einem Telegramm, mit dem Moellhausen am 6. Oktober seinen Dienstherrn, den Reichsaußenminister telegraphisch gegen die Pläne Himmlers mobilisieren wollte. Er hätte sich wohl gern auch an Wolff gewandt, aber der war verreist und berichtete am späten Nachmittag des darauffolgenden Tages Hitler im Hauptquartier über die Situation in Italien.
Für Moellhausen endete sein Versuch eines Querschusses mit einem Rüffel. Er kam aus Berlin: »Der Herr RAM« (Kürzel für Reichsaußenminister) »bittet, Gesandten Rahn und Konsul Moellhausen mitzuteilen, daß auf Grund einer Führerweisung die 8000 in Rom wohnenden Juden nach Mauthausen (Oberdonau) als Geiseln gebracht werden sollen. Der Herr RAM bittet, Rahn und Moellhausen anzuweisen, sich auf keinen Fall in diese Angelegenheit einzumischen, sie vielmehr der SS zu überlassen.« Dies hieß: Laßt die Finger von Sachen, die euch nichts angehen. Der Hinweis auf Mauthausen war eine bewußte Lüge; auf dem NS-Olymp wußte jeder, daß solche Transporte in der Gaskammer und im Krematorium endeten und daß Mauthausen ein mörderisches Arbeits-, aber kein Vernichtungslager war. Besonders anstößig war in Berlin, daß Moellhausen in seinem Telegramm auch noch das Wort »liquidieren« verwendet hatte. So viel Direktheit leistete sich nicht einmal Himmler im Schriftverkehr.
Tatsächlich wußte jedoch Moellhausen schon seit dem 26. September, was den römischen Juden drohte. Er hatte an diesem Tag erfahren, daß der Hauptsturmführer Theodor Dannecker, ein Helfershelfer des SS-Obersturmbannführers Adolf Eichmann, in Rom eingetroffen war, und er wußte offenbar, was dieser SS-Führer aus dem Judenreferat der Gestapo und des SD für ein Handwerk betrieb. Wolff war Ende September noch in Italien; also hätte auch er informiert sein müssen über die Ankunft Danneckers. Es gab nämlich eine Vorschrift, wonach jeder SS-Führer sich beim zuständigen Höheren SS- und Polizeiführer melden mußte, wenn er in dessen Bereich tätig werden wollte.
Hat sich etwa der Massenmörder Dannecker bei Wolff nicht gemeldet? Oder wußte Wolff in jenen Tagen noch nicht, womit Eichmann und seine Leute sich beschäftigten? Oder war Wolff gar auf Dienstreise gegangen, weil er nicht wissen wollte, was auf die jüdischen Römer zukommen würde? Eichmann hätte in einem solchen Fall gesagt: Er hat mal wieder seine weißen Handschuhe angezogen.
Bereits am 14. Oktober verwüstete eine Hundertschaft der SS die Synagoge und

deren Büroräume im Judenviertel. Zwei Tage später, am Sabbath, wurde das Viertel von Streifen durchkämmt. Kappler leitete die Aktion unter »Einsatz sämtlicher verfügbaren Kräfte der Sicherheits- und Ordnungspolizei«. Diesem Hinweis mußte er in seinem Bericht für Berlin gleich das Eingeständnis anschließen, daß die »Beteiligung der italienischen Polizei . . . in Anbetracht der Unzuverlässigkeit in dieser Richtung unmöglich« gewesen sei. Die Bevölkerung habe ebenfalls »passiven Widerstand« geleistet, »der sich in einer ganzen Reihe von Einzelfällen zur aktiven Hilfeleistung« (für die Verfolgten) »steigerte«. Statt 8000 Juden gerieten wenig mehr als tausend in die Fänge der SS. Sie wurden am Morgen des übernächsten Tages, also am 18. Oktober, in Güterwagen verladen und nach Auschwitz abgefahren. Insgesamt sind während der Regierungszeit des »Vizekönigs« Wolff etwa 7000 jüdische Italiener verschleppt und zumeist ermordet worden.

Wolff hat in seinem Münchner Strafverfahren die Verantwortung für die Aktion gegen die Juden Italiens abgelehnt und – mit Recht – darauf hingewiesen, daß die Befehle dazu vom Reichssicherheitshauptamt direkt an den jeweiligen Befehlshaber der Sicherheitspolizei gegeben wurden. Das war gerade bei Deportationen die übliche Prozedur. Üblich war freilich auch, daß der zuständige Höhere SS- und Polizeiführer nachrichtlich über geplante Aktionen unterrichtet wurde; er konnte, wenn notwendig, »in die routinemäßigen Maßnahmen verändernd eingreifen«. Der Historiker Hans Buchheim, der sich besonders intensiv mit der SS beschäftigt hat, stellte dies fest.

Kein Dokument beweist, daß Wolff die Judendeportation vom 16. Oktober angekündigt wurde. Als sie stattfand, befand er sich in Himmlers Feldquartier oder im benachbarten Führerhauptquartier. Von dort gab er dann auch fernschriftlich seiner italienischen Dienststelle den Auftrag, einige Weisungen an den Obersturmbannführer Kappler weiterzuleiten. Deren Inhalt ist unbekannt; es existiert in den Akten nur die Bestätigung mit dem Datum vom 18. Oktober, daß diese »Aufträge befehlsgemäß durchgegeben wurden«. Zugleich bekam Wolff fernschriftlich Kapplers Bericht über die Razzia in Rom übermittelt mit dem Hinweis »Dringend! Geheim! Sofort vorlegen!« Dessen Inhalt, so sagte Wolff nach dem Krieg, habe ihn zutiefst empört, aber er habe von der Aktion so spät erfahren, daß er nichts mehr habe dagegen unternehmen können.

Warum eigentlich nicht? Die Razzia war am 16. Oktober, er wurde am 18. Oktober unterrichtet und an diesem Tag verließ der Zug mit den Opfern Rom in nördlicher Richtung. Das Bahnnetz war in jener Zeit so beansprucht, daß die Transporte dieser Art tagelang rollten, ehe sie ihr Ziel erreichten. Wahrscheinlich und theoretisch wäre der Zug unterwegs noch anzuhalten gewesen, ehe er das Vernichtungslager Auschwitz-Birkenau erreicht hätte. Doch dafür hätte es eines geradezu heroischen Entschlusses bedurft.

Wolff wertete das Fernschreiben mit dem Kappler-Bericht im Münchner Strafprozeß als entlastend; es beweise, daß er nicht am Ort des Geschehens gewesen sei. Der Staatsanwalt zog andere Schlüsse: Wolff habe es sich mit solcher Dringlichkeit schicken lassen, weil er am folgenden Tag, am 19. Oktober

zusammen mit Himmler von Hitler zum Mittagessen geladen war. Und weil er bei dieser Gelegenheit habe zeigen wollen, wie energisch er in Italien durchgreife. Dazu gab das Essen reichlich Gelegenheit; es dauerte zwei Stunden.
Verständlicherweise sprach er nach Kriegsende über Judenverfolgung nicht gern, oder, wenn nötig, nur sehr beiläufig. Während der Kriegsverbrecherprozesse in Nürnberg wurde Karl Wolff als Zeuge auch zu diesem Thema befragt. Er solle schildern, was sich in dieser Hinsicht in Italien abgespielt hatte. Er sagte: »Ich erinnere mich dunkel, daß das – ich glaube im Sommer 1943, September, es könnte auch Oktober gewesen sein, also ganz in der Anfangszeit, als ich da unten in Italien eingesetzt und noch nicht voll eingearbeitet war – ein Befehl gekommen ist aus Berlin, meiner Erinnerung von Himmler, daß die in Italien befindlichen Juden erfaßt und in das Reich abgeschoben werden sollten. Nach meiner Erinnerung sind damals insgesamt rund 1050 Juden für ganz Italien, also ganz gewiß kein sehr hoher Prozentsatz . . . nach dem Reich überführt worden.« Demnach muß angenommen werden, daß in den Monaten der Gefangenschaft, wahrscheinlich aufgrund ihrer Entbehrungen, das so oft gerühmte gute Gedächtnis des Zeugen zumindest temporär beschädigt war.
In den Tagen vor der Judenjagd war Wolff für den in Rom amtierenden Konsul Moellhausen unerreichbar gewesen; der Höchste SS- und Polizeiführer war durch Bemühungen um eine passende Residenz für Mussolinis Republik in Anspruch genommen. Darüber entschied er jedoch nicht allein; sowohl Rommel, der sein Hauptquartier am nördlichen Ende des Gardasees hatte, wie auch der Gesandte Rahn – jeder nimmt neben Wolff für sich in Anspruch, den Regierungssitz ausgewählt zu haben. Nur Mussolini gefiel der Standort nicht. Er brauchte viel Volk um sich, das er mit Reden begeistern konnte, aber der schmale Uferstreifen am Gardasee reichte gerade aus, um die Funktionäre, die Soldaten, deutsche und italienische Polizisten, die Bediensteten unterzubringen. Außerdem beschuldigte der Regierungschef die Deutschen, sie hätten ihn am Gardasee in einen Sack gesteckt. Das stimmte, denn nur die am See entlangführende Straße verbindet das Tal mit der Welt, und dieser einzige Verkehrsweg ließ sich mit geringem Aufwand im Norden und Süden sperren. Doch Mussolini war nicht mehr energisch genug, um sich gegen seine Retter, Beschützer und Bewacher durchzusetzen. Als er am 8. Oktober 1943 in Rocca delle Caminate ins Auto stieg, wußte er nicht einmal, wo diese Fahrt enden würde. Nur der Gardasee war ihm als Ziel genannt worden.
In Verona erwartete ihn Wolff. Er lud ihn ein, in seinem Wagen Platz zu nehmen. Gefolgt von einer kleinen Kolonne weiterer Wagen mit SS-Führern und wenigen Faschisten erreichten sie schon nach einer guten halben Stunde das Südende des Sees. Nach Norden abbiegend und immer dem Ufer folgend, kamen sie nach Salò, dem Ort, der bald dem neuen Staat mit der etwas abschätzigen Titulierung »Republik von Salò« einen inoffiziellen Namen geben würde. Wolff hatte sich mit seinem Stab im benachbarten Fasano einquartiert. Wenig mehr als ein Dutzend Kilometer weiter nördlich, in Gargnano, hatte er die Residenz für das Staatsoberhaupt vorbereitet, indem er eine der feudalsten

Villen hatte räumen lassen. Sie gehörte einer reichen Mailänder Unternehmerfamilie, hatte über dreißig Zimmer und war mit Möbeln eingerichtet, die um die Jahrhundertwende als besonders prachtvoll gegolten hatten.
Die Zufahrt war schmal und kurvenreich. Hinter der Villa stieg der Berg steil und felsig in die Höhe. Hohe Bäume verhüllten das Haus. Wolffs Sicherungsmaßnahmen waren perfekt. Eine Außenstelle des SD kontrollierte ständig alle Bewohner, alle Bediensteten und alle Besucher. Telefongespräche wurden abgehört. Posten und Streifen, SS-Soldaten und italienische Miliz bewachten den Park und die Eingänge. Einen Monat lang lebte der Staatschef ziemlich vereinsamt im großen Bau. Eine blonde Deutsche, Krankenschwester und Haushälterin zugleich, Irma genannt, betreute ihn, aber man sagte ihr zu Unrecht nach, sie habe ein Verhältnis mit ihrem Arbeitgeber. Im November konnte dann Donna Rachele einziehen.
Mussolinis Gefühl, ein Gefangener zu sein, war begründet, auch wenn Wolff sich Mühe gab, es ihn nur selten fühlen zu lassen. Man konnte aber nicht leugnen, daß die Straße nach Norden, die hoch über dem See im Felsentunnel verlief, schon nach wenigen Kilometern die vorläufige Grenze der Republik erreichte. Dort begann die von Rommel beanspruchte »Operationszone Voralpenland«, und wer in Richtung auf Trento und Bozen weiterfahren wollte, brauchte dazu eine Erlaubnis. Rommel war ohnehin kein Freund der Italiener. Er gab ihnen die Schuld, daß er in Nordafrika besiegt worden war – als Folge ihrer Abneigung gegen den Heldentod und dem Bestreben ihrer Führung, die an sich respektable Flotte zu schonen, statt sie zur Sicherung des Nachschubs für die Afrika-Armee einzusetzen. Da er diese Meinung häufig und mit schwäbischer Direktheit geäußert hatte, war sie auch Mussolini zu Ohren gekommen, der sie natürlich übelnahm. Ihn störte auch noch zusätzlich, daß im Ersten Weltkrieg der damalige Hauptmann Erwin Rommel die Italiener in den Alpen zum Laufen gebracht und sich dabei den Orden »Pour le mérite« geholt hatte.
Die beiden mußten sich nicht mehr lange ertragen. Hitler hatte schon seit längerem die Absicht, alle deutschen Streitkräfte in Italien einem einheitlichen Oberbefehl zu unterstellen, und dabei sollte Rommel auch Kesselrings Front im Süden übernehmen. Noch am 18. Oktober hatte Keitel als Chef des Oberkommandos der Wehrmacht Hitler einen entsprechenden Befehlsentwurf vorgelegt. Doch das Papier wurde nie gültig. Den Grund für die Sinnesänderung glaubte Wolff erklären zu können.
Zu ihm kam – so pflegte er zu erzählen – in Fasano nach seinem Amtsbeginn »ein allgemein als untadelig angesehener höherer Offizier aus Rommels Stab«. Er erbat von dem SS-General das Offiziersehrenwort, daß dieser den Namen seines Informanten nie preisgeben würde, wenn er ihm jetzt ein Geheimnis anvertraue, das unbedingt dem Führer mitgeteilt werden müsse – »im Interesse Deutschlands«. Nach dieser feierlichen Vorrede vertraute der Besucher Wolff an, daß sein Oberbefehlshaber »nach den militärischen Enttäuschungen der letzten zwölf Monate nicht mehr an den deutschen Endsieg glauben könne«.

Der Führer müsse dies wissen, bevor er etwa Rommel »ein kriegsentscheidendes neues Kommando anvertraue«.

Am 19. und 20. Oktober war Wolff wieder in der »Wolfsschanze«. Dabei brachte er anscheinend seine Neuigkeit bei Hitler an. Es ergab sich jedoch in dem Gespräch bald eine Komplikation: Hitler wollte wissen, woher der SS-General seine Information habe. Doch den hemmte das Ehrenwort. Sein Führer wollte es in dieser Situation nicht gelten lassen; er verlangte von Wolff »die Barriere Ihres Ehrenwortkomplexes zu überspringen und mir im Interesse Deutschlands doch den Namen dieses Offiziers anzuvertrauen«. Als auch dieser Appell wirkungslos blieb, drängte Hitler »nach kurzem Nachdenken: ›Jetzt hab' ich's. Ich entbinde Sie als ihr Oberster Kriegsherr von Ihrem Offiziersehrenwort!‹« Soweit Wolffs Schilderung. Offenbar war sich der Führer des deutschen Volkes, der in seinem Leben schon so oft ein Ehrenwort gegeben und gebrochen hatte, über die Nichtigkeit einer solchen Zusicherung nicht im klaren. Er konnte es auch nicht besser wissen, denn er hatte es – woran Wolff offensichtlich momentan nicht gedacht hatte – im Krieg als Soldat ja nur bis zum Gefreiten gebracht und war nie Offizier gewesen. Hitler gab sein Drängen erst auf, als Wolff ihm klargemacht hatte, daß der Bruch des Ehrenwortes einen Offizier zwinge, sich eine Kugel in den Kopf zu schießen.

Folgt man der Erzählung weiter, so wurde nun der Generalfeldmarschall Keitel herbeigerufen mit der bereits unterschriebenen Ernennungsurkunde, wonach Rommel sämtlichen deutschen Streitkräften in Italien vorgesetzt wurde. Mit einer Füllfeder habe Hitler den Namen Rommels durchgestrichen und darüber »Kesselring« geschrieben. Ob sich das alles so abgespielt hat, mit Wolff als grauschwarzer Eminenz – wer kann das heute noch bestätigen?

Der Historiker David Irving, dem man zwar seinen Rechtsdrall übelnehmen, aber nicht nachsagen kann, daß er nicht genug recherchiere, führt den Sinneswandel darauf zurück, daß Rommel sich Mitte Oktober mit pessimistischen Äußerungen in der »Wolfsschanze« selber um den Oberbefehl in Italien geredet habe. Da Irving auch Wolff gründlich ausgefragt hat, kann angenommen werden, daß auch ihm die Szene um die geänderte Urkunde erzählt wurde. Verwendet hatte er sie nicht; offenbar bezweifelte er sie auch.

Trotzdem kann eine Wolff-Biographie die Erzählung nicht übergehen, denn sie ist charakterisch sowohl für die Gerüchtedünste in der NS-Führungsschicht als auch für die Bedeutung, die Wolff sich bis zuletzt noch beigemessen hat. Glaubhaft ist dagegen ohne Einschränkung, daß er seinerzeit sein möglichstes tat, um Rommel in Italien loszuwerden. Mit dem Franken Kesselring kam er viel besser zurecht als mit dem rauhbeinigen Schwaben. Der hatte außerdem auch noch gelegentlich merken lassen, daß er den SS-General nur bedingt respektierte, weil Wolff das Metier nicht auf der Ochsentour gelernt hatte, sondern gleich vom Leutnant zum Generalleutnant befördert worden war. Rommel war eben alles andere als ein Diplomat. Und genau eine solche Begabung brauchte ein Mann, der mit Mussolini und dessen Anhang zusammenarbeiten mußte.

Es sei eine seiner Aufgaben gewesen – sagte Wolff – aus dem gealterten,

: Auch im Rußland-Feldzug
'olff Himmlers Auge und
n Hitlers Hauptquartier. Oben,
inks: Pressechef Dietrich,
nann, Generalfeldmarschall
el, Hitler, Wolff.
: Himmler (Mitte) zu Gast im
otquartier.
n: Hitler besichtigt das Amphi-
modell des Volkswagens.
inks: Wolff, Hitler, Schaub,
nler, SS-Gruppenführer
er.

1941: Bei seinen Besichtigungsfahrten durch die eroberten Gebiete der Sowjetunion darf »Wölfchen« im Gefolge Himmlers nich fehlen. Oben: In einem Kri gefangenenlager. Himmle von Wehrmachtsoffizieren begleitet. Hinter Himmler: Wolff. Unten: Zur Überraschung Himmlers trifft e in einer Kolchose sowjetische Kinder mit blauen Augen und blonden Haare Er befiehlt, zwei Knaben »einzudeutschen«.

en: Besichtigung einer
chose bei Minsk. Wolff
s im Bild. Unten:
e in Auge mit einem
termenschen«, der die
tsche Sprache spricht und
mler erzählt, daß er die
ke Goethes und Schillers
esen habe. Wolff hinter
mler halb verdeckt.
ks von Himmler: Der Chef
Bandenkampfverbände,
dem Bach-Zelewski.

1941: Besuch in Prag beim stellvertretenden Reichsprotek[illegible] von Böhmen und Mähren, Reinhard Heydrich.
Von links: Staatssekretär Frank Himmler, Wolff, Heydrich.
Unten: Zur Verabschiedung de[illegible] Gäste ist die Ehrenkompanie auf dem Hradschin angetreten.
Von links: Wolff, Heydrich, Himmler.

kranken und lethargisch gewordenen Mussolini wieder einen tatendurstigen und energischen Duce zu machen. Doch allein schon die Verhältnisse, in die sich das Oberhaupt des neuen Staates versetzt sah, waren nicht dazu angetan, seine Lebensgeister zu stärken. Versuche, ein eigenes Heer aufzustellen, kamen nur langsam voran, weil die ohnehin geringe Begeisterung im Volk auch noch durch deutsche Ausbilder gedämpft wurde. Die Wirtschaft mußte sich nach den Forderungen der Deutschen ausrichten; deren Produktions- und Rüstungsminister Albert Speer zog ein Netz von Bevollmächtigten über das Land, die diktatorisch bestimmten, was in welcher Zeit gefertigt werden mußte. In den vom alliierten Vormarsch bedrohten Landstrichen wurden die Betriebe demontiert und ihre Maschinen ins Reich transportiert. Da es dort an Arbeitskräften mangelte, wurden die anläßlich des »Verrats« kriegsgefangenen italienischen Soldaten in Zivilinternierte verwandelt, in Lager gesperrt und von dort zur Arbeit geführt. Der für die Beschaffung von Arbeitskräften Zuständige, der Gauleiter Fritz Sauckel, war beim Versuch gescheitert, in Italien Freiwillige anzuwerben; nun ließ er Passanten auf der Straße kontrollieren, und wer keiner Beschäftigung nachging, wurde zur Zwangsarbeit nach Norden verfrachtet. Soweit die Finanzverwaltung funktionierte, mußte sie in erster Linie die steigenden Besatzungskosten aufbringen. Mit den deutschen Reichskassenscheinen kauften feldgraue Soldaten die einigermaßen gut bestückten Ladengeschäfte leer – mit der Folge, daß sich zunehmend ein schwarzer Markt ausbreitete.

Über diese und weitere Widrigkeiten sollte Wolff seinen Schützling hinwegtrösten. Damit ihm dies hinreichend gelänge, erinnerte er sich eines Mittels, das seit Jahrtausenden erfolgreich war, wenn ein Potentat aufgeheitert oder abgelenkt werden sollte. Clara Petacci mußte her. Die Tochter eines römischen Medizinprofessors war seit Jahren Mussolinis Geliebte. Lange Zeit war das Verhältnis geheim geblieben. Das Paar hatte sich zumeist im Amtssitz des Ministerpräsidenten, im Palazzo Venetia, getroffen, wo Mussolini sich und seiner Claretta eine kleine Wohnung hatte einrichten lassen. Die meisten Italiener und sogar Donna Rachele hatten von der Liaison erst am Tag nach dem Sturz des Duce erfahren, als die Skandalpresse nicht mehr die Zensur zu fürchten und Badoglio seinen Vorgänger zum Abschuß freigegeben hatte.

Claretta war, wie ihre Familie, verhaftet und in einem Gefängnis festgehalten worden, bis sie durch die SS befreit wurde, zur gleichen Zeit wie ihr Geliebter. Sie ging nach Meran und schrieb ihm, sie habe große Sehnsucht, ihn zu sehen. Ihre Befreier, Offiziere der Leibstandarte, brachten den Brief an den Gardasee. Da auch der Duce sehnsüchtig wartete, fiel es Wolff nicht schwer, die Wiedervereinigung zu arrangieren. Anfang November bezog Claretta in Gardone eine von ihm beschlagnahmte kleine und ziemlich bescheidene Villa.

Mitte November traf Donna Rachele mit dem Familienclan aus Rocca delle Caminate in Gardone ein. Sie füllten die Residenz des Staatschefs. Er ließ sich deshalb durch Wolff ein weiteres Gebäude für die Regierungsgeschäfte zuweisen, unten am Dorfplatz. Hier hatte er sogar seinen Balkon, auf dem er von Zeit zu Zeit den huldigenden Beifall von Anhängern und Neugierigen entgegennehmen konnte. Die Trennung von Wohnung und Amt erlaubte es ihm auch, dann und wann heimlich die Geliebte zu treffen. Doch die Welt ist klein, kleiner noch für einen Mann, den jedermann kennt und ganz klein in einem Ort, der vor Jahren noch ein Fischerdorf gewesen, dann ein Urlauber- und Rentnerparadies und unversehens auch noch eine Residenz geworden war. Ebensowenig konnte an einem solchen Ort eine Frau heimlich leben, deren Bild unter Schlagzeilen wochenlang durch die Zeitungen gegangen war. Zwar hatte Wolff der Clara Petacci eingeschärft, sie dürfe sich bei Tag nicht aus dem Haus bewegen, aber sie hielt sich natürlich nicht daran. Als Wolff eines Tages wieder einmal das Familienheim Mussolinis besuchte, nutzte Donna Rachele die Gelegenheit zu einer Standpauke. So gehe es nicht weiter, schimpfte sie. Wolff habe die zwei zusammengebracht, und nun möge er auch dafür sorgen, daß sie wieder getrennt würden. Sie nehme Seitensprünge ihres Mannes nicht mehr tragisch, aber sie würden jetzt politisch ausgewertet, und das habe Wolff als der von Hitler bestellte Sicherheitsberater zu bedenken. Weil Wolff darauf nicht reagierte, verlangte sie wenige Tage später kurz und bündig, die Petacci müsse aus dem »Regierungsviertel« ausgewiesen werden.

Den Höchsten SS- und Polizeiführer hätte es kaum mehr als einen Federstrich gekostet, wenn er diese Forderung hätte erfüllen wollen. Doch er ließ sich Zeit. Vielleicht wollte er auch auf eine Informantin nicht verzichten, die ihm gelegentlich Interna aus der Spitzenmannschaft der Sozialen Republik Italien berichtete. Sie erfuhr diese Neuigkeiten vom Innenminister Buffarini, den sie dafür bei ihrem Benito protegierte.

Mit spürbarer Freude am Skandal erzählte Wolff immer wieder, wie Donna Rachele am Ende die Geduld verlor – was er allerdings auch nur aus zweiter Hand wußte. Sie ließ sich zum Innenminister fahren und zwang ihn, sie zur Villa der Petacci zu begleiten. Als dort das schmiedeeiserne Tor trotz stürmischen Läutens verschlossen blieb, randalierte sie fast eine Stunde auf der Straße und versuchte schließlich das Tor zu überklettern. Erst daraufhin wurde es geöffnet. Im Haus fiel sie lautstark über die weinende Claretta her, und schließlich zog sie aus ihrer Handtasche einen Revolver. Buffarini entwand ihn ihr.

Nach dieser Szene wurde Wolff die Situation zu gefährlich. Die Petacci mußte umziehen, in eine Villa hoch am Hang über dem See, wo vor Jahren der Dichter Gabriele D'Annunzio ein monströses Siegesdenkmal hatte bauen lassen. Doch auch diese Lösung war nicht für die Dauer; in einem Nachbarhaus hatten sich Verwandte der Mussolinis eingemietet, und wenn sie etwas Verdächtiges bemerkten, erfuhr es umgehend Donna Rachele. Man hinterbrachte ihr gelegentlich, daß zwei- oder auch dreimal in der Woche jeweils abends ein Auto der SS bei Claretta vorfuhr und daß der Wagen nach kurzem Aufenthalt wieder ins Tal hinabrollte. Rachele erfuhr nie, daß Wolff am Lenkrad saß, daß ihr Ehemann ausstieg und dann am nächsten Morgen wieder vom gleichen Chauffeur abgeholt wurde. Im Haus der Familie wurde Mussolini nicht vermißt; er schlief ohnehin meist in seinem Regierungssitz am Seeufer.

Damit war Claretta auch weiterhin auf Wolffs Beistand angewiesen. Der für

weibliche Reize empfängliche SS-General genoß es, sich durch Gefälligkeiten ihr Wohlwollen zu sichern. Dafür berichtete sie ihm gelegentlich, wie ihr Benito über den Fall des Grafen Ciano dachte – eine Affäre von scheinbar hoher politischer Brisanz. Der Schwiegersohn und ehemalige Außenminister des Duce hatte sich vor dem Krieg stets als einer der eifrigsten Achsenschmiede feiern lassen. Daß er zuweilen zynische Bonmots über das Bündnis, über Nationalsozialisten und Faschisten geprägt hatte, war in Berlin vergnügt genossen worden. Doch mit der Zeit war man mißtrauisch geworden, und schließlich war Hitler überzeugt, der italienische Außenminister hintertreibe heimlich seine Eroberungspläne. So habe Graf Ciano Ende August 1939 die Engländer wissen lassen, daß Italien nicht in den Krieg eintreten werde, wenn Hitler Polen angreife. Nur weil Großbritannien daraufhin seine Seestreitkräfte aus dem Mittelmeer habe abziehen können, sei es zur Garantieerklärung an Polen und damit auch zur Kriegserklärung an Deutschland gekommen. In Berlin hatte dem Minister Ciano deshalb niemand nachgeweint, als Mussolini das Außenministerium selber übernommen hatte und der Schwiegersohn Botschafter beim Vatikan geworden war. Es hatte sich auch niemand gewundert, daß er sich der Rebellion gegen den Duce angeschlossen hatte. Ins Reich war er erst geflohen, als ihm die Badoglio-Regierung seine Schwenkung nicht honorieren wollte, so daß er mit Repressalien rechnen mußte.
In Deutschland waren die Cianos unbehelligt, aber nicht unbeobachtet geblieben. Im Lauf der Zeit mußten sie fühlen, daß sie wenig geschätzt und immer intensiver überwacht wurden. Als sie nach Spanien reisen und weiter nach Argentinien auswandern wollten, wurde die Reise nicht genehmigt. Nun hofften sie, daß dieses Vorhaben aus Italien besser gelänge; Mussolini würde der heißgeliebten Tochter die Bitte kaum abschlagen, und auch deren Ehemann nicht, den er zeitweise wie seine eigenen Söhne geschätzt hatte.
Falls Mussolini dem Grafen verziehen hatte, so verzieh ihm Hitler keineswegs. Die Rache jedoch schob er seinem italienischen Freund zu, damit die längst verwelkte Freundschaft wenigstens nach außen hin noch blühend erscheine. Als Edda auf einer Reise zu ihrem Vater in Italien eines Nervenzusammenbruchs wegen in ein Sanatorium eingeliefert werden mußte, verlangte auch ihr Ehemann die Heimreise. Im Oktober rief daraufhin Wolff die SD-Überwacher im Ciano-Haus am Starnberger See an, man möge den Grafen seinem Wunsche entsprechend nach Verona fliegen. Als er dort aus der Maschine stieg, wurde er verhaftet – von italienischen Polizisten, die von einem SD-Kommando überwacht wurden. Mitte November verfügte Mussolini, daß den Verrätern, die ihn im Juli gestürzt hatten, der Prozeß vor einem Außerordentlichen Sondergericht gemacht werde. In Haft waren allerdings nur sechs der Rebellen, die Mehrzahl war entflohen. Was die Häftlinge erwartete, hatte Reichspropagandaminister Dr. Joseph Goebbels nach einem Gespräch mit Hitler schon Ende September in sein Tagebuch geschrieben: Der Führer sei über die Haltung des Duce außerordentlich enttäuscht; ein Strafgericht sei unerläßlich und der Schwiegersohn hätte »zuerst daran glauben müssen«.

Mit der wilden Energie, die früher ihren Vater umgetrieben hatte, kämpfte Edda um das Leben ihres Mannes. Sie glaubte, einen Trumpf in den Händen zu halten. Es waren Cianos Tagebücher aus seinen Ministertagen, und deren Inhalt – so glaubte Edda – sei so kompromittierend für Hitler, Ribbentrop und andere, daß die Deutschen im Tausch dafür den Grafen freigeben würden. Ihr war es gelungen, in die Schweiz zu entkommen, und die Tagebücher lagen dort im Banksafe. Ihr Trumpf stach jedoch nicht; der Ruf der Naziführer war in der Welt schon derart ruiniert, daß sie weitere Belastungen ungerührt hinnehmen konnten, um so eher, als das deutsche Volk ohnehin davon nichts erfahren würde.

Am 8. Januar 1944 begann der Prozeß gegen den Grafen Ciano und weitere fünf Angeklagte in Verona. Am 10. Januar wurde gegen Ciano und vier Angeklagte das Todesurteil verkündet. Wolff war in den Tagen zuvor in München gewesen.

Am 11. Januar kurz nach Mitternacht rief ihn der Polizeigeneral Harster aus Verona an; bei ihm sei ein offener Briefumschlag von Edda Ciano angekommen, adressiert an Mussolini. Wolff sorgte dafür, daß der Brief per Kurier in die Villa ihres Vaters geleitet wurde. Er war schon vor etlichen Tagen geschrieben worden, aber irgendwo liegengeblieben. In ihm forderte Edda die Freiheit für ihren Ehemann. Sie drohte, »alles, was ich schriftlich beweisen kann, mitleidslos« zu benutzen, »wenn Galeazzo nicht in drei Tagen in der Schweiz ist«.

Zweifellos konnte ein telefonischer Befehl Mussolinis die für sechs Uhr an diesem Morgen angesetzte Hinrichtung noch verhindern oder wenigstens verschieben. Warum ist dies nicht geschehen? Durfte er nicht? Wollte er nicht? Seine Entscheidung war schwierig, weil es um den Schwiegersohn ging. Wenn er Gnade walten ließ, durfte er dann noch einen Deserteur seines jungen Heeres mit dem Tod bestrafen lassen? War Gnade nicht in diesem Fall zugleich auch Vetternwirtschaft? Durfte ein Staatschef sich erpressen lassen, noch dazu von seiner Tochter? Und wie würde Hitler reagieren? Würde dem Führer diese Begnadigung nicht bestätigen, was er den Italienern generell vorwarf, nämlich, daß sie allesamt Verräter seien?

10
Der Papst und der Antichrist

Um fünf Uhr, also noch in tiefer Nacht, rief Mussolini den »Kameraden« Wolff an. Der ehemalige SS-General gibt das Gespräch in verschiedenen Berichten wörtlich, wenn auch nicht immer wortgleich wieder. Doch die Grundtendenz bleibt immer dieselbe. Stets geht daraus hervor, welchen Zweck der Anrufer verfolgte und wie weit er bei dem Angerufenen Verständnis fand. Was Wolff denn zu diesem Urteil zu sagen habe, wurde er gefragt. Es sei, wich er aus, eine ausschließlich italienische Angelegenheit; als Kommandant der SS dürfe er nicht Stellung nehmen. Doch der Duce bettelte weiter: persönlich und vertraulich dürfe der General sich doch wohl äußern. »Was würden Sie an meiner Stelle tun?« war die Frage. Die Antwort: »Fest bleiben!« Zusätzlich bestätigte Wolff noch, daß es Mussolinis Ansehen beim Führer schaden würde, wenn er das Urteil nicht vollstrecken ließe.
Mit Verspätung, statt um sechs erst um neun Uhr, wurden die Todeskandidaten aus ihren Zellen geholt und in Kraftwagen in die Schießbahn des Vereins der Sportschützen von Verona gefahren. Auf Stühlen sitzend wurden sie an die Lehnen gefesselt. Vielleicht hätten einige verständnisvolle Worte Wolffs den Chef der Sozialen Republik Italien dazu bringen können, auf Hitlers Erwartungen keine Rücksicht zu nehmen. Er fand diese Worte nicht, obgleich die fünf Männer, die an diesem Morgen erschossen wurden, nur versucht hatten, dasselbe zu tun, was Wolff ein Jahr später unternehmen würde – nämlich gegen den Willen des Staatsoberhauptes aus einem aussichtslos gewordenen Krieg auszusteigen. Auch Wolff wird dabei vorübergehend Gefahr laufen, vor die Gewehre gestellt zu werden, aber er wird mehr Glück (oder war es mehr Geschick?) haben als die Renegaten des Faschismus.
Wäre der Höchste SS- und Polizeiführer Italien damals zur objektiven Prüfung seiner eigenen Situation gezwungen worden, dann hätte er gestehen müssen, daß auch er jetzt schon dabei war, seinen Obersten Reichs- und Kriegsherrn zu verraten – wenigstens in Gedanken. Schon bisher hatte er die Dogmen der Partei eigenwillig ausgelegt und nur befolgt, wenn sie seinen Neigungen nicht entgegenstanden. Weitgehend hatte er dabei den Umstand genutzt, daß es ein philosophisch durchdachtes Grundmuster des Nationalsozialismus nie gegeben hatte. Wer sein Bekenntnis zum Hakenkreuz auf den Leitsatz reduzierte, der Führer habe immer recht, konnte keinen Fehltritt tun. Doch gerade an der

Gültigkeit dieses Satzes zweifelte der SS-Obergruppenführer Wolff zunehmend, weil er voraussah, daß eine Götterdämmerung auch ihn nicht verschonen würde. Solange die Erfolge in den Zeiten des Friedens und solange die Siege im Krieg scheinbar bewiesen hatten, daß die sogenannte Vorsehung das deutsche Volk durch Adolf Hitler zur längst fälligen Größe und Würde führen würde, hatte auch Wolff diesen Grundsatz nie bezweifelt. Doch die militärischen Niederlagen und die politischen Pannen machten ihn zweifelnd sowohl an der Person Hitlers wie auch an einem System, das dem einen Mann an der Spitze die alleinige Entscheidung in jeder Frage zugestand. Weniger Macht dem Führer, mehr Befugnisse seinen Räten, mit diesem Rezept hatten Popitz und Langbehn die SS für ihren Aufstand gegen die Diktatur gewinnen wollen. Nun wirkten ihre Ideen in Wolff und Himmler weiter.

Die beiden Garanten uneingeschränkter Macht ihres Führers hatten bei ihren Gesprächen mit den »Staatsfeinden« immer noch das Alibi gehabt, Kundschafter im Feindesland zu sein. Wolffs Versuche, als ›Vizekönig von Italien‹ in ungesichertes Gelände vorzustoßen, ließen sich mit dieser Begründung kaum mehr abdecken. Badoglio hatte mit dem Feind militärisch kollaboriert, Ciano im politischen Bereich; Wolff konnte auf diesen Sektoren vorläufig noch nichts erreichen, und so wagte er sich auf das Glatteis der weltanschaulichen Ketzerei. Er suchte Verbindungen und Verbündete dort, wo nach der orthodoxen SS-Lehre die Todfeinde der germanischen Seele lauerten, beim Klerus.

Bei Ernst Freiherr von Weizsäcker, Botschafter des Großdeutschen Reiches am Heiligen Stuhl, setzte er den Hebel an. Der Mann auf diesem Posten war traditionsgemäß protestantischen Glaubens und außerdem noch einer von der toleranten Art der schwäbischen Liberalen. Aus eben diesem Grund hatte ihn Ribbentrop, dem er als Staatssekretär gedient hatte, auf den scheinbar bedeutungslosen Posten abgeschoben. Doch inzwischen war der Platz wichtig geworden, weil sich im Vatikan, den nur ein weißer Strich auf dem Straßenpflaster vom Gebiet der Stadt Rom abgrenzte, die Diplomaten der Kriegsgegner auf engstem Raum begegneten. So war denn Wolffs Frage, ob wohl unter den Politikern auf der Feindseite jemand bereit sei, mit Hitler einen Friedensvertrag abzuschließen, bei Weizsäcker an der richtigen Stelle gelandet und dazuhin noch scheinbar harmlos vorgetragen. Was der Botschafter geantwortet hat, ist unwichtig; beide Herren bekannten mit dieser Frage: Die Deutschen können den Krieg nicht siegreich und also auch nicht mit einem Diktatfrieden beenden. Diese Meinung ausgesprochen, pflegte in jenen Tagen Gestapo und Sondergerichte zu beschäftigen.

Auf dieser Basis des Vertrauens konnte Wolff bei einer der nächsten Unterhaltungen erwähnen, daß er gern einmal mit einem hohen Würdenträger des Vatikans über die Weltlage sprechen würde. Der Botschafter war ihm gern zu Diensten, und mit der bei Diplomaten üblichen Verzögerung wurde Wolff gebeten, Anfang Dezember 1943 zu einem Gespräch mit dem Rektor des Deutschen Kollegs am Vatikan, dem Jesuitenpater Dr. Ivo Zeiger, in die Botschaft zu kommen. Den Pater wunderte es – so gestand er später –, daß ein so hochrangiger SS-Führer, der zudem noch bis vor kurzem Himmlers rechte Hand gewesen war, sich ausgerechnet mit einem Jesuiten zusammensetzen wollte, da doch dieser Orden »bei den Behörden des Dritten Reiches wirklich nicht gut angeschrieben« war. (Hier muß erinnert werden, daß sowohl Heinrich Himmler als auch der Chef seines Persönlichen Stabes die Organisation, die Regeln und die Disziplin der »Gesellschaft Jesu« stets heimlich bewunderten und beim Aufbau der Allgemeinen SS manches Detail vom Jesuitenorden kopiert haben.)

Zum Gespräch kam Wolff nicht allein. Als Zeugen brachte er den mit allen Wassern gewaschenen SS-Standartenführer Dollmann mit. Wolff hoffte, daß ihm der Vatikan bei der Suche nach einer Brücke zu den westlichen Alliierten beistehen würde. Der aus einer christlichen Kirche ausgetretene und Himmlers »Uralten« verehrende SS-General hatte sich dafür eine – wie er glaubte – zugkräftige Parole ausgedacht: Die Deutschen verteidigen mit ihrem Kampf gegen die gottlosen Marxisten, Leninisten, Stalinisten letzten Endes auch die katholische Kirche, so daß Hitler und der Papst im Grunde doch Verbündete sein müßten. Bisher habe jedoch die Kurie den Kampf der Deutschen nicht honoriert.

Der Pater verzichtete darauf, der Reihe nach aufzuzählen, was die beiden Lager trennte. Er begnügte sich, die »schrecklichen Maßnahmen« zu erwähnen, »die hinter der Front von deutschen Behörden begangen wurden.« Er erwähnte besonders, daß in Polen die Geistlichen verfolgt würden und daß in den Konzentrationslagern Übles geschähe. Vom organisierten Judenmord dürfte der Pater zu jener Zeit noch nichts gewußt haben. Schon diese Hinweise genügten Wolff, um sich von seinen Mitstreitern abzusetzen. In einem Schriftsatz zitierte der Pater später Wolffs Antwort: »Ja, diese Dinge sind sehr traurig. Ich danke dem Schicksal – oder wenn Sie wollen, dem Herrgott –, daß ich mit diesen üblen Dingen nichts zu tun hatte.« Diese Worte seien ihm – so vermerkte Zeiger – »um so mehr im Gedächtnis geblieben«, weil Wolff »die scharfen kritischen Bemerkungen ...« im Beisein von Standartenführer Dollmann und des Botschafters ausgesprochen habe, »was nach der Sachlage des damaligen Systems ... hätte gefährlich werden können«.

Als Wolff dem Pater dann noch versicherte, daß er »als höchstverantwortlicher deutscher Polizeichef in Italien die feste Absicht« habe, »alle unnötigen Härten gegenüber dem Heiligen Stuhl, gegenüber der Kirche und sonstigen Einrichtungen zu vermeiden«, nötigte ihn sein Gesprächspartner zu einer Probe aufs Exempel. Zeiger erzählte, »daß bei der Partisanenbekämpfung im slowenischen Grenzgebiet ein alter verehrungswürdiger Karthäuser-Oberer in deutsche Haft genommen wurde, der mir persönlich gut bekannt ist und von dem ich weiß, daß er politisch sicher nicht gefehlt hat.«

Pater Zeiger bat nicht vergebens. Einige Tage später wurde Dr. Josip Edgar Leopold – so hieß der Karthäuserprior – aus dem Gefängnis in Laibach mit der Auflage entlassen, künftig in einem Südtiroler Kloster seines Ordens zu leben. Er war übrigens nicht ganz grundlos verhaftet worden; man hatte ihn in einem

Strafprozeß überführt, daß er Partisanen geringfügig unterstützt hatte, und er war deswegen zum Tode verurteilt worden. Mit seiner Freilassung bestand Wolff die erste Gesinnungsprobe der Kirche. »Der Vatikan wollte . . . erfahren, wer dieser General Wolff eigentlich ist«, meinte später anläßlich einer Rückschau der Prior Leopold.

Kurz darauf wurde Wolff ein zweites Mal getestet. Da gab es in Rom die Donna Virginia Agnelli, Ehefrau eines der Chefs des Fiat-Konzerns und – was ihre Bedeutung in der hauptstädtischen Gesellschaft noch verstärkte – zugleich auch eine geborene Prinzessin Bourbon del Monte. Fiat verdiente am Krieg nicht schlecht, aber nichtsdestoweniger fand die Prinzessin die Deutschen und erst recht die Faschisten barbarisch. Diese Überzeugung unterdrückte sie keineswegs, wenn sie mit Freundinnen und Bekannten telefonierte, aber weil sie wußte, daß Gespräche abgehört wurden, schimpfte sie auf englisch. Sie bedachte jedoch nicht, daß man auch beim SD diese Sprache verstand. Kurz, die Dame wurde von der italienischen Polizei festgenommen.

Da in ihrem Salon viel höhere Geistlichkeit und sogar ein Kardinal zu verkehren pflegten, machte man sich im Vatikan Sorgen um die wenig standesgemäße Unterbringung der Prinzessin. Man erinnerte sich, in dem Salon Agnelli manchmal Dr. Eugen Dollmann, dem feinsinnigen Kunstkenner und geistreichen Plauderer begegnet zu sein, der jetzt in einer mit viel Lametta verzierten SS-Uniform herumlief. Man sprach mit ihm, er sprach mit Wolff, und dessen Befehl befreite Virginia Agnelli aus dem Gefängnis. Der Höchste SS- und Polizeiführer half ihr auch noch in die Schweiz auszureisen. Die Belohnung dafür war das Versprechen, der Papst werde ihn in einer geheimen Privataudienz empfangen.

Sie fand am 10. Mai 1944 nachmittags statt. Es war die erste und wohl auch die letzte, bei der Pius XII. mit einem hohen SS-Offizier zusammentraf. Wolff war im Zivilanzug in das dem Vatikan benachbarte Kloster des Salvatorianer-Ordens gekommen, dessen Prior, Dr. Pankratius Pfeiffer, ihn in die Privatbibliothek des Papstes führen würde. Auch diesmal war Dr. Dollmann als Vermittler und Begleiter dazwischengeschaltet worden und auch diesmal wurde dem Besucher die Freiheit eines Gefangenen abverlangt, als Eintrittsgeld gewissermaßen. Der Sohn eines römischen Juristen war wegen Betätigung für die Kommunisten ins Gefängnis gekommen. Wolff versprach, er werde sich bemühen. Doch dieser Fall kam nur langsam voran. Der Gefangene blieb noch fast einen Monat in Haft; erst einige Stunden vor dem Abzug der Deutschen aus Rom, am 5. Juni 1944, wurde er freigelassen. Vielleicht haben dabei sogar Überlegungen eine Rolle gespielt, daß es den Engländern und Amerikanern zu gönnen sei, wenn sie sich mit einem wilden Antikapitalisten herumschlagen mußten.

Wolff, der kein italienisch sprach, konnte sich mit Pius auf Deutsch unterhalten. Was sie sprachen und ob der Höchste SS- und Polizeichef für Rest-Italien etwas mit dem Pontifex Maximus der katholischen Kirche vereinbarte, blieb bisher geheim. Man hatte Vertraulichkeit vereinbart, und es gab keine Ohrenzeugen.

Der Vatikan hat über die Begegnung keine Notiz herausgegeben; sie ist nicht einmal in den Besucherlisten vermerkt. Begreiflicherweise hütete sich auch der SS-General zunächst, das Treffen publik zu machen. Erst viele Jahre nach dem Krieg rückte er damit heraus. Vermutlich hat er bei der einstündigen Unterredung wieder argumentiert, die Feinde der Gottlosen müßten gemeinsam gegen die Bolschewiken kämpfen.

Trotzdem hat Wolff häufig über dieses Gespräch geschrieben, doch auf vielen Blättern so gut wie nichts ausgesagt. Insofern hat er sein Schweigeversprechen gehalten. Mit einigen Sätzen zitierte er den Papst allerdings wörtlich – in der von ihm bevorzugten Art einer erstaunlichen Gedächtnisleistung. So heißt es in einem Manuskript: »Lächelnd sagte der Papst: ›Wieviel Unglück hätte vermieden werden können, wenn Gott Sie früher zu mir geführt hätte!‹«

Mit Verlaub, Herr General, das kann die oberste Glaubensautorität der Katholiken nicht gesagt haben. Der Satz übt Kritik an Gott, der nicht rechtzeitig den Karl Wolff aus Darmstadt mit Eugenio Pacelli, derzeit Papst in Rom, zusammengebracht hat. So naiv kann Pius XII. die Situation nicht beurteilt haben. Er war kein weltfremder Priester. Mit seinen Erfahrungen aus diplomatischen Missionen war er sich über seine Reichweite und auch über diejenige eines SS-Obergruppenführers im klaren. Er soll dann auch noch beim Abschied gesagt haben: »Sie tun einen schweren Gang, General Wolff!« Fast dieselben Worte wurden angeblich dem Reformator Martin Luther 1521 beim Reichstag in Worms mit auf den Weg gegeben. Ob das Zitat in diesem Fall dem Papst oder dem Abiturienten des Darmstädter Ludwig-Gymnasiums eingefallen sein könnte, bleibt der Entscheidung des Lesers überlassen.

Verläßlich bezeugt ist hingegen, daß Wolff nicht aus dem Raum ging, ohne an der Schwelle in strammer Haltung den rechten Arm grüßend hochgereckt zu haben. Die Kleriker nahmen zu seinen Gunsten an, daß er damit nichts demonstrieren wollte und daß er nur der Macht der Gewohnheit unterlegen war. Dieses Detail verschweigt er allerdings fast immer, wenn er von seiner Audienz beim Papst erzählt.

Die zahlreichen Veröffentlichungen im Lauf von zwei Jahrzehnten mögen den Vatikan bewogen haben, alles zu Protokoll zu nehmen, was der SS-General über Pius XII. aussagen konnte. Ihm geht es dabei um die Seligsprechung des toten Papstes, und bei diesem, nach strengen Vorschriften durchzuführenden Verfahren, muß alles zusammengetragen werden, was über Leben und Wirken des Toten zu ermitteln ist. Das Konsistorium des Erzbistums München und Freising hörte den General a. D. als Zeugen, protokollierte seine Aussagen und bat ebenfalls um Geheimhaltung. Das Konsistorium dankte schriftlich am 28. März 1972. Aus diesem Brief geht auch noch hervor, daß Wolff eine »Niederschrift« über seine »Besprechungen mit Adolf Hitler vom September bis Dezember 1943 über die Anweisung zur Besetzung des Vatikans und die Verschleppung des Papstes« zu den Akten gegeben hat. Es ist also anzunehmen, daß im Lauf des Verfahrens zur Seligsprechung diese Episode aus der Geschichte des Dritten Reiches untersucht und vielleicht sogar noch geklärt wird.

So klar, wie Wolff die Vorgänge darstellte, sind sie nämlich noch keineswegs. Nach seinem Bericht durften außer ihm und Heinrich Himmler niemand über Hitlers Absicht unterrichtet sein. Sie war ein Staatsgeheimnis. Dokumente, etwa Befehle oder auch nur Hinweise in irgendwelchen Akten, sind nicht vorhanden. Mit großer Wahrscheinlichkeit hat es auch dergleichen nie gegeben. Verbürgt und in jenen Tagen aufgezeichnet sind nur die beiden schon erwähnten Äußerungen Hitlers (siehe Seite 211). Eine von ihnen wird noch gestützt durch einen Text, den Reichspropagandaminister Dr. Goebbels am 27. Juli 1943, also zwei Tage nach dem Sturz des Duce, in sein Tagebuch schrieb. Dabei erwähnte er Hitlers Absicht, den Vatikan zu besetzen. Von einer Entführung des Papstes ist jedoch nicht die Rede. Mit Akten belegbar ist auch, daß Martin Bormann, Sekretär des Führers und wohl der Einflußreichste aus dem ständigen Gefolge, die katholische Kirche, ihre Geistlichen und gewiß auch den Papst fanatisch haßte. Auch kann ohne Beleg vorausgesetzt werden, daß er in jenen Tagen immer wieder darauf hinwies, daß der unverteidigte Vatikan durch einen gewaltlosen Handstreich unschädlich gemacht werden könnte. Da Hitler zudem überzeugt war, der Papst habe beim Sturz des Duce mitgewirkt, kann als sicher gelten, daß Ende Juli 1943 und in den ersten Wochen des August häufig Gewaltaktionen gegen das Zentrum der katholischen Kirche erwogen wurden. Es ist deshalb auch logisch, daß Hitler mit Wolff, also mit dem obersten Polizisten in Italien, darüber gesprochen hat. Der von Wolff immer wieder erwähnte hohe »Personalkredit« macht es auch durchaus glaubhaft, daß der Vielredner Hitler dabei seine Worte nicht auf die Goldwaage legte.
An welchem Tag Wolff der Auftrag erteilt worden war, wußte er nicht mehr, wohl aber vermochte er ein gewiß nicht kurzes Zwiegespräch über das Projekt Jahrzehnte später wortgetreu niederzuschreiben. Offensichtlich bekam er seinen Auftrag, noch ehe Mussolini wieder auf die politische Bühne zurückgeholt war, also vor dem 14. September. Zwar hatte Wolff, wie schon erwähnt, an diesem Tag kurz vor der Ankunft des Duce im Hauptquartier zwei Termine bei Hitler, einen von zehn Minuten und einen von zwanzig Minuten Dauer. Die kürzere Zeitspanne dürfte gerade ausgereicht haben, um über erste Erfahrungen und Maßnahmen in Italien zu berichten. In der zweiten stellte er – wie bereits geschildert – seinen Anwärter für den Posten eines italienischen Ministerpräsidenten vor, den Professor Tassinari.
In der Folgezeit war Wolff noch dreimal im Oktober, zweimal im November und einmal im Dezember des Jahres 1943 zum Vortrag bei Hitler. Er hat nach seiner Darstellung dabei über seine Vorbereitung zur Besetzung des Vatikans berichtet, aber doch schließlich, zugleich mit der Meldung, daß er damit zum Ende gekommen sei, Hitler klarmachen können, wie unzweckmäßig die Besetzung des Vatikans und eine Entführung von Pius XII. seien. Seine Begründung: die Kirche sei die einzige von den Italienern noch anerkannte Autorität, und wer gegen sie vorgehe, riskiere einen Volksaufstand. Irgendwann zwischen den genannten Terminen dürfte er über seinen Mitarbeiter Dr. Dollmann, der stets gute Beziehungen zum Vatikan unterhielt, dem Papst eine mündliche Botschaft

geschickt haben. Nach seinen Angaben lautete sie: Der Papst habe von den Deutschen nichts zu befürchten, solange er, Wolff, der Höchste SS- und Polizeiführer in Italien sei; werde er jedoch abgelöst, dann sei dies ein Zeichen, daß eine härtere Gangart gewünscht werde.

Anscheinend spricht dies alles dafür, daß Wolff »durchaus glaubwürdig« – so der Jesuit Dr. Burkhardt Schneider, Professor der neueren Kirchengeschichte – »den an ihn von Hitler ergangenen Auftrag einer ›Liquidierung‹ des Vatikans und über seine Bemühungen, diesen Befehl zu blockieren, niedergeschrieben hat«. Doch ein Staatsgeheimnis, wie Wolff es darstellte, war das Vorhaben Hitlers schon sehr bald nicht mehr. Ende September 1943 pfiffen es die Spatzen Roms von den Dächern, daß eine Aktion gegen die Vatikanstadt bevorstehe. Tatsächlich war der Bereich durch eine Kette von Polizeiposten umstellt, aber dies in erster Linie, weil verhindert werden sollte, daß deutsche Fahnenflüchtige und italienische Regimegegner exterritoriale Zuflucht fänden.

Am 7. Oktober sprach der Rundfunksender der Republik Italien davon, es werde vorsorglich ein Quartier für den Papst in Deutschland vorbereitet. Das war eine Falschmeldung. Eitel Friedrich Moellhausen, damals als Konsul der ranghöchste Diplomat im Gebäude der deutschen Botschaft in Rom beim Staat Mussolinis, schrieb zu diesem Punkt, es sei »falsch . . ., daß die Deutschen bis zu einem gewissen Grad entschlossen gewesen waren, den Heiligen Vater von Rom wegzuführen . . . Alles das sind Übertreibungen. Verantwortliche Männer des Reiches, Hitler inbegriffen, haben diesen Gedanken höchstens gelegentlich erwogen, aber es ist nie zu einem ernstlichen Entschluß gekommen.« Es lasse sich allerdings – gestand Moellhausen – »nicht abstreiten, daß es in der Partei und in der SS Männer gab, die für eine solche Ungeheuerlichkeit eintraten«.

Kein Zweifel, der Konsul meinte in erster Linie Goebbels, Himmler und vor allem Bormann, der eigens ein Mitglied seines Amtes, den Amtsleiter Ludwig Wemmer, an die Botschaft versetzte, um zu kontrollieren, ob dort den Klerikern genügend eingeheizt werde. Ob Himmler zurecht verdächtigt wird, bleibt besser offen. Der SD kann keinesfalls gemeint sein, denn Walter Schellenberg, Chef des Auslandssektors, setzte, »als Hitler sich mit dem Gedanken trug, unter Umständen den Papst in eine neue ›avignonsche Gefangenschaft‹ zu nehmen . . . die ganze Macht des Geheimdienstes ein«, indem er »in einer systematischen Berichterstattung auf die folgenschweren Nachteile« hinwies, die dem Regime »durch eine solche Provokation in der Welt erwachsen würden«. Es gelang Schellenberg »auch Himmler für unsere Auffassung zu gewinnen . . ., und es war einer der wenigen Momente, wo er den Mut besaß, mit seinem Herrn und Meister wirklich zu diskutieren und sich durchzusetzen«.

Die Rundfunksendung war natürlich nicht von ungefähr gekommen. Auch die Sender der Sozialen Republik Italien wurden von Deutschen kontrolliert. Was aber war der Zweck einer solchen Ankündigung? Sollte sie jemanden warnen? Oder war es eine Drohung? Natürlich beunruhigte die Sendung auch den Vatikan und den dort akkreditierten deutschen Botschafter. Der korrekte Berufsdiplomat Ernst von Weizsäcker fragte alle, die etwas wissen konnten:

Feldmarschall Kesselring, Wolff, den Chef des Geheimdienstes der Wehrmacht Admiral Wilhelm Canaris, den deutschen Polizeichef von Rom Standartenführer Kappler, »einen der ersten Mitarbeiter von Herrn Bormann« und natürlich auch das Auswärtige Amt in Berlin. »Ich blieb . . . ohne wirkliche Bestätigung, aber auch ohne verläßliches Dementi der Gerüchte«, schrieb Weizsäcker in seinen Erinnerungen. Wolff hätte immerhin etwas aussagen können (falls er wirklich den Auftrag hatte), aber er hielt sich anscheinend noch immer an das Schweigegebot gebunden, obwohl inzwischen Krethi und Plethi über das angebliche Geheimnis redeten. Als Weizsäcker am 9. Oktober 1943 vom Papst auf die Gerüchte angesprochen wurde, konnte er guten Gewissens versichern, ihm sei nichts bekannt geworden, was diese Gefahr bestätige. Ende Oktober erreichte er dann, daß im vatikanischen Amtsblatt »Osservatore Romano« eine offizielle Erklärung veröffentlicht wurde, die den Deutschen in freundlichem Ton bescheinigte, daß sie die Kurie und den Vatikan voll respektierten.

Der Gesandte Rudolf Rahn, mit dem Domizil in Fasano am Gardasee der ranghöchste Vertreter des Reiches bei der neuen Regierung, hörte im Führerhauptquartier »Gerüchte über eine geplante Besetzung der Vatikanstadt« schon kurz vor der Befreiung Mussolinis, also Mitte September. In der zweiten Monatshälfte hielt er vor Reichsministern und dem Oberkommando der Wehrmacht einen Vortrag über die Lage in Italien und erwähnte dabei am Schluß und bewußt beiläufig, er habe mit dem Vatikan »ein kleines Sonderkonkordat abgeschlossen«. Da zur Sicherung von Ruhe und Ordnung in Rom nur zwei Kompanien deutscher Polizisten zur Verfügung standen, habe er mit dem Klerus vereinbart, daß die Geistlichen das Volk zur Besonnenheit ermahnten, und er habe dafür zugesichert, »daß die Person des Papstes, der römische Klerus und die Kirchengüter unter allen Umständen geschützt würden«. Das habe zwar dem Reichsleiter Bormann sichtlich nicht gepaßt, aber Hitler habe ihm zugestimmt. »Die Gefahr war also abgewandt«, schrieb Rahn in seinem Erinnerungsbuch.

Soweit die Aussagen von Männern, die zu jener Zeit am Tatort – ohne Tat – waren. Einer fehlte noch in dieser Zusammenstellung: der Generalfeldmarschall Kesselring, die oberste militärische Instanz in Rom. Er hatte zwar davon gehört, daß Hitler den König Viktor Emanuel samt Sippe und den Marschall Badoglio mit einem Handstreich kassieren wolle, aber von einer Gefahr für den Papst und den Vatikan erwähnt er in seinen Erinnerungen nichts. Er nimmt auch keine Notiz von Wolffs historischer Tat, dem Gespräch mit Pius, dessen Rettung und der Rettung des Vatikans, obwohl die beiden Deutschen sich in Italien sehr gut verstanden hatten und obwohl Kesselring Jahre später nicht versäumte, Wolff ein Exemplar seiner gedruckten Memoiren mit einer herzlichen Widmung zu schicken. Andererseits ist es unwahrscheinlich, daß er die Gerüchte von der Entführung nicht gehört hat. Wahrscheinlich hat er sie nie ernstgenommen.

Das ist nur eine der vielen Merkwürdigkeiten in dieser Sache. Da ist weiter die Behauptung Rahns, daß er bereits mit seinem Vortrag in der »Wolfsschanze« den Entführungsplan abgewürgt habe – also wenige Tage, nachdem Wolff den Auftrag erhalten hatte. Dann behauptet Schellenberg, daß es ihm – wohl geraume Zeit später – im Verein mit Himmler gelungen sei, das Vorhaben als unzweckmäßig abzuwerten. Sowohl der Botschafter von Weizsäcker wie auch sein Konsul Moellhausen glaubten, mit historischen Argumenten den Plan erledigt zu haben; sie hatten auf Napoleons Drohung mit einer Papstentführung hingewiesen, die dann unterblieben sei, weil der Kaiser der Franzosen eingesehen habe, daß er mit einem unfreien Papst nur noch einen unbedeutenden Geistlichen im Gewahrsam habe. Außer Wolff nehmen also noch etliche Männer für sich in Anspruch, Hitlers unsinniges Vorhaben verhindert zu haben.

Merkwürdig sind auch einige Daten. Am 7. Oktober 1943 schien – gemessen an der Lautstärke der Gerüchte – eine Aktion unmittelbar bevorzustehen, denn die Rundfunksender schickten die Alarmnachricht in den Äther und die Weltpresse druckte sie. Am gleichen Abend berichtete Wolff im Hauptquartier Hitler über seine Arbeit, vielleicht sogar schon (was Wolff nicht mehr terminieren kann) über den erfolgreichen Abschluß seiner Vorbereitungen für eine Vatikanbesetzung. Zwei Tage später dementierte Weizsäcker im Vatikan die Gerüchte, und je mehr das Jahr zur Neige ging, desto weniger hörte man von dem angeblichen Vorhaben. Das alles weist auf eine gesteuerte Aktion hin, auf einen Propagandacoup, mit dem ein bestimmter Effekt erreicht werden sollte. Die Geschichte versickerte dann schließlich in vagen Behauptungen. So: als Aufenthaltsort für den Papst habe Hitler Liechtenstein vorgesehen, das von Vorarlberg her zugängliche, neutrale und stockkatholische Mini-Fürstentum. Indessen behaupteten wieder andere, die Burg Liechtenstein sei dafür ausgewählt worden, ein erst 1879 im pseudomittelalterlichen Stil erbautes Schlößchen auf steilem Kalkfelsen hoch über der schwäbischen Stadt Urach. Dabei wurde übersehen, daß dieser Zierbau nur wenigen Menschen Platz für einen längeren Aufenthalt bieten konnte.

Eindeutig ist offenbar, daß ein konkreter Entführungsplan nie existierte. Eindeutig gegeben hat es spontane Drohungen und alarmierende Gerüchte. Eine Möglichkeit wäre, daß Wolff sich – aus welchen Motiven auch immer – mit seiner Papsterzählung einfach an ein Gerücht angehängt hat. Doch zu seinen Gunsten soll noch eine wahrscheinliche weitere Erklärung vorgetragen werden: Die ganze Aktion war nichts als ein groß angelegter Bluff jenes Mannes, der mit seinen Bluffs auch Geschichte gemacht hat. Hitler wollte im Grunde dasselbe wie Wolff, nämlich die Westalliierten als Bundesgenossen gegen die Sowjets gewinnen. Mit dem Papst als Verbündeten wollte er sich eine moralische Weißwäsche und damit eine Brücke zu seinen westlichen Feinden verschaffen. Deshalb mußte der Papst veranlaßt werden, seine Sympathien für die Deutschen (die er im Grunde auch hatte) offen zu erklären, damit auch das Regime davon profitieren würde. Dem gleichen Ziel diente unter anderem auch, als man den populären Box-Exweltmeister Max Schmeling, derzeit Unteroffizier bei den Fallschirm-Jägern, zu einer Audienz in den Vatikan schickte und darüber groß berichtete. Die Drohung mit Besetzung und Verschleppung sollte einerseits dem Papst klarmachen, daß sein Schicksal in Hitlers Hand liege,

sollte aber andererseits auch einen lauten Dank dafür auslösen, daß diese Situation nicht ausgenutzt werde.
Trifft diese Erklärung zu, dann war das Ganze nur eine Farce, inszeniert von dem Spieler Hitler, der am Schachbrett der Weltpolitik ein paar Figuren in der Hoffnung bewegte, sein Gegner würde auf einen Scheinangriff hereinfallen. Wolff war dabei nur eine Figur, etwa ein schwarzer Springer. Dessen Eigenart ist es, daß er sich bei jedem Zug nach zwei Richtungen bewegen kann; Wolff konnte kraft seines Amtes bedrohlich und durch die Konzilianz seines Wesens zugleich verbindlich werden. Dabei fiel es nicht auf, daß er auf eigene Faust Politik zu machen versuchte, denn seine Absichten deckten sich weitgehend mit denen seines Führers. Sein geheimer Auftrag wäre dann nur ein Schein-Auftrag gewesen. Selbst wenn er dies im nachhinein gemerkt haben sollte, mußte er sich dies nicht anmerken lassen. Wenn der Bluff schon Deutschland nichts genutzt hat, so konnte doch Wolff davon Vorteile haben.
Ernst genommen werden Wolffs Berichte eigentlich nur noch aus katholischer Sicht. Der schriftstellernde Prinz Konstantin von Bayern hat damit seine Pius-Biographie interessant eingefärbt. Engagierte Katholiken demonstrieren mit Wolffs Erzählungen, daß der Papst um ein Haar ein von Hitler politisch Verfolgter geworden wäre. Zum Dank fand Wolff in geistlicher Obhut eine zurückgezogene Unterkunft, als er nach seinem Münchner Prozeß vorzeitig aus dem Zuchthaus entlassen worden war. In katholischen Vereinen durfte der SS-General sich mit Vorträgen über seine Erlebnisse einige Honorare als Startgeld in ein neues Leben verdienen. Seine Version über Hitlers Vatikan-Pläne war in diesen Kreisen um so mehr willkommen, als in jenen Jahren Pius XII. durch das Schauspiel »Der Stellvertreter« von Rolf Hochhut beschuldigt wurde, der Vernichtung der Juden untätig zugesehen zu haben.
Wolff wurde gelegentlich einmal gefragt, warum er seine Verdienste um die Rettung des Papstes so spät, erst nach seinem Münchner Prozeß, offenbart habe. Weder bei seinen Verhören durch die Alliierten in den ersten Nachkriegsjahren noch bei den Vernehmungen anläßlich seiner Entnazifizierung in Hamburg (1949), noch in seinem Münchner Prozeß (1964) hatte er diese »Guttat« vorgebracht – entgegen seiner Taktik, solche Vorkommnisse zur Aufrechnung gegen Belastungen anzubieten. Er antwortete, er sei (erstens) nach dieser Sache nie gefragt worden und er habe (zweitens) den ohnehin zu Unrecht beschuldigten Papst nicht auch noch damit belasten wollen, daß Pius einen SS-Obergruppenführer in Privataudienz empfangen habe. Dieses Argument ist insofern etwas fadenscheinig, als »Der Stellvertreter« erst 1962 uraufgeführt wurde.
Falls Hitler nie ernstlich beabsichtigt hatte, den Papst entführen zu lassen, dann war es zwar nicht schwierig, ihn umzustimmen, aber man muß trotzdem Wolffs Bemühungen für die Tat nehmen. Er konnte ja nicht wissen, wie der unberechenbare Diktator reagieren würde, wenn ihm jemand vorstellte, sein Vorhaben sei unzweckmäßig. Andererseits waren Wolffs Argumente gewichtig. Mit dem plötzlichen Ende der faschistischen Ordnung und der nicht minder abrupten Flucht der Regierung Badoglio war ein Vakuum entstanden. Auf wen, außer auf

die Geistlichen, sollte das Volk noch hören? Die Herrschaft der ungeliebten Deutschen ertrug man nur widerwillig; sie konnten als Folge ihrer zahlenmäßigen Schwäche, und weil die Front für sie vordringlich sein mußte, ihre Autorität auch nicht voll und nicht in jedem Dorf ausüben.

Die Faschisten waren schon gar nicht fähig, die Macht zu übernehmen. Wolff schätzte im September 1943, daß im deutschbesetzten Teil Italiens nur fünf von hundert Einwohnern mit Mussolini sympathisierten und daß auch von ihnen nur eine Minderheit bereit war, für einen faschistischen Staat zu kämpfen. Nach dem zweifachen Zusammenbruch waren die Massen weitgehend beherrscht von lethargischen Gefühlen und anarchischen Gedanken. Sie wurden erst aktiv, wenn sie ihre Lebensnotwendigkeiten gefährdet sahen.

Dem Höchsten SS- und Polizeiführer kam diese Untätigkeit zunächst zugute. Es gab keine ernsthaften Widerstände, als die Soldaten entwaffnet wurden. Allerdings verschwanden ganze Einheiten mit Waffen, Munition und Gerät in den Bergen, vor allem, als die bisher im südlichen Frankreich als Besatzung stationierten Alpini-Regimenter zurückkehrend die Provinz Piemont erreichten. Kompanien blieben zusammen, lebten als »banda« aus dem Lande, und sie bekamen Verstärkung, als man begann, die in Lagern festgehaltenen Demobilisierten zur Zwangsarbeit nach Norden abzufahren. Da die italienische Armee auch aufgehört hatte, die kriegsgefangenen alliierten Soldaten in ihren Lagern zu bewachen, bekamen zusätzlich noch einige zehntausend waffengeübter Männer die Chance, den Krieg auf eigene Faust fortzusetzen. Dazu kamen noch die mehr als 20000 militanten Mitglieder kommunistischer und sozialistischer Kampfformationen, die in der Illegalität nur darauf gewartet hatten, daß man sie zum Aufstand rufen würde.

Doch der kam nur sehr langsam in Gang. Im Abschlußbericht der Heeresgruppe B (Rommel) über die »Entwaffnungsaktion in Norditalien« ist zu lesen, daß »schwacher Widerstand überall schnell gebrochen« wurde. Die Masse dürfte jedoch die Waffen weggeworfen und sich nach Hause begeben haben ... Auf dem flachen Land und in den kleinen Provinzstädten verhält sich die Bevölkerung loyal und freundlich. In den großen Städten dagegen ist die ... Zivilbevölkerung ausgesprochen ablehnend und stellenweise deutschfeindlich.« Dort sei eine »zunehmende Aktivität deutschfeindlicher Kreise und kommunistischer Organisationen zu erwarten ... Eine zunehmende Verschlechterung in der zivilen Versorgungslage sowie die ständige Angst vor feindlichen Luftangriffen« bildeten »den hauptsächlichen Nährboden für die Entstehung aufrührerischer Gruppen«. Die Bevölkerung verharre »jedoch trotz aller feindlichen Aufforderungen« (durch Flugblätter, Rundfunk) »im ganzen genommen in ihrer Passivität«.

Ähnlich moderat bewertet das »Feindnachrichtenblatt Nr. 5«, ein Rundschreiben Rommels vom 22. Oktober 1943, die Situation der inneren Sicherheit. Zwar gäbe es »einzelne Gruppen italienischer Soldaten«, die noch irgendwo Widerstand leisteten, und »die Bevölkerung unterstützt diese Banden. Außer laufenden Kabelzerstörungen kam es jedoch bisher zu keiner größeren Sabotagetätigkeit.« Den Italienern fehle eben der erforderliche Schwung und die nötige Härte für eine aktive Bandentätigkeit. Die »Bandenlage« stelle zur Zeit noch keine Gefahr dar, und »der Aufenthalt in den Bergen ist in ersten Linie auf die Angst vor Bestrafung und die Wiedereinziehung in die faschistische Wehrmacht oder zum Einsatz nach Deutschland zurückzuführen«.

Es gab also für Wolff nicht viel zu bekämpfen – und das war gut so, denn in den ersten Wochen seines Wirkens war er ein General, dessen Truppe kaum zahlreicher war als sein Stab, den er schon in München zusammengestellt hatte. Nur nach und nach trafen Polizisten aus dem Reich ein. Als volksdeutsche Südtiroler von der Polizei eingestellt wurden, mußte er sich mit dem Innsbrucker Gauleiter Franz Hofer auseinandersetzen, der die Standschützen für seine gaueigene Truppe reserviert haben wollte. Mit der Unterstützung durch Einheiten des Heeres konnte Wolff auch nicht rechnen; Kesselring brauchte im Süden jeden Mann, wenn er den Vormarsch der Alliierten aufhalten wollte, und im Norden war Rommel schon gar nicht bereit, seine Krieger auch nur vorübergehend einem SS-General zu unterstellen. Soldaten der Sozialen Republik Italien gab es weit und breit noch nicht; es sollten vier Divisionen werden, aber sie wurden jenseits der Alpen aufgestellt und ausgebildet.

Theoretisch hätte Wolff dann noch zurückgreifen können auf die neu formierten Verbände der faschistischen Miliz. Doch sie waren unzuverlässig, und vielen ihrer Mitglieder wurde nachgesagt, sie seien Konjunkturritter und nur darauf bedacht, sich zu bereichern. In einem Bericht der Heeresgruppe B werden Milizoffiziere beschuldigt, sie nutzten »die augenblicklichen Verhältnisse aus . . . zur persönlichen Bereicherung«, etwa indem sie sich für das Beschaffen von Passierscheinen bezahlen ließen oder indem sie Autos ihrer Mitbürger beschlagnahmten und durch Helfershelfer verkaufen ließen. »Höhere Milizoffiziere« – so warnt der Bericht – »sollen sich vielfach geäußert haben, daß sie sich hüten werden, zu scharf gegen die Feinde des Faschismus vorzugehen, da sich doch in allernächster Zeit das Blatt wieder wenden würde und sie sich deshalb vor jeder späteren Verfolgung sichern würden«. Noch schwieriger war es, mit der italienischen Polizei zusammenzuarbeiten. Die Carabinieri-Offiziere charakterisiert der Bericht als »traditionell antifaschistisch und daher im ganzen unzuverlässig . . . Häufig benutzen sie die Gelegenheit bei Lebensmittel- und Tabakwarenverteilung, um unter der Bevölkerung aufhetzende und deutschfeindliche Schlagworte und Greuelmärchen an den Mann zu bringen . . . Flüchtige Kommunisten und Heeresangehörige werden unterstützt«, und wenn sie deutschen Dienststellen Mitarbeiter empfehlen, dann handle es sich meist um Spione.

Der immer zur Verbindlichkeit neigende Wolff sah die Situation weniger kritisch als sie Rommel in seinen Berichten darstellte. Obwohl als Höchster SS- und Polizeiführer zur Härte verpflichtet, gewann er Mussolini für den Erlaß einer Amnestie, die jedem Bandenmitglied, das nicht mit Verbrechen belastet war, Straffreiheit zusicherte, wenn es nach Hause zurückkehrte. Das eine oder andere Mal traf Wolff sich sogar mit Partisanen, und er versprach ihnen, daß

deutsche Polizisten und SS-Männer sie beschützen würden, falls sie nach ihrer Heimkehr von den racheschnaubenden Milizionären der Schwarzen Brigaden verfolgt würden. Tatsächlich stiegen im Spätherbst die illegalen Krieger scharenweise von den Bergen; um diese Jahreszeit wurde es oben ohnehin unwirtlich.
Rommels Beifall bekam Wolff dafür nicht, aber in der »Wolfsschanze« versicherte er: »Ich werde die Sache unblutig hinkriegen«. Als dann in den verschneiten Bergen die Trittspuren verrieten, welche Hütten von Partisanen als Unterschlupf benutzt wurden, ließ Wolff für sie außer Flugblättern mit der Aufforderung, den Kampf aufzugeben, sogar Lebensmittel aus dem langsam fliegenden »Fieseler-Storch« abwerfen. 85000 Partisanen, so behauptet er, habe er insgesamt von den Bergen gelockt. Wie viele von ihnen im Frühjahr mit der Schneeschmelze wieder hochstiegen, weiß niemand, aber Mitte November 1943 konnte die Heeresgruppe B immerhin feststellen: »Die Bandentätigkeit in Norditalien ist . . . weiterhin gering geblieben.«
Gegen den wachsenden Widerstand in den Städten jedoch wußte der Höchste SS- und Polizeiführer kein Rezept; obwohl sein Machtinstrument inzwischen gewachsen war. Im Februar 1944 verfügte er über acht Polizeibataillone mit zusammen 600 Mann, 886 Berufsgendarme aus deutschen Landen und über 160000 Mann in italienischen Formationen, deren Effizienz allerdings unterschiedlich war. In den Städten waren die Arbeiter zumeist politisch motiviert, wenn nicht gar als Untergrundkämpfer geschult. Dort traf die Rationierung der Lebensmittel den einzelnen härter als auf dem Dorf und dort konnten sich in den großen Betrieben unbemerkt die geheimen Komitees zur nationalen Befreiung bilden. Wie überall in Europa waren dabei die Kommunisten besonders aktiv; sie übernahmen die führende Rolle im Kampf gegen Hitler und die Deutschen. Niemand kann es den Moskauer Bolschewisten verdenken, daß sie diesen Prozeß mit allen Mitteln, mit Ideen, Geld und Waffen förderten. Für London und Washington war dies eine Warnung, die dazu beitrug, daß man übers Jahr bei der Kapitulation der deutschen und italienischen Streitkräfte einen SS-Obergruppenführer als Verhandlungspartner akzeptierte.
Am 14. Januar 1944 streikten in Genua 50000 Arbeiter großer Betriebe. Ein italienisches Schnellgericht verhängte Todes- und Zuchthausstrafen, weil dabei deutsche Offiziere beschossen und ein Offizier getötet worden war. Schon schien ein Aufstand loszubrechen. Doch Rahn telegrafierte nach Berlin: »Wolff hofft, die Streikbewegung bis morgen niederringen zu können.« Das gelang tatsächlich; er hatte seine Truppe überraschend schnell zusammengezogen, und er ließ sie demonstrativ aufmarschieren. Nachdem weitere Festnahmen von Rädelsführern ohne Zwischenfälle abgelaufen waren, brach der Streik zusammen.
Im Untergrund wurde jedoch eine größere Aktion vorbereitet; die ganze Provinz Piemont sollte durch einen Generalstreik lahmgelegt werden. Er sollte am 1. März 1944 beginnen, aber Wolff, Rahn und der Bevollmächtigte General der Deutschen Wehrmacht Rudolph Toussaint unterliefen ihn, indem sie die

Arbeiter der Großbetriebe in den Urlaub schickten. Es hätten ohnehin die Hälfte der Maschinen stillgelegt werden müssen, weil es an elektrischer Energie mangelte; die Kraftwerke in den Bergen hatten zu wenig Wasser. Eine Anzahl Arbeiter, die sich bei den Vorbereitungen zum Streik hervorgetan hatten, wurden zur Zwangsarbeit nach Deutschland verfrachtet. Ein Befehl Hitlers weitete die Strafaktion noch aus; er forderte, »daß 20 Prozent der streikenden Arbeiter ... sofort zwangsweise ... abtransportiert und dem Reichsführer-SS zum Arbeitseinsatz zur Verfügung gestellt werden«. Den Generälen Toussaint und Wolff befahl Hitler, »die erforderlichen Maßnahmen hierzu zu treffen«.
Marschall Graziani, Verteidigungsminister der Sozialen Republik Italien und zuständig für den Aufbau ihrer neuen Wehrmacht, beklagte sich, diese Verschickung sei der »unpopulärste Aspekt des Daseins in Italien«. Seine Einberufungen zur Armee würden dadurch wirkungslos, denn »die meisten jungen Männer gehen lieber zu den Partisanen ... Die Deutschen haben keine Ahnung von der italienischen Mentalität.«
Wie schwierig die Situation tatsächlich war, wurde Wolff erst deutlich, als ihn am frühen Nachmittag des 23. März 1944 in Fasano aus Rom telefonisch gemeldet wurde, daß in der Hauptstadt ein mörderischer Bombenanschlag auf eine Polizeikompanie verübt worden war. Die Faschisten hatten für diesen Tag ursprünglich eine große Kundgebung geplant mit Aufmärschen zum Gedenken an die Gründung ihrer Kampfformation vor 25 Jahren. Doch die Deutschen, nämlich der Stadtkommandant und der Polizeichef, hatten die Veranstaltung in dieser Form verboten, weil die Bevölkerung nicht provoziert werden sollte. Andererseits schien jedoch Untergrund-Kommunisten gerade dieser Gedenktag geeignet, durch einen provokanten Anschlag Vergeltungsmaßnahmen herauszufordern, die durch Ausmaß und Härte die Italiener in Weißglut bringen und damit in einen allgemeinen Aufstand treiben mußten. Die bei dem Anschlag angewandte Methode war nicht neu, aber damals noch nicht sehr gebräuchlich im politischen Kampf. Sie hat seitdem zunehmend Nachahmer gefunden. Eine gut getarnte Sprengladung mußte mitten zwischen ahnungslosen Menschen, die niemand etwas zuleide getan hatten und an der politischen Auseinandersetzung höchstens am Rande beteiligt waren, explodieren. Das Blutbad war nur ein Mittel zum Zweck, eine Art von Demonstration, die den Gegner reizen sollte. Den Attentätern konnte dabei nichts geschehen; sie hatten hinreichend Zeit, sich in Sicherheit zu bringen – was freilich den italienischen Staat später nicht hinderte, sie mit hohen Tapferkeitsauszeichnungen zu schmücken.
In Rom in der Via Rasella waren die Opfer in erster Linie Südtiroler, also noch immer italienische Staatsangehörige, die ihrer Kriegsdienstpflicht nachkamen, indem sie sich zum Sicherungs- und Ordnungsdienst in der Provinz Bozen gemeldet hatten. Sie waren in die 11. Kompanie des Polizeiregiments Bozen eingereiht worden und befanden sich noch in der Ausbildung. Ihre Einheit nannte sich SS-Polizeiregiment als Folge der engen Verzahnung beider Institutionen in der Person Himmlers und seiner Befugnisse. Da Rom von den deutschen Streitkräften zur offenen Stadt erklärt worden war, hatte man alle

Wehrmachtseinheiten abgezogen. Seitdem bewachte ein Bataillon des Polizeiregiments die deutsche Botschaft, deutsche Dienststellen und die Amtssitze der Mussolini-Behörden.

Da die 11. Kompanie fast jeden Tag zur gleichen Zeit durch die Via Rasella zur Kaserne marschierte, ließ sich der Anschlag ohne Risiko und ohne Finessen organisieren. Ein Mitglied des kommunistischen Untergrunds tarnte sich als Straßenfeger, indem er einen der üblichen Kehrrichtkarren – zweirädrig, mit einem Sammelbehälter aus Blech und einem eisernen Kippgestänge – vor sich herschob. Im Kasten lagen 18 Kilogramm Sprengstoff. Mittels einer Stoppuhr war ermittelt worden, wie lange die marschierende Kompanie brauchte, um einen Abschnitt der Straße zurückzulegen. Nun setzte der Straßenfeger auf das Zeichen eines Helfers an der Strecke die genau bemessene Zündschnur in Brand, sobald die Kompanie einen zuvor festgelegten Punkt erreicht hatte. Der Attentäter war schon weit weg, als die Bombe hochging. Durch sie starben 33 Südtiroler und zwei italienische Passanten. Eine Anzahl Polizisten und Italiener wurden mehr oder weniger schwer verletzt. Das Ergebnis entsprach den Erwartungen der Terroristen. Nun mußten die Deutschen zurückschlagen.

Wie sehr sich Wolff beeilte, an den Tatort zu kommen, ist nicht mehr feststellbar. Sein Flugzeug konnte er nicht mehr benutzen; der gemächliche Vogel wäre von den schnellen Jagdmaschinen der Feinde als leichte Beute abgeschossen worden. Vom Gardasee über die Berge des Apennin sind es etwas über 400 Straßenkilometer bis Rom. Noch gab es keine Autobahnen, die Strecke war vielfach kurvenreich und durch den Krieg an vielen Stellen schadhaft. Bei Tageslicht pflegten gelegentlich feindliche Flieger mit ihren Bordkanonen Jagd auf Kraftwagen zu machen. So kam Wolff offenbar nur langsam voran; er traf erst in der Nacht vom 24. zum 25. März in Rom ein, also nach etwa 30 Stunden. Im Hotel »Excelsior« besaß er eine ständig reservierte Suite, und von dort aus versuchte er sich zunächst einmal ein Bild von dem Geschehnis zu machen. Einen ersten Bericht bekam er von dem immer gut informierten Dollmann.

Wolff erfuhr, daß der Stadtkommandant General Kurt Maeltzer und der Konsul Moellhausen zuerst am Tatort waren. Wenig später traf Innenminister Buffarini ein. Sie kamen von dem festlichen Bankett, das die feiernden Faschisten für geladene Gäste veranstaltet hatten. Der General war betrunken. Er wollte in einer Aktion spontaner Rache gleich die zwei Häuserblocks neben der Unglücksstelle in die Luft sprengen lassen. Moellhausen widersprach, sie gerieten in Streit, und am Ende wurde Kesselring angerufen. Der verbot jede Aktion, weil er inzwischen erfahren hatte, daß im Führerhauptquartier über die Vergeltung beraten wurde.

Am späten Nachmittag des 23. März hieß es gerüchteweise, Hitler habe befohlen, für jeden toten Polizisten hundert Italiener umzubringen. Das wären 3300 tote Geiseln gewesen. Treffender gesagt: 3300 Morde. Kurze Zeit später kam die Nachricht, die Rache finde im Verhältnis 1:50 statt. Als Kesselring protestierte, sank sie auf 1:20, und als der Generalfeldmarschall daran erinnerte, daß die international geltende Haager Landkriegsordnung eine Geiselerschießung nur im

Verhältnis 1:10 gestattet, gab sich die »Wolfsschanze« damit zufrieden. Die Hinrichtungen – so forderte Hitler – müßten aus Gründen der Abschreckung jedoch unverzüglich stattfinden.
Kesselring wollte damit nichts zu tun haben. Alle Militärs sagten, die Polizei sei angegriffen und also müßte sie auch die Vergeltung übernehmen. Ihr oberster Chef am Platze war der Standartenführer Herbert Kappler. Seine nächsten Vorgesetzten waren der SS-Brigadeführer und Polizeigeneral Wilhelm Harster, der seinen Sitz in Verona hatte, und über diesem noch der Höchste SS- und Polizeiführer, der seit dem Abend des 23. März auf dem Wege vom Gardasee nach Rom, also jetzt unerreichbar war. Der Mordbefehl war von allerhöchster Stelle gekommen. Kappler mußte allein über Tod und Leben von mehr als 300 Menschen entscheiden. Er hatte als kleiner Polizeibeamter begonnen, hatte sich emporgedient und war überzeugt, daß er sich in dieser Situation nicht drücken dürfe. Er war die ganze Nacht hindurch angestrengt tätig, Listen von Todeskandidaten zusammenzustellen. Zunächst suchte er nur nach Männern, die schon zum Tode verurteilt waren – und sei es nur aus fadenscheinigen Gründen – oder aufgrund des Tatbestandes ein Todesurteil zu erwarten hatten. Doch davon gab es in den Gefängnissen, den deutschen und den italienischen zusammengenommen, nur wenige. Er mußte unter denen auswählen, die greifbar waren, wenn er auf die geforderte Anzahl kommen wollte. Er schrieb Zettel, sortierte sie, kritzelte eilig lange Listen, berichtigte sie, strich aus, zerriß Papier, füllte neue Bogen, Stunde um Stunde, indessen schon Wagen losfuhren, um die Opfer an die Stätte des Massakers zu bringen. Die Kommandos holten 335 Männer ab – und das waren fünf mehr, als Kappler befohlen war.
Wer diesen (im Sinne des Wortes) tödlichen Irrtum zu verantworten hatte, kann hier nicht untersucht werden. Dem Standartenführer Kappler wurde er nach dem Krieg zum Verhängnis, als ihm in Rom der Prozeß gemacht wurde. Für die 330 Morde konnte er kaum bestraft werden, denn insoweit war er durch Hitlers Befehl und durch international anerkannte Paragraphen gedeckt. Wegen der überzähligen fünf wurde er zu lebenslänglichem Zuchthaus verurteilt. Er verbüßte die Strafe, bis man ihn 1977 wenige Wochen vor seinem Tod als Krebskranken auf seltsame Art nach Deutschland entkommen ließ.
Als Hinrichtungs- und zugleich Begräbnisstätte wählte er die Fosse Ardeatine, Tuffsteinhöhlen etwa 15 Kilometer vor Rom. Die Opfer wurden von den Kraftwagen direkt in die Höhlen geführt und dort meist durch Genickschuß, zum Teil aber wohl auch durch Handgranaten ums Leben gebracht. Einem Leitsatz seines obersten Chefs Heinrich Himmler gehorchend, wonach ein Vorgesetzter bereit sein muß, selber auch zu vollbringen, was er Untergebenen befiehlt, erschoß Kappler mindestens eines seiner Opfer. Es wurde Abend, ehe der letzte Gefangene in die Höhle geführt wurde. Anschließend ließ Kappler die Eingänge durch Sprengungen verschütten.
Als er am späten Abend des 24. März in seine Dienststelle zurückkehrte, erfuhr er, daß Wolff inzwischen eingetroffen war. Dollmann sagte, der Obergruppenführer sei äußerst empört, weil die Geiseln getötet worden waren, ohne daß er

die Möglichkeit gehabt hatte, hindernd einzugreifen. Wenn er – so meinte Wolff – sich bei Himmler und bei Hitler eingesetzt hätte, wäre die Vergeltung weit weniger hart ausgefallen. Warum hatte man nicht auf ihn gewartet?
Dem Leser muß es erlaubt sein, ebenfalls Fragen zu stellen. Konnte der mit der NS-Praxis der Vergeltung vertraute SS-General nicht schon bei seiner Abfahrt vom Gardasee wissen, wie drakonisch Hitlers Rache ausfallen würde? Konnte er nicht schon von unterwegs, von irgendeiner deutschen Kommandantur telefonisch nach dem Stand der Angelegenheit fragen? Hätte er dann nicht gleich das Führerhauptquartier anrufen können? Kappler war kein Sadist, nicht einmal ein Fanatiker; er wäre froh gewesen, wenn ihm jemand durch einen Befehl die Verantwortung abgenommen hätte. Auf seine Person konzentrierte sich nach Kriegsende die volle Wut der Italiener. Wolff brauchte in dem Drama nur noch eine ungefährliche und dennoch dekorative Rolle zu übernehmen: Er hielt vor den Särgen der Südtiroler die Trauerrede. Den Toten versprach er, sie seien nicht umsonst gestorben – jene Floskel, die auch keinen Sinn bekommt, wenn sie in jedem Krieg allen Gefallenen nachgerufen wird.
Viel mehr Zeit und Interesse wandte Wolff in jenen Wochen einer Entwicklung zu, die ihm einen erheblichen Zuwachs an Macht und Befugnissen versprach. Zustatten kam ihm dabei ein Kompetenzwirrwarr, wie er unter Hitler üblich war: In Italien zankten sich zeitweise gleich mehrere Konkurrenten um Zuständigkeiten. Da gab es als anscheinend oberste zivile Instanz den ›Bevollmächtigten des Reiches‹, Botschafter Dr. Rudolf Rahn, in Fasano. Im Frontgebiet und im unmittelbaren Hinterland regierte der Chef der Heeresgruppe Süd, Feldmarschall Albert Kesselring. Im rückwärtigen Gebiet befehligte der Bevollmächtigte General der deutschen Wehrmacht Rudolph Toussaint ein Netz von Kommandostellen bis herab zu den Ortskommandanturen. In Gargano Verona hatte der Höchste SS- und Polizeiführer seinen Sitz, und ihm gehorchten eine Anzahl Polizeiführer in den Städten; er war zugleich Berater des Duce beim Aufbau der italienischen Polizei und der faschistischen Milizen. In Mailand saß der General Hans Leyers als Generalbevollmächtigter des Rüstungs- und Produktionsministers Albert Speer, und seine Aufgabe war es, aus der italienischen Industrie das äußerste herausholen oder auch ihre Ausrüstung demontieren zu lassen. Für die Anwerbung italienischer Arbeiter und auch für ihre Zwangsverschickung ins Reich gab es dann noch den Bevollmächtigten des Generalbevollmächtigten für den Arbeitseinsatz, einen Generalarbeitsführer, der dem obersten Sklavenhalter Fritz Sauckel, ursprünglich Gauleiter in Thüringen, die Menschen zuzuliefern hatte.
Allein schon diese verwirrende Aufzählung von Namen, Funktionen und Titeln läßt ahnen, welches Durcheinander an Zuständigkeiten in einem Land entstehen mußte, dessen eigene Regierung unbeliebt, machtlos und auf die Zustimmung aller dieser Instanzen angewiesen war. Deren Wettstreit führte dazu, daß jede deutsche Dienststelle durch Bürokratie überlastet und also bestrebt war, ihren Personalbestand auszuweiten. Außerdem galt Italien im Vergleich mit anderen besetzten Gebieten als das Land, in dem Milch und Honig fließen; wer

konnte, ließ sich dorthin versetzen. Doch nun tauchte dort im frühen Frühjahr 1944 der General »Heldenklau« auf. In den Ämtern und Kommandanturen begann das allgemeine Zittern.
Der General mit dem furchterregenden Spitznamen hieß Walter von Unruh. Er hatte Rang und Auszeichnungen schon im Ersten Weltkrieg erworben, und er war von Hitler mit weitgehenden Vollmachten losgeschickt worden, um alle felddiensttauglichen Männer an die Front zu jagen. In Italien durfte er jede Institution überprüfen: Wehrmacht, SS, Polizei, die Arbeitsorganisation Todt, alle Behörden, Reichsbahn, Reichspost, Dienststellen der NSDAP und ihrer Gliederungen, die gesamte Wirtschaftslenkung und schlechthin »alle männlichen reichsdeutschen Einzelpersonen«. Selbst den Einsatz von Kriegsgefangenen und Zivilinternierten einschließlich deren Bewacher kontrollierte er.
Angesichts der vielen Wasserköpfe von Befehlenden und Verwaltenden begnügte sich Heldenklau nicht damit, einzelne Männer aus Schreibstuben in Marsch zu setzen. Sein Einsatz wurde erst effektiv, wenn er einen ganzen Stamm im Gehölz der Organisationen fällte. Schon in seinem ersten Bericht, adressiert an den Sekretär des Führers, Martin Bormann, und verfaßt am 14. Februar 1944, war dem General von Unruh klar, welcher Stamm in Italien am einfachsten abzusägen war: General Toussaint mit Stab und Kommandanturen. Unruh schlug auch gleich vor, wer dessen Aufgaben zusätzlich übernehmen könnte. »Voraussetzung dafür wäre, daß SS-Obergruppenführer Wolff nicht allein als Organ des Reichsführers-SS Heinrich Himmler, sondern für alle militärischen Belange im Sinne des Generalfeldmarschalls Keitel handelt. Ich hätte bei der Persönlichkeit des SS-Obergruppenführers Wolff keine Bedenken.«
Zum Unruh-Stab gehörte auch je ein Vertreter Himmlers und Goebbels, die ihren Dienstherren getrennt berichteten. Ministerialrat Schippert vom Propagandaministerium schrieb nach Berlin: »Ich gewann bei der Besprechung mit dem Botschafter« (Rahn) »den Eindruck, daß das Verhältnis Rahns zu dem Bevollmächtigten General Toussaint ausgesprochen kühl, zum Höchsten SS- und Polizeiführer dagegen besonders herzlich ist.« Streitpunkte waren sachliche Meinungsverschiedenheiten. Toussaint wollte den Italienern, von Mussolini abwärts bis zu den Bürgermeistern, möglichst wenig Kompetenzen zubilligen und das Land durch seine Militärverwaltung regieren, indessen Rahn es den Amtsträgern der Sozialen Republik Italien überlassen wollte, zu verkünden, was die Deutschen beschlossen und befohlen hatten. Wolff neigte zwar mehr zu Toussaints Methode, aber da er Rahn als Bundesgenossen brauchte, schloß er sich dessen Meinung an.
Rahn hatte bei seinem letzten Gespräch mit Hitler schon beantragt, die Militärverwaltung abzuschaffen und ihre Befugnisse auf den Höchsten SS- und Polizeiführer zu verlagern. Hitler hatte diesen Vorschlag abgelehnt, aber als nun auch »Heldenklau« ihn befürwortete, wechselte er seine Ansicht. Himmlers Vertreter in Unruhs Stab berichtete dem Reichsführer-SS: »General Unruh ließ sich überzeugen, daß eine derartige Lösung die Autorität des Reiches stärke, den Belangen der Wehrmacht gerecht wird, die Ausübung der

Exekutive wesentlich erleichtert und außerdem durch die Personalunion kräftesparend wirkt.«

Toussaint wurde abgebaut und seine Organisation dezimiert. Einsprüche gab es nicht. Himmler freute sich eines SS-Sieges über das Heer. Weder Sauckel noch Speer sperrten sich gegen einen Wechsel, weil ihre Italien-Beauftragten annahmen, daß der immer verhandlungswillige Wolff ihre bisher geübten Eigenwilligkeiten tolerieren würde. Und mit dem Verkünder des »Totalen Kriegs«, dem zunehmend an Einfluß gewinnenden Reichspropagandaminister Dr. Joseph Goebbels, hatte Wolff schon zuvor ein Bündnis abgeschlossen, indem er zusicherte, daß er für den Fall seiner Ernennung zum Bevollmächtigten General der deutschen Wehrmacht »einen Vertreter des Propagandaministeriums in seinen Stab« aufnehmen werde, »der ihm für die Gestaltung der deutschen Propaganda im italienischen Raum persönlich verantwortlich« sein werde. Sollten sich daraus Schwierigkeiten mit Rahn entwickeln, werde er sie ausräumen.

Die neue Aufgabe bedeutete eine Ausweitung seiner Befugnisse, aber fast noch wichtiger war Wolff der neu gewonnene Titel. Nach seinen Erfahrungen mit Himmler und den Kameraden von Gestapo und SD wurde ihm der hochgeschlossene Kragen des Uniformrocks eines SS-Obergruppenführers am Hals zunehmend zu eng. Er kam zur Überzeugung, daß er angesichts der wenig günstigen Entwicklung an allen Fronten zweckmäßiger sein könnte, wenn er seine Karriere auf das Gleis lenkte, wo er als Leutnant einmal begonnen hatte. Bei Kesselring hatte er gelegentlich schon einmal durchblicken lassen, daß er bereit sei, in das Heer überzuwechseln, sofern ihm sein Dienstrang erhalten bliebe und die SS-Jahre angerechnet würden. Offenbar hatte jedoch dieses Angebot im Oberkommando der Wehrmacht kein Echo erweckt. Nun war der Titel eines Bevollmächtigten Generals immerhin ein Einstieg. Vielleicht hätte sich das Oberkommando der Wehrmacht oder auch die Generalität des Heeres dagegen gesperrt, hätte nicht Hitler die Ernennung zu einem Zeitpunkt verkündet, da die Aktien der Generäle tief in den Keller gefallen waren. Wolffs Ernennung wurde am 26. Juli 1944 publiziert, sechs Tage nach dem Bombenattentat in der »Wolfsschanze«. In jenen Tagen gab es in der Klasse der hohen Offiziere so viele Veränderungen, daß Wolffs neuer Titel dazwischen verschwand.

Sein Wirkungskreis schrumpfte jetzt allerdings zusammen. Nach seiner freundlichen Aufnahme bei Pius XII. hatte er sich vorgenommen, den katholischen Faden weiterzuspinnen. Doch dazu kam er nicht mehr. Seine schadhafte Niere machte ihm zu schaffen; eine weitere Kur in Karlsbad wurde notwendig, und ehe er davon zurückgekehrt war, hatten die Alliierten Rom am 4. Juli 1944 kampflos besetzt. Mussolini wollte die Hauptstadt um jeden Preis verteidigen lassen, auf die Gefahr hin, daß sie zerstört würde. Er hatte gehofft, die Verteidigung der Ewigen Stadt würde alle Italiener mit Heldenmut erfüllen, indessen auf der anderen Seite die Feinde sich doch wohl scheuen würden, mit grobem Geschütz gegen das Zentrum von alter Kultur und Religion vorzugehen. Nun grollte er: »Wenn wir Rom aufgeben, ist die Hälfte unserer Sache verloren.«

Ihn nahm jedoch kaum noch jemand wichtig. »Jeder Deutsche und jeder Italiener... ist überzeugt, daß der Duce und die italienische Regierung keine Autorität mehr besitzen«, hieß es in einem Ende Juni verfaßten Bericht vom Amt des Bevollmächtigten Generals. Im nächsten Bericht, schon unter Wolff verfaßt, wurde Anfang August festgestellt, daß »die Entwicklung der Gesamtlage« besonders im Osten und auch in Italien ebenso wie die »starke Zunahme der Einflüge und Luftangriffe... eine positive Einstellung der Bevölkerung zur gemeinsamen Kriegführung nicht... erwarten lassen«. Der Bericht stellt fest, »daß es nicht gelungen ist, die Einberufung der für den Arbeitseinsatz nach Deutschland vorgesehenen Jahrgänge durchzusetzen und des Bandenunwesens Herr zu werden... Die Scheu der Beamten, sich durch Zusammenarbeit mit den Deutschen zu belasten, erfaßt immer weitere Kreise.« Als in Genua bei einem Anschlag auf ein Restaurant sieben deutsche Soldaten ums Leben kamen, wurden dort 70 Kommunisten erschossen und alle Gaststätten eine Woche geschlossen.
Die Anzeichen mehrten sich, daß Wolff über kurz oder lang den Krieg nicht mehr nur am Schreibtisch erleben würde. Schon im April 1944 war sein gesamter Bereich von Himmler zum »Bandenkampfgebiet« erklärt worden, wodurch einige unbequeme Vorsichtsmaßnahmen für alle Deutschen obligatorisch wurden. Im Juni kam von Himmler eine geheime Verfügung, in der die »Errichtung einer SS-Fortifikationsforschungsstelle zur Erkundung der italienischen Grenzwehranlagen« befohlen wurde. Auch die Karsthöhlen von Krain und im adriatischen Küstenland – alles das gehörte zu Wolffs Bereich – sollten für die Verteidigung erforscht werden. Ihm oblag jetzt auch, jene Gebiete auszuräumen, die bei den unvermeidlichen Rückzügen der kommenden Zeit in Feindeshand fallen würden. Abtransportiert wurde schlechthin alles, was man im Reich brauchen konnte; Maschinen, Kraftwagen, Edelmetall, Rohstoffe, Fertigwaren, Lebensmittel, sogar das Vieh und die Pferde wurden nach Norden getrieben. Dem Gebiet um Rom wurden auf diese Weise 35000 Stück Vieh entzogen; es wären doppelt so viele gewesen, wenn der Feind nicht so schnell nachgerückt wäre. Zwar hinterließ man nicht wie im Osten dem Gegner nur die »verbrannte Erde«, aber die Alliierten sollten in einem ausgepowerten Land genug Schwierigkeiten bekommen, die sie um so härter spüren mußten, als ihre Soldaten eine ziemlich gemischte Gesellschaft darstellten: Amerikaner, Briten, mit Kanadiern und anderen Einheiten aus dem Empire, Franzosen und Nordafrikaner, eine polnische Legion.
Nach dem Krieg tat sich Wolff viel darauf zu gut, daß er eine Menge Kostbarkeiten der Kunst und der Kultur aus kampfbedrohten Gebieten vor der Zerstörung gerettet hatte, indem er sie an sichere Plätze transportieren ließ. Die Initiative dazu war allerdings von Hitler ausgegangen; er befahl Wolff und Rahn, gefährdetes Kulturgut aus Mittelitalien durch Sachkenner nach Rom und Florenz schaffen zu lassen, weil es dort durch den Status der Offenen Stadt einigermaßen geschützt wurde. Als in der zweiten Julihälfte im Raum Florenz gekämpft wurde, holten Beauftragte Wolffs noch mit Hilfe von Solda-

ten Gemälde aus Villen und Schlössern, die schon im Bereich feindlichen Artilleriefeuers lagen.

Eine solche Bergung meldete Wolff telegraphisch an Himmler. Es ging um zwei Gemälde von Lucas Cranach, betitelt »Adam« und »Eva«. Wolff erinnerte sich, daß »der Führer . . . bei seinem Besuch in Florenz« (am 28. Oktober 1940) diese Bilder »ganz besonders schätzte«. Nun waren sie nach Bergamo transportiert worden, und Wolff fragte in seinem Telegramm, ob sie »ins Führerhauptquartier gebracht werden sollen, damit der Führer Weiteres über den Verbleib der recht berühmten, von uns geretteten Bilder verfügt«.

Bisher hatte sich Wolff stets gegen diese Methode des Sammelns von Kunst gestemmt. Als er erfahren hatte, daß der Reichsmarschall Hermann Göring von einer ihm dienstbaren Kunstkommission mehrere Güterwaggons mit solchen Fundstücken an seinen Sonderzug hatte anhängen lassen, hatte er Mussolini einen Wink gegeben. Darauf untersagte der Duce die Ausfuhr von Kunstwerken grundsätzlich, und Göring mußte ohne seine kostbare Beute abfahren. Doch nun war die Chance geboten, dem Führer eine Freude zu machen; dafür war Wolff bereit, sich eine Ausnahme zu genehmigen. Jedoch im Hauptquartier lehnte man das Angebot ab, schweren Herzens. Die Cranach-Gemälde sollten wie auch eine weitere Anzahl Kunstwerke, in Südtirol eingelagert werden, damit »zunächst die Autorität des italienischen Staates nicht angetastet« werde. Es müsse »allerdings sicher sein, daß der Raum, in dem sich die Bilder dann befinden, auf jeden Fall von Deutschland geschützt« würde.

Wenige Tage vor dem Telegrammwechsel war Wolff selber im Führerhauptquartier gewesen, gemeinsam mit dem Mann, den er nicht unbewacht reisen lassen durfte und für dessen Sicherheit (besser: Präsenz) er mit seinem Kopf haftete. Der Tag des Besuchs bei Hitler war der 20. Juli 1944 – ein Tag, der nicht nur denkwürdig wurde, weil sich die beiden Diktatoren zum letzten Mal sahen, ehe sie neun Monate später fast gleichzeitig starben. Es war zugleich auch der Tag des Attentats, bei dem Verschworene – es handelte sich vorwiegend um Offiziere des Heeres – mit einem Sprengsatz die Deutschen und das Reich in letzter Stunde vor der totalen Katastrophe retten wollten. Es gab bei diesem Besuch keinen großen Staatsakt, wie er bisher üblich gewesen war, denn das Treffen ergab sich so nebenbei. Mussolini wollte sich um seine Landsleute kümmern, die das Schicksal in das Reich verschlagen hatte. Das waren nicht nur vier Divisionen seiner künftigen Armee. Dringlicher war der Fall der sogenannten Zivilinternierten, der Arbeitssklaven, die sich geweigert hatten, weiterhin Soldat zu sein und deswegen in Arbeitslagern leben mußten. Nach verschiedenen Besichtigungen gemeinsam mit Wolff wollte Mussolini mit Hitler über den Status dieser Italiener verhandeln.

Er sollte als Abschluß seiner Deutschlandreise mit kleinem Gefolge und Wolff um 15.00 Uhr am Bahnsteig der »Wolfsschanze« aussteigen. Auffallend war schon, daß das Wachkommando diesmal den Sonderzug besonders sorgfältig inspizierte. Als Gast und Gastgeber sich begrüßten, gab Hitler entgegen seiner Gewohnheit Mussolini nur die linke Hand. Ein schwarzer Umhang tarnte, daß

er seinen rechten Arm nur mühsam bewegen konnte. Während die beiden zu Fuß in den dritten Sperrkreis gingen, immer mit Wolff im Kielwasser, erzählte Hitler, was geschehen war. Vor etwa zweieinhalb Stunden war während der Lagebesprechung in einer Baracke eine Bombe unter einem schweren Eichentisch explodiert. Einige Menschen waren dabei getötet, andere mehr oder weniger verletzt worden.
Der Chefdolmetscher des Auswärtigen Amtes Dr. Paul Schmidt begleitete die Gruppe zum Tatort. Er sah »ein Bild der Verwüstung« wie nach einem schweren Luftangriff. Mussolini seien »vor Bestürzung fast die Augen aus dem Kopf gefallen«. Nachdem Hitler auch noch seine durch die Explosion völlig zerfetzte Uniform und seine angesengten Nackenhaare vorgewiesen hatte, wertete der »abergläubische Südländer« Hitlers Überleben als »ein Zeichen des Himmels« und als eine Garantie für den Sieg.
Vereinbart wurde, daß die »Kriegsinternierten in den Stand freier Arbeiter übergeführt oder als Hilfskräfte im Rahmen der deutschen Wehrmacht eingesetzt werden«. Soweit das Kommuniqué. Doch vielmehr interessierte sich Wolff für die Weiterungen aus dem Attentat, was die Ermittlungen ergeben würden, wer über die Klinge springen mußte und wer die Positionen erben würde, die jetzt im Machtapparat des Dritten Reiches frei würden. Es würde zu weit führen, hier den Plan der Verschwörer, ihre Verbindungen, den Ablauf der Aktion und schließlich die Gründe für ihr Scheitern zu schildern. Nur soviel ist nötig: Der schwer kriegsbeschädigte Oberst Claus Graf Schenk von Stauffenberg hatte die mit einem Zeitzünder versehene Bombe in einer Aktentasche mitgebracht, unter den Kartentisch im Lageraum gestellt, und er hatte das Hauptquartier unmittelbar nach der Explosion verlassen, weil er in Berlin die Führung des Aufstandes übernehmen sollte. Er war sehr schnell als Attentäter entlarvt. Irrtümlicherweise hatte er seine Mitverschworenen bereits mit der Telefonnachricht alarmiert, Hitler sei tot. Sie hatten daraufhin mit dem Codewort »Walküre« ihre Machtübernahme in den Garnisonen ausgelöst. Durch einen lächerlichen Zufall scheiterte am entscheidenden Platz, nämlich in der Reichshauptstadt ihr Plan, der die Besetzung des Regierungsviertels durch das Wachregiment vorsah. Ein Offizier dieser Truppe, dem man gesagt hatte, Hitler sei von der SS ermordet worden, und es gelte nun, deren Putsch niederzuschlagen, bekam Gelegenheit, mit dem »toten« Führer am Telefon zu sprechen. Als Hitler ihm befahl, jeden zu erschießen, »der versucht, meinen Befehlen nicht zu gehorchen«, war der Aufstand gescheitert.
Aus dem Blickwinkel der »Wolfsschanze« ging es darum, zunächst einmal die im Reich stationierten Einheiten der Wehrmacht fest in die Hand zu bekommen. Sie unterstanden dem Oberbefehlshaber des Ersatzheeres Generaloberst Friedrich Fromm. Er wurde verdächtigt, ein Verschwörer zu sein und deshalb abgesetzt. Hitler hielt Himmler, den Treuesten der Treuen, Reichsführer-SS und Chef der deutschen Polizei, Reichsinnenminister und Inhaber weiterer Funktionen für den ungefährlichsten Nachfolger Fromms. Wolff schilderte als »einer der wenigen«, die bei dieser Ernennung dabei waren, wie Hitler die

Oberbefehlshaber der drei Wehrmachtsteile um ihre Meinung zu diesem Wechsel befragte. Dabei habe Göring gesagt: »Mein Führer, warum machen Sie eigentlich in dieser traurigen Situation, bei der nur das Gute war, daß Sie uns am Leben blieben, Himmler nicht zum Kriegsminister? Dann haben wir endlich wieder eine klare Konstruktion.« (Wörtliches Wolff-Zitat aus dessen Erinnerungsschatz).
Laut Wolff wäre das »die an sich längst fällige Reform« gewesen. Doch Himmler »seiner zaudernden Art entsprechend«, besann sich und meinte schließlich »mit leiser, kläglicher Stimme«: »Mein Führer, ich kann es auch so schaffen.« Hitler soll dann zu Himmler gesagt haben: »Fliegen Sie jetzt sofort nach Berlin und kümmern sie sich am Brandherd um diese Dinge. Sie haben jede Vollmacht. Zugreifen!, lieber zuviel und zu scharf als zuwenig.« Gemeinsam fuhren dann der Reichsführer-SS und sein Obergruppenführer, vertraut wie in früheren Tagen, zum Flughafen. Unterwegs fragte Wolff, warum Himmler das Kriegsministerium ausgeschlagen habe. »Ach Wölfchen«, soll Himmler gesagt haben, »mir stand gegenüber das Dickerchen« (wie man in den höchsten Kreisen wohl den Generalfeldmarschall Wilhelm Keitel, Chef des Oberkommandos der Wehrmacht nannte) »und der war immer so anständig. Dem hätte ich ja seinen Posten weggenommen!«
Heinrich Himmler war gewohnt, über Leichen zu gehen, sogar über Millionen Leichen. Doch er war, laut Wolff, so zart besaitet, daß er es nicht übers Herz brachte, einen Feldmarschall arbeitslos zu machen, der von seinen Offizieren »Lakei-tel« genannt wurde, weil er Hitler nach dem Munde redete und sich in seinem Amt viel mehr fügsam als fähig zeigte. Doch ehe sich der Leser über Himmlers weiches Herz wundert, sollte er darüber nachdenken, weshalb der Reichsführer-SS zum Strafgericht in Berlin ausgerechnet den Höchsten SS- und Polizeiführer Italien mitnahm. Gebraucht wurden dort eher der Gestapochef und eine Anzahl Henker. Nahm Hitler an, daß Wolff mit den Kreisen des Widerstandes besser vertraut sein könnte als die dafür zuständigen Gestapobeamten? Gemeinsam hatten Wolff und Himmler die kritische Affäre Langbehn/ Popitz schadlos durchgestanden, obwohl der Gestapochef und SS-Obergruppenführer Heinrich Müller die Intrige gegen sie klug eingefädelt hatte. Der Rechtsanwalt Dr. Langbehn war noch immer in Gestapohaft, weil er in der Schweiz mit dem US-Geheimdienst konspiriert hatte, aber von seinen Gesprächen mit der SS-Spitze über eine Ablösung Hitlers hatte er nichts gesagt, wohl wissend, daß er sich mit diesem Thema um Kopf und Kragen reden konnte.
Popitz war noch in Freiheit, aber es ließ sich voraussehen, daß er jetzt festgenommen würde. Was würde er aussagen? Vielleicht hielt es Himmler deshalb für geboten, daß er den Mitwisser an seiner Seite behielt und nicht in der Nähe Hitlers beließ. Hatten sie nicht beide damals dafür plädiert, Hitlers Allmacht einzuschränken? Und hatten sie nicht mit jenen Leuten verhandelt, die nun verfolgt werden mußten? Daß Himmler bei dieser Jagd auf Staatsfeinde behutsam vorging, ist nachweisbar; nach ihrer Landung in Berlin eilten er und Wolff keineswegs direkt an den Brandherd, in das Gebäude des Reichskriegsministe-

riums in der Bendlerstraße. Sie peilten zunächst einmal die Lage, ließen ihren Dienstsitz und das Regierungsviertel durch die in der Reichshauptstadt stationierten Einheiten der Waffen-SS absichern und telefonierten in der Welt herum. In die Bendlerstraße kam Himmler – so berichtet der SS-Sturmbannführer Otto Skorzeny – erst zwei Tage nach dem Attentat. Bis dahin herrschte dort der SS-Obergruppenführer Ernst Kaltenbrunner, Chef der Sicherheitspolizei und des SD, der Nachfolger von Reinhard Heydrich. Wolff war jetzt nicht mehr bei Himmler, wohl aber der Obergruppenführer Hans Jüttner, der als Chef des Führungshauptamtes die Rekruten für die Waffen-SS herbeizuschaffen hatte. Er wurde nun der Stellvertreter Himmlers in dessen Funktion als Chef des Ersatzheeres. Skorzeny wunderte sich: »Himmler war doch kein Militär. Wie konnte er zu seinen vielen Ämtern auch noch dieses ausfüllen?« Um die gleiche Zeit bekam dann auch Wolff eine weitere Bestallungsurkunde: seine Ernennung zum Bevollmächtigten General der Deutschen Wehrmacht in Italien wurde jetzt amtlich.

Es wäre jedoch geprahlt, würde er erzählen, er habe nunmehr seine Vollmacht in allen Gebieten zwischen Alpen und Apennin, zwischen Kärnten und Frankreich nutzen können. Da gab es ganze Landstriche, in denen sich kein deutscher Soldat und ebensowenig ein faschistischer Milizionär sehen lassen konnte, es sei denn, sie wollten zu den Partisanen überlaufen. Manche dieser Banden zogen sogar regelrecht Steuern ein, die der Obrigkeit zustanden, und die Befehle ihrer Anführer galten mehr als diejenigen der Polizisten oder der Beamten, die ohnehin mit den Freiheitskämpfern sympathisierten. Die Banden saßen meist in schwer zugänglichen Bergregionen, aus denen heraus sie sich durch gelegentliche Vorstöße mit Waffen, Munition und Verbrauchsgütern versorgten. Viele Bandenmitglieder waren Straßenräuber in der Tradition eines Landes, das hundert Jahre zuvor den Briganten noch als ehrbares Handwerk geachtet hatte. Viele waren aber auch Patrioten, die für die Freiheit ihres Vaterlandes fochten. Fast alle waren Revolutionäre, die eine bessere Gesellschaftsordnung herbeiführen wollten. Allerdings wollte jeder eine andere.

Ihre Kampfkraft war unterschiedlich. Sie war um so geringer, je mehr die Briganten die Patrioten in der Bande an Zahl übertrafen. Die stärksten Verbände operierten an der französischen Grenze im Westen und an der jugoslawischen Grenze im Osten. Sie erhielten auch Weisungen und Materiallieferungen von den Alliierten. Als Wolff einmal eine »Bandenbekämpfungswoche« anordnete, bei der er seine Kräfte konzentriert einsetzte, starben über 80 seiner Soldaten, zu einem Drittel italienische Milizionäre, und er büßte über 300 Verwundete sowie mehr als 30 Vermißte ein. Traut man der Siegesmeldung seines Amtes, dann töteten seine Soldaten mehr als 1600 Partisanen, nahmen fast ebensoviele gefangen und holten aus dem »befreiten« Landstrich 6000 Zwangsarbeiter heraus. Sie erbeuteten mehrere Geschütze, darunter auch zwei Salvengeschütze, sechs Flammenwerfer, mittlere und leichte Granatwerfer, Panzerabwehrwaffen, viele Handfeuerwaffen, eine Masse Munition, etwa hundert Kraftwagen aller Art, Funkgeräte, und sie jagten mehr als 300 Kampfstände und Unterkünfte in die Luft. Es war also ein Feldzug im Kleinen gegen eine beachtliche Streitmacht und der Generaloberst Heinrich von Vietinghoff bescheinigte Wolff »ganz besondere Verdienste« an diesem Erfolg.

Er hatte sich schon im Mai 1944 zwei weitere Verzierungen an seine Uniform geholt, die er bis dahin wohl schmerzlich vermißt haben mag: Zu seinen Eisernen Kreuzen Erster und Zweiter Klasse aus dem Ersten Weltkrieg erhielt er nun die zugehörigen Spangen, sozusagen die Duplikate für weitere mannhafte Taten. An sich mußte jede dieser Auszeichnungen mit der Schilderung eines kriegerischen Vorgangs besonders begründet werden, aber im letzten Kriegsjahr war man nicht mehr sehr pingelig, und bei einem General, der noch ohne diese Zeichen tapferen Einsatzes herumlief, schon gar nicht. Daß Wolff die Spangen beider Klassen am gleichen Tag, nämlich am 29. Mai 1944 an seine Brust gesteckt bekam, läßt vermuten, daß sie ihn entweder für einen ungewöhnlichen Einsatz belohnten oder daß sie ihm als üblicher Offiziersbedarf nachgeliefert wurden. Schließlich hatte er ja auch bis dato kaum Gelegenheit gehabt, sich dem Feind auf weniger als tausend Meter zu nähern.

Bei den Spangen konnte es nicht bleiben. Am 11. November 1944 reichte der Oberbefehlshaber Südwest auf den vorgeschriebenen Formblättern den Vorschlag ein, den Wolff, Karl, geboren 13. 5. 1900 in Darmstadt, mit dem Deutschen Kreuz in Gold zu dekorieren. Der großflächige und auffällige Orden wurde auf der Brust rechts unten getragen und von den Landsern ›deutsches Spiegelei‹ genannt. In der Rubrik »Bisherige Kriegsverwendung seit 1939«, die mit Maschinenschrift, sicherlich nicht ohne Wolffs Mithilfe, ausgefüllt wurde, sind zwei Angaben bemerkenswert. Dort steht: »26. 8. 39–8. 9. 43 Offz. d. Reichsfhr. SS zum Führer«. Nach dem Krieg legte Wolff Wert darauf, »Verbindungsoffizier der Waffen-SS zum Führer« gewesen zu sein, weil ihm die unmittelbare Zusammenarbeit zu Himmler kompromittierend erschien. In der gleichen Spalte steht ferner nach der Aufzählung von Wolffs Italien-Dienststellungen: »daneben seit 26. 8. 39 Chef d. pers. Stabes d. Reichs-Fhr.-SS«. Das mag formal zu diesem Zeitpunkt noch der Fall gewesen sein; er war aus diesem Amt nicht entlassen und auch nicht durch einen Nachfolger abgelöst worden. Doch die Geschäfte nahm er nicht mehr wahr, seit er sich in Hohenlychen ins Krankenbett hatte legen müssen. Himmler, dessen Sekretär Dr. jur. Rudolf Brandt und die oberen Dienstränge der Adjutantur führten das ›Hauptamt Persönlicher Stab‹. Dagegen gab es wieder einen »Offizier des Reichsführers-SS zum Führer«, den SS-Gruppenführer Hermann Fegelein, der Gretl Braun geheiratet hatte, eine Schwester von Hitlers Lebensgefährtin Eva Braun. Er war damit dessen Schwager »zur linken Hand« geworden.

Das Oberkommando des Heeres folgte dem Ordensvorschlag: Am 9. Dezember 1944 wurde Wolff das Deutsche Kreuz in Gold verliehen. Die Auszeichnung wurde u. a. damit begründet, daß er vorwiegend auf italienische mit nur schwachen deutschen Rahmeneinheiten durchsetzte Kräfte angewiesen, ... größere Unternehmen in völlig bandenverseuchten Gebieten ... durch völlige Vernichtung der Banden zum durchschlagenden Erfolg geführt hat.« Wolff habe sich

»sowohl um die militärische Kriegführung als auch um die Aufrechterhaltung der Kriegsproduktion im italienischen Raum hervorragende Verdienste erworben«. Er sei »der hohen Auszeichnung ... in ganz besonderem Maße würdig«. Solch massives Lob mußte Appetit machen auf weitere Dekorationen. Die nächste Stufe wäre das Ritterkreuz zum Eisernen Kreuz gewesen. Er sei, so erzählte Wolff gelegentlich, für diesen Orden auch bereits vorgeschlagen gewesen, aber der Krieg sei zu Ende gegangen, ehe ihn die Verleihung erreicht hätte. Ihn brachte das Schneckentempo der Militärbürokratie um einen Halsschmuck, der im sechsten Kriegsjahr schon fast zum Dienstanzug eines Generals gehörte.
Die Lageberichte örtlicher Dienststellen klangen allerdings weniger glorios als die Ordensvorschläge. Darin hieß es u. a.: »Zu einer nachhaltigen Bandenbekämpfung reichen die vorhandenen Kräfte nicht aus.« Und an anderer Stelle: »Einzelne Banden beherrschen in ihren Gebieten die Lage, kontrollieren und sperren den Verkehr ab, verteilen die Verbrauchsgüter und haben ... die Verwaltung übernommen. Es ist damit zu rechnen, daß die Organisation sich weiter festigen wird und getrennte Gruppen sich zusammenschließen werden, so daß in Zukunft planmäßige Aktionen mit größeren Kräften unter einheitlicher Führung zu erwarten sind.«
Andererseits erleichterte die Personalunion des Höchsten SS-und Polizeiführers und des Bevollmächtigten Generals der Wehrmacht den geschlossenen Einsatz aller zur Bandenbekämpfung verfügbaren Einheiten. Wolff befahl damit eine Armee von weit über hunderttausend Köpfen, die jedoch ein Konglomerat von Verbänden mit unterschiedlicher Moral und Motivation, verschiedener Nationalität, Bewaffnung, Ausbildung und soldatischen Fähigkeiten darstellte. »Nur wenige italienische Einheiten«, heißt es in einem Lagebericht, »haben sich als zuverlässig erwiesen.« Es marschierten in dieser Streitmacht Einheiten, die weder deutsch noch italienisch sprachen; sie waren in den Kriegsgefangenenlagern des Ostens angeworben worden, und die Männer hatten sich zumeist nur gemeldet, weil sie nicht hinter dem Stacheldraht verhungern wollten. Neben Russen- und Turkmenen-Bataillonen gab es auch eines aus Georgiern; es schrumpfte bei einem Einsatz um 120 Männer, die geschlossen zu den Partisanen übergingen. Auch die bei den Kommandanturen der Wehrmacht stationierten deutschen Soldaten waren gewiß nicht gerade Kämpfer erster Qualität, denn sonst hätte man sie längst an die Front versetzt. Sogar bei ihnen, nicht nur bei den Ostvölkern und Italienern, hatten die Flugblätter der Alliierten jetzt Erfolg; es gab immer mehr Fahnenflüchtige, und sie fanden bei der Bevölkerung in Dorf und Stadt bereitwillig gewährte Hilfe.
Daß sich Pessimismus und infolgedessen auch Defaitismus in Wolffs Heer wie eine Seuche ausbreiteten, war nur natürlich. Nach der Besetzung Roms in den ersten Junitagen waren Engländer und Amerikaner an der Atlantikküste gelandet. Mitte August war dasselbe an der französischen Mittelmeerküste geschehen. Im September hatten alliierte Soldaten bei Trier die deutsche Grenze erreicht. Nacheinander hatten die Rumänen und die Bulgaren Deutschland den Krieg erklärt. Mitte Oktober 1944 wurde der »Volkssturm« von Hitler zu den Waffen

gerufen, und es war offensichtlich sein letztes Aufgebot. Wohl gelang es in Italien, den Vormarsch der Feinde nach Norden vorübergehend immer wieder zu stoppen, aber die Bevölkerung rechnete – wie es in einem Lagebericht hieß – »mit baldigem Übergreifen der Kampfhandlungen auf Oberitalien.«
Die Gefolgschaft Mussolinis hatte doppelten Grund, eine solche Entwicklung zu fürchten. Nicht nur der Feind bedrohte sie; schlimmer noch würde die Vergeltung durch ihre Landsleute ausfallen. Sie gaben den Faschisten die Schuld an dem Unglück, das mit dem Krieg über Land und Volk hereingebrochen war. Die Funktionäre hatten davon bis jetzt nur wenig gespürt. In ihrem Idyll am Gardasee sahen sie fast täglich Ströme feindlicher Bomber, die in großer Höhe weiße Kondensstreifen an den Himmel malten, aber ihre Lasten fast ausschließlich auf deutsche Städte jenseits der Alpen abluden. Gelegentlich jagte auch mal ein Tiefflieger durchs Tal, und sie mußten Deckung suchen, denn der Feind am Himmel schoß auf alles, was sich bewegte, ob Auto, Boot oder Mensch. Das war unbequem, aber es war eben Krieg. Daß in den Städten ihres Landes Bomben fielen auf Bahnhöfe, Fabriken, Brücken und daß dabei auch Wohnungen zerbombt und Menschen getötet wurden, schmerzte sie sehr in ihrem Refugium, aber was konnten sie schon dagegen unternehmen? Die schlechten Nachrichten waren um so leichter zu verdauen, als sich an den Ufern des Gardasees noch immer ruhig schlafen, gut essen und ausreichend trinken ließ. In den Gaststätten servierten die Kellner friedensmäßige Menüs, ohne Lebensmittelmarken zu verlangen, nur eben teurer als früher. Alles kam vom Schwarzen Markt. Doch was tat das? Wozu sollte man sparen angesichts der ungewissen Zukunft?
Eben diese Ungewißheit war es, die Mussolinis Gefolgschaft schwere Sorgen bereitete. Offiziell galt noch immer der Schlachtruf »Sieg oder Tod«. Doch der Sieg wurde immer unwahrscheinlicher, der Tod immer wahrscheinlicher – sofern es nicht gelang, den Kopf rechtzeitig aus der Schlinge zu ziehen. Viel Zeit blieb nicht mehr. Mitte Oktober 1944 konnte der Feind bereits wichtige Straßen in der Po-Ebene zeitweilig mit Artilleriefeuer sperren. Man hatte ihn dann zwar wieder ein paar Kilometer zurückgetrieben, aber es war doch absehbar, daß er mit einem überraschenden Vorstoß rasch den südlichen Alpenrand erreichte. Rahn und Wolff wurden in ihren Residenzen am Gardasee erst nur beiläufig und dann auch offiziell angesprochen, daß es zweckmäßig sein könnte, schon einmal Frauen und Kinder in Sicherheit zu bringen; jedermann setzte sich energischer und vorbehaltloser für den Endsieg ein, wenn er gewiß sein würde, daß seiner Familie nichts geschehen könne.
Bis zu einem gewissen Grad dürfte Wolff für diese Sorgen Verständnis aufgebracht haben. Er konnte annehmen, daß seine beiden Familien nach menschlichem Ermessen vom Krieg verschont bleiben würden. Frau Frieda lebte mit ihren vier Kindern in ländlicher Ruhe am Tegernsee in Rottach-Egern, und Frau Ingeborg mit den drei Kindern hatte anläßlich seiner Versetzung nach Italien ein feudales Quartier im österreichischen Salzkammergut gefunden, im Schloß am Wolfgangsee, in der Nähe des vielbesungenen Gasthauses »Zum Weißen Rößl«. Die Entscheidung über die Quartiere der faschistischen Prominenz stand jedoch

weder Wolff noch Rahn zu. Sie mußten Hitler fragen. Der Wunsch mancher Italiener, über die Schweizer Grenze abgeschoben zu werden, ließ sich leicht abschmettern, weil zu erwarten war, daß sich die Eidgenossen gegen solchen Zuzug sperren würden. Auch wäre ein solcher Exodus weltweit als eine Flucht vom sinkenden Schiff gewertet worden.
Strittig war unter den Italienern auch, wer alles im voraussichtlich letzten Reduit, der Alpenfestung, unterkommen sollte. Nur die oberste Prominenz? Oder auch Streitkräfte? War anfänglich die Rede von Zehntausenden, so drückte der faschistische Parteiadel die Zahl auf wenige hundert Auserwählte. Deren Zuflucht sollte schwer zugänglich, leicht zu überwachen und zu verteidigen sein, aber doch wiederum unweit zivilisierter Landstriche liegen. Soweit es so etwas am südlichen Alpenrand innerhalb der italienischen Grenzen gab, saßen dort schon überall die Partisanen.
Notgedrungen akzeptierten die faschistischen Größen schließlich das Angebot einer Bleibe am Arlberg. Falls sie dort in Gefahr geraten sollten, konnten sie sich immer noch nach Süddeutschland absetzen oder über Bergpfade nach Liechtenstein und damit in die Schweiz einsickern. Die Frauen von Ministern, Staatssekretären und dergleichen bezogen mit Kindern und Dienstpersonal die feudalen Wintersporthotels in Zürs als Gäste des Reiches. Dem Gros der gefährdeten Faschisten – und das waren wohl einige Zehntausend – bot die Bergeinsamkeit keine Plätze. Sie wurden in den folgenden Wochen und Monaten bei ihrer Flucht nach Norden zunächst in das Frankenland zwischen Würzburg und Nürnberg gelenkt. Da aber dort die Betten schon weitgehend durch Bombengeschädigte aus deutschen Großstädten belegt waren, suchten sich die Flüchtlinge ihre Unterkunft im südlichen Bayern und in Österreich.
Wolff wollte wenigstens die Männer im Süden halten. Aus Italienern, Südtirolern und anderen Volksdeutschen stellte er eine Truppe zusammen, die zwar kaum über Bataillonsstärke hinausgedieh, aber als »24. Waffengrenadierdivision der SS, Karstjäger« immerhin einen Namen und ein Emblem bekam. Aus dem gleichen Reservoir bezog Wolff die Freiwilligen für eine »29. Waffengrenadierdivision der SS«, die als taktisches Zeichen das altrömische Liktorenbündel mit dem Beil bekam und damit ihren italienisch-faschistischen Ursprung zur Schau trug. Diese Einheit wird auch im Kriegstagebuch des Oberkommandos der Wehrmacht erwähnt. Dort heißt es: »Ein Freiwilligen-Verband der Waffen-SS bei der 14. Armee erhielt ... die Bezeichnung Waffen-Grenadier-Brigade der SS (ital.) Nr. 1. Er bewährte sich nicht und verschwand daher wieder.« Wie konnte es anders sein, da doch die Italiener der berechtigten Ansicht waren, daß sie nur noch für die Deutschen kämpften und daß sie dabei sogar auf Brüder und Vettern schossen. Denn auch auf seiten der Alliierten fochten inzwischen italienische Divisionen.
Der Andrang zu Wolffs Freiwilligen war offenbar gering, denn sonst wäre es ihm kaum eingefallen, Waffen und Ausrüstung für 1500 Soldaten als eine Art von Krisenhilfe an Himmler zu schicken. Manches davon mochte er den Partisanen abgenommen haben. Anderes konnte der Bevollmächtigte General wohl aus

In Gefahr gerät die
Karriere Wolffs, als er
Frieda und seine vier
er (Foto rechts)
ssen will, um die blonde
n Inge Bernstorff, gebo-
Christensen, die ihm
ts den Sohn Widukind
unten) geboren hat, zu
chen. Himmler (mittleres
rechts) mit Wolff und
ralfeldmarschall Keitel
lers Seite im Hauptquar-
von einem SS-Maler als
htige Ratgeber Hitlers
stellt – verweigert die
nmigung zu Scheidung
Viederverheiratung.
(unteres Foto am
rtstag Wolffs 1940. Bild-
General Jodl) erteilt
loch. Der Bruch
nen Himmler und Wolff
eint endgültig.

1942: Auch der gemeinsam
Besuch in den Niederlande
kann nicht darüber hinweg-
täuschen, daß das Verhältn
Himmler/Wolff gestört ist.
Oben: Himmler, Wolff und
Gefolge in einer Großgärtn
Hinter Himmler der Höhere
SS- und Polizeiführer Niede
lande, Rauter. Links: SS-Ob
gruppenführer Berger. Mitt
und unten: Beim Reichs-
kommissar der Niederland
Dr. Arthur Seyss-Inquart.

4: Nach dem Abfall Italiens lobt Himmler
vermeintlichen Rivalen Wolff aus dem
ıptquartier weg. Als Höchster SS- und Polizei-
rer Italien soll er im verbliebenen Rest-
en die Kampfbereitschaft der Faschisten
vieren. Oben und unten: Regierungs-
Wohnsitz Mussolinis am Gardasee. Bild-
te: Wolff und der italienische Marschall Rodolfo
ziani bei einer faschistischen Parade.

1943: Prälat Dr. Ivo Zeiger wird zum Fürsprecher Wolffs beim Vatikan. Seinem Einfluß ist es zu danken, daß Wolff sich zur vorzeitigen Kapitulation entschließt.

1944: Nicht nur seine Karriere sondern auch sein Leben gefährdet Wolff, als er hinter dem Rücken Hitlers und Himmlers Verhandlungen mit den westlichen Alliierten beginnt. Es ist aber auch seine einzige Chance, als engster Vertrauter Himmlers nicht am Galgen zu enden.

Pius XII. ermuntert Wolff, das Gespräch mit den westlichen Alliierten zu suchen.

den Industriebetrieben seines Bereiches abzweigen. Am 31. Januar 1945 verfaßte er das Begleitschreiben zu diesem »kleinen Beitrag meiner Dienststelle«. Himmler war seit einer Woche der Oberbefehlshaber der neu zusammenzustellenden Heeresgruppe »Weichsel«. Mit ihr sollte er ein riesiges Loch stopfen, das die Rote Armee aufgerissen und damit den Weg nach Pommern und Brandenburg geöffnet hatte. Ungeachtet dieser verzweifelten Lage benutzte Wolff die abgedroschenen NS-Phrasen: »Voller Stolz und Zuversicht schauen wir SS-Männer auf die gigantische Aufgabe und Verantwortung, die Ihnen der Führer in seinem unbegrenzten Vertrauen neu übertragen hat.«
Daß dieses Vertrauen auf Himmlers feldherrliche Fähigkeiten fehl am Platz war, zeigte sich schon nach wenigen Tagen. Dem Reichsführer-SS gelang es nicht, eine widerstandsfähige Front aufzubauen. In Niederlagen dezimierte er seine Divisionen. Zuvor schon war er als Feldherr am Oberrhein erfolglos geblieben. Zu beiden Aufgaben hatte er sich gedrängt, weil er damit Ruhm und Ansehen bei Hitler zu gewinnen hoffte. Einer seiner Rivalen um des Führers Gunst, der Reichsleiter Martin Bormann, hatte Himmlers Pläne gefördert und dabei auf dessen Versagen spekuliert. Mit Erfolg! Seitdem mied der Reichsführer-SS nach Möglichkeit das Führerhauptquartier und seitdem suchte er angstbeflügelt nach Möglichkeiten, sich der Welt als Friedensstifter zu erweisen, und zwar so, daß er auf Hitler die Verantwortung für alles Geschehene abwälzen konnte.
In seinem Auftrag konspirierte der in Verona stationierte SS-Gruppenführer und General der Polizei Dr. Wilhelm Harster hinter Wolffs Rücken mit italienischen Industriellen. Sie hatte Mussolini mit Sozialisierungsplänen verschreckt; deshalb intensivierten sie jetzt die Verflechtung ihrer Betriebe mit internationalen Konzernen. Himmlers Vorschlag lief darauf hinaus, die Kämpfe in Italien und Frankreich abzubrechen und die gesamte deutsche Wehrmacht gegen die antikapitalistischen Bolschewisten marschieren zu lassen, sofern sich die Westmächte diesem Kreuzzug gegen die Gottlosen anschließen würden. Das war keine neue Idee; viele Nazis spielten mit ihr. Wolff hatte sie auch schon dem Papst vorgetragen – sagte er.
Sie konnte jetzt, da die deutschen Streitkräfte sichtlich dem Zusammenbruch entgegengingen, erst recht keine Gegenliebe finden. Noch im August hatte Himmler in Posen verkündet, wer am Endsieg zweifle, werde unnachsichtig verfolgt. Andererseits hatte er inzwischen seinen SD-Chef Walter Schellenberg zu dem schwedischen Bankier Jakob Wallenberg geschickt, weil er von dessen Verbindungen zu westlichen Politikern profitieren wollte. Um solche Gesprächspartner zu gewinnen, war er auch bereit, mit dem ehemaligen Leipziger Oberbürgermeister Dr. Carl Goerdeler zusammenzuarbeiten, der als ein führender Kopf des Widerstandes gegen Hitler bei der Gestapo inhaftiert war. Um eines Drahtes willen zum amerikanischen Präsidenten Franklin D. Roosevelt wollte er sogar mit den Todfeinden der Arier paktieren; durch den SS-Standartenführer Kurt Becher ließ er ungarischen und Schweizer Juden anbieten, er lasse die Transporte in die Vernichtungslager stoppen, wenn ihm

die Chance zu Verhandlungen geboten werde. Die nicht expressis verbis ausgesprochene Basis bei allen seinen Vorschlägen war: Hitler muß über die Klinge springen.

11
»Wenn alle untreu werden . . .«

Wahrhaft treu im Sinn des Hitler geleisteten Eides waren gegen Ende des Jahres 1944 nur noch wenige höhere SS-Führer. Ihr Idol hatte nicht gehalten, was sie sich von ihm versprochen hatten. Solange er den Erfolg zu garantieren schien, hatten sie in Kauf genommen, was ihnen jetzt zunehmend mißfiel: die totale Diktatur im Innern, die Rücksichtslosigkeit nach außen, die persönlichen Gefahren, die Entbehrungen der Kriegszeit und die barbarische Verfolgung der Juden. Protestieren durften sie nicht; im Schwarzen Orden galten nur Befehle und Gehorsam. Die Mitgliedschaft zu kündigen war gefährlich, wenn nicht unmöglich; ein Orden ist schließlich kein Verein. Die unteren Chargen der Allgemeinen SS konnten wenigstens noch ihren Rausschmiß provozieren, indem sie ihren Dienst vernachlässigten. Doch schon deren obere Ränge, erst recht die hauptamtlichen Führer und die Soldaten der Waffen-SS riskierten die Freiheit und mehr, wenn sie das Koppelschloß mit der Inschrift »Unsere Ehre heißt Treue« ablegen wollten. Mangels anderer Möglichkeiten, den Unmut zu zeigen, gönnten sich SS-Führer mehr oder weniger leichte Verstöße gegen die Ordensregeln. Es war ihre Art zu zeigen, daß sie nicht mehr mit allem einverstanden waren, was Heinrich Himmler befahl.
Als des Reichsführers rechte Hand und erst recht als Günstling Hitlers konnte Wolff sich manche Ketzerei leisten. Er tat dies nicht etwa aus ernst gemeinter Gegnerschaft; er fühlte sich berufen, Willkür und Unrecht zu verhindern, und dann und wann machte es ihm schlichtweg Spaß, eine Insubordination vorzuführen, damit man merkte, was er für ein Tausendsassa war. Ein zeitgeschichtlicher Autor nennt ihn den »sunny boy« der SS. Er selbst hätte im Dritten Reich diesen Titel als suspekt abgelehnt, denn er geht zurück auf eine Schlagerschnulze aus einem US-Film, in dem ein weißhäutiger Sänger einen Farbigen mimt. Unser Recke aus Darmstadt wollte als ein Ritter ohne Furcht und Tadel gesehen werden, in der idealisierten Prägung, wie sie die Gymnasien in der wilhelminischen Epoche entwickelt hatten.
Damit war es unvermeidlich, daß auch der SS-Obergruppenführer und General der Polizei eines Tages eine Wegscheide erreichte, die ihn von seinen Vordermännern Hitler und Himmler wegführen mußte – anfänglich fast unmerklich, aber dann doch so permanent, daß der Gefolgsmann sich genötigt sah, einen eigenen Weg zu suchen. Rückerinnernd ist es schwierig, festzustellen, wann und

wo die Wege begonnen hatten, auseinanderzulaufen. Vielleicht geschah es schon im Januar 1943, als Wolff mit Himmler das Warschauer Getto besuchte und dort erleben mußte, wie weit das Hakenkreuz die Menschen entwürdigte. Vielleicht begann die Abkehr, als er im Frühjahr 1943 schwerkrank in Hohenlychen in einem Einzelzimmer lag, auf Himmlers Geheiß von seinen Kameraden abgeschnitten, als er in der Stille darüber nachsann, ob ihn wohl sein Reichsführer habe unauffällig durch eine Massage unter die Erde bringen lassen wollen. Er sah sich dann in seinen ketzerischen Anwandlungen gerechtfertigt, als er und Himmler mit Popitz und Langbehn über eine Systemänderung diskutierten. So oft hatte er das Leib- und Magenlied der SS mitgesungen: »Wenn alle untreu werden, so bleiben wir doch treu.« Wo waren jetzt die Treuen? Sie waren zumeist im Begriff, von einem Fahrzeug abzuspringen, das einem Abgrund entgegenrollte.

Blättert man in den »Persilscheinen« die Wolff als Beweis seiner »Guttaten« nach dem Krieg bei der Entnazifizierung und beim Münchner Schwurgericht vorgelegt hat, dann fällt auf, daß sich diese Renommiergeschehnisse in der Zeit seines italienischen Wirkens häuften. In seinem Brief an die geschiedene Ehefrau Frieda jubelte er über die endlich gewonnene Selbständigkeit. Beispielsweise konnte er nun einen Stabsoffizier des Heeres in Italien vor dem Kriegsgericht und vielleicht sogar vor einem Todesurteil retten. Der Offizier hatte anläßlich des Attentats in der »Wolfsschanze« nicht mit der nötigen Ehrfurcht von Hitler gesprochen und war deswegen von heldisch bewegten Leutnants gemeldet worden. Wolff ließ sich jedoch als Bevollmächtigter General und Gerichtsherr die Akten und den Angeschuldigten kommen. In einem konziliant geführten, langen Zwiegespräch, das nichts von einem Verhör an sich hatte, unterlegte er den Äußerungen des Offiziers einen so harmlosen Sinn, daß die Untersuchung eingestellt werden konnte.

Vom Bischof von Padua erhielt Wolff im März 1945 ein Dankschreiben, weil er einem italienischen Hilfsarbeiter bei der Feldpost das Leben gerettet hatte. Der Italiener hatte Päckchen gestohlen und damit deutsche Landser geschädigt – ein Sakrileg, das für den Ex-Gefreiten Hitler nur mit dem Tod hinreichend gesühnt werden konnte. Wolff sah ein, daß dies eine für die italienische Mentalität unbegreifliche Härte sein würde; er ließ sich durch die bischöfliche Bitte für eine Begnadigung gewinnen. Auch der Patriarch von Venedig, Kardinal Piazza, verfaßte ein Dankschreiben, weil der SS-Obergruppenführer eine Ordensschwester jüdischer Herkunft, die zum Christentum übergetreten war, davor gerettet hatte, in den Sog der Judentransporte zu geraten. Wolff schützte auch einen deutschen Landser vor dem Kriegsgericht, als ihn die Militärbürokratie zu vernichten drohte, weil er wiederholt Widerspruch gegen eine Bestrafung wegen »nachlässiger Erweisung des deutschen Grußes« erhoben hatte. Als Bevollmächtigter General würgte Wolff kurzerhand den ganzen Rattenschwanz von Anklagen ab, verhalf dem Soldaten zu seinem strafweise gesperrten Heimaturlaub und ließ ihn auch noch im Generalsauto bis zum Brennerpaß mitfahren.

Alle diese »Guttaten« (und viele mehr) präsentierte Wolff nach dem Krieg als

Nachweis, daß er in der schlechten Gesellschaft der SS immer ein guter Mensch geblieben war. Der Verdacht wäre abwegig, daß er das alles nur unternommen hatte, um sich ein Alibi für die düstere Zukunft zu schaffen; ihn befriedigte es, wenn er sich in der Rolle eines Mächtigen darstellen konnte, der dem Unrecht wehrt, gemäß dem damals häufig gebrauchten Grundsatz, wonach »unnötige Härten zu vermeiden sind«. Der amerikanische Historiker John Toland hat Wolffs Erzählungen ausgewertet und hat ihn auch ausführlich über sein Leben interviewt. Er charakterisierte ihn als einen »stattlichen, energischen, freilich auch einen ziemlich einfältigen Mann, der glühend an den Nationalsozialismus glaubte«. So einfältig kann Wolff jedoch nie gewesen sein, daß ihm alle Untaten der Nazis bis zuletzt verborgen geblieben sind. Er beruhigte sein Gewissen, indem er ihnen seine »Guttaten« entgegensetzte. Daß man sich damit einen »Personalkredit«, den Ruf eines anständigen Menschen erwerben konnte, hatten ihn schon Darmstadts bessere Kreise gelehrt. In der Zeit seiner Tätigkeit als Werbefachmann konnte er durch solche Gefälligkeiten den Kredit (wenn auch nicht den finanziellen) steigern, und als er schließlich in Stellen einrückte, in denen er Macht ausüben konnte, perfektionierte er sein System. Er war hilfreich, wo er nur konnte, auch kleinen Leuten gegenüber, denn jeder Fall schönte sein Konto.

Anders zu werten ist jedoch Wolffs historisch gewordene Teilnahme an jener Aktion, die eine Kapitulation der deutschen und italienischen Streitkräfte im Süden vorzeitig am 2. Mai 1945 in Kraft treten ließ. Sie ersparte Hunderttausenden Soldaten beider Seiten etwa fünf oder sechs Tage sinnlosen Tötens und Sterbens. Er selber hat dabei vielfach sein Leben riskiert, denn mehrfach geriet er in die Gefahr, als Hoch- oder Landesverräter sterben zu müssen, und mehrfach drohte ihm der Tod durch Feindflieger oder Partisanen. Davon wird noch die Rede sein müssen. Auch er selber bemühte sich ständig, diese Verdienste nicht in Vergessenheit geraten zu lassen – anders als jener alte Römer Coriolan, der es verschmähte, seinen Mitbürgern die Narben auf seiner Brust als Beweis für seine Verdienste vorzuzeigen.

Auch in diesem Fall hat der Erfolg, wie immer, viele Väter. Verdienste an jener Kapitulation nehmen auch noch andere für sich in Anspruch. So Dr. Rudolf Rahn, der Diplomat, so Dr. Eugen Dollmann, der Vielzweckintellektuelle in der SS, so der Heeres-General Hans Röttiger, so die Schweizer Dr. Max Husmann und Max Waibel, so der italienische Baron Luigi Parrilli, so der US-Bürger und deutsche Emigrant Gero von Schulze-Gaevernitz und noch einige Mitwirkende mehr. Etliche haben über das Geschehene ein Buch geschrieben. Andere haben Berichte in Zeitschriften veröffentlicht. Wolff ging zuletzt leer aus; über Tonbandabschriften und etliche Manuskriptblätter ist er nie hinausgekommen, trotz seiner Jagd nach Publizität.

Den Anstoß zum Unternehmen »Sunrise« – der Deckname »Sonnenaufgang« stammt vom US-Geheimdienst – gab im Grunde keiner dieser Männer, sondern ein Unbeteiligter, der darin einen Verrat sehen mußte, als er kurz vor seinem Tod davon erfuhr: Benito Mussolini. Er wollte, als das Jahr 1944 zu Ende ging, von Wolff erfahren, wie eigentlich dieser Krieg gemäß den Versprechungen Hitlers noch siegreich zu beenden sei. Darin sah der Obergruppenführer einen Anlaß, sich um Klärung dieser Frage nachdrücklich zu bemühen. Von der Aktion, die daraus entstand, erfuhr ihr Verursacher nur das allerwenigste, weil Wolff fürchtete, Mussolini werde Hitler darüber informieren.

Es spielte eben in jenen unsicheren Zeiten jeder nicht nur sein eigenes Spiel, sondern gleichzeitig auch ein doppeltes. So pflegte, wie es sich später herausstellte, Mussolini während des Kriegs eine briefliche, wenn auch nur sporadische Verbindung mit dem englischen Premierminister Winston Churchill, und die Belege dafür führte er noch in seinem letzten Fluchtgepäck mit sich. Wollte er diese Verbindung nutzen, dann durfte ihm Wolff mit einer Beendigung des Krieges nicht zuvorkommen.

Das Verhältnis zwischen den beiden war gegen Ende des Jahres 1944 ohnehin nicht mehr so herzlich, wie es begonnen hatte. Der Ratgeber und Beschützer hatte sich zunehmend als Aufpasser erwiesen. Er mußte damit um so lästiger werden, als der Scheinherrscher Rest-Italiens die deutsche Bevormundung abstreifen wollte. Er hatte seinen Staat gegen den Willen Hitlers »Soziale Republik Italien« genannt – wobei auch die Übersetzung »Sozialistische« zulässig gewesen wäre. Er hatte sogar die Absicht verkündet, die Großindustrie zu verstaatlichen. Es war eine Art Rückfall; sein Einstieg in die Politik hatte auf der äußersten Linken stattgefunden, bei den Anarcho-Kommunisten. Nun zitterten in seinem Land die Kapitalisten, er könne mit den illegalen Roten gemeinsame Sache machen. Außerdem plante er, seinen Innenminister Buffarini zu entlassen. Von diesem korrupten Parteifunktionär nahm er mit Recht an, daß er Wolff und Rahn stets mit den neuesten Nachrichten aus der faschistischen Schlangengrube belieferte. Er beschloß sogar, aus seinem Polit-Treibhaus am Gardasee auszubrechen in die rauhe Luft der italienischen Wirklichkeit, also zum Volk zurückzukehren. Mailand war die größte Stadt unter den noch verbliebenen; dort wollte er sich eine neue Basis schaffen. Am 16. Dezember 1944 hielt er hier eine Rede, bejubelt wie in seinen besten Diktatorzeiten, in der er untergründig, aber verständlich gegen Hitler auftrumpfte, indem er die Leistungen und Leiden Italiens für das Bündnis herausstrich und vor den Deutschen warnte, weil sie sich schrecklich zu rächen pflegten, wenn Italiener ihnen in den Rücken fallen wollten.

Neben dem Versuch, bei den Arbeitern wieder an Boden zu gewinnen, umwarb er auch in aller Stille den Klerus. Über den Mailänder Erzbischof Kardinal Ildefonso Schuster suchte er eine Verbindung zum Vatikan und weiter zu den Alliierten und außerdem zu den Partisanen. Auch dabei war wiederum Wolff sein Konkurrent, denn der SS-Standartenführer Walther Rauff, oberster SD-Chef der Region, war beauftragt, sich in der gleichen Richtung zu bemühen. Dessen SS-Vergangenheit prädestinierte ihn allerdings schlecht für eine menschenfreundliche Aktion; er hatte im Osten zeitweise den Einsatz jener Gaswagen geleitet, in denen Häftlinge der Venichtungslager durch die Abgase des Motors getötet wurden. Für den Einsatz in Italien jedoch, fand Wolff, habe

Rauff eine Belohnung verdient; er schlug ihn wenige Wochen vor Kriegsende für das Deutsche Kreuz in Gold vor. Um diese Zeit – der kleine zeitliche Sprung sei erlaubt – waren die Beziehungen zwischen Wolff und dem italienischen Staatschef auf unverbindliche Kälte abgesunken. Sie belogen einander durch Verschweigen und täuschten sich gegenseitig durch Finten. Als dann im Februar 1945 Buffarini einen Nachfolger bekam, fiel für Wolff diese Informationsquelle aus. Dafür wurde Mussolini von nun an noch schärfer überwacht. Anfang März meldete sich bei ihm der Kriminalbeamte Otto Kisnat als Leibwächter und als ein Geschenk Himmlers. Er war erfahren im Dienst hoher Herren, und da er mit seinem Leben für die Unversehrtheit seines Schützlings bürgen müsse, begehrte er, ständig in dessen Nähe zu sein.

Ehe Wolff seine Bemühungen über Kontakte nach Westen startete, wollte er wissen, wie weit er damit gefahrlos gehen und was er dabei bieten konnte. Deshalb flog er nach Berlin, wohin Hitler seit dem 16. Januar 1945 sein Hauptquartier verlegt hatte. Wenn nicht gerade Fliegeralarm war, empfing der Diktator seine Besucher in dem noch immer unbeschädigten riesigen Arbeitszimmer der Reichskanzlei. Als Wolff über die Situation in Italien berichtete, war Ribbentrop dabei. An diesem 6. Februar waren beide Besucher begierig zu erfahren, wie es mit Deutschland nun weitergehen könnte. Im Westen stand der Feind schon auf deutschem Boden, die Ardennenoffensive war gescheitert und hatte die letzten Reserven an Menschen und Material aufgezehrt, Ostpreußen war abgeschnürt, die Rote Armee hatte die Oder erreicht, täglich und nächtens zerbombten feindliche Flugzeuge die Städte und die mit großem Tamtam eingesetzten Raketenwaffen V1 und V2 hatten nicht in dem Maße gewirkt, wie man es sich versprochen hatte. Wolff hatte bereits jede Hoffnung auf eine Wunderwaffe abgeschrieben, obwohl Hitler in Andeutungen von einem Vernichtungsinstrument sprach, das so entsetzlich in seiner Wirkung sei, daß er es nur in der größten Not einsetzen werde. Gemeinsam mit Ribbentrop plädierte Wolff, man müsse es nun parallel zu den militärischen Anstrengungen auch mit einer politischen Lösung versuchen. Vielleicht ließen sich jetzt die Feinde entzweien und gegeneinander aufbringen.

Hitler schwieg dazu, blieb freundlich und lehnte den Vorschlag nicht ausdrücklich ab. Seine beiden Besucher leiteten daraus ab, daß er ihnen bedingt freie Hand für Bemühungen um Kontakte gegeben habe. Ribbentrop rechnete damit, daß ihm schwedische Diplomaten die nötigen Verbindungen verschaffen könnten. Wolff rief nach seiner Rückkehr an den Gardasee am 8. Februar seine Offiziere aus Wehrmacht und SS zusammen und befahl, daß ihm jede Andeutung eines Kontaktes mit dem Feind unverzüglich zu melden sei. Daraufhin berichtete der SS-Obersturmbannführer Guido Zimmer, tätig beim SD in Mailand, daß er sich in letzter Zeit mehrfach mit einem Vertreter der italienischen Industriellen, dem Baron Luigi Parrilli, über die Lage unterhalten habe und daß sie dabei auch über die Zerstörungen gesprochen hätten, die für den Fall eines deutschen Rückzuges das italienische Industriepotential vernichteten, auch dessen Schweizer Freunde seien tief besorgt, weil damit ihr Nachschub aus

Genua und anderen Mittelmeerhäfen unterbunden würde. Unwirksam werde auch der Verbund der Schweizer Wasserkraftwerke in den Alpen mit den Stromlieferanten in Italien. Das Internationale Großkapital befürchte neben den Zerstörungen von Betrieben in Italien auch Milliardenverluste in der Schweiz. Die italienische Wirtschaft sei zudem noch von der Sozialisierung bedroht – zunächst noch durch den sich radikal gebärdenden Mussolini und auf weite Sicht durch die künftigen Befreier, die nicht ahnten, daß sich gleich hinter ihrem Rücken ein roter Gürtel bilden würde, der sich vom Süden Frankreichs über Norditalien bis zu den Partisanen Titos und in den unruhigen Balkan hinziehen werde.
Da auch Wolff eine solche Entwicklung nicht wünschte und weil er in diesen Argumenten einen Ansatz sah, der die Feinde entzweien könnte, bekam Parrilli die Erlaubnis, in die Schweiz zu reisen. Er traf sich am 21. Februar 1945 mit Dr. Max Husmann, der unweit Luzern ein bekanntes Schulinternat für Söhne aus reichem Haus betrieb. Die beiden kannten sich so gut, daß der Schweizer bei seiner Regierung für Parrilli eine Kaution von 10000 Franken als Garantie dafür hinterlegte, daß sich kein unerwünschter Zuzug in die Eidgenossenschaft einschleiche. Husmann war seinerseits befreundet mit Max Waibel, Berufssoldat und damals Major im Schweizer Geheimdienst. Waibel wiederum pflegte dienstlichen Umgang mit dem Amerikaner Allan W. Dulles, der in Bern eine mitteleuropäische Zentrale des US-Geheimdienstes OSS (Office of Strategic Services) leitete. Er war der Bruder des späteren Außenministers John Foster Dulles und galt in der Schweiz als Abgesandter des Präsidenten Roosevelt.
Ein Mann in solchem Amt muß bestrebt sein, unauffällig zu wirken. Doch die Gestapo und der SD wußten, daß Kreise des deutschen Widerstandes schon mehrfach bei Dulles vorgesprochen hatten, unter anderem auch der Rechtsanwalt Dr. Langbehn. Dulles wußte andererseits, daß der Chef des SD, Walter Schellenberg, mit dem Oberst Roger Masson vom Schweizer Geheimdienst gelegentlich Nachrichten austauschte und daß von ihnen ein Konkurrenzunternehmen gegen Parrillis Pläne gestartet werden sollte. Doch bisher waren Schellenbergs Vorschläge stets als unseriös abgewiesen worden. Diese Erfahrungen bewogen Dulles, ein Gespräch mit Parrilli, der sich ja auch auf die SS berief, zunächst einmal abzulehnen, obwohl der Baron sowohl Waibel wie Husmann versichert hatte, die SS sei in Italien anders als anderswo.
Immerhin wünschte Dulles, daß seine Schweizer Freunde das Gespräch fortsetzten, und er schickte dazu auch einen seiner Mitarbeiter, den in der Schweiz lebenden emigrierten Deutschen und jetzigen US-Bürger Dr. Gero von Schulze-Gaevernitz. Als Parrilli ihm gegenüber erwähnte, daß einer seiner Auftraggeber bei der SS der Kunsthistoriker Dr. Dollmann aus Rom sei, wurde die Atmosphäre im Gespräch freundlicher. Dollmann und Gaevernitz kannten sich aus früheren Jahren; der letztere war ein Verwandter der Ruhrindustriellenfamilie Stinnes, die vor 1933 Hitler mit hohen Geldbeträgen finanziert hatte, deren Familienchef aber dann mit dem deutschen Reichskanzler zerfallen war und ein Buch mit dem Titel »Ich bezahlte Hitler« veröffentlicht hatte. Parrilli bekam den

Auftrag, den SS-Führern klarzumachen, daß es entsprechend den Beschlüssen der Konferenz von Casablanca – im Januar 1943 – keine Friedensverhandlungen geben werde. Nur eine bedingungslose Kapitulation sei möglich. Parrilli vermied es, gerade diesen Punkt seinen Gewährsleuten zu berichten, denn sie hätten sich sonst kaum entschließen können, das Gespräch fortzusetzen.
Wolff und seine Mannschaft ahnten nicht, daß ihnen ein weiterer Konkurrent den Rang ablaufen wollte. SS-Gruppenführer Ernst Kaltenbrunner, oberster Chef der Polizei und des SD, schickte einen seiner Spionage-Spezialisten, den Sturmbannführer Wilhelm Höttl, wie Kaltenbrunner Österreicher von Geburt, zu Dulles und ließ ihm über einen weiteren Mittelsmann die Kapitulation der deutschen Streitkräfte auf österreichischem Boden anbieten. Als Gegenleistung forderte er, daß diese Gebiete nach Kriegsende einen Sonderstatus bekämen und nicht in das große Strafgericht gegen die Nazis einbezogen würden. In Bern erkannte Höttl natürlich, daß er eine solche Kapitulation überhaupt nicht durchsetzen konnte; sein Angebot wurde nicht ernst genommen. Später würde sich Wolff noch einmal mit dieser Idee auseinandersetzen müssen.
Am 27. Februar war Parrilli wieder in Mailand und berichtete dem Obersturmbannführer Zimmer, der seinerseits den in Verona residierenden SS-Gruppenführer und General der Polizei Dr. Wilhelm Harster informierte. Wie rasch nun die nächsten Etappen der Aktion aufeinander folgten, verrät, daß allen Beteiligten der Boden unter den Füßen brannte. Harster wollte Wolff schnellstens benachrichtigen, daß es möglich sei, mit Dulles ins Gespräch zu kommen, doch als er am Gardasee anrief, erfuhr er, der Obergruppenführer sei nach einer Besprechung mit Generalfeldmarschall Kesselring in dessen Hauptquartier derzeit auf dem Heimweg. Wolff mußte dabei durch Verona kommen. Harster hatte es so eilig, seine Neuigkeit loszuwerden, daß er sich auf einer Ausfallstraße von Verona postierte und dort auf Wolff wartete. Da Rahn auch gleich mitkam, konnten die drei ihren Kriegsrat auf der Straße halten. Sie beschlossen, am folgenden Tag am Gardasee über die nächsten Schritte weiter zu beraten. Sie trafen sich am 28. Februar abends: Wolff, Harster, Rauff aus Mailand und Zimmer, SS-Männer unter sich. Der Diplomat Rahn wünschte im Hintergrund zu bleiben und nur mit Ratschlägen mitzuwirken, weil seine Beteiligung den Anschein erwecken könnte, als sollten die Verhandlungen über militärische Abmachungen hinausgehen. Beschlossen wurde, daß Dollmann und Zimmer am 3. März mit Parrilli in die Schweiz reisen würden.
Am Tag vor ihrer Abreise wurde der Generalfeldmarschall Kesselring, den doch das Vorhaben in erster Linie anging, von Rahn in das Geheimnis eingeweiht, daß zwei Kundschafter der SS zum Feind geschickt würden. Der ranghöchste Soldat in Italien wollte mit der Angelegenheit nichts zu tun haben. Er werde den Eid, den er Hitler persönlich geschworen habe, nicht brechen, und er werde nie ein Verräter sein. Rahn erreichte schließlich nach langer Rede, daß Kesselring nichts gegen die Verhandlungen unternehmen wollte. Beim Abschied wünschte er Rahn mit einem kalten Lächeln Erfolg.
Von Parrilli angekündigt, fuhren am 3. März Dollmann und Zimmer in die

Schweiz. Husmann holte sie an der Grenze ab und brachte sie nach Lugano. Unterdessen traf sich Waibel mit einem Vertrauensmann von Dulles, der sich die Vorschläge der Deutschen anhören, aber keineswegs darüber verhandeln durfte. Ehe er am frühen Nachmittag in Lugano eintraf, nutzten Husmann und Parrilli die leeren Stunden, um die SS-Führer auf das vorzubereiten, was auf sie zukommen würde: die Forderung nach der bedingungslosen Kapitulation. Dollmann protestierte erst einmal empört: Er sei kein Verräter! Doch nach stundenlanger Diskussion gab er sich geschlagen und stimmte Husmann zu: Ja, der Krieg ist unabänderlich verloren; ja, das Bündnis Washington-London-Moskau ist untrennbar; ja, ihm ist bekannt, daß niemand mit Hitler oder Himmler verhandeln möchte; ja, es geht jetzt nur um Kesselrings Soldaten der Heeresgruppe C; ja, der Sinn der Aussprache kann nur sein, den Deutschen eine Katastrophe gigantischen Ausmaßes zu ersparen.
Beschränkt durch das Diktat dieser fünf Grundsätze, dauerte das Gespräch mit dem Dulles-Beauftragten Paul Blum nur zwanzig Minuten. Parrilli und seinen Begleitern wurde gesagt, nur in diesem Rahmen seien weitere Unterhaltungen sinnvoll. Für den Fall, daß es dazu kommen sollte, übergab Blum den SS-Führern zwei Zettel. Auf jedem stand ein Name: Ferrucio Parri, Antonio Usmiani. Es waren ein Widerstandskämpfer und ein US-Agent, die vor kurzem den Deutschen in die Hände gefallen waren und nun als Todeskandidaten in italienischen Gefängnissen saßen. Es sei der Wunsch, aber keine Forderung von Dulles, daß sie freigelassen würden. Wolff könne damit beweisen, daß es ihm mit seinem Vorhaben ernst und daß er in der Lage sei, etwas zu bewirken.
Dulles und Gaevernitz bekannten später: »Wir nahmen beide an, Dollmann werde wahrscheinlich nichts mehr von sich hören lassen.« Sie irrten gründlich. Schon drei Tage später, am 6. März, kam Parrilli und kündigte an, der Höchste SS- und Polizeiführer Italien, der Bevollmächtigte General der Wehrmacht in Italien, der Befehlshaber im rückwärtigen Frontgebiet und Leiter der Militärverwaltung SS-Obergruppenführer und General der Waffen-SS Karl Wolff (so zu lesen auf der Visitenkarte) werde in zwei Tagen eintreffen. Er stand am 8. März in ziviler Kleidung am frühen Vormittag an der Schweizer Grenze, begleitet von Dollmann, Zimmer, Parrilli und Wolffs Adjutant, dem Obersturmbannführer Eugen Wenner. Sie hatten zwei weitere Männer mitgebracht; der eine war Parri, in Partisanenkreisen General Maurizio genannt und später Ministerpräsident von Italien, der andere war Usmiani.
Waibel hatte am Grenzbahnhof Chiasso alles für ihr Kommen vorbereitet. Telefonisch meldete er Gaevernitz die Sensation: Parri und Usmiani waren »in guter Verfassung« einem Offizier des Schweizer Geheimdienstes übergeben worden und auf Schweizer Boden. Sie wurden zweckmäßigerweise in einer Züricher Klinik versteckt – nicht, weil ihre Gesundheit dies erforderte, sondern weil ihre Anwesenheit die Aktion vorzeitig verraten hätte. Waibel hatte außerdem für die Gruppe der Deutschen im Gotthard-Expreß nach Zürich zwei Abteile reserviert, in denen sie abgeschlossen und hinter zugezogenen Vorhängen reisen konnten. Denn Wolffs Foto war wiederholt in Schweizer Zeitungen

erschienen, und die politischen Folgen waren unabsehbar, wenn die Welt erfuhr, daß einer der höchsten SS-Führer in Zürich mit den Amerikanern konferierte. Husmann war von Berufs wegen gewohnt, belehrende Vorträge zu halten, und weil er fand, daß Wolff noch nicht hinreichend für ein Gespräch mit Dulles präpariert sei, setzte er sich mit ihm allein in eines der Abteile. Ausführlich redete er über das Sündenregister Hitlers, der Nationalsozialisten und natürlich im besonderen über dasjenige der SS. Angeblich hat Wolff erst dabei erfahren, daß Millionen Juden systematisch und millionenfach in Vernichtungslagern ermordet worden waren. Es klingt zwar unwahrscheinlich, daß einer der maßgebenden Führer der SS, zeitweilig Himmlers rechte Hand, und jahrelanges Mitglied des Führerhauptquartiers, daß ausgerechnet ein Mann mit Wolffs vielseitigen Verbindungen im Dritten Reich das deutsche Staatsgeheimnis Nummer Eins erst kurz vor Kriegsende und durch einen Schweizer Schulmann erfahren haben soll. Es scheint jedoch, als habe Husmann, beeindruckt durch Wolffs mit einem Ehrenwort beschwerten Versicherungen, dessen Behauptung Glauben geschenkt. Mißtrauischer war er in anderer Hinsicht. Mehrmals und eindringlich mußte Wolff beteuern, daß er weder von Hitler noch von Himmler in diese Verhandlungen geschickt worden sei. Dabei bediente er sich freilich eines kleinen geistigen Vorbehalts: Immerhin fühlte er sich von Hitler zu diesem Kontakt ermächtigt. Daneben gab es noch etwas, was Wolff noch gar nicht wußte: Auch Himmler war ziemlich im Bild, denn der Polizeigeneral Harster hatte seinem unmittelbaren Vorgesetzten Kaltenbrunner gemeldet, daß Parrilli von Wolff in die Schweiz geschickt worden war.
Ehe Wolff sich auf die Reise begeben hatte, hatte er sich mit Rahn besprochen. Der Diplomat hatte ihm einen Brief gezeigt, in dem Rahns Schweizer Vertrauensmann meldete, Dulles sei zu Verhandlungen mit Deutschen bereit. Rahn: »Wolff wollte selbst verhandeln. Ich hatte nichts dagegen. War es nicht ein richtiges Symbol, daß der erste aussichtsreiche Schritt zur Beendigung des Krieges von einem höheren SS-Offizier unternommen wurde?« Wollte Rahn damit sagen, daß die SS nun eine Suppe bevorzugt auszulöffeln habe, die sie zu einem wesentlichen Teil mit eingebrockt habe? Rahn weiterhin: »Meine eigenen Bedenken, derart heikle Verhandlungen durch einen in politischen Gesprächen wenig Erfahrenen führen zu lassen, hatte ich damit beschwichtigt, daß ich ihm eine handschriftliche Aufzeichnung als Unterlage für seine Gespräche mitgegeben hatte.« Sie enthielt den Vorschlag, die Alliierten sollten ihre geplante Großoffensive vorläufig zurückstellen, damit Rahn und Wolff Zeit fänden, Kesselring und seine Heeresgruppe für eine Kapitulation zu gewinnen. Dafür würden die deutschen Divisionen sich bei hinhaltendem Widerstand langsam aus Italien absetzen, ohne etwas zu zerstören. Jenseits der deutschen Grenze sollten die Soldaten der Heeresgruppe dann kapitulieren, aber die Waffen noch so lange behalten dürfen, bis die Gefahr von Gewalttaten und Plünderungen in der Heimat durch die freiwerdenden Massen ausländischer Zwangsarbeiter vorüber sei. Nach kurzer Internierung sollten die Soldaten dann aus der Gefangenschaft ins Zivilleben entlassen werden.

Mit diesem Vorschlag war Wolff dann auch bei Dulles angetreten, doch er war eine Utopie. Wer das Kriegsende erlebt hat, kann ermessen, um wieviel schlechter es das Schicksal mit den Soldaten der Italien-Armee gemeint hat. Der selbstbewußte Verhandler Rahn hätte gewiß auch nicht mehr erreicht als Wolff, und auch ihm gegenüber wurde das wenige, was man ihm versprochen hatte, nicht gehalten. Wer bedingungslos kapituliert, muß eben jede Willkür des Gegners in Kauf nehmen. Eine andere Frage ist es, ob er selber diese Willkür nicht jahrelang praktiziert hatte.

Das harte Gespräch mit Husmann im Eisenbahnabteil hatte Wolff ziemlich mitgenommen, und als die Lokomotive sich gar im Schnee festgefahren hatte, wurde er noch nervöser, denn er war dadurch gezwungen, einige hundert Meter auf dem Bahnkörper zu Fuß zu gehen und in einen Ersatzzug umzusteigen. Er durfte nicht erkannt werden, wenn nicht alle Beteiligten in Schwierigkeiten geraten sollten. Auch Waibel riskierte sehr viel; er hatte weder einen Vorgesetzten noch ein Regierungsamt über seine private Staatsaktion informiert, mit der die Schweizer Neutralität verletzt wurde – und das auch noch illegal, unter Mißbrauch geheimdienstlicher Institutionen und Privilegien. Auch die vier SS-Führer und der italienische Baron atmeten auf, als sie zunächst in Husmanns Züricher Wohnung verschwinden konnten.

Zu dieser Stunde war Dulles noch keineswegs entschlossen, mit Wolff zu sprechen. Er fürchtete, dieses Gespräch könnte benutzt werden, um einen Keil zwischen die Westmächte und die Sowjetunion zu treiben. Blieb das Treffen ohne Resultat und wurde es dennoch bekannt, dann beschuldigte man den US-Geheimdienst, mit dem weltweit berüchtigten Schwarzen Orden gekungelt und ihn damit aufgewertet zu haben. Doch Husmann fühlte sich als Mitgestalter an der Weltgeschichte. Er war von seiner Mission so überzeugt, daß es ihm gelang, Dulles umzustimmen. Im Auftrag Wolffs übergab er dem Amerikaner (laut Dulles) »erstaunliche Dokumente in deutscher Sprache, an die Wolffs Visitenkarte mit seinen sämtlichen Titeln geheftet war«. Es waren Leumundszeugnisse, die man in Deutschland später »Persilscheine« nannte und von denen in dieser Biographie schon etliche erwähnt wurden. Hier dienten sie als Kreditbriefe. Außer auf diese »Guttaten« berief sich Wolff darauf, daß er in Italien die Bombardierung Roms nach dem Abzug der Deutschen verhindert, daß er eine Menge Kunstwerke vor der Vernichtung gerettet und zusammen mit der Münzensammlung des italienischen Königs in Sicherheit gebracht, daß er in Norditalien einen Generalstreik unblutig beendet, daß er eine Amnestie veranlaßt und damit den italienischen Arbeits- und Wehrdienstverweigerern die Rückkehr in die bürgerliche Legalität ermöglicht habe. Als Referenz für Auskünfte über seine Person nannte er an erster Stelle den »früheren Stellvertreter des Führers Rudolf Heß, zur Zeit Kanada«, dahinter gleich den »gegenwärtigen Papst: Audienz im Mai 1944« und nachfolgend eine Anzahl katholischer Kirchenmänner und italienischer Adeliger.

Der US-Geheimdienst unterhielt in Zürich eine geheime Wohnung. Husmann führte Wolff dorthin, sollte aber bei dem Gespräch zwischen Dulles, Gaevernitz und dem SS-General nicht anwesend sein. Dem Deutsch-Amerikaner gelang ein freundlich stimmender Beginn: Eine gemeinsame Bekannte, die Gräfin Podewils, habe ihm erzählt, daß Wolff vor Jahr und Tag auf ihre Bitte hin den katholischen Philosophen Romano Guardini vor einer Untersuchung durch die Gestapo bewahrt habe. Für Wolff, seit jeher ein Sammler adeliger Bekanntschaften, bedeutete die Erwähnung dieses Namens, daß er wieder etwas festeren Boden unter seine großen Füße bekam. Seine erregte Gespanntheit – so stellten die Gastgeber fest – lockerte sich zusehends. Als ihm dann noch ein Glas Whisky angeboten wurde, empfand er es nicht mehr als diskriminierend, daß ihm niemand die Hand zum Gruß geboten hatte. Auch stimmte es ihn zufrieden, daß man in deutscher Sprache verhandelte; er verstand kein Englisch.

Einmal mehr mußte er versichern, daß für ihn die deutsche Niederlage total und unabwendbar sei und auch daß er nicht auf eine Trennung der Verbündeten spekuliere. Er gab zu bedenken, daß er nur die SS- und die Polizeiverbände befehlige. Sollten auch die Soldaten der Heeresgruppe C und damit die eigentlichen Streitkräfte in Italien die Waffen strecken, müsse er den Generalfeldmarschall Kesselring dafür gewinnen. Er hoffe jedoch sehr, daß sein Einfluß als politischer Berater dafür ausreiche. Seine offen bekundete Abkehr von Hitler, Himmler und allen NS-Doktrinen ließen in Dulles den Eindruck entstehen, daß er es mit einem ehrlichen Soldaten und nicht mit einem fallenstellenden Politiker zu tun habe. Er wurde zunehmend freundlicher. Gaevernitz sah den Waffenstillstand schon in wenigen Tagen erreichbar. Euphorisch versicherte Wolff: »Meine Herren, wenn Sie etwas Geduld haben, überreiche ich Ihnen Italien auf einem silbernen Tablett.«

Zu einem zweiten Gespräch am folgenden Tag kam Dulles nicht mehr; er schickte Gaevernitz allein. Wolff zog Dollmann hinzu. Beredt schilderte er seinen Plan. Gemeinsam mit Rahn und Kesselring könne er den Krieg schnell beenden, indem sie nicht nur den Waffenstillstand unterzeichneten, sondern durch den Rückzug bis nach Süddeutschland zugleich auch verhinderten, daß Hitler sich in der vielbesprochenen Alpenfestung noch einmal festsetzte. Durch Aufrufe würden sie weitere Armeen für die Kapitulation gewinnen. Schon jetzt werde er in seinem Bereich alle Juden, die noch in Haft seien, in die Schweiz entlassen. Sobald er wieder in Südtirol sei, werde er Kesselring in dessen Hauptquartier aufsuchen. Möglicherweise könne der Generalfeldmarschall schon in einer Woche mit alliierten Generälen zusammentreffen.

Bald zeigte sich, daß Wolff in seinem chronischen Optimismus den Mund zu voll genommen hatte. Als er am 9. März, also am nächsten Tag, wieder über die Grenze nach Italien kam, empfing ihn an der Bahnstation Rauff mit einer Aufforderung Kaltenbrunners, er möge sofort zu ihm nach Innsbruck kommen. Wolff hielt dies für wenig ratsam; er ließ entschuldigend sagen, es sei durch seine Abwesenheit zuviel Arbeit liegengeblieben. Auch wenn ihm Kaltenbrunner nichts befehlen konnte, so war der Chef der Sicherheitspolizei doch befugt, einen gleichrangigen SS-Kameraden verhaften zu lassen, sobald dieser im Reichsgebiet und damit in Reichweite der Gestapo war. Auch mußte Wolff

damit rechnen, daß Himmler von ihm Rechenschaft über die Reise in die Schweiz fordern würde. Als Ausflucht hatte er sich zurechtgelegt, er habe zum 20. April, Hitlers 56. Geburtstag, ein Geschenk beschaffen wollen: SS-Obersturmbannführer Max Wünsche, des Führers liebster Adjutant, war bei einem Fronteinsatz, der eigentlich der Ordenserlangung dienen sollte, in westliche Gefangenschaft geraten, und ihn wollte er angeblich im Tausch für Parri freibekommen. Um diese Version zu stützen, mußte Parrilli noch schnell ein weiteres Mal in Zürich vorsprechen und das Tauschgeschäft wenigstens vorschlagen.
Noch gravierender war, daß Kesselring an eben diesem 8. März ins Führerhauptquartier gerufen worden war und daß er, wie sich bald zeigte, den Befehl über die Westfront übernehmen mußte. Vorläufig vertrat ihn in Italien der Chef seines Stabes, General Hans Röttiger, in dem Wolff einen Gleichgesinnten vermutete. Es war aber zu erwarten, daß ein neuer Oberbefehlshaber bald eintreffen würde. Programmwidrig war auch der Verdacht, Mussolini bereite eine Flucht im Flugzeug nach Spanien vor. Das bedeutete für Wolff mehr Zeitaufwand und erhöhte Wachsamkeit.
Als Parrilli diese Nachrichten zu Dulles brachte, schrumpfte dessen Vertrauen zu Wolff um einige Grade. Der Mann vom Geheimdienst bemängelte: Alle diese Widrigkeiten trafen Wolff unvorbereitet. Er meinte: »Ich konnte daraus nur schließen, daß Wolff sich entweder für mächtiger hielt, als er war, daß er glaubte, seine Position bei Himmler oder Hitler sei immer noch so stark, daß er in ihren Augen keinen Fehler begehen könnte. Oder, was von unserem Standpunkt aus gefährlicher war: Er hatte den ganzen Fall nicht durchdacht.«
Andererseits versprach sich Dulles einiges von Wolff. Deshalb ließ er in den alliierten Gefangenenlagern nach Max Wünsche suchen. Er wurde zwar gefunden, aber er war bereits nach Kanada gebracht worden, und damit war es schwierig, ihn herbeizuschaffen. Wolff bat um einen Ersatzmann, irgendeinen prominenten und ordensgeschmückten Parteigenossen. Doch seine Sorge war unnötig. Niemand machte ihm Vorwürfe. In Berlin hatten sie andere Sorgen. Nur Mussolini regte sich auf, als er hörte, Parri laufe frei herum.
Während der folgenden Tage war Parrilli nahezu pausenlos zwischen Schweiz und Gardasee unterwegs. So berichtete er Dulles, daß Wolff gleich nach seiner Ankunft alle hochrangigen Führer der SS seines Bereiches zu einer Befehlsausgabe herbeibeordert hatte, bei denen ihnen alle Gewaltaktionen untersagt wurden. Sogar Partisanen sollten ungeschoren bleiben, sofern sie nicht angriffen. Dulles erfuhr, daß Wolff jetzt auf den Nachfolger Kesselrings warte: »Sollte es keinen anderen Weg geben«, ließ der SS-General sagen, »dann bin ich auch bereit, allein zu handeln.« Er war wohl zur Überzeugung gekommen, er habe sich schon so weit vorgewagt, daß es für ihn kein Zurück mehr gäbe. Für diesen Fall wollte er einen Plan aller jener Orte liefern, die seiner Befehlsgewalt unterlagen, wo er also Landungen von alliierten Marine- oder Luftstreitkräften unterstützen konnte. Durch sie würde der Krieg zwar nicht gleich beendet, aber sein Ende doch beschleunigt herbeigeführt.
Nichts davon wurde schriftlich übermittelt. Nach altem Geheimdienstbrauch

mußte der Bote Parrilli die Texte jeweils auswendig lernen. So auch Wolffs Bitte, man möge der alliierten Luftwaffe befehlen, nicht mehr Jagd auf einzeln fahrende Kraftwagen im Bereich von Gardasee und Mailand zu machen. Nur mit viel Glück war Wolff unversehrt geblieben, als sein Auto auf einer Landstraße aus der Luft beschossen, sein Fahrer verwundet und der Wagen zerstört wurde. Ohne ihn, so ließ er Dulles wissen, sei eine Kapitulation in Italien nicht zu erreichen.
Auch Dulles bekam Schwierigkeiten. Nachdem er das Ergebnis seiner Züricher Gespräche vom 8. und 9. März dem Hauptquartier in Caserta bei Neapel gemeldet hatte, war man dort plötzlich aktiv geworden. Dulles erfuhr, der britische Generalmajor Terence S. Airy und der US-Generalmajor Lyman L. Lemnitzer seien unterwegs nach Lyon im befreiten Frankreich, und es sei seine Aufgabe, sie als Verhandlungspartner der Deutschen in die Schweiz einzuschleusen. Mit Waibels Hilfe gelang das auch. Von den Generälen erfuhr Dulles, daß inzwischen Moskau von den bevorstehenden Verhandlungen unterrichtet worden war. Er glaubte nun der Sorge ledig zu sein, daß die Sowjetunion Verrat hinter seinem Tun wittern könne. Wie sehr er sich dabei irrte, bekam er bald zu spüren. Einen Vorgeschmack davon erhielt er gleich. Stalin verlangte, daß die Rote Armee an den Kapitulationsverhandlungen teilnehme – womit die Westmächte auch einverstanden waren. Er forderte aber, daß drei seiner Generäle zuzulassen seien. Es würde schon schwierig und für Waibel unzumutbar sein, einen Sowjetgeneral getarnt über die Grenze zu schaffen. Und nun gar drei davon aus einem Land, zu dem die Schweiz nicht einmal diplomatische Beziehungen unterhielt? Mit den angelsächsischen Generälen war der Fall einfach: Sie traten als Unteroffiziere einer amerikanischen Einheit auf, die ihren Urlaub in der Schweiz verleben möchten.
Die beiden Unterhändler aus Caserta nahmen mangels Besserem mit Wolff vorlieb, als er mit einigen Begleitern am 19. März nach Ascona kam. Der Ort am Lago Maggiore wurde für das Generalstreffen – das erste zwischen den Kriegführenden – gewählt, weil Gaevernitz' Schwager Edmund H. Stinnes dort zwei Villen besaß, die sich dafür vorzüglich eigneten; man konnte beide Gruppen getrennt und auch hinreichend versteckt unterbringen. Wolff kam mit einer scheinbar positiven Nachricht: Anstelle Kesselrings übernehme der Generaloberst Heinrich von Vietinghoff die Heeresgruppe C. Mit ihm sei er schon seit einiger Zeit so gut wie befreundet. Allerdings habe er mit ihm noch nie über eine Beendigung des Krieges gesprochen, weil Vietinghoff in den letzten Monaten eine Heeresgruppe in den baltischen Ländern geführt habe. Es werde auch nicht leicht sein, ihn für eine Kapitulation zu gewinnen, denn er habe eiserne preußisch-soldatische Prinzipien. Wahrscheinlich sei er leichter zu überzeugen, wenn auch Kesselring den Plan billige. Wolff müsse deshalb den Feldmarschall aufsuchen. Dazu werde er eine Woche Zeit brauchen, weil er wegen der alliierten Luftherrschaft nicht fliegen könne. Solange sollten die Gegner ihre geplante Großoffensive zurückstellen, denn es würde schwieriger sein, eine Waffenruhe durchzusetzen, wenn die große Schlacht begonnen habe.

Doch einmal mehr kam es anders als es abgesprochen war. Aus Ascona zurück, mußte Wolff in einem sondierenden Gespräch mit Vietinghoff feststellen, daß mit ihm über eine Kapitulation nicht zu reden war. Zugänglicher erwies sich dessen Stabschef General Hans Röttiger. Über ihn erfuhr Wolff dann auch, daß Vietinghoff seinen engsten Mitarbeitern auferlegt hatte, in Gesprächen mit Wolff vorsichtig zu sein, denn ihm könne man nicht mehr trauen.

Deshalb machte sich Wolff gleich auf den Weg zu Kesselrings Hauptquartier in Bad Nauheim. Der Generalfeldmarschall fand am 23. März keine Zeit für lange Gespräche; die Amerikaner waren bei Oppenheim über den Rhein gedrungen. Sie drohten, Nord- und Süddeutschland zu trennen. Immerhin stimmte Kesselring grundsätzlich zu, es sei richtig, mit den Alliierten im Westen Fühlung zu halten. Damit war Wolff so zufrieden, daß er das Ergebnis über seine Dienststelle an Dulles weiterleitete. Solche unbestimmten Formulierungen schätzte er, weil sie leicht zu haben waren und weil ihm dann immer noch die Freiheit der Auslegung blieb.

In drei Tagen, so sagte Kesselring, werde er mehr Zeit für ein Gespräch haben. Doch dazu kam es nicht mehr. Als Himmler hörte, Wolff sei im Reichsgebiet, befahl er ihm, sofort nach Berlin zu kommen. Am 24. März um die Mittagsstunde traf der General dort ein, etwas mitgenommen, weil er unterwegs wieder von Tieffliegern gejagt worden war. Himmler und Kaltenbrunner nahmen ihn gemeinsam in die Mangel in der Wohnung des SS-Gruppenführers Hermann Fegelein, der Wolffs Nachfolger als Verbindungsoffizier des Reichsführers-SS im Führerhauptquartier geworden war und nun im Bereich der Reichskanzlei wohnte. Himmler warf Wolff vor, er habe sich mit Dulles getroffen, ohne zuvor seine Erlaubnis eingeholt zu haben und ohne das Amt Schellenberg im SD davon benachrichtigt zu haben. Aus Kaltenbrunner-Fragen war zu schließen, daß er nur auf einen Anlaß zur Verhaftung wartete. Doch als keine weiteren Vorwürfe folgten, wußte Wolff, daß sein viel mehr belastendes Treffen mit den beiden alliierten Generälen in Berlin noch nicht bekannt war. So berief er sich einmal mehr und wortreich auf den Auftrag Hitlers vom 6. Februar. Es sei ihm gelungen, verkündete er im Ton einer Erfolgsmeldung, eine direkte Verbindung zu den Westmächten herzustellen. Dabei sei von Frieden bisher nie die Rede gewesen; Zweck dieser Gespräche sei vorläufig nur, den SS-Kameraden, Standartenführer Max Wünsche, aus der Kriegsgefangenschaft ins Führerhauptquartier zurückzuholen.

Wolff gab an, er habe schon am 24. März gegenüber Himmler und Kaltenbrunner von der Möglichkeit eines Waffenstillstandes in Italien gesprochen. Man darf aber annehmen, daß er ihn nur als eine von vielen Alternativen entwickelt hat und daß nur gelten sollte, falls auf diese Weise das Bündnis zwischen West und Ost gelockert oder gar gesprengt werden könnte. Daß bei dieser Gelegenheit auch das in Hitlers Reichweite streng verpönte Wort »Kapitulation« über Wolffs Lippen kam, ist um so unwahrscheinlicher, als er am Ende vorschlug, man möge doch gemeinsam bei Hitler über seine Kontakte weiterreden und dessen Entscheidung einholen. Kaltenbrunner lehnte den Gang zum Führer ab;

Hitler sei derzeit so reizbar, daß man ein solches Thema nicht mit ihm besprechen könne. Es hatten nämlich in dieser Hinsicht weder er noch Himmler ein gutes Gewissen. Kaltenbrunner strickte gerade an einer Verbindung in die Schweiz und der Reichsführer-SS hatte eine Angel nach dem schwedischen Grafen Folke Bernadotte ausgeworfen.

Wie man sieht, pokerte Wolff in zwei Spielen gleichzeitig – und das war bewundernswürdig, denn dabei benutzte er seine verschiedenen Verhandlungen als Joker sowohl in Berlin als auch in Bern. Bei Hitler und Himmler hatten seine Vorschläge den Zweck, die Alliierten zu spalten, mit dem Endziel, mit einem Teil der Alliierten ein Bündnis einzugehen und den anderen Teil die unabsehbare Zeche dieses Krieges bezahlen zu lassen. Das war nicht Wolffs eigene Idee; sie spukte schon geraume Zeit im Führerhauptquartier herum und auch Hitler monologisierte gelegentlich darüber. Wolff hatte sich bei seinen Überlegungen natürlich für den Westen entschieden. Solange er den Parteigenossen diese Zielrichtung seines Spiels glaubhaft machen konnte, war er kaum in Gefahr, Kopf und Kragen zu verlieren. Beim Spiel in der Schweiz setzte er seinen Joker, nämlich seine Verhandlungsbereitschaft, für eine anders geartete Kartenkombination ein, die je nach Bedarf entweder Waffenstillstand oder auch bedingungslose Kapitulation genannt werden konnte. Hier spielte er, als halte er den Zerfall des alliierten Bündnisses für absurd. Auch bei dieser Partie konnte er, so glaubte er, nicht verlieren.

Mit dem Verhör in Berlin war jedoch die Gefahr noch nicht ausgestanden. Kaltenbrunner nahm ihn am 25. März im Auto mit zur Burg Rudolphstein bei Hof, wohin sich der SD der Luftangriffe wegen zurückgezogen hatte. Dort wurde er mit dem Polizeigeneral Wilhelm Harster und dessen Aussagen konfrontiert; der Kamerad aus Verona war eigens dieser Vernehmung wegen herbeibeordert worden. Auch am folgenden Tag wurde Wolff noch zu Gesprächen gebeten, die immer etwas von einem Verhör an sich hatten. Am Abend des 26. März endete die Befragung mit einer (gemessen am Aufwand) kläglichen Ermahnung, sich nicht mehr mit Dulles einzulassen. Kaltenbrunner behauptete, solche Verbindungen könne er bei Bedarf jederzeit anknüpfen. Himmler hingegen, den Wolff noch einmal in Berlin aufsuchen mußte, befahl ihm, er möge die Fäden zu den Westalliierten nicht abreißen lassen; er dürfe jedoch nie wieder ohne des Reichsführers ausdrückliche Erlaubnis in die Schweiz fahren.

12
Zwischen allen Stühlen

Bei seiner Rückkehr in den Süden machte Wolff Station bei seiner Familie am Wolfgangsee und offenbar legte er dabei deren Umzug nach Südtirol fest. Er traf am 29. März wieder am Gardasee ein, ziemlich mitgenommen von den Strapazen einer gefahrvollen Reise, während der er nur wenig geschlafen hatte und die Tiefflieger ebenso fürchten mußte wie eine Anklage als Hoch- oder Landesverräter. Fast 48 Stunden verkroch er sich in seiner Villa in Fasano. Er unternahm nichts, und er weigerte sich, jemanden zu empfangen. Außerdem rief ihn Himmler an und sagte mit schneidender Kürze, er habe gehört, daß Wolff seine Familie nach Südtirol kommen lasse. »Das wäre ein schwerer Fehler. Ich habe mir die Freiheit genommen, ihn zu korrigieren. Ihre Frau und Ihre Kinder bleiben am Wolfgangsee. Dort stehen sie unter meinem persönlichen Schutz.« Die Familie war zu Geiseln geworden.
Mit Dulles war abgesprochen, daß ihn Wolff am 2. April, dem Ostermontag, besuchen werde. Doch der General hielt es für besser, sich nicht vom Fleck zu rühren. Er bearbeitete dafür mit der Ausdauer und der Beredsamkeit eines versierten Werbekaufmanns den Generaloberst Vietinghoff. Nach drei langen Gesprächen, an denen zuletzt auch Röttiger und Parrilli teilnahmen, hatte er den Oberbefehlshaber der Heeresgruppe soweit, daß er grundsätzlich einer Kapitulation zustimmte. Vietinghoff sah ein, daß weiteres Blutvergießen sinnlos geworden war, hatte jedoch von einer Kapitulation seine eigenen Vorstellungen. Er verlangte, daß die Übergabe der Waffen an den Gegner mit militärischem Zeremoniell erfolge: Die Besiegten hatten in strammer Haltung die vorbeimarschierenden Sieger zu empfangen. Kurze Zeit sollten die Deutschen in geschlossenen Formationen Wiederaufbauarbeiten in Italien leisten und schließlich bei einem geordneten Rückmarsch in die Heimat Koppel und Seitengewehr tragen dürfen zum Zeichen, daß sie ehrenvoll unterlegen waren.
Für altmodisches Feudalbrauchtum hatte das alliierte Hauptquartier kein Verständnis. Wozu solche Umstände? Wer bedingungslos kapitulierte, durfte keine Bedingungen stellen. So holte sich dann später Frankreich aus den italienischen Gefangenenlagern massenhaft deutsche Soldaten als Zwangsarbeiter in die Bergwerke. Auch England brauchte noch Arbeitskräfte. Darüber schon bei den Verhandlungen zu reden, hielten die Alliierten für verfrüht.
Sie hatten derzeit andere Probleme: Stalin grollte! Ihm paßte die Kapitulation

der deutschen Heeresgruppe in Italien überhaupt nicht in das Konzept seines Sieges. Er behauptete, damit würde es den Deutschen ermöglicht, Divisionen aus dem Süden nach dem Osten zu verlagern oder es würden gar seine antikommunistischen Gegner in den westlichen Demokratien die noch immer intakten deutschen Divisionen aus Italien geschlossen in der Hinterhand halten für einen gemeinsamen Kreuzzug gegen den Bolschewismus. Was ihn am meisten störte, erwähnte er allerdings nicht; mit dem Partisanenführer Tito, der bereits große Teile Jugoslawiens beherrschte, hatte Stalin verabredet, daß die Rote Armee zu ihm und dann weiter westwärts durchstoßen würde. Nicht nur der ganze Balkan, nicht nur die Adria, auch ganz Italien und Südfrankreich würden proletarisch-solidarisch zusammenstehen, sobald die Rote Armee als Besatzungsmacht in die Po-Ebene eingerückt war. Gaben die Deutschen jedoch den Westmächten kampflos den Weg frei nach Venedig und Triest, dann mißlang der Plan. Die Westalliierten würden kommunistische Partisanen nicht dulden, sie vielmehr bekämpfen, wie das schon in Griechenland seit dem Abzug der Deutschen geschah.

Auch der Vatikan hatte begreiflicherweise Gründe, sich gegen eine Ausbreitung der Gottesleugner aus dem Osten zu wehren. Wer in jenen Tagen auf den Sieg des Westens setzte, pochte an die Kirchentüren. Am 1. März schickte Mussolini seinen Sohn Vittorio zu Kardinal Schuster in Mailand, der über die Front hinweg mit dem Vatikan im Funkverkehr stand. Vittorio kam zunächst mit mündlichen, einige Zeit später auch mit schriftlichen Vorschlägen, worüber wer mit wem und wo zu verhandeln hätte. Der quicke Dollmann ging jedoch schon seit Wochen im Palast des Patriarchen Schuster mit Versöhnungsvorschlägen ein und aus. Der Kirchenfürst sollte einen Waffenstillstand zwischen Wolff und den Partisanen vermitteln. Das Angebot des SS-Generals: Laßt uns in Ruhe, und wir tun euch nichts; dafür lassen wir die italienische Industrie bei unserem Abzug unzerstört. Das gleiche hatte er schon den alliierten Generälen und Dulles versprochen und dafür einen Aufschub der großen Offensive erbeten. Warum sollte er sich eine gute Tat nicht mehrfach honorieren lassen?

Ohne daß Wolff es wußte, braute sich indessen auf dem Gipfel der Verbündeten ein Gewitter zusammen, wie es sich Hitler nicht schöner hätte wünschen können. Aus Washington wurde Stalin mitgeteilt, seine Generäle könnten natürlich an der Kapitulation in Italien teilnehmen, aber mitzubestimmen hätten sie dabei nicht. Schließlich hätten die Westmächte ja auch nicht mitgewirkt, als deutsche Soldaten im Osten die Waffen gestreckt hatten. Eine Teilnahme sowjetischer Offiziere an den Schweizer Vorgesprächen lohne sich nicht, weil dort den Deutschen nur Anweisungen gegeben würden. Daraufhin behauptete der sowjetische Außenminister Wjatscheslaw Molotow, die USA verweigerten ihrem Bündnispartner vertraglich zugesicherte Rechte. Deshalb müßten die Verhandlungen mit den Deutschen sofort abgebrochen werden.

Als die Amerikaner diese Forderung schlichtweg ignorierten, schickte Molotow nach Washington und London gleichlautende Noten, in denen die Westmächte beschuldigt wurden, sie verhandelten »hinter dem Rücken der sowjetischen

Regierung, die ohnehin schon die ganze Last des Krieges zu tragen hat«, mit dem Feind. Präsident Roosevelt wollte dem erbosten Stalin eine goldene Brücke bauen, indem er den Zwist als schlichtes Mißverständnis deklarierte, aber er beharrte darauf, daß mit dem Gespräch über eine Teilkapitulation keine Vereinbarung verletzt würde. Stalin antwortete am 3. April mit einem Brief voller massiver Beschuldigungen. Er behauptete, die Deutschen würden den Westmächten »ihre Front öffnen und sie nach Osten vorrücken lassen, weil Engländer und Amerikaner versprochen haben, milde Bedingungen beim Waffenstillstand zu gewähren«.
Das war eine Behauptung ins Blaue hinein; sofern man Wolff tatsächlich etwas versprach, dann wurde nachher nichts davon gehalten. Ob ein Deutscher bei Kriegsende in östliche oder westliche Gefangenschaft geriet – ausgeplündert wurde er in jedem Fall. Uhren, Ringe und andere Habseligkeiten des persönlichen Besitzes wechselten hier wie dort den Eigentümer. Daß deutsche Soldaten zu einer Kapitulation gegenüber einer Macht des Westens eher bereit waren, rührte von den Berichten her, die sie über Untaten der Roten Armee gelesen hatten. Sie erhofften sich vom westlichen Gegner mehr Schonung. So hätten sie es beispielsweise nicht für möglich gehalten, daß etwa die französische Generalität beim Einmarsch in die unverteidigte Stadt Stuttgart ihren nordafrikanischen Soldaten gestatten würde, Mädchen und Frauen zu Tausenden zu vergewaltigen. Geschehen ist es aber.
Der Briefwechsel zwischen den Staatsoberhäuptern zog sich mit Beschuldigungen und Gegenanklagen noch ein paar Tage hin. Einmal tauchte darin auch die Vermutung auf, das deutsche Verlangen nach einem Waffenstillstand sei nur ein Trick, mit dem das Bündnis gesprengt werden sollte – was Wolff zwar bestritten hatte, aber gewiß gern gesehen hätte. Doch vom eigentlichen Streitpunkt war nie die Rede: vom Wettrennen zwischen Rot und Weiß um Belgrad, Mailand, Genua, Marseille. Offenbar wollte keiner der Streitenden seine hintergründigsten Gedanken verraten.
So traf es sich denn günstig, daß seit Ende März die Gespräche mit Wolff nicht mehr vorankamen. Roosevelt schrieb am 12. April an Stalin: »Ich danke Ihnen für die freimütigen Erläuterungen des sowjetischen Standpunktes in bezug auf den Berner Zwischenfall, der im Sande zu verlaufen scheint, ohne zu einem sinnvollen Ergebnis geführt zu haben.« Scheinbar hatte sich die Ursache des Konfliktes in Nichts aufgelöst.
Dies war einer der letzten Briefe Roosevelts. Er starb an diesem Tag. Wolff erfuhr von diesem Briefwechsel viele Jahre später. Erst dabei wurde ihm bekannt, in welchem Ausmaß seine Aktion Unfrieden zwischen den Alliierten gestiftet hatte. Das Bündnis war jedoch nie gefährdet. Was Wolff auch immer damals und auch später zur Rechtfertigung seiner Schritte vorbrachte – während der letzten 30 Tage des Krieges dachte er nur noch an seine Kapitulation, und daß in jeder Stunde Menschen zwecklos starben und daß es für ihn höchste Zeit wurde, den Kopf aus der Schlinge zu ziehen. Er schickte an Dulles anläßlich des Todes von Roosevelt ein Beileidstelegramm, in dem er das Ableben eines

Mannes betrauerte, den sein oberster Kriegsherr Hitler seit Jahren als Verbrecher und Todfeind des deutschen Volkes zu beschimpfen pflegte. Jahre später nutzte Wolff diesen Todesfall, um seinen eigenen Anteil am Ablauf historischer Ereignisse aufzuwerten. Er behauptete nachträglich schlichtweg, der ohnehin kranke und körperlich behinderte US-Präsident habe sich über Stalins Verdächtigungen so aufgeregt, daß ihn ein Schlaganfall getroffen habe – gerade in dem Augenblick, als er seine Antwort nach Moskau formuliert hatte. Doch diese Version trifft kaum zu; an diesem 12. April 1945 war der Streit um die Kapitulation zwischen den Verbündeten so gut wie ausgestanden.

Von den Reiseeindrücken geschockt, verhielt sich Wolff in den ersten Apriltagen ruhig. Um keinen Preis wollte er seine Familie gefährden. Doch seinen Plan, den Krieg wenigstens im Süden vorzeitig zu beenden, gab er nicht auf. Der Bote Parilli pendelte eifrig zwischen dem Gardasee und Bern. Bei dieser Gelegenheit wurde ein Vorhaben verwirklicht, das den Nachrichtenaustausch zwischen dem Bevollmächtigten des US-Geheimdienstes und dem Höchsten SS- und Polizeiführer verbesserte. Wolff und Dulles hatten vereinbart, daß ein Funker des alliierten Lagers bei der SS Gast sein würde. Nun kam der 26jährige Tscheche Vaceslav Hradecky mit Waibels Hilfe über die Schweiz freiwillig in die Höhle des Löwen. Er war unauffällig, wie sich das für einen gut ausgebildeten Agenten schickte, sprach fließend deutsch und konnte schlimmstenfalls entdeckt werden, weil er mit unwahrscheinlichen Mengen von Zigaretten versorgt werden mußte. Wolff ließ ihm beim Mailänder SD im Dachgeschoß eine Bleibe einrichten, in der er seine Geräte aufstellen und auch sicher sein konnte, daß ihn kein Unberufener störte. Seine Existenz war für Wolff und die Mitwisser ein Geheimnis auf Leben und Tod; hätte Kaltenbrunner davon erfahren, wäre ihnen der Galgen gewiß gewesen.

Bei dem allgemeinen Wettlauf der Nazigrößen um künftige Sicherheit und um Alibis für die unvermeidliche Abrechnung war jeder jedermanns Konkurrent. Wer zu spät kam, wurde nicht mehr gebraucht und nicht mehr belohnt. Wolff und seine Leute wurden von vielen Seiten beobachtet, und wer sie aus dem Rennen werfen wollte, brauchte nur einige Verdächtigungen an Himmler weiterzugeben. Bei ihm mehrten sich jetzt die Anzeichen, daß es bei Wolffs Gesprächen in der Schweiz nicht nur um die Freiheit des kriegsgefangenen Kameraden Wünsche und um einen Kontakt zum Westen gegangen sei. Am 13. April rief der Reichsführer-SS aus Berlin seinen General an und empfahl ihm dringlichst, zur Berichterstattung in die Hauptstadt zu kommen. Weil Wolff noch keinen Termin für die Reise nennen wollte, weitete Himmler am folgenden Tag mit zwei weiteren Telefongesprächen seine Aufforderung zu einem Befehl aus.

Zunächst konnte Wolff gute Gründe anführen, die seine Anwesenheit in Italien erforderten. Seit einigen Tagen war die längst erwartete Offensive des Feindes im Gang und nun auch zunehmend erfolgreich. Deutsche Truppen räumten ihre Stellungen, und es war abzusehen, daß auch Wolffs Dienststellen – als Höchster SS- und Polizeiführer wie als Bevollmächtigter General der Wehrmacht – ihre

Standorte nach Norden verlegen mußten. Auch mußte Mussolini wieder einmal an die Kandare genommen werden. Er hatte über den Mailänder Kardinal Schuster und damit über den Vatikan den Alliierten heimlich einen Separatfrieden angeboten. Sie hatten abgelehnt, aber nun plante er einen heroischen Abgang, der ihm so oder so einige Zeilen in der Weltgeschichte sichern sollte. Mit seinen drei Divisionen, derzeit noch eingegliedert in die deutsche Abwehrfront, und mit den Verbänden seiner Parteimiliz wollte er sich im Veltlin, einer schwer zugänglichen Alpenregion nahe der Schweizer Grenze, verschanzen. Dort wollte er Widerstand leisten bis zum letzten Italiener. Das konnte kaum im Sinn Hitlers sein und schon gar nicht im Sinn des Generals Wolff, der doch die Kapitulation aller Streitkräfte in Italien vorbereitete.
Wolff konnte Mussolini diesen Plan noch einmal ausreden, indem er ihm eine Alternative anbot: Der Chef der Sozialen Republik Italien möge doch seine Sozialisierungspläne aufgeben – die ja auch Hitler störten – und sich auf diese Weise das Wohlwollen der in London und an der Wallstreet ansässigen Konzernherrn von italienischen Industrieunternehmen sichern. Scheinbar fand Mussolini diese Idee großartig, aber sein Gesprächspartner hatte trotzdem den Eindruck, daß er nur auf eine Gelegenheit wartete, um einen anderen Ausbruch aus dem deutschen Käfig zu versuchen. Wolff bat Mussolini deshalb um das Ehrenwort, daß er sich nicht vom Gardasee wegbewegen werde, ohne seine Beschützer und Bewacher zu unterrichten. Das Ehrenwort bekam er, aber gehalten wurde es nicht. Der Duce außer Dienst hatte eben nur beim 11. Bersaglieri-Regiment im Mannschaftsstand gedient und nicht im Offizierskorps eines deutschen Leibgardegrenadierregiments gelernt, was ein Ehrenwort bedeutet.
Wolffs Einwände gegen eine Berlinreise überzeugten am 15. April Himmler nicht mehr. Er befahl per Telefon kurz und bündig, sein General habe sich am folgenden Tag bei ihm zu melden. Wolff konnte nicht mehr ausweichen. Er mußte sich entscheiden. Seine Situation war ähnlich wie im September 1931, wenn auch dringlicher, gefährlicher und wenn auch die Probleme ganz andere Dimensionen angenommen hatten. Wiederum war seine und seiner Familie Existenz durch äußere Umstände gefährdet und wiederum war ihm nur geholfen, wenn Deutschland gerettet wurde. Wieder einmal fühlte er sich berufen, die Not vom Vaterland abzuwenden. Zu diesem Zweck hatte er sich damals mit Hitler, Himmler und (Partei)Genossen zusammengetan. Jetzt mußte er sich von ihnen lossagen. Die ersten Schritte dazu hatte er ja schon getan und weitere würden folgen, wenn es gelungen sein würde, das Verhör in Berlin zu überleben. Mit offenen Karten durfte er dort nicht spielen. Der Treueid zwang ihn längst nicht mehr zur Ehrlichkeit. Wenn Hitler und sein Drittes Reich nun im Sog eines weltweiten Strudels versanken, so war doch ein Obergruppenführer der SS keineswegs verpflichtet, dieses Schicksal zu teilen.
Als er Dulles mitteilte, er werde sich in Berlin stellen müssen, riet dieser zur Emigration; Wolff, dessen Familie und seine Mitverschworenen könnten Asyl finden bei den Alliierten. Dieser Rat war unbrauchbar; die Familien aller

Beteiligten blieben unvermeidlich in Himmlers Gewalt und den Sippen von »Verrätern« drohte die Ausrottung, weil eines ihrer Mitglieder zu erkennen gegeben hatte, daß »schlechtes Blut« in ihren Adern floß. Und wenn es auch allen gelang, sich abzusetzen, so würde doch das Schlachten weitergehen. Sie fühlten sich als Patrioten. Sie waren alle einmal bereit gewesen, für das Vaterland ihr Leben zu lassen, wenn es unbedingt sein mußte. Doch bei den Gesprächen in der Schweiz war auch die Rede davon gewesen, daß mit Hitler und dem Nationalsozialismus ja nicht die Deutschen und ihr Land verschwinden würden, daß also eine neue Ordnung geschaffen werden müsse und daß dazu aufrechte Männer gebraucht würden. Solche vom Schlage Wolffs, den man sich gut als künftigen Minister vorstellen könne.
Wer zu neuen Ufern abstößt, der kann leicht untergehen. Deshalb schrieb Wolff vor seiner Abreise einen Brief an Dulles, den Parrilli überbringen sollte. Er versprach darin, das Unternehmen der Kapitulation zu einem guten Ende zu bringen, falls er heil und ohne Amtsverlust aus Berlin zurückgekehrt sei. Sollte er hingegen als Staatsfeind festgenommen und umgebracht werden, dann möge Dulles seine Ehre verteidigen und verkünden, daß der SS-Obergruppenführer Karl Wolff »nicht aus Eigennutz, nicht in verräterischer Absicht« gehandelt habe, sondern »allein in der Hoffnung... das deutsche Volk zu retten.« Außerdem bat er Dulles, er möge bei einem solchen Ausgang Wolffs beide Familien beschützen – die eine im Salzburger Land, die andere in Oberbayern.
Für Berlin wappnete er sich mit einem Brief, den der diplomatische Reichsbevollmächtigte Rahn verfaßt hatte und den Wolff an Hitler übergeben sollte. Darin wurde ihm bescheinigt, daß seine Bemühungen um Kontakte zu den westlichen Alliierten erfolgreich gewesen und der Politik Hitlers dienlich seien.
Er landete in der Nacht vom 16. zum 17. April auf einem Feldflugplatz südlich von Berlin. An einigen Stellen hatte die Rote Armee nahezu den Rand der Reichshauptstadt erreicht, aber der Ring um sie schloß sich erst eine Woche später. Als ihn der SS-Arzt und Jugendfreund Himmlers, der Professor Karl Gebhardt am Flugplatz abholte, sah er darin ein günstiges Vorzeichen: Von dem Doktor drohte keine Verhaftung. Wolff dachte bei dieser Gelegenheit an einen Brief, den er Himmler vor ein paar Tagen geschickt und in dem er den Reichsführer-SS gebeten hatte, er möge doch auch einmal die SS-Einheiten in Italien inspizieren. Wäre dies geschehen, dann hätte er Himmler inhaftieren lassen. Nun mußte er befürchten, daß für ihn eine Zelle reserviert war. Doch Gebhardt brachte ihn ins Hotel »Adlon«, das als erstes Haus am Platz in Berlin noch immer illustren Gästen zur Verfügung stand.
Dort holte ihn Gebhardt am nächsten Morgen ab. Gemeinsam fuhren sie nach Hohenlychen, etwa 120 Kilometer nördlich von Berlin, wo Himmler zur Zeit sein Feldquartier hatte, geschützt vor Luftangriffen durch das Rote Kreuz auf den Dächern der Lazarettgebäude. Zu dritt aßen sie zu Mittag bei freundlichem Gespräch und im Verlauf zweier Stunden gelang es Wolff wieder einmal mehr, den Reichsführer-SS zu überzeugen, daß sein General keinen Fuß breit vom Pfad der Treue abgewichen sei. Er gab zu, mit Dulles weiterverhandelt zu

haben, aber mit Rahns Brief wies er nach, daß ihm damit ein Schachzug von hoher politischer Bedeutung gelungen sei. Hitler selber habe ihm ja diese Kontakte genehmigt. Das beruhigte Himmler; er bemühte sich ja selber auch um Gespräche mit den Feinden. In den nächsten Tagen wollte er Norbert Masur treffen, einen offiziellen Vertreter des in New York stationierten jüdischen Weltkongresses.

Nach dem Essen kam Kaltenbrunner. Sein klobiges Gesicht kündigte Unheil an. Er wollte zunächst einmal Himmler allein sprechen. Als Wolff wieder ins Zimmer gerufen wurde, war dort der Frost eingezogen. Kaltenbrunner beschuldigte ihn, mit dem Mailänder Kardinal Schuster über einen umfassenden Waffenstillstand an der gesamten Italienfront verhandelt zu haben; ein Agent habe ihm dies soeben gemeldet. Das konnte Wolff guten Gewissens und ohne rot zu werden bestreiten; er selber hatte mit Schuster nie verhandelt. Meist hatte er Dollmann dafür eingesetzt, weil der eine größere Erfahrung im Umgang mit der höheren Geistlichkeit hatte.

Während die beiden SS-Obergruppenführer stritten, zunehmend erbittert und bald auch unter gegenseitigen Beschimpfungen, vermied Himmler jede Stellungnahme. Er schwankte, was er nun eigentlich glauben sollte. Beide Kontrahenten erwarteten von ihm eine Entscheidung, aber selbst nach Stunden konnte er sich dazu nicht entschließen. Kaltenbrunner wollte erreichen, daß sein Gegner abgesetzt, wenn möglich verhaftet und degradiert würde, denn er wußte, daß Wolff seine Versuche blockierte, mit Dulles ins Gespräch zu kommen. Wolff hingegen wußte, daß er ums Überleben kämpfte. Erst spielte er den Mißverstandenen, dann den zu Unrecht Beschuldigten, den Empörten und schließlich den Wütenden, der sich gegen eine Intrige wehren mußte. Vergebens; er konnte natürlich die Anklage nicht widerlegen, durfte sie aber auch nicht ungeklärt im Raum stehen lassen. Noch immer war Himmler, nach stundenlangen Debatten, unfähig, ein Machtwort zu sprechen. Da zog Wolff unvermutet seinen höchsten Trumpf aus dem Ärmel: Der Führer möge entscheiden. Zu dritt, so schlug er vor, sollten sie unverzüglich in die Reichskanzlei fahren.

Himmler lehnte ab. Er trat seit eh und je nur mit Zittern und also ungern vor das Angesicht des HERRN. Dort war Wolff seit Jahren besser angeschrieben und Himmler war jetzt tief im »Reichsverschiß«. Die zwei Streithähne sollten allein fahren, dann war er die Verantwortung los. So saßen denn Wolff und Kaltenbrunner schweigend und grollend nebeneinander auf den Rücksitzen des Mercedes, indessen der Fahrer vor ihnen in einer zweistündigen Fahrt angestrengt einen Weg durch die Nacht suchte, da die schwarzen Hauben über den Scheinwerfern nur wenig Licht durch schmale Schlitze auf die Fahrbahn durchließen. Sie mußten immer gewärtig sein, daß sowjetische Geschütze von weither die Straße mit Granaten bepflasterten oder daß die langsam und niedrig fliegenden sowjetischen Ratta-Aeroplane mit Bomben auf sie zielten.

In der dritten Morgenstunde des 18. April erreichte der Wagen die Reichskanzlei. Während die beiden SS-Führer durch die Finsternis zum Eingang in das

unterirdische Bunkersystem gingen, warnte Wolff seinen Begleiter: Die Sache mit Dulles lasse man besser ihn schildern, denn Himmler habe ja stets von den Gesprächen gewußt und habe ihm sogar verboten, Hitler darüber zu informieren. Es sei deshalb auch untunlich, wenn Kaltenbrunner bei Hitler seinen jüngsten Agentenbericht aus der Tasche ziehe. »Wenn man mich hängt«, drohte Wolff, »wird mein Platz am Galgen zwischen Ihnen und Himmler sein.« Was er in jenen nächtlichen Morgenstunden des 18. April 1945 im Führerbunker erlebte, hat Wolff als Bravourarie seiner historischen Rolle schon ein dutzendmal staunenden Zuhörern vorgesungen. Allein schon, daß er heil und frei wieder in die Oberwelt kam, beweist, daß er seinen Part als Heldendarsteller gut gespielt haben muß. Wozu freilich anzumerken ist, daß niemand seine Darstellung widerlegen kann, weil er der einzige Überlebende ist.
Während er und Kaltenbrunner im Flur des Führerbunkers warteten, trat Hitler aus seinem Wohnraum. Auf dem Weg ins Besprechungszimmer grüßte er freundlich und ein wenig überrascht: »Sie sind da, Wolff?« Bedeutete die rhetorische Frage, daß Wolff nicht erwartet wurde? Oder daß Hitler angenommen hatte, die SS werde ihr schwarzes Schaf selber schlachten? Zumindest verrät sie, daß der Besucher nicht angemeldet war. Die beiden SS-Größen wurden nach einer Stunde ins Besprechungszimmer gerufen. Obwohl Hitler nur noch ein Wrack, ein kranker und zitternder Frühgreis war, fragte er mit energischer Stimme und mit inquisitorischer Strenge, wie Wolff eigentlich dazu komme, Führerbefehle offen zu mißachten. »Kaltenbrunner und Himmler haben mich über Ihre Verhandlungen mit den Feinden aufgeklärt.«
Auf diesen Vorwurf war Wolff gefaßt. Er berief sich auf das Gespräch vom 6. Februar in der Reichskanzlei, als er im Beisein Ribbentrops Hitler vorgeschlagen hatte, Kontakt zu den Alliierten zu suchen. Dabei habe er den Eindruck gewonnen, daß er dafür freie Hand habe. Hatten sich nicht seinetwegen der Westen und der Osten in die Haare gekriegt? Triumphierend verkündete er: »Ich bin glücklich, meinem Führer melden zu können, daß es mir über Mister Dulles gelungen ist, die Pforten des Präsidentenpalastes in Washington und die Tür zum Amtssitz des Premierministers in London für Gespräche zu öffnen. Ich bitte um Anweisungen für die Zukunft, mein Führer!«
Ein Rekord im Hochstapeln! Wolff wußte am besten, daß niemand mit Hitler verhandeln würde und daß die Feinde von ihm nicht einmal eine bedingungslose Kapitulation entgegennehmen würden. Oft genug hatte er Dulles und den alliierten Generälen versichern müssen, daß weder Hitler noch Himmler sich hinter Wolffs Vorhaben versteckten, und oft genug hatte man ihm gesagt, das Gespräch würde sofort abgebrochen, wenn sich dies herausstellen würde. Dennoch wirkten seine im hellen Tenor geschmetterten Sätze fließend aneinandergereiht, unter Vermeidung einer Denkpause ebenso überzeugend wie sein Blick aus den treudeutschen Germanenaugen. Kaltenbrunner mischte sich nicht mehr ein. Er fühlte wohl, daß er als der finstere Hunding gegen den blauäugig strahlenden Siegfried keine Chance mehr hatte und daß in dieser Stunde der Bericht seines Agenten nicht mehr sein würde als ein Stück Papier.

Ein jetzt mild gestimmter Hitler rügte seinen SS-General nur wenig. Laut Wolff sagte er: »Wäre Ihr Unternehmen fehlgeschlagen, dann hätte ich Sie genauso fallenlassen müssen wie Heß.« Gemeint war damit sein ehemaliger Stellvertreter im Parteivorsitz, der vor Beginn des Ostfeldzugs nach England geflogen war, um die Briten für eine gemeinsame Aktion gegen die Sowjetunion zu gewinnen. Die offizielle Version war, daß Hitler von diesem Vorhaben nichts gewußt und erst davon erfahren hatte, als Heß ihn nach dem Abflug durch einen hinterlassenen Brief davon verständigt hatte. Es hat jedoch immer Stimmen gegeben, die behaupteten, Hitler sei mit im Komplott gewesen. Vor allem unter den höheren Parteirängen wurde dies häufig kolportiert, aber Beweise für diese These konnte niemand bringen. Falls jedoch Hitler den Satz so gesagt hat, wie ihn Wolff zitiert, dann könnte dies die Mutmaßung verstärken, daß der im Spandauer Kriegsverbrechergefängnis einsitzende, jetzt 90jährige Rudolf Heß mit seinem Flug einem Auftrag seines Führers folgte. Doch damit wird wieder einmal mehr die Frage gestellt, wie weit und in welchen Fällen der General der Waffen-SS Karl Wolff glaubwürdig war. Er behauptete dann noch, er habe Hitler bei dieser Gelegenheit gesagt, daß eine bedingungslose Kapitulation nun nicht mehr zu vermeiden sei – und entgegen der bisher üblichen Reaktion habe der Führer darauf moderat reagiert. Angeblich sagte er nur, er werde es sich überlegen. Das war für gewöhnlich nicht seine Art.

Weil der müde Hitler nun nach vier Uhr am Morgen schlafen gehen wollte, mußte Wolff sich am Nachmittag die Befehle für sein künftiges Verhalten holen. Er bekam sie dann während eines Spaziergangs durch den Garten der Reichskanzlei. Hitler wollte die Gelegenheit, daß gerade kein feindliches Flugzeug im Berliner Luftraum gemeldet war, zum Luftschnappen nutzen. Mühsam setzte er Bein vor Bein, stützte sich auf seinen Stock und blieb alle paar Meter stehen. Dabei erläuterte er seine Taktik für die nächsten Wochen. Die Russen würden sich bei der Eroberung des Reiches nicht mit den vereinbarten Gebieten begnügen, der Westen werde protestieren, und es werde zum Streit kommen. Er werde sogar noch aus einem eingeschlossenen Berlin heraus sich für diejenige Seite entscheiden, die ihm am meisten biete, und mit seinen dann noch vorhandenen Divisionen – wenn nicht mehr im Reichsgebiet, so doch in Italien, Böhmen, Österreich, Norwegen und Dänemark – werde er das Zünglein an der Waage bilden. Dementsprechend hoch werde er auch seinen Preis ansetzen. Deshalb sei es falsch, jetzt etwa den Kampf an irgendeiner Front aufzugeben. Und deshalb sei es richtig, das Gespräch mit Dulles in Gang zu halten. Wolff möge weiter verhandeln und dabei seine Partner hinhalten mit dem Versuch, bessere Bedingungen für eine Kapitulation herauszuholen.

Der sowjetische Schriftsteller Lew Besymenski benutzte Wolffs Bericht als Nachweis dafür, daß die Kapitalisten in Washington und London immer ein falsches Spiel mit dem ehrlichen Josef Stalin getrieben hatten. Daß Wolff die Pläne Hitlers richtig dargestellt habe, stützt Besymenski zusätzlich noch mit Texten, die Hitler im Lauf des Februar 1945 angeblich seinem Sekretär Martin Bormann in die Maschine diktiert habe, und mit einer Aufzeichnung des Reichspropagandaministers Josef Goebbels über ein Gespräch mit Hitler am 24. Februar 1945. Wolff ist demnach als zeitgeschichtlicher Zeuge in diesem Punkt durchaus glaubhaft. Als ihn Hitler an jenem 18. April beim Spaziergang durch den Garten so eingehend über seine Pläne unterrichtete, stand er in der Gunst seines Führers weit höher als seine Gegner Himmler und Kaltenbrunner.

Staunenswert bleibt, daß es ihm gelang, Hitler und seine beiden Feinde – die ja alle keine Dummköpfe waren – so gründlich hinters Licht zu führen. Hier erwies er sich als ein Meister der Doppelzüngigkeit. Vielleicht gebührt ihm wirklich – wie der Judenmörder Eichmann einmal formulierte – »die Krone als Intrigant«. Andererseits war er hinterher selber merklich geschockt, wenn er an die Gefahren dachte, denen er in den letzten Tagen entrinnen konnte. Während seines Rückflugs nach Italien war er keineswegs mehr entschlossen, die Kapitulation zu Ende zu bringen. Die Verwirrung seiner Gefühle scheint bis in die jüngste Zeit hinein noch nicht zu einer Ordnung gebracht worden zu sein, denn dreieinhalb Jahrzehnte später gestand er dem Stern-Reporter Erich Kuby, er habe Hitler erst geachtet, dann geliebt, habe ihm Treue geschworen, und er habe sie gehalten. Solche Ungereimtheiten in seiner Erinnerung haben Karl Wolff noch nie groß gestört. Wäre Hitler nicht tot, und würde er zu einer neuen Machteroberung ansetzen, dann könnte aus Wolff ein zweiter Marschall Ney geworden sein, der dem von der Insel Elba entwichenen Empereur entgegenzog, um ihn als Häftling nach Paris zu bringen und der beim ersten Gespräch mit Napoleon mit seinen Soldaten zu dem gewesenen Kaiser überlief.

Als am 19. April Wolffs Flugzeug in Bergamo landete, erfuhr er, daß sein Schützling Mussolini am Abend zuvor den Gardasee in Richtung Mailand verlassen hatte. Dem ihn bewachenden Kriminalbeamten hatte er versichert, er werde nur wenige Begleiter mitnehmen und er werde in wenigen Tagen zurück sein. Es waren Lügen. Doch er täuschte damit außer den Deutschen auch sich selber; er sah den Gardasee nie wieder, denn er hatte nur noch neun Tage zu leben. Dieser Bruch des Ehrenwortes, die noch immer unklare Situation seiner beiden Familien und auch die Schrecknisse der Berlinreise mögen Wolff bewogen haben, sich wieder einmal für 48 Stunden völlig von der Welt zurückzuziehen. Bei dem Wagnis, auf zwei Hochzeiten zugleich zu tanzen, hatte er sich so sehr verausgabt, daß er nun nicht mehr wußte, wie es weitergehen sollte. Zwar hatte ihn Hitler wieder einmal fasziniert, aber die Fakten legten ihm nahe, sich nun von ihm endgültig zu trennen.

Vielleicht hätte er sich weniger Gedanken gemacht, wenn er gewußt hätte, daß Dulles am 20. April durch ein Telegramm aus Washington angewiesen worden war, alle Kontakte mit deutschen Unterhändlern abzubrechen, weil sie »zum gegenwärtigen Zeitpunkt nicht bereit« seien zu einer »Kapitulation unter annehmbaren Bedingungen . . . Im Hinblick auf Komplikationen, die mit den Russen entstanden sind«, habe Dulles »die ganze Angelegenheit als abgeschlossen zu betrachten«. Das Telegramm trug den Vermerk »Streng geheim!«, und daran hielt sich Dulles so gründlich, daß er nicht einmal seine deutschen

Verhandlungspartner informieren wollte. Teils schwieg er, weil er nicht wußte, ob Wolff heil aus Berlin zurückgekehrt war und ob die Deutschen überhaupt noch gesprächsbereit waren, und er schwieg auch, weil er fürchtete, die SS könnte es seinen tschechischen Funker entgelten lassen, wenn er die Verhandlungen abbreche.

Auch am 21. April war sich Wolff über seine künftige Haltung noch immer im Zweifel, als ihn Rahn aufsuchte und ihn aufforderte, an einer Konferenz teilzunehmen, die auf Rahns Betreiben am Vormittag des 22. April im Hauptquartier der Heeresgruppe in Recoardo stattfinden würde. Wolff zögerte mit seiner Zusage. Er behauptete, unter den Mitwissern müsse sich ein Spitzel Kaltenbrunners befinden. Ehe der Kerl nicht entdeckt sei, werde er, der sich gerade erst die Absolution geholt habe, nicht wieder sündigen. Doch Rahn bedrängte ihn; ohne die Machtmittel und ohne die Teilnahme des Höchsten SS- und Polizeiführers lasse sich eine Kapitulation nicht durchführen. Mache Wolff nicht mit, würden sich auch die anderen schon aus Gründen ihrer persönlichen Sicherheit zurückziehen. Schließlich erklärte sich Wolff bereit, am nächsten Vormittag an der Konferenz bei der Heeresgruppe teilzunehmen.

Deren Oberbefehlshaber eröffnete sie, indem er schilderte, wie sehr die Front wanke und wie schnell der Feind marschiere. Er habe deswegen über Funk das Führerhauptquartier gebeten, man möge ihm einen geordneten Rückzug erlauben, aber er sei wie stets angewiesen worden, jeden Meter Boden bis zum letzten Mann zu verteidigen. »Hunderttausende deutscher Soldaten«, sagte Vietinghoff, »warten auf das erlösende Wort aus meinem Munde. Die Zeit drängt . . .«

Diese Meinung teilten alle Anwesenden: der General Hans Röttiger, der General der Flieger Max von Pohl, der Gauleiter von Tirol Franz Hofer und auch der SS-Obergruppenführer Karl Wolff mit Männern seines Stabes. Er berichtete, daß Hitler ihm befohlen habe, den Kontakt zu Dulles weiterhin zu pflegen. Damit hatten alle ein Alibi für eine weitere Reise in die Schweiz. Wolff wurde gebeten, er möge das Vorhaben, das er einmal begonnen habe, nun auch zu Ende bringen.

Als sie jedoch über Details berieten, wurde ihre Einigkeit brüchig. Vietinghoff forderte wieder einmal mehr die »ehrenvolle« Kapitulation. Was er darunter verstand, war nach Wolffs Meinung bei den Alliierten nicht durchzusetzen, aber er hielt es für unzweckmäßig, groß dagegen zu opponieren. Hofer verlangte, daß Südtirol von Italien abgetrennt und mit Nordtirol vereinigt würde als ein Teil eines wiederzubelebenden Österreichs. Er forderte, dies müßte bereits im Kapitulationsdokument garantiert werden. Noch hatte niemand in diesem Kreis begriffen, daß diesmal der Besiegte keine Bedingungen stellen durfte und daß selbst Versprechungen des Siegers hinterher nach Belieben gebrochen werden konnten. Erst am frühen Morgen kam man zu dem Beschluß, daß Wolff wieder in die Schweiz reisen sollte, und zwar sofort, und daß ihn diesmal zwei bevollmächtigte Unterhändler begleiten sollten. Vietinghoff bestimmte dazu für die Heeresgruppe den Oberstleutnant Hans-Lothar von Schweinitz. Als Bevollmächtigter der SS und der Polizei könnte der Obersturmbannführer Eugen

Wenner, Adjutant Wolffs, amtieren. Es wurde ferner beschlossen, das Hauptquartier der Heeresgruppe nach Bozen zu verlegen, weil der Feind schon bis kurz vor Mailand vorgedrungen war. Damit war auch der Gardasee bedroht. Rahn und Wolff mußten sich nach neuen Standorten umsehen. Der General mußte den Umzug seinem Stab überlassen, denn er, Wenner und Schweinitz brachen noch in den dunklen Frühstunden des 23. April zur Schweizer Grenze auf. Auch Parrilli war wieder dabei.

Wie üblich gaben sie den Schweizer Grenzern mit einem Codewort zu erkennen, daß der eidgenössische Geheimdienst ihre Einreise legitimierte. Parrilli rief Waibel an: Die Delegation sei bereit, im alliierten Hauptquartier in Caserta die Kapitulation zu unterzeichnen. »Das war, milde gesagt, eine verteufelte Situation«, erinnerte sich Dulles später. Jetzt erst sagte er Waibel, daß er mit den Deutschen nicht mehr sprechen dürfe, daß er aber überzeugt sei, seine Vorgesetzten hätten dieses Verbot nicht ausgesprochen, wenn sie gewußt hätten, »daß die Parlamentäre bereits unterwegs waren«. So mußte denn zunächst einmal Waibel helfend einspringen. Er bot an, die Deutschen in einer abgelegenen Villa über dem Vierwaldstätter See nahe Luzern einzuquartieren, bis ein neuer Bescheid aus Washington eintreffe. Als er schließlich kam, war er alles andere als eindeutig: Nicht Dulles sollte mit den Deutschen verhandeln, sondern die Schweizer Privatleute Waibel und Husmann, und deren Berichte möge Dulles dann weitergeben an seine vorgesetzte Dienststelle. Der in internationalen Affären noch unerfahrene Roosevelt-Nachfolger Harry S. Truman hoffte, auf diese Weise den Vorwürfen Stalins ausweichen zu können.

Waibel und Husmann nahmen die Deutschen wie gewohnt von der Grenze an unter ihre Fittiche. Wolff erfuhr, Washington sei durch seine Reise nach Berlin mißtrauisch geworden; er müsse zunächst einmal nach Luzern kommen, bis die Lage geklärt sei. Dulles durfte zwar mit Wolff nicht zusammentreffen, aber er wollte doch nicht auf eigene Informationen verzichten. Er quartierte deshalb seinen Mitarbeiter Gero von Gaevernitz im Luzerner Hotel »Schweizerhof« ein. Er ließ Wolff sagen, dessen Besuch bei Hitler hätten die Alliierten argwöhnen lassen, ob nicht am Ende doch der deutsche Diktator hinter dem Angebot auf Kapitulation stehe. Wolff konnte nur warten.

Am 24. April erreichte ihn auf Umwegen ein Funkspruch Himmlers: »Es kommt jetzt mehr denn je darauf an, daß die italienische Front hält . . . Es dürfen jetzt nicht die geringsten Verhandlungen gepflegt werden.« Als Wolffs Begleiter den Text lasen, sagte er ihnen: »Was Himmler jetzt sagt, ist bedeutungslos!« Andererseits zeigte sich jedoch Dulles lustlos. Er wollte sich mit dieser komplizierten Angelegenheit nicht die Karriere verderben. So wäre möglicherweise alles ausgegangen wie das Hornberger Schießen, wenn nicht Waibel ständig gedrängt hätte. Am Telefon sagte er zu Dulles: »Wir machen uns für alle Zeiten lächerlich, wenn wir die Sache nicht in Ordnung bringen. Hier sind deutsche Unterhändler, die eine bedingungslose Kapitulation anbieten wollen, und die Alliierten wollen sie nicht einmal empfangen. Wollen Sie den Krieg beenden, indem sie sie alle umbringen?«

Als am nächsten Tag die Lage noch immer unverändert schien, verlor Wolff die Geduld. Er werde in Italien dringend gebraucht, sagte er. Schweinitz und Wenner seien ermächtigt zu unterschreiben. Somit sei er in der Schweiz entbehrlich. Die Situation an der Front sei prekär, schützte er vor, aber tatsächlich zog es ihn nach Mailand. Dort hatte Dollmann über den vermittelnden Kardinal Schuster mit den Partisanen über einen Waffenstillstand verhandelt und zugesagt, Wolff werde in den nächsten Tagen zu einem abschließenden Gespräch kommen. Doch das war nur eine Finte gewesen; Wolff wollte auf diese Weise die Partisanen ruhig halten, bis er mit den Alliierten einig war. Nun aber wurde die Zeit knapp. Wenn erst in ganz Norditalien der große Aufstand losbrach, geriet nicht nur die Wehrmacht in größte Gefahr. Es war dann auch zu befürchten, daß am Ende die Kommunisten die Macht übernahmen vom Balkan bis an die spanische Grenze. Und seit der Duce in seine sozialistische Vergangenheit zurückzufallen drohte, schien es nicht mehr ausgeschlossen, daß er mit dem roten Flügel der Partisanen gemeinsame Sache machte.

Kardinal Schuster hatte einige Führer der Partisanen für diesen 25. April in sein Palais bestellt und es sowohl Wolff wie auch Mussolini freigestellt, dort mit ihnen zu verhandeln. Der SS-General war nicht gekommen. Von dem Chef der Sozialen Republik Italien forderten die Partisanen die bedingungslose Kapitulation seiner wenigen Divisionen und auch der zahlenmäßig viel stärkeren Parteimiliz, deren Einheiten freilich zumeist nur auf dem Papier bestanden. Mussolini schien nicht abgeneigt, darauf einzugehen, falls ihm gewisse Garantien geboten würden. Doch Marschall Graziani wandte ein, dies könne nicht ohne die Zustimmung der Deutschen geschehen. Er und Mussolini mußten sich sagen lassen, daß die SS solche Skrupel nicht habe, denn sie verhandle mit den Partisanen seit Tagen über einen Waffenstillstand.

Mussolini schrie empört: »Das haben die Deutschen hinter meinem Rücken getan. Diesmal werden *wir* sagen können, daß Deutschland Italien verraten hat!« Er spielte damit auf die Bündnissituation während des Ersten Weltkrieges an. Bei dessen Beginn war Italien mit dem Deutschen Reich und mit der Donaumonarchie Österreich im »Dreibund« alliiert, aber das Königreich Italien blieb nach Kriegsausbruch zunächst neutral und schloß sich dann den Engländern, Franzosen und Russen an. Verrat war auch insofern von seiten Mussolinis ein hartes Wort gegenüber einem Verbündeten, der nur etwas zu tun schien (als Täuschungsmanöver), was Mussolini gerade im Begriff war, selber zu vollbringen. Immerhin gewann er auf diese Weise einen melodramatischen Abgang aus dem Palais. Er sah jetzt keine Chance mehr für einen Wechsel der Fronten. Da Mailand nahezu von Partisanen beherrscht wurde, stiegen er und sein Gefolge in ihre Autos. Sie fuhren nach Como. Dort übernachteten sie, nur wenige Kilometer von Wolff entfernt.

An diesem 25. April kehrte Wolff kurz vor Mitternacht über den Schweizer Grenzbahnhof Chiasso nach Italien zurück. Unweit der Grenze, in Cernobbio, wenige Kilometer vor Como, unterhielt die SS am Westufer des Comer Sees eine Dienststelle in der Villa eines Fabrikanten, den der Käse zum Multimillionär gemacht hatte. Wolff beschloß, dort zu schlafen. Doch am frühen Morgen bekam die Villa noch einen Gast; es war der Marschall Rodolfo Graziani, der sich in Como von seinem Staatsoberhaupt getrennt hatte und nun den Schutz der SS suchte. Das traf sich günstig, denn die für Caserta bestimmten Bevollmächtigten sollten dort auch die Kapitulation der italienischen Divisionen besiegeln, waren aber dazu noch nicht legitimiert. Wolff holte dies nach, indem er zunächst den ob solcher Eigenmächtigkeit erbosten Marschall besänftigte und ihn schließlich ein Papier unterzeichnen ließ, das Wolff berechtigte, auch für die Italiener zu handeln.

Zwar konnte er das Dokument noch an Gaevernitz senden, aber als er selber weiterreisen wollte, hinderte ihn daran ein starker und gut ausgerüsteter Partisanenverband. Er war rings um das Anwesen in Stellung gegangen. Ein Ausbruchsversuch wäre Selbstmord gewesen. Doch das Telefon war noch intakt. Standartenführer Rauff wurde fernmündlich um Beistand gebeten, aber er konnte nur ein paar Mann schicken. Sie kamen mit zwei Panzerspähwagen und einer 8/8-Kanone. Bei dem Versuch, den Ring der Belagerer aufzubrechen, wurden das Geschütz und die Fahrzeuge beschädigt. (Anmerkung: Rauff, SD-Chef in Mailand, starb 1984 in Chile. Er fand nach Kriegsende Unterstützung durch die katholische Kirche, lebte angeblich zwei Jahre illegal in einer klerikalen Einrichtung und wurde dann nach Südamerika ausgeschleust. Rauff hatte sich ›rühmen‹ können, der Erfinder der Gaswagen gewesen zu sein, mit denen zunächst Geisteskranke und später Juden umgebracht wurden.)

Wieder war es Waibel, der die Situation meisterte. Ihn bewegten dabei sowohl die Nachteile, die bei einer Verlängerung der Kämpfe in Italien auf die Schweiz zukamen, wie auch die Verantwortung, die er gegenüber den Deutschen empfand, weil er die Verhandlungen in Gang gebracht hatte. Zu Gaevernitz sagte er, wenn Wolff ein Opfer der Partisanen würde, fiele die Kapitulation ins Wasser. Sie beschlossen, sich der Vermittlung eines Mannes zu bedienen, der in Lugano ansässig war, als US-Agent wirkte und unter dem Namen Scotti die italienischen Partisanen gelegentlich auch mit Dollars versorgt hatte, damit sie Waffen auf dem Schwarzmarkt erwerben konnten.

Aus Lugano rief Waibel die Villa des Käsefabrikanten Locatelli an. Die Leitung funktionierte noch immer. Er sagte Wolff, daß der US-Agent in der kommenden Nacht versuchen würde, mit zwei Autos durchzukommen. Das Unternehmen gelang; die Partisanen ließen sich durch ihren »Freund Scott« bereden, die Belagerung aufzuheben. Gegen zwei Uhr am Morgen des 27. April erreichte Wolff das Bahnhofsrestaurant von Chiasso. Dort warteten Gaevernitz und Waibel. Wolff sagte: »Ich werde nie vergessen, was Sie für mich getan haben.«

Am Nachmittag machte er sich auf den Weg ins Hauptquartier, das inzwischen nach Bozen umgezogen war. Der direkte Weg war ihm durch Partisanen versperrt; Waibel mußte ihn durch die Schweiz nach Norden bis zur Grenzstation Arth-Goldau schleusen. Bei Feldkirch konnte er Vorarlberger Boden betreten. Nach einem weiten Umweg über den Arlberg- und über den Reschenpaß kam er zu mitternächtlicher Stunde zwischen dem 27. und 28. April in Bozen an. Um diese Zeit wußte er bereits, daß die beiden Unterhändler an diesem Tag ins Hauptquartier der Alliierten nach Caserta zur Unterzeichnung der Kapitulation geflogen wurden. Stalin hatte dagegen nichts mehr einzuwenden; er schickte einige seiner Militärs als Beobachter.

Wolff berief sofort eine Konferenz in das Bozener Haus des Gauleiters ein. Teilnehmer waren unter anderen Vietinghoff, Röttiger, Rahn, Hofer. Das Haus lehnte sich an eine steile Felswand, in die Hofer ein System von Luftschutzstollen hatte hineintreiben lassen. Bei der Konferenz fühlte er sich als Hausherr und beanspruchte den Vorsitz am Verhandlungstisch. Als Wolff berichtete, daß die deutschen Unterhändler in Caserta bedingungslos unterzeichneten, unterbrach ihn Hofer mit der Frage, ob seine politischen Forderungen denn nicht verhandelt worden seien. Wolff entgegnete, daß angesichts der verzweifelten militärischen Lage dergleichen nicht mehr möglich sei. Daraufhin verlangte der Gauleiter, daß er in Südtirol als oberste Instanz für alle Entscheidungen zu gelten habe, ob politischer oder militärischer Art. Vietinghoff, Rahn und Wolff widersprachen. Nach vielstündiger Debatte trennte man sich im Morgengrauen völlig zerstritten.

Da Hofer nicht die Machtmittel besaß, seinen Anspruch durchzusetzen, alarmierte er den Generalfeldmarschall Kesselring, Oberbefehlshaber im Westen. Dessen Hauptquartier lag freilich schon weit im Osten; bis Pullach bei München hatten ihn die Amerikaner schon zurückgetrieben. Daß Wolff mit Dulles verhandelt hatte, wußte er; nachdem der SS-General ihn vor einem Monat besucht hatte, war inzwischen auch noch Dollmann eigens zu seiner Unterrichtung nach Bayern gefahren. Von einer bedingungslosen Kapitulation war bei diesen Gesprächen freilich noch nicht die Rede gewesen. Als früherer Verbindungsoffizier zwischen Kesselring und Wolff wußte Dollmann, was er dem Generalfeldmarschall zumuten konnte. Er sei, schrieb Kesselring später, zu diesem Zeitpunkt noch dagegen gewesen, weil er den deutschen Truppen im Osten mehr Zeit verschaffen wollte, sich vor einer Gefangenschaft in der Sowjetunion in den Westen zu retten.

Als Hofer Kesselring zu Hilfe rief, waren beide darüber informiert, daß der Generalfeldmarschall binnen kurzem von Hitler den Oberbefehl über alle deutschen Verbände im südlichen Teil des Reiches erhalten würde. Damit würde ihm auch die Heeresgruppe Vietinghoffs unterstellt. Daraus leitete er jetzt schon das Recht ab, in die Vorgänge in Italien einzugreifen. Er fuhr nach Innsbruck zu Hofer. Als General Röttiger dorthin vorgeladen wurde, schob er dringende Dienstgeschäfte vor und schickte als Stellvertreter den Oberst Josef Moll. Ihn verhörte Kesselring und drohte dann mit einem Kriegsgerichtsverfahren wegen Hochverrats, also mit der Todesstrafe. Doch Moll war nicht so leicht einzuschüchtern. Wenn schon ein solches Verfahren notwendig sei, sagte er in Anwesenheit Hofers, dann müßte auch der Gauleiter abgeurteilt werden. Hofer habe Anfang April in einer Dienstbesprechung der Heeresgruppe behauptet, Hitler sei verrückt geworden, und gesagt, er werde doch nicht blindlings ins Elend rennen, indem er alle Befehle des

944/45 gesprächsbereit: Der Höchste
Polizeiführer und bevollmächtigte General
tschen Wehrmacht in Italien,
lff.

ussolini, von Partisanen gefangen
ammen mit seiner Geliebten Clara Petacci
t und öffentlich zur Schau gestellt.

er: Die Schweizer Dr. Max Husmann
Bild) und der Major i. G. Max Waibl stellen
bindung zwischen Wolff und den
en Alliierten her.

BOZNE

Nr. 103 C. C. P.

Waffenruhe an d

Tagesbefehl an die Soldaten der He

Der Kampf auf dem italienischen Kriegsschauplatz hat nach einem letzten heldenmütigen Einsatz der altbewährten Italien-Divisionen sein Ende gefunden.

Der Truppe, die unerschüttert der Materialüberlegenheit des Gegners bis zum letzten standgehalten hat, gebührt mein besonderer Dank. Die Ritterlichkeit, die sie gegen Freund und Feind bewiesen hat, hat ihr die Anerkennung auch der Gegner gesichert. Voll Stolz können wir auf die Taten der Heeresgruppe auf historischem italienischem Boden zurückblicken.

Die deutsche Führung in Italien war sich stets ihrer hohen Verantwortung gegenüber dem deutschen und italienischen Volk bewußt. Ihr politisches und militärisches Handeln an der Front und im rückwärtigen Gebiet diente stets dem Kampf um die Heimat der beiden verbündeten Völker und der Erhaltung der hohen Werte ihrer alten Kultur. Planlose Zerstörungen und sinnloses Blutvergießen müssen vermieden werden, um die letzten Kräfte für den zukünftigen Aufbau zu retten.

Da die hohen, nicht mehr zu ersetzenden Verluste und der fehlende Nachschub an den wichtigsten Mitteln der Kriegführung eine Fortsetzung des Kampfes aussichtslos erscheinen lassen, habe ich mich mit Genehmigung des Oberbefehlshabers Süd, Herrn Generalfeldmarschall Kesselring, und im Einvernehmen mit dem Bevollmächtigten des Reiches, Botschafter Dr. Rahn
penführer W
Luftwaffe in
des Marine-C
Kampf einzu

Alle dem
die zerstöre
rer Kamerad
tigkeit gelten

Auch na
datischer Ha
und den sto
Die anrücke
der Vermeid
Verbündeten

Nur Stä
Sturz ins C
liebtes Vater

spráchspartner Wolffs: Allen Dulles (rechts),
nderbeauftragter des US-Präsidenten für Europa
Sitz in der Schweiz, und sein Assistent
evernitz.

5: Der Krieg in Italien
beendet. Im Hauptquartier
deutschen Oberbefehls-
ers, Generaloberst Heinrich
Vietinghoff-Scheel
(mitte), treffen sich die
erhändler: der Deutschame-
ner Gero von Gaevernitz
der SS-General Karl Wolff.

TAGBLATT

. Mai 1945 | 1 Lira | 3. Jahrgang

front

vest

H. Qu., den 3. Mai 1945.

eitführer in Italien, ᛋᛋ-Obergrup-
renden General der deutschen
Pohl und dem Befehlshaber
von Löwisch, entschlossen, den

el müssen jetzt dem Kampf gegen
is dienen. Diesem Kampf unse-
ner neuen Ordnung und Gerech-

keiten gilt es wie bisher in sol-
lschaft fest zusammenzustehen
uch im Unglück zu bewahren.
rkennen unsere Haltung an, die
t, und werden uns und unseren
uteil werden lassen.
:k kann Deutschland vor dem
deutsches Volk und unser ge-

v. Vietinghoff,
Generaloberst.

1947: Noch immer in der Uniform eines deutschen Generals
Gefangener in Nürnberg. Bei einer Vernehmung durch den alliierten Richter, den Amerikaner Michael A. Musmanno.

1955: Der Bundesbürger Karl Wolff. Von neuen Freunden geachtet als Werbefachmann und erfolgreicher Generalvertreter. Umstritten bei der ehemaligen Gefolgschaft.

1978: Wegen Krankheit vorzeitig aus der Gefängnish entlassen. Als Gast des Auto in Hamburg, um dessen Forschungsarbeiten über de Nationalsozialismus zu unterstützen.

Führerhauptquartiers befolge. Moll wurde nach Mitternacht nach Bozen zurückgeschickt.
Zwischen der Brennerhöhe und Innsbruck begegnete er dem Wagen seines Oberbefehlshabers. Auch Vietinghoff war zum Verhör bestellt. Moll warnte ihn, aber der Generaloberst ließ sich nicht aufhalten. Er wurde in der Gauhauptstadt festgehalten vom frühen Morgen des 29. April bis zum Mittag des folgenden Tages. Als er am 30. April nachmittags nach Bozen zurückkehrte, begleiteten ihn der General Friedrich Schulz und der Generalleutnant Fritz Wentzell; der Ranghöhere war der neue Oberbefehlshaber der Heeresgruppe und der andere dessen Stabschef. Den abgesetzten Generälen Vietinghoff und Röttiger war befohlen, sich an den Karersee zu begeben, wo ein Kriegsgericht über sie urteilen werde. Röttiger durfte noch 24 Stunden in Bozen amtieren, damit er seinen Nachfolger einweise.
Gegen Wolff konnte Kesselring nichts unternehmen; der SS-Führer unterstand ihm nicht. Deshalb stellte der Generalfeldmarschall dem nach Innsbruck ausgewichenen SS-Obergruppenführer und Chef der Sicherheitspolizei Ernst Kaltenbrunner anheim, das Seinige zu veranlassen. Da sich die SS-Sonderkommandos Skorzeny und Begus nach Südtirol in Sicherheit gebracht hatten und da sie jeden Auftrag annehmen würden, der ihren Aufenthalt abseits vom Kriegsgeschehen legitimierte, war es nicht ausgeschlossen, daß Kaltenbrunner sie für einen Handstreich gegen seinen Erzfeind Wolff einsetzte.
Der SS-General hatte deshalb seinen Dienst im Bozener Palais der Herzöge von Pistoia gegen Überfälle durch ein Wachkommando abgesichert – wer immer einen Überfall auch versuchen wollte. Im gleichen dritten Stockwerk, in dem er zu schlafen pflegte, hatte der Tscheche Hradecky wieder eine Funkbude. An deren Tür las man: »Zutritt nur mit Genehmigung des Obergruppenführers.« Nun konnte Wolff über diese Antenne eine Warnung in die Schweiz absetzen: Die Parlamentäre Schweinitz und Wenner mußten Tirol bei ihrer Rückkehr ins Hauptquartier nach Möglichkeit meiden, vor allem Innsbruck. Kaltenbrunner und Hofer lauerten dort auf sie und wollten sie festnehmen lassen.
Die beiden Parlamentäre hatten bereits am 29. April um 14 Uhr das Abkommen über den Waffenstillstand unterzeichnet. Die Kapitulation erfolgte laut Artikel I bedingungslos, was man in alten Zeiten »auf Gnad' und Ungnade« nannte. Die Waffenruhe sollte am 2. Mai um 12 Uhr englischer Zeit beginnen. Nun mußten die beiden Unterhändler zurück ins Hauptquartier, um zu berichten und die Urkunde abzuliefern. Waibel brachte sie wieder gut durch die Schweiz und instruierte sie über die Gefahren ihres Heimwegs, aber zunächst einmal gab es am Grenzübergang bei Bludenz eine Schwierigkeit, weil ein Rivale Waibels im Schweizer Nachrichtendienst die Aktion stören wollte. Schweinitz und Wenner wurden dadurch sechs Stunden aufgehalten. Wolff schickte ihnen einen Wagen an die Grenze. Über Landeck erreichten sie den Reschenpaß und kamen unangefochten in den ersten Morgenstunden des 1. Mai in Bozen an.
Seit ihrer Abreise vor einer Woche war vieles geschehen. Das von Hitler und Mussolini betriebene Machtsystem löste sich jetzt so schnell auf wie der Schnee

an den Südhängen der Dreitausender in der Tauernkette. Als sie am 23. April in die Schweiz eingereist waren, begann Mussolini gerade mit seinem inzwischen gescheiterten Versuch, sich durch eine Verständigung mit den Mailänder Partisanen am eigenen Zopf – wie der Lügenbaron Münchhausen – aus dem Sumpf zu ziehen. Die Nacht zum 26. April nach der Abfahrt aus Mailand verbrachte er in Como, nur wenige Kilometer von seinem bisherigen Berater und Bewacher entfernt, der in der Villa Locatelli nächtigte. Doch von dieser »Annäherung« wußten beide nichts. Beim Aufbruch am frühen Morgen wollte Mussolini auch noch sein SS-Begleitkommando loswerden, aber dessen Führer, der SS-Untersturmführer Fritz Bitzer setzte es unter Androhung von Waffengewalt durch, daß sich seine Mannen mit ihren Fahrzeugen in den Konvoi einreihen konnten. Die Kolonne fuhr am Westufer des langgestreckten Sees entlang nach Norden, immer nur wenige Kilometer von der Schweizer Grenze entfernt. Am Nachmittag dieses 26. April bogen die Wagen nach Westen ab auf eine Straße, die zum Luganer See führte, der zum Teil in die Schweiz hineinreichte. In der Ortschaft Grandola machte man halt. Zwei von Mussolinis Ministern versuchten, in die Schweiz einzuschleichen, gewissermaßen als Spähtrupp. Als ihnen dies mißlang, kehrte die Kolonne wieder zum Seeufer zurück. Mussolini übernachtete in Menagio. Er verkündete, er wolle am nächsten Tag bis Meran durchfahren – eine Route, die ständig in wechselnder Entfernung dem Grenzverlauf folgt, zugleich aber auch in seine vorgebliche Alpenbastion, das Veltlin und ebenso zu Wolff führen konnte.

Sie brachen um 5.30 Uhr auf, kamen aber nicht weit. Schon nach der nächsten Ortschaft, kurz vor dem Städtchen Dongo, war die Straße durch einen Baumstamm und ein paar Felsbrocken unpassierbar gemacht. Partisanen hatten sich eine Falle ausgedacht; rechts von der Fahrbahn fällt das Terrain sehr steil zum See ab, links steigt aus dem Straßenrand eine Felswand auf. Vor dem Hindernis staute sich eine kilometerlange Fahrzeugschlange, denn zu Mussolinis Begleitkolonne war noch eine deutsche Nachrichtenkompanie der Luftwaffe gestoßen, eine Einheit also, die nicht gerade als kampferfahren gelten konnte. Ein Panzerspähwagen bildete die Spitze der Kolonne. Hinter ihm folgten Personen- und Lastkraftwagen aller Art und zwischen ihnen noch Motorradfahrer.

Als die Spitze beschossen wurde, war der Spähwagen auch schon lahmgelegt, weil seine Reifen getroffen waren. Davon eingeschüchtert kam niemand auf die Idee, die Hindernisse wegzuräumen; das in dem gepanzerten Spähwagen eingebaute Maschinengewehr hätte dabei ein wenig Feuerschutz geben können. Jedoch die SS-Männer, die Soldaten der Luftwaffenkompanie und auch die Italiener waren von der Niederlage so demoralisiert, daß jeder nur noch danach strebte, mit heiler Haut den bevorstehenden Frieden zu erleben.

Von vorn näherten sich der Zugspitze ein paar jugendliche Italiener mit einer weißen Fahne. Sie forderten, daß ihnen die Waffen ausgeliefert würden. Von Mussolinis Leuten ließ sich niemand sehen. Der Führer der Luftwaffenkompanie übernahm es, mit den Partisanen zu palavern, weil er am besten italienisch sprach. Er ging mit ihnen nach Dongo und kam erst nach sechs Stunden wieder –

als sie Verstärkungen aus der ganzen Gegend zusammengezogen hatten. Stolz auf das Erreichte, verkündete er, alle Deutschen dürften weiterfahren, hinüber in die Schweiz, ohne Waffen, versteht sich. Nur die Italiener wurden festgehalten. Daß die Widerstandsbewegung im Rundfunk aufgerufen hatte, alle faschistischen Führer standrechtlich umzubringen, war den meisten Deutschen im Konvoi bekannt. Doch in einer solchen Situation ist sich wohl jeder selbst der nächste.

Auf dem Marktplatz von Dongo wurden die Fahrzeuge durchsucht und die Personalien überprüft. Versteckt auf einem Lastkraftwagen zwischen zwei Benzinfässern entdeckten die Partisanen den ehemaligen Duce des Königreichs Italien und derzeitigen Staatschef der Sozialen Republik Italien. Vergebens hatte er sich mit einem deutschen Militärmantel und einem Wehrmachts-Stahlhelm verkleidet und einen schlafenden Betrunkenen gemimt. Er wurde abgeführt, begleitet vom Haßgebrüll der Menge. Ebenso wurden auch seine Minister und die Parteifunktionäre inhaftiert. Und ebenso Clara Petacci; sie war entschlossen, sein Schicksal zu teilen.

Am Nachmittag dieses 27. April durften die Deutschen des Konvois weiterfahren, nach Norden über Chiavenna zum Malojapaß. An der Schweizer Grenze mußten sie lange warten, ehe sie passieren durften, aber sie blieben die ganze Zeit unangefochten, und über St. Moritz und durch das Engadin wurden sie auf die Straße zum Reschenpaß und damit auf österreichisches Gebiet zurückgeleitet. Sie waren die einzigen deutschen Soldaten, die als Formation Schweizer Boden betreten durften. Offenbleiben muß die Frage, ob es nicht ihre menschliche Pflicht gewesen wäre, die Italiener, Mussolini eingeschlossen, vor der blindwütigen Volksjustiz zu bewahren – und sei es nur, damit ein legitimes Gericht sich mit ihren Taten und Untaten befassen konnte.

Als der Journalist Erich Kuby für eine deutsche Illustrierte eine Petacci-Geschichte schreiben sollte, reiste er mit dem inzwischen fast 80jährigen Ex-General Karl Wolff in Italien und Deutschland herum auf der Suche nach Fakten und Zeugen. Fritz Bitzer, Führer des SS-Begleitkommandos meinte, nur durch die Preisgabe Mussolinis sei die Situation zu meistern gewesen. Andernfalls wären wegen eines Mannes über 200 gestorben. Wolff ergänzte diese Aussage: »Wenn er sein Ehrenwort gehalten hätte« – und er meinte, wenn Mussolini nicht gegen die Anordnungen des SS-Obergruppenführers gehandelt hätte – »wäre er aufgehoben gewesen.« Niemand hatte sich etwas vorzuwerfen.

Mussolini wurde von den Partisanen nach einem kurzen Aufenthalt in einer Zollstation in der Nacht zum 28. September zusammen mit Clara Petacci in ein Bauernhaus gebracht. Sie hatte darauf bestanden, ihn zu begleiten. Die Bäuerin machte dem Paar das Schlafzimmer ihrer Kinder zurecht, ohne zu wissen, wen sie beherbergte, denn um den Mann unkenntlich zu machen, hatten die Partisanen seinen Kopf mit Mullbinden umwickelt. Vor der Zimmertür postierte sich eine Wache. Gegen elf Uhr am nächsten Morgen wurde dem Paar ein Frühstück aufs Zimmer serviert. Ein kommunistischer Partisanenführer holte die Gefangenen ab und kutschierte sie in einem Wagen anscheinend ziellos in der Gegend herum, auf der Suche nach einer passenden Stelle für die »Hinrichtung«. Schließlich hielt er vor der Einfahrt zu einem Landhaus. Das Grundstück war durch eine hohe Mauer von der Straße getrennt. Mussolini und Clara Petacci mußten aussteigen, durch das Tor gehen und sich an die Innenseite der Mauer stellen. Ihr Bewacher verkündete ihnen, sie seien vom Befreiungskomitee zum Tode verurteilt. Mit seiner Maschinenpistole erschoß er sie.

Inzwischen wurden in Dongo 16 führende Männer aus Partei und Staat getötet, ebenso der Bruder von Clara Petacci. Die Leichen wurden auf einen Lastwagen geladen. Dazu kamen noch die beiden Toten hinter der Gartenmauer. Auf dem Loretto-Platz in Mailand legte man die Toten alle auf den Erdboden, und nachdem sich noch die Volkswut am Leichnam Mussolinis ausgetobt hatte, wurde sein Körper und der seiner Geliebten an einer Tankstelle an den Füßen kopfunter aufgehängt.

Als Hitler dies erfuhr, ordnete er im Bunker der Reichskanzlei an, daß sein Körper gleich nach seinem Selbstmord verbrannt werden müsse – wie es dann ja auch zwei Tage später geschah. In die Kämpfe im Süden wollte er nicht mehr mit Befehlen eingreifen, obwohl ihn Kaltenbrunner aus Tirol dazu aufforderte, indem er meldete, es habe »nach dem Durchbruch der Amerikaner eine regellose Flucht nach Norden« begonnen. Nach dem »Ausbruch vorbereiteter Aufstände in allen größeren Städten« habe er »Anlaß, zu befürchten, daß die Forderungen der regionalen Befreiungskomitees von höchsten Führern akzeptiert wurden... Hofer behauptet, auch von Wolff und Vietinghoff.« Kaltenbrunner schlug vor, durch »sofortige Inmarschsetzung entschlossener Sprengkommandos mit reichlichem Gerät« alle nach Norden führenden Straßen Südtirols unpassierbar zu machen und so einen Durchbruch feindlicher Panzer zum Brennerpaß zu verhindern.

13
Mitgegangen – mitgehangen

Im Berliner Chaos der letzten Apriltage blieb Kaltenbrunners Vorschlag ohne Wirkung. Um die gleiche Zeit scheiterte in Südtirol sein Plan, dort eine Anzahl der prominentesten KZ-Häftlinge des Dritten Reiches entweder als Geiseln zu verwahren oder aber als Belastungszeugen umbringen zu lassen, falls kein angemessener Preis für sie ausgehandelt werden könnte. Sie waren seit Anfang April aus verschiedenen Konzentrationslagern gesammelt und dann von Dachau aus in Autobussen südwärts transportiert worden. Von der SS wurden sie zwar scharf bewacht, aber immer einigermaßen korrekt behandelt. Unter ihnen waren der ehemalige französische Ministerpräsident Leon Blum mit Frau, ein Neffe des sowjetischen Außenministers Molotow, zwei englische Geheimdienstoffiziere, die Hitler verdächtigte, sie hätten das Sprengstoffattentat im Münchner Bürgerbräukeller am Abend des 8. November 1939 gegen ihn organisiert, Pastor Martin Niemöller und einige andere protestantische Geistliche, die sich in der »Bekennenden Kirche« gegen den Nationalsozialismus gestellt hatten, der Ex-Minister und Ex-Reichsbankpräsident Hjalmar Schacht, der Hitlers Aufrüstung finanziert hatte, aber den Kriegskurs nicht mitmachen wollte, Generäle und weitere Offiziere der Wehrmacht. Insgesamt waren es mehr als 200 Menschen.

Der Transport war am 29. April schließlich in Niederndorf im Pustertal unweit Toblach zum Stehen gekommen, weil die SS-Bewacher nicht mehr weiter wußten. Während sie sich um Instruktionen bemühten, gelang es dem Obersten Bogislaw von Bonin von einer Wehrmachtsdienststelle aus das Hauptquartier der Heeresgruppe in Bozen anzurufen. Er bat den General Röttiger um Hilfe; mit ihm hatte er gelegentlich schon zusammengewirkt. Röttiger schickte umgehend den Kommandanten seines Hauptquartiers, den Hauptmann Wichard von Alvensleben, mit einem Kommando von acht fronterfahrenen und bis an die Zähne bewaffneten Unteroffizieren. Als Alvensleben den führenden Offizier der SS-Bewacher nach Ziel und Zweck des Transports fragte, sagte dieser, sein Auftrag sei erst erledigt, »wenn die Gefangenen tot sind«. Da die SS-Männer gerade dabei waren, sich ein paar schöne Stunden im Dorf zu machen, hatten sie nur eine schwache Wache bei den Häftlingen zurückgelassen. Alvensleben ließ sie einzeln einfangen und im Rathaus internieren, insgesamt 86 Männer. Als diese sich dann ihrer Übermacht bewußt wurden, drohten sie, den Spieß

umzudrehen. Sie verzichteten jedoch, als Alvensleben eine motorisierte Wehrmachtskompanie aus Toblach anfahren ließ.
Wolff war an der Aktion insofern beteiligt, als er am Telefon kurz mit Bonin gesprochen und seine Hilfe zugesagt hatte. Er befahl ferner den Bewachern, aus Niederndorf abzuziehen, und er ließ die Häftlinge in einem feudalen Hotel am Pragser Wildsee unterbringen, in einem idyllischen Seitental des Pustertals. Dort konnten sie als freie Menschen die Ankunft alliierter Truppen abwarten. In ihre Heimat wurden sie allerdings nicht so schnell entlassen. Sie wurden auf die Insel Capri gebracht, wo sie dann der US-Geheimdienst ausfragte und sich mit ihrer Vergangenheit beschäftigte. Als Wolff in den folgenden Jahren mehrmals vor Richtern stehen mußte, pflegte er die Befreiung dieser Häftlinge als eine seiner »Guttaten« zu präsentieren. Doch der als Zeuge gehörte Oberst Bogislaw von Bonin gab an, er kenne den ehemaligen Obergruppenführer Karl Wolff nicht und er sei sich nicht bewußt, daß er diesem Mann etwas zu verdanken habe. Ein anderer Zeuge bestätigte jedoch einigermaßen die Aussagen Wolffs, der hier vermutlich (wie so häufig) die subjektive Wahrheit gesagt hatte, die ihm mehr Verdienste zuteilte, als der objektive Tatbestand gestatten würde.
Neu war für die aus Caserta heimgekehrten Parlamentäre auch, daß ihr wichtigster Auftraggeber, der Generaloberst Heinrich von Vietinghoff, gewissermaßen ihre juristische Rückendeckung, abgesetzt worden war. Wie befohlen, wartete er in einem Hotel am Karersee hoch oben in den Dolomiten auf seine Aburteilung durch ein Kriegsgericht. Nur sein Stabschef, der General Röttiger, war noch im Amt, befristet bis zum Ende dieses Tages, des 1. Mai. Als er von den Ankömmlingen hörte, daß keine der von Vietinghoff geforderten Konzessionen beim Gegner durchzusetzen war, daß also die Kapitulation im Sinn des Wortes bedingungslos sein würde, mußte Wolff ihn moralisch stützen. Die beiden Generäle, der eine von der SS, der andere von der Wehrmacht, kamen zu dem Schluß, daß sie nun eindeutig den Rubikon der Legalität überschreiten müßten. Sie befahlen, alle nach Norden, also zu Kesselring und nach Berlin, führenden Nachrichtenleitungen zu sperren. Dem neu ernannten Oberbefehlshaber der Heeresgruppe, dem General Schulz, und ebenso dessen Stabschef, dem Generalleutnant Wentzell, ließ Röttiger mitteilen, daß eine grundlegende Veränderung der Lage es ihm unmöglich mache, seinen Posten abzugeben. Röttiger ließ die beiden in ihren Räumen im Gauleiterbunker einschließen und die Türen durch Offiziere mit Maschinenpistolen bewachen. Es war ein regelrechter, wenn auch kleiner Militärputsch mittels einer Meuterei.
Auf welcher Seite Wolff stand, braucht nicht gesagt zu werden. Er war seit vielen Wochen tätig, den Krieg zu beenden, und er war bereit, dafür fast jeden Preis zu bezahlen. Sein Gewissen plagte ihn nur wenig; die Eide, die er Hitler und auch Himmler geschworen hatte, waren *eine* Sache, der Krieg und die Niederlage eine andere. Er redete sich ein, daß er seinem Führer immer die Wahrheit gesagt (wenn auch manches verschwiegen) hatte und daß er sogar von Hitler bevollmächtigt gewesen sei, so zu handeln. Insgeheim sah er sich wohl als einen Vollstrecker des Führerwillens. Auch er saß in der Runde, als die von Schweinitz

und Wenner unterschriebene Kapitulation bei den Generälen der Heeresgruppe durchgesetzt werden sollte – und zwar unverzüglich, denn der folgende Tag sollte die Waffenruhe bringen.
Damit begann an diesem 1. Mai gegen zehn Uhr im Hauptquartier der Heeresgruppe ein Eiertanz um den »Fahneneid« – ein für die Mitwirkenden aufregendes und zeitweise tragisches Spektakel, das jedoch für Unbeteiligte auch groteske und komische Szenen enthielt. Als erste ließen sich der Oberbefehlshaber der in Italien stationierten Kriegsmarine (eine Mini-Macht) und der Oberbefehlshaber der Luftwaffe in Italien (die mangels Sprit und mangels Flugzeugen nur noch am Boden existierte) über die Lage unterrichten. Sie waren vorsichtig; ehe sie sich zur Situation äußerten, wollten sie erst ihre Stabschefs konsultieren. Nach ihnen informierte Röttiger die Angehörigen seines Stabes. Etliche junge Offiziere forderten die Fortsetzung des Krieges; sie wollten gerade jetzt den Führer nicht im Stich lassen. General Joachim Lemelsen, Befehlshaber der auf dem westlichen Flügel eingesetzten 14. Armee, meldete telefonisch sein Veto an; wenn auch die Lage seiner Soldaten hoffnungslos sei, so nehme er doch den Befehl zur Waffenstreckung nur von dem rechtmäßigen Oberbefehlshaber der Heeresgruppe entgegen. Das aber war der im Stubenarrest festgehaltene General Schulz. Auch von der 10. Armee, die den westlichen Teil der Front bildete, meldete dessen Oberbefehlshaber, der General Traugott Herr, Bedenken an gegen die Kapitulation, zeigte sich aber verhandlungsbereit.
Der Ehrenkomment für Offiziere sieht vor, daß eine Pistole, an der eigenen Schläfe aufgesetzt und abgezogen, in solchen Fällen der einzige Problemlöser sei. General Röttiger war nun der Ansicht, er sei gescheitert, und also erwog er, sich mit einem Knall von der Welt zu verabschieden. Doch Wolff erfuhr davon und beschloß, dem verzweifelten Bundesgenossen mit Rat und Tat beizustehen. Wieder einmal sah er einen Kompromiß, wo andere keinen Ausweg mehr entdecken können. Er empfahl, die eingesperrten Generäle in ihre Ämter befehlsgemäß einzusetzen und sie dann in Verhandlungen zu bekehren. Er war überzeugt, daß die neuen Besen am Ende unter den derzeitigen Umständen auch nicht besser kehren würden als die alten – und er sollte recht behalten.
Der nun inthronisierte General Schulz konnte seinem unmittelbaren Vorgesetzten, dem Generalfeldmarschall Kesselring auch nichts anderes melden als sein Vorgänger: daß die Lage hoffnungslos und daß weitere Kämpfe sinnlos seien. Kesselring beharrte jedoch auf seinem Befehl, zu schießen und immer weiter zu schießen. Als Schulz dies im Gauleiterbunker um 18 Uhr den versammelten Generälen mitteilte, stimmten sie alle seiner Beurteilung der Lage zu, aber niemand war bereit, den Kampf einzustellen, solange ihm dies nicht von Schulz befohlen würde. Der aber, so sehr er sich dies wünschte, sah sich außerstande, solche Befehle zu geben, solange nicht von Kesselring eine entsprechende Weisung käme. Auch der Generalfeldmarschall wartete sehnlichst auf ein erlösendes Wort seines Obersten Kriegsherrn. Doch der war seit mehr als 24 Stunden verstummt, für immer. In Bozen wußte das noch niemand, und

vielleicht wußte es nicht einmal der Oberbefehlshaber West, der jetzt sein Hauptquartier nach Österreich zurückverlegen mußte.
Die beratenden Generäle im Gauleiterbunker waren damit in eine Sackgasse geraten. Doch Wolff, der immer Eloquente, rief wieder einmal Kesselring an. Weil er ihn nicht erreichte, schlug er dessen Stabschef vor, der Feldmarschall möge doch anstelle von Schulz einen anderen General zum Oberbefehlshaber in Italien ernennen, der bereit sei, auch ohne die Einwilligung Kesselrings zu kapitulieren. Das war ein nahezu schizophrener Vorschlag. Er wurde deshalb auch nie beantwortet.
Während die Herren ihren scheinbar unlösbaren Konflikt schweigend und gemeinsam bebrüteten, stand gegen 22 Uhr der General Herr auf. Er hatte einen Entschluß gefaßt und befahl seinem Stabsoffizier, die 10. Armee möge am folgenden Tag um 14 Uhr Ortszeit und damit um die Mittagsstunde englischer Zeit das Feuer einstellen, wie im Abkommen vorgesehen. Auch der General Lemelsen von der 14. Armee und der Luftwaffengeneral Pohl schlossen sich diesem Befehl an. Also konnte Wolff über die tschechische Antenne dem alliierten Feldmarschall Sir Harold Alexander drahtlos melden, daß die Vereinbarung eingehalten werde, wenn auch ohne die Zustimmung des Oberbefehlshabers der Heeresgruppe.
Gegen 23 Uhr kam der oberste Nachrichtenoffizier in den Beratungsraum mit einer Neuigkeit. Er sagte nur: »Der Führer ist tot!« Mit diesen vier Worten wurden innerhalb einer Sekunde alle Fahneneide nichtig. Der Trauerfall erhellte die besorgten Mienen der Herren am Tisch. Nun hatte es sich herausgestellt, daß sie sich die ganze Zeit grundlos gestritten hatten. Der neue Oberbefehlshaber sah keinen Anlaß mehr, der Kapitulation nicht zuzustimmen. Er wartete nur noch auf Kesselrings Bescheid.
Er kam nach zwei Stunden per Fernschreiben – und anders als erwartet. Er befahl die Verhaftung der Generäle Vietinghoff, Röttiger und von drei weiteren Offizieren; ein Kriegsgericht sollte sie aburteilen. Junge Offiziere, die dieses Fernschreiben gelesen hatten, taten sich zusammen und standen plötzlich mit Maschinenpistolen vor der Tür zum Versammlungsraum, um den Befehl auszuführen. Sie kamen nicht dazu. Wolff hatte die Gefährdeten durch einen anderen Ausgang aus dem ihm vertrauten Bunkersystem ins Freie geleitet. Ihn selber wollten die noch immer Hitlertreuen mit Panzern aus seinem Hauptquartier holen, doch sie unterließen es, als der SS-General zu seinem eigenen Schutz sieben Panzer der Waffen-SS rings um das Palais Pistoia auffahren ließ. Durch seinen tschechischen Funker ließ er einen Hilferuf an Feldmarschall Alexander in den Äther schicken; er bat um Beistand durch alliierte Fallschirmjäger, die möglichst gleich in Bozen landen müßten. Er machte sich nicht nur Sorgen um seine eigene Haut und um die Kapitulation überhaupt; auch Frau Ingeborg mit den Kindern lebte jetzt im SS-Hauptquartier.
Um zwei Uhr morgens am 2. Mai, zehn Stunden vor dem Beginn der Waffenruhe, rief Kesselring noch einmal Wolff an. Er warf ihm vor, er treibe mit der Kapitulation jene Kameraden, die gegen die Rote Armee kämpften, in die

sowjetische Gefangenschaft nach Sibirien, weil ihnen nun nicht mehr genug Zeit bleibe, den Engländern oder Amerikanern entgegenzulaufen. Außerdem gefährde er den Rückzug deutscher Truppen aus Griechenland und Jugoslawien. Im Gegenzug bewies Wolff dem Generalfeldmarschall, nur eine sofortige Kapitulation gewährleiste, daß die Schlüsselposition Triest von westlichen Truppen und nicht von Kommunisten besetzt werden. Tatsächlich stießen dann auch sofort motorisierte englische Verbände in Eilmärschen auf die Stadt vor und besetzten sie, ehe Titos Partisanen dort die Macht übernehmen konnten.

Das Gespräch zwischen Kesselring und Wolff dauerte mit technisch bedingten Unterbrechungen volle zwei Stunden, und es schien, als bleibe der Feldmarschall unnachgiebig. Doch eine halbe Stunde später gab er telefonisch dem General Schulz seine Zustimmung zur Kapitulation und nahm die Verhaftungsbefehle zurück. Das Hauptquartier der Heeresgruppe funkte während der Morgendämmerung im Klartext an alle Wehrmachtseinheiten den Befehl, das Feuer um 14 Uhr Ortszeit einzustellen und die Waffen dem Gegner zu überlassen.

Im Westen und im Osten ging der Krieg weiter, noch tagelang. Doch schon am 3. Mai war auch Kesselring bereit, dem Kämpfen und Sterben ein Ende zu bereiten. Vormittags rief er Wolff an; er bat ihn, er möge doch auch für die Verbände des Oberbefehlshabers West einen Waffenstillstand einleiten. Der tschechische Funker, der noch immer in Bozen im immer noch existierenden Hauptquartier Wolffs saß, sandte an Feldmarschall Alexander folgenden Text: »Wolff im Auftrag Kesselrings an Alexander: Bitte um Auskunft, welches alliierte Hauptquartier für Kapitulationsverhandlungen des Oberbefehlshabers West zuständig ist.« Über Wolffs Funker kam die Antwort, Eisenhower sei der Zuständige, und die Anfrage sei gleich an ihn weitergeleitet worden. Den gleichen Nachrichtenweg nahm am folgenden Tag die Anweisung, wo Kesselrings Parlamentäre durch die amerikanischen Linien geleitet würden.

Feldmarschall Dwight D. Eisenhower, Oberster Befehlshaber der alliierten Expeditionsstreitkräfte, schrieb später in seinen Memoiren, die Waffenstrekkung in Italien habe die an sich unvermeidliche Gesamtkapitulation beschleunigt und damit den Krieg um viele Tage verkürzt. Rückschauend schrieb Dulles Mitte der sechziger Jahre über Wolffs Rolle: »Fest steht, daß er mehr als jeder andere zur deutschen Kapitulation in Oberitalien beigetragen hat.«

Dieser Satz verleitet dazu, die Verdienste einiger Männer in der Wehrmacht und in Wolffs Stab zu übersehen. Was sie taten, war weniger plakativ, indessen er nun einmal das Mundwerk, das Auftreten und die Statur hatte, die es ihm ermöglichten, Menschen seiner Umgebung mühelos in den Schatten zu stellen. Sein Risiko war gewiß groß, aber ihn konnten nur Hitler und Himmler zur Rechenschaft ziehen – und mit ihnen war immer alles gutgegangen, vielleicht weil sie in ihrem Verhältnis zu Wolff ein Opfer ihres Rassenwahns wurden, wonach diesem Typ eines Edelgermanen und Ritters ohne Furcht und Tadel die Treue angeboren sein müßte. Außerdem waren sie bei der Aktion immer weit vom Ort des Geschehens. In dieser Hinsicht waren die Generäle in Norditalien schlechter dran. Sie wurden von allen Seiten kontrolliert, sogar von ihrem Obersten Kriegsherrn, der in der Schlußphase des Krieges über die Bewegung jeder einzelnen Kompanie unterrichtet werden wollte. Deshalb konnten sie sich um die Beendigung des Krieges nur gut getarnt bemühen. Aus allen diesen Gründen gilt allein Wolff bei vielen Südtirolern auch heute noch als der Retter ihrer Heimat vor den Furien des Krieges. Als er sich vor Jahren einmal im Weindorf Eppan bei Bozen aufhielt, wurde er bei einem örtlichen Fest wie ein Ehrengast gefeiert und mit Beifall überschüttet, der ihn zu Tränen rührte.

So waren denn auch im Mai 1945 seine letzten Südtiroler Tage eitel Freude und Frühlingssonnenschein. Man war noch einmal davongekommen; was bisher so bedrohlich gewesen war – Krieg und Kriegsgericht, Hitler und Himmler, Gestapo und die Waffen der Feinde – das alles hatte sich wie ein Spuk verflüchtigt. Die Sieger waren nicht beschwerlich; sie waren durch Bozen in Richtung Brennerpaß gezogen und hatten nur eine verhältnismäßig schwache Einheit in der Stadt zurückgelassen. Der örtliche Kommandant überließ es den Deutschen, für Ruhe, Ordnung und für die Disziplin in ihren eigenen Reihen zu sorgen. Soweit sie als Hilfspolizisten eingesetzt wurden, durften sie sogar Waffen tragen. Fast alle Menschen in der Region hatten Grund zum Feiern, die Südtiroler, die Sieger und die Besiegten. An Essen und Trinken fehlte es auch den Deutschen nicht. Die Magazine der Wehrmachtszahlmeister waren noch gut sortiert, und wer Zusätzliches haben wollte, konnte es sich im Tausch gegen Heeresgut auf dem Schwarzen Markt besorgen.

Gleich in den ersten Tagen nach der Waffenstreckung hatte Wolff per Funk seine amerikanischen Partner aus Bern nach Bozen eingeladen. Der Jurist Dulles mochte seine Karriere im Geheimdienst nicht durch eine enge Freundschaft mit einem der ranghöchsten SS-Führer gefährden, aber Gaevernitz landete am 9. Mai auf dem Bozener Flughafen. Er wunderte sich über das fast friedensmäßige Straßenbild, aber am meisten über die SS-Soldaten, die als Wachtposten vor Wolffs Palast standen und das Gewehr präsentierten, wenn ein Offizier das Tor passierte. Beim Nachmittagskaffee stellte Wolff dem Gast seine Familie vor. Er führte ihn in die Funkerkabine zu Vaclav Hradecky, und er zeigte ihm die im Keller verwahrte Münzensammlung des Königs Victor Emanuel III., die er aus dessen Palast beim deutschen Rückzug sichergestellt hatte.

Schließlich fuhr er mit seinem Gast nach St. Leonhard im Passeiertal, nördlich von Meran – nicht etwa, weil dort vor eineinhalb Jahrhunderten der Tiroler Nationalheld Andreas Hofer als »Sandwirt« Wein und Speck serviert hatte, sondern weil in diesem am Talende liegenden Dorf die Kunstschätze gelagert waren, deren Abtransport aus der Toskana Wolff seinerzeit geleitet hatte. Gaevernitz fand Gemälde und Skulpturen von unschätzbarem Wert im Rathaus und im Schuppen eines Sägewerkes unverpackt und wenig sorgfältig gelagert vor. Er hielt es für dringlich, daß amerikanische Kunstsachverständige sich umgehend um die Erhaltung dieser Werke kümmerten.

Am 12. Mai reiste Gaevernitz aus Bozen ab. Sicherlich hatte er erfahren, was sich dort am folgenden Tag abspielen würde, und er hatte keine Lust, es

mitanzusehen. Wolff feierte an diesem Tag seinen 45. Geburtstag, mit Sekt und kaltem Bufett im Garten des Palastes und somit sehr gemäß dem Stand eines Generals. Doch am Nachmittag platzten in das Fest hinein Soldaten der 38. US-Division mit der lauthals verkündeten Aufforderung, man möge schnell, schnell ihre Lastwagen besteigen. Wer immer in Bozen eine deutsche Uniform trug, wurde nach dem Süden in ein Gefangenenlager abgefahren. Auf Rang und Würde wurde dabei wenig geachtet, um so mehr achteten die Bewacher gleich beim Eingang des Lagers auf Uhren und Ringe, der Kriegsbeute des kleinen Mannes. In dieser Hinsicht unterschied sich der GI nicht vom Soldaten der Roten Armee. Hätte jemand dem General Karl Wolff gesagt, daß er die nächsten vier Jahre nur hinter Stacheldraht, Gitter und verschlossenen Türen erleben würde, so hätte er es nicht geglaubt.
Ob dem SS-Obergruppenführer Karl Wolff, General der Waffen-SS und Bevollmächtigter General der Deutschen Wehrmacht, am Abend des 13. Mai 1945 in seiner Zelle des Gefängnisses von Bozen bewußt war, daß nach seinen fetten Jahren nun die mageren begonnen hatten? Die amerikanischen GIs waren ziemlich rauh und seinen Rang mißachtend mit ihm umgegangen. Sie hatten auch seine Frau, die drei Kinder und die Schwiegermutter im Gefängnis untergebracht. Er dämpfte jedoch seine Empörung, indem er sich erinnerte, was ihm erst zwei Tage zuvor sein Gast Gaevernitz, immerhin ein Mitarbeiter des US-Geheimdienstes, angekündigt hatte: Die Sieger müßten den Höchsten SS- und Polizeiführer von Italien nolens volens zunächst einmal einsperren, weil das alle Welt von ihnen erwarte, aber nach etlichen Tagen oder höchstens wenigen Wochen werde man ihn nach Deutschland in die Freiheit zurückschicken, damit er dort jene Aufgaben übernehmen könne, über die man bereits bei den Kapitulationsverhandlungen gesprochen habe.
Die alliierten Generäle hatten in Caserta den deutschen Unterhändlern zugesagt, sie würden die Kriegsgefangenen ehrenhaft, ja sogar ritterlich behandeln. Ihre Armeezeitung hatte diese Formulierung sogar veröffentlicht. Dies könne – so hieß es – freilich nur mündlich versprochen werden, weil eine schriftliche Zusage Abmachungen mit den Verbündeten verletze, wonach die Kapitulation nur bedingungslos sein dürfe. Darauf bauend hatten Wolff und seine Freunde schon ausgerechnet, wann sie wieder am eigenen Tisch sitzen würden: Zwei oder drei Monate könnte es dauern, bis die Bahnanlagen der Brennerstrecke repariert und wieder voll benutzbar seien; der Abtransport aller Gefangenen könnte dann in weiteren zwei Monaten abgeschlossen werden; führen dann Generäle und Stabsoffiziere als letzte, dann könnten sie sich zu Hause noch um die Weihnachtsgeschenke kümmern.
Es gab allerdings unter Wolffs Bekannten in Italien auch einige, die diesen Optimismus nicht teilten und vielleicht auch keinen Wert darauf legten, gleich bei der ersten Abrechnung in der Heimat anwesend zu sein. Einer von ihnen war der Botschafter des Deutschen Reiches beim Heiligen Stuhl, der Freiherr Ernst von Weizsäcker. Geschützt durch seinen Status als Diplomat und durch die Exterritorialität des Vatikanstaates hatte er sich in Rom von den alliierten

Streitkräften überrollen lassen. Er ahnte, daß man ihm als dem ehemaligen Staatssekretär des Reichsaußenministers Ribbentrop einen Prozeß machen würde. Tatsächlich wurde er dann auch in einem Nürnberger Verfahren, dem »Wilhelmstraßen-Prozeß« zu sieben Jahren Haft verurteilt, obwohl er sich im Auswärtigen Amt bemüht hatte, Hitlers Krieg zu verhindern, und obwohl er an Greueltaten nicht beteiligt gewesen war.

Bei jedem Kriegsende gilt eben das Sprichwort, wonach mitgegangen bis zu einem Mitgehangen führen kann. Dem Generalmajor Kendall, Kommandeur der 88. US-Division, imponierte es jedenfalls nicht im geringsten, daß Wolff sich um die Kapitulation in Italien verdient gemacht hatte. Er unternahm nichts dagegen, daß seine Soldaten den SS-General und dessen Familie ausplünderten. In deren Taschen verschwanden auch Wolffs Barschaft – etliche tausend Reichsmark, ein dickes Bündel italienischer Lire und einige hundert Schweizer Franken. Frau Inge, ihre Mutter und die Kinder – der Jüngste war acht Jahre alt – ließ der US-General aus dem Gefängnis in ein miserabel geführtes Lager für »displaced persons« in Verona stecken, in dem das unterschiedlichste Strandgut des Krieges kampierte. Der Vater der Familie wurde nach Modena gefahren und dem britischen Geheimdienst übergeben. Vom 16. Mai an wurde er in dem großen Vernehmungslager verwahrt, das im Filmgelände von Rom, in der »Cine Città« eingerichtet worden war.

Am dritten Tag nach seiner Einlieferung schien sich das Blatt zu wenden. Am Abend holte ihn ein Adjutant des Feldmarschalls Alexander in das Büro des Lagerkommandanten und verkündete ihm, man werde ihn in wenigen Tagen gemeinsam mit seiner Familie in eine Villa mit Garten umquartieren. Das Anwesen müsse jedoch noch gefunden werden und ebenso die Familie. Um die Italiener nicht zu reizen, müsse Wolff vorübergehend einen anderen Namen annehmen. Er entschloß sich spontan, als Graf Bernstorff aufzutreten; er hatte nun einmal eine Schwäche für den Adel, und außerdem besaß seine Frau noch ihren alten Paß.

Es blieb bei der Vorfreude, und sie dauerte nur fünf Tage. Dann teilte ein schlichter Oberleutnant Seiner Britischen Majestät Wolff wortkarg mit, er bleibe als Kriegsgefangener im Lager. Gründe? Unbekannt! Drei Wochen später hätte der General fast eine Gelegenheit bekommen, sich darüber an höchster Stelle zu beschweren. Feldmarschall Alexander besuchte das Lager, doch er vermied es wohl, mit einem SS-General zu reden. Aus zehn Meter Entfernung mußte Wolff zusehen, wie der britische Marschall dem Generalobersten von Vietinghoff und dem General Lemelsen nacheinander die Hand schüttelte.

Am 21. August ließen sich die Amerikaner ihren Gefangenen wieder zurückliefern. Ihre in Rom gestartete Maschine landete in Nürnberg, der Stadt der Reichsparteitage. Im Prominentenflügel des Gefängnisses, am gleichen Flur wie Göring, bekam Wolff eine Zelle für Kriegsverbrecher zugewiesen – ein schmaler Raum mit einem vergitterten Fenster hoch in der Wand, einem kleinen Tisch, einem Hocker, einer hochzuklappenden Pritsche und einer grauen Wolldecke. Niemand in diesem Trakt wohnte komfortabler. Die elektrische Lampe an der Decke war demontiert. Wenn es dunkel war, kam Licht nur durch die Beobachtungsklappe; sie mußte immer offen bleiben, damit die Bewacher auf dem Flur Tun und Lassen jedes Gefangenen Tag und Nacht beobachten konnten. Der Lärm der zahlreichen Posten, der Kalfaktoren und die kalte Zugluft drangen ungehindert durch die Luke.

Die Sieger hatten anfänglich geplant, anstelle Himmlers, der sich bei seiner Verhaftung durch Gift umgebracht hatte, den ehemaligen Chef seines Persönlichen Stabes im ersten Prozeß auf die Anklagebank zu setzen, neben Göring, neben Hitlers ehemalige Minister, Militärs und den SS-Obergruppenführer Kaltenbrunner. Doch dagegen hatte Allan Dulles aus dem Hintergrund das Veto des Geheimdienstes eingelegt. Für seinen Partner bei der Kapitulation war er jedoch unerreichbar geworden. Wenn ihm Wolff empörte Hilferufe schrieb, stellte er sich taub. Doch die Anklagebank wollte er ihm ersparen, da er wußte, wie das enden würde. Als Husmann in jenen Tagen wieder einmal als Fürsprecher für den eingesperrten SS-General nach Bern kam, sagte er: »Laßt Zeit über diesen Mann gehen. Vielleicht werden wir ihm später helfen können.«

Geduld und Zurückhaltung waren jedoch nie Wolffs Stärke gewesen, und in seiner Situation war er erst recht nicht dafür zu haben. Ehrgeiz und Selbstbewußtsein waren ungebrochen. Während der Verhandlungen in der Schweiz hatten seine Partner davon gesprochen, daß ein Mann seiner Art berufen sei, eine führende Rolle im demokratischen Deutschland zu übernehmen, Generalfeldmarschall Kesselring, so wurde einmal palavert, könne Reichspräsident werden und Wolff der erste Kanzler des erneuerten Reiches. Errötend vor Freude hatte er solche Ehre abgelehnt, sich aber bereit erklärt, die Umerziehung der Deutschen zu Demokraten zu übernehmen.

Davon war im Nürnberger Gefängnis nicht mehr die Rede. Wolff sah sich deshalb genötigt, den Siegern beizubringen, daß sie die Regeln humaner Fairneß permanent verletzten. Eine Woche nach seiner Einlieferung schrieb er »To the Colonel and the Prison Commandant« einen geharnischten langen Protestbrief. Darin beschwerte er sich eingangs über einen jungen US-Leutnant, der wiederholt seine Zelle durchsucht und dabei Wolffs kommißeigene Gebirgsstiefel, ein Paar goldene Manschettenknöpfe mit grünen Steinen und die Sterne von den General-Schulterstücken hatte mitgehen lassen. Die Rangabzeichen – so hatte der Leutnant angekündigt – würden ihm ohnehin demnächst abgenommen.

Dieses Vorhaben wertete Wolff als eine »menschliche und militärische Degradierung«, die er gerade am wenigsten verdient habe, da er doch . . . Es folgte die Aufzählung seiner Verdienste bei der Kapitulation und der Risiken, die er um eines frühen Friedens willen auf sich genommen hatte. In Rom habe ihn eine eigens aus London eingeflogene Kommission gründlich verhört; ein Funkspruch an General Lemnitzer in Caserta werde die Bestätigung bringen, daß er, Wolff, kein Kriegsverbrecher sei. Auch General Airy und Allen Dulles würden gewiß die Behandlung mißbilligen, die ihm jetzt widerführe. Gegen den Angriff auf

seine »menschliche und soldatische Ehre« protestiere er ab sofort, ab »Dinnertime«, mit einem Hungerstreik. »Mag kommen, was will«, proklamierte er, »viel höher als mein Leben stand noch immer und steht auch künftighin MEINE EHRE.« Er schrieb das Wort in Versalien, so wie in christlichen Schriften manchmal GOTT gedruckt steht.
Der in englischer Sprache getippte Brief, den irgend jemand für Wolff übersetzt haben muß, war gerichtet an den US-Oberst Burton C. Andrus, einen dicklichen Kerkermeister mit einer offen gezeigten Abneigung gegen die Deutschen. Er hatte schon in Mondorf in der Eifel die dorthin zusammengekarrte NS-Prominenz regiert und schikaniert. Als er sie nach Nürnberg übergeführt hatte, bot ihm das sich füllende Gefängnis noch mehr Möglichkeiten, seinen Gefühlen freien Lauf zu lassen. Die Häftlinge wehrten sich gegen ihn, indem sie seine Befehle mißachteten und ihn verachteten. Als er wieder einmal Presseleute durch die Räume führte, wo die Hauptangeklagten während des großen Prozesses in der Mittagspause verpflegt wurden, wehrte sich der ehemalige Reichswirtschaftsminister und Reichsbankpräsident Schacht gegen einen Fotografen, der ihm die Kamera vors Gesicht hielt, indem er ihm einen Becher Kaffee über den Kopf schüttete. Andrus machte daraus einen großen Auftritt und verfügte, daß Schacht vier Wochen lang auf den Spaziergang im Gefängnishof und auf den Frühstückskaffee verzichten mußte.
Wolff konnte der Verzicht auf die Gefängniskost nicht schwer gefallen sein. Sie war schlecht und dürftig; Andrus wollte, daß seine Häftlinge nicht weniger hungerten als die durch Lebensmittelkarten auf Fastenration gesetzten deutschen Normalverbraucher. Wolff brauchte auch nicht lange zu hungern. Schon nach wenigen Tagen wurde ihm zugesichert, daß er seine Epauletten behalten und auch weiterhin tragen dürfe. Auch seine Sterne wurden ihm zurückgeliefert. Er trug den Schulterschmuck – wie er immer wieder stolz erzählt – als einziger deutscher General in Nürnberg; allen anderen hatte man ihm weggenommen. Er gewann daraus wohl die Sicherheit, daß er aufgrund seiner Verdienste besondere Privilegien beanspruchen dürfe. Da Andrus immer wieder Anlässe fand, Hausstrafen gegen ihn auszusprechen, vergalt er sie ihm, indem er die Melodie des SS-Treueliedes pfiff, sobald der Kommandant auftauchte. Dagegen war schlecht etwas einzuwenden, denn Wolff konnte behaupten, er pfeife nur die Nationalhymne der Niederlande, also eines Verbündeten der USA.
Fünfundzwanzig Jahre später, im November 1961, ließ er sich von einem Mitgefangenen in einer eidesstattlichen Versicherung bescheinigen, wie mannhaft er sich hinter den Nürnberger Gittern gehalten habe. Da um diese Zeit bereits gegen ihn die Voruntersuchung zum Münchner Prozeß lief, war das Zeugnis wohl als Material gegen eine künftige Anklage gedacht. Darin heißt es: »Trotzdem es strengstens verboten war«, beim Hofspaziergang »miteinander zu sprechen, hielt sich Wolff nicht an die Vorschrift. Er benutzte jede Gelegenheit, seinen Schicksalsgenossen . . . Mut zuzusprechen . . . In dieser Situation gehörte General Wolff neben Göring und einigen wenigen anderen Männern zu denen, die ihren Kameraden durch ihre würdige Haltung Kraft und Mut gaben, in

anständiger Weise diese schwere Zeit zu überstehen.« Klug sei das zwar nicht gewesen, heißt es weiter, doch »hätten alle verantwortlichen Männer in Nürnberg sich genauso verhalten, wäre es für das deutsche Ansehen besser gewesen.«
Ehe im November der große Prozeß begann, wobei außer der überlebenden Prominenz des Dritten Reiches auch die Partei und ihre Unterorganisationen angeklagt wurden, fühlte sich Wolff berufen, die Ehre der SS zu retten. In Briefen an die jeweils obersten Richter der vier Alliierten bot er an, er wolle sich anstelle des toten Reichsführers-SS anklagen lassen und damit die Verantwortung für die Schwarze Garde der Nationalsozialisten übernehmen, »wie ein Soldat ja auch in die Bresche springen muß, wenn der Vorgesetzte fällt«. Er glaubte, damit verhindern zu können, daß die SS als verbrecherische Organisation verurteilt würde und daß damit jedes Mitglied bis zum Beweis der Unschuld als belastet gelten würde. Sein Rezept war jedoch so mythisch angelegt, daß es bei den logisch argumentierenden Juristen nur ein Kopfschütteln des Unverständnisses auslöste. Obwohl er sein Begehren mehrfach wiederholte, ließen sie ihn ohne Bescheid, weil sie weder Zeit noch Lust hatten, sich mit seinen Gedankengängen abzugeben.
Wie absurd sie waren, zeigte sich zwei Jahre später, als Wolff in einem Nürnberger Verhör gefragt wurde, ob er denn ernsthaft beabsichtigt habe, für Himmlers Verbrechen die Verantwortung zu übernehmen. Er wäre in diesem Fall unweigerlich am Galgen gestorben. Das aber habe er ganz und gar nicht gewollt, meinte er. Man habe ihn mißverstanden; mit seiner Person habe er sich vor die Anklage gegen die Organisation stellen wollen, weil er als Schuldloser nachzuweisen in der Lage sei, daß weitaus die meisten SS-Männer an den Verbrechen nicht beteiligt gewesen seien und daß nur die wenigsten etwas von den Verbrechen gewußt hätten. Zwei Jahrzehnte später, als er selber angeklagt war, an Massenmorden beteiligt gewesen zu sein, und als ein Staatsanwalt in einem Plädoyer vor dem Münchner Schwurgericht gefordert hatte, Wolff möge dafür lebenslänglich im Gefängnis büßen, verkündete Wolff in seinem Schlußwort unentwegt, er habe »von Massentötungen in Gaskammern in Nürnberg zum ersten Mal von einem amerikanische Vernehmungsoffizier« gehört.
Ähnliche Unschuldsbeteuerungen gaben im Nürnberger Hauptkriegsverbrecherprozeß auch die meisten Angeklagten ab, sogar Hermann Göring, den Hitler einmal als obersten Zuständigen »für die Lösung der Judenfrage« eingesetzt hatte. Deshalb hätten die Richter solche Behauptungen Wolffs nur mit Hohn oder Verachtung quittiert. Zu seinem Glück fand er zunächst keine Gelegenheit zu einer solchen Aussage. Als ihn sein ständiger Begleiter beim täglichen Spaziergang Mitte Mai 1946 vermißte und einen amerikanischen Posten nach dem Verbleib des Gefährten fragte, erfuhr er, der verdammte Bastard sei in eine Irrenanstalt gebracht worden. In der Heil- und Pflegeanstalt St. Getreu in Bamberg sollte sein Geisteszustand beobachtet und gebessert werden. Sein Bett stand in einem Saal der geschlossenen Abteilung, in dem noch weitere 16 Männer Tag und Nacht hausen mußten. Einige waren ständig bettlägerig und unfähig, Blase und Darm zu kontrollieren, andere waren streitsüchtig bis zur

Gewalttätigkeit, und vom Morgen bis zum Abend war der Raum erfüllt von einem infernalischen Lärm aus irrem Geschrei, mißtönendem Gesang und wildem Rumoren. In dieser Umgebung mußte Wolff leben. Einen weiteren Monat verbrachte er in der Irrenabteilung eines Lazaretts in Augsburg. Akten über ärztliche Untersuchungen aus dieser Zeit existieren nicht. Es gibt nur den abschließenden Befund, als er am 7. August in das Generalslager Neu-Ulm entlassen wurde: Der Patient sei zurechnungsfähig.

Das Nürnberger Militärgericht begründete den Aufenthalt Wolffs bei den Irren mit der Behauptung, er habe an »Aufopferungswahn« mit gelegentlichen tobenden Anfällen gelitten. Diese Diagnose wird jedoch nur scheinbar durch vereinzelte Erregungszustände und durch die Schriftsätze gestützt, mit denen er verlangt hatte, an Himmlers Stelle die SS vor den Richtern vertreten zu dürfen. Er war gewiß nicht scharf auf den Strang oder auf Märtyrerruhm. Er wollte nur ein Beispiel von Mut und heldischer Entschlossenheit liefern. Sein Name war bis dahin fast nur in den höheren Kreisen der Partei und deren Formationen bekannt, aber nach einem solchen Prozeß und nach dem unvermeidlichen Freispruch würde man ihn in der ganzen Welt kennen. Einen Schuldspruch hielt er für unmöglich, auch wenn er immer wieder versicherte, er sei auch bereit, für das Vaterland und für seine Kameraden sein Leben hinzugeben.

Wolff behauptete auch später immer wieder, man habe ihn in den Irrenanstalten verschwinden lassen, damit er nicht weiterhin für die Wahrheit streiten könne. Ihm wurde sein Verdacht um so glaubhafter, als der Psychiater, der ihn zu den Irren geschickt hatte, der US-Major Leon Goldensohn war, der als Jude doch wohl jeden SS-Mann hassen mußte. Beweisen konnte er sich seine Theorie sogar mit Daten; als er im August wieder als zurechnungsfähig galt, war die Beweisaufnahme im Nürnberger Hauptkriegsverbrecherprozeß abgeschlossen und auch für den Malmedy-Prozeß, der gegen Soldaten der Waffen-SS wegen Verbrechen bei Hitlers letzter Westoffensive geführt wurde, war die Gelegenheit für Zeugenaussagen vorbei. Offen bleibt die Frage: Was hätte er wohl außer Hinweisen auf hehre Ordensgrundsätze und auf die eigene, noch immer scheinbar weiße Weste vorbringen können?

Für solche Beteuerungen hatten die Amerikaner keine Verwendung. Wolff war in den ersten Monaten seiner Haft in Nürnberg gelegentlich verhört worden, aber ohne konkrete Zielrichtung und ziemlich lasch. Noch wurde er nicht mit dokumentarischen Unterlagen konfrontiert. Die Besatzungsmächte hatten das von den Nationalsozialisten hinterlassene Gebirge aus Papier noch nicht umgewühlt. Während Wolff bei den Irren hauste, stellte deshalb ein Offizier der US-Anklagebehörde in einer Aktennotiz fest, es bestehe seitens dieses Amtes kein weiteres Interesse an ihm. Er seinerseits verfaßte wenig später eine Eingabe, man möge ihn endlich entlassen.

Inzwischen hatten jedoch die Engländer Interesse an ihm entwickelt. Im August 1946 wurde er nach London geflogen. Zwei Monate wurde er dort festgehalten und öfter verhört, in erster Linie über Vorgänge in Italien, über die Geiselmorde in Rom, über die Rolle Kesselrings und weiterer Wehrmachtsgeneräle, denen dann später auch der Prozeß gemacht wurde. Wolff rechnete damit, bei den Verhören mißhandelt zu werden, denn unter den Häftlingen sagte man dem »London-District-PoW-Cage« nach, dort würden Aussagen mit der Folter erpreßt. Ihm blieben solche Erfahrungen erspart, denn sonst würde er davon erzählen. So war er denn auch bald für die Engländer uninteressant. Sie gaben ihn zurück an die Amerikaner, die ihn, weil er wegen seines Ranges dem automatischen Arrest unterlag, zunächst in dem riesigen Internierungslager Ludwigsburg und dann in einem Lager für Generäle in Garmisch verwahrten. Doch schon Anfang 1947 forderte ihn die Nürnberger Justizmaschinerie wieder an. Er wurde als Zeuge mehrfach benötigt. Einer seiner Kameraden aus der »Kampfzeit«, also vor 1933, mußte sich vor dem I. Amerikanischen Militärgerichtshof wegen Verbrechen gegen die Menschlichkeit verantworten. Es war Viktor Brack, Sohn aus gutem Münchner Haus, zuletzt Oberdienstleiter in der »Kanzlei des Führers« und SS-Oberführer. Vor 15 Jahren waren die beiden als Propagandisten Hitlers hinter der Hakenkreuzfahne durch Bayerns Städte und Dörfer marschiert, damit er endlich die Macht im Reich ergreifen und die Deutschen aus dem Elend retten könne. Nun war Brack angeklagt, weil er auf Befehl eben dieses Hitler nicht nur in einer »Euthanasie«-Aktion die Geisteskranken in den Heilanstalten hatte ermorden lassen, sondern darüber hinaus die dabei erprobte Mannschaft und deren Ausrüstung für den Holocaust zur Verfügung gestellt hatte.

Wolff konnte seinem Freund Viktor nicht helfen. Mit der Aussage, Brack sei ein »hochanständiger, außerordentlich hilfsbereiter Mensch, dem jeder Gedanke, eine unmenschliche Handlung zu begehen . . . fernliegt«, konnte er ihn nicht vor dem Galgen retten. Auch Bracks Vorbringen, er habe die Juden vor der Vernichtung retten wollen, indem er gemeinsam mit Himmler in einem Gespräch seinem Führer vorgeschlagen habe, man könne doch alle Juden sterilisieren und damit das verhaßte »jüdische Blut« aussterben lassen, ohne Aufsehen zu erregen, stimmte die amerikanischen Richter nicht milder. Ein Passus in Bracks Aussagen hätte Wolff warnen müssen; der Freund gab nämlich zu, daß es »1941 in höheren Parteikreisen ein offenes Geheimnis« war, »daß die Machthaber beabsichtigten, die gesamte jüdische Bevölkerung in Deutschland und in den besetzten Gebieten auszurotten«. Ob der SS-Oberführer Brack wohl seinen Münchner Spezi, den SS-Obergruppenführer Karl Wolff nicht zu den höheren Parteikreisen zählte?

Ebenso wenig glückte es dem Zeugen Wolff, seinen Freund Oswald Pohl, SS-Obergruppenführer und Chef des Wirtschafts- und Verwaltungshauptamtes in der Reichsführung der SS vor dem Henker zu retten. Der ehemalige Marinezahlmeister war in diese Position gekommen, weil Wolff ihn protegiert hatte. Als dann der Chef des Persönlichen Stabes nach der Nierenoperation krank und abgesetzt im Lazarett von Hohenlychen gelegen hatte, ließ sich Pohl durch Himmlers Unwillen nicht hindern, die Freundschaft weiter zu pflegen, anders als die meisten SS-Führer der obersten Ränge. Da Pohl alle Arbeitskräfte in den SS-Betrieben und damit auch in den Konzentrationslagern als oberster Chef

regiert hatte, war er nun in Nürnberg angeklagt, Millionen Zwangsarbeiter – Gegner des NS-Regimes, Juden, Kriegsgefangene und zwangsverschleppte Zivilisten aus den geräumten Ostgebieten – durch ein brutales Antreibersystem, durch rücksichtslose Ausbeutung und durch Hunger umgebracht oder zumindest gesundheitlich geschädigt zu haben.
Es nutzte nichts, daß Wolff versicherte, Pohl sei stets ein redlicher Mensch gewesen, der durch Himmler gezwungen worden sei, gegen seine Überzeugung zu handeln. Pohl habe sogar versucht, Juden vor der »Evakuierung« (eines der vielen Tarnworte für Mord) zu retten, indem er vorgetragen habe, er könne auf deren Arbeitskraft nicht verzichten, wenn seine Betriebe ihre Lieferungen für den militärischen Bereich erfüllen sollten. Wolffs Lob, Pohl sei ein ausgezeichneter Wirtschaftsmanager, schlug eher zu dessen Nachteil aus. Das Todesurteil charakterisierte Pohls Apparat als »ein gutes Haus«, aber es habe »verbrecherische Dinge« beherbergt. Auch für Wolff selber erwies sich seine gut gemeinte Hilfestellung als folgenreich. Bei seiner Vernehmung im Prozeß am 4. Juni 1947 fischten die Richter erstmalig aus der Papierflut des Dritten Reiches jenen Briefwechsel mit dem Staatssekretär Ganzenmüller heraus, der sich mit dem Abtransport der Juden aus dem Warschauer Getto in ein Vernichtungslager beschäftigte und der später dem Schwurgericht München den Grund lieferte, Wolff ins Gefängnis zu bringen.

14
Gefangener in Nürnberg

Wie in den Verfahren gegen Pohl und Brack war der inhaftierte SS-General auch im Prozeß gegen einen der mächtigsten Männer der deutschen Wirtschaft ein von der Verteidigung benannter Zeuge, der den Angeklagten entlasten sollte. Es ging um den Konzernherrn Friedrich Flick. Ihm wurde unter anderem vorgeworfen, er habe als Mitglied im »Freundeskreis des Reichsführers-SS« durch dicke Spenden eine verbrecherische Organisation unterstützt. Wolff hatte schon als Himmlers Chefadjutant und dann als Chef des Persönlichen Stabes den Spendenfond verwaltet. Er sagte aus, das Geld sei »nur für soziale, kulturelle und repräsentative Zwecke«, also keineswegs für verbrecherische Ziele verwendet worden.
Außerdem bekundete er, Flick sei ein Gegner von Hitlers Kriegs- und Eroberungspolitik gewesen. So habe sich der reiche Mann im September 1938 während der Krise um das Sudetenland große Sorgen um den Frieden gemacht, weil aus den Forderungen des Führers und Reichskanzlers schlimmes Unheil für Deutschland und die Welt erwachsen könne. Flick habe damals Wolff gebeten, dies auch Himmler klarzumachen, damit dieser sich bei Hitler für eine friedliche Lösung einsetze. Wolff hatte daraufhin beteuert, Hitler wolle keinen Krieg, und er sei sich dessen so sicher, daß er jede Wette eingehe. Obwohl Wolff – wie sich später herausstellte – Hitlers Absichten völlig verkannt hatte, gewann er die Wette, wenigstens für das Jahr 1938. Flick schickte dem Obergruppenführer als Wettgewinn eine kostbare Jagdwaffe, einen Drilling. Es war nun einmal seine Gewohnheit, mit kleinen Geschenken Freundschaften zu erhalten. Inwieweit ihm Wolff mit diesen Aussagen in Nürnberg dienlich war, mag dahingestellt bleiben; der Konzernherr bekam eine Gefängnisstrafe, die er (wie die meisten dieser Angeklagten) nur zu einem geringen Teil verbüßte.
Auch den Generalfeldmarschall Erhard Milch, der vom Jagdflieger des Ersten Weltkrieges in Görings Jagdstaffel zum Generalluftzeugmeister im Zweiten Weltkrieg aufgestiegen war, konnte Wolffs Aussage nicht davor bewahren, vom Nürnberger Militärgericht zu lebenslanger Freiheitsstrafe verurteilt zu werden. Doch in einem Anklagepunkt, der Milch möglicherweise an den Galgen hätte bringen können, entlastete Wolff den Angeklagten. Es ging um die Versuche des Arztes Dr. Siegmund Rascher, im Zivilleben Hauptsturmführer in der schwarz uniformierten SS und jetzt Stabsarzt der Reserve bei der Luftwaffe. Um festzustellen,

in welcher Höhe Flieger das Bewußtsein verlieren und wie sie dann umkommen, sperrte Rascher KZ-Häftlinge in eine Unterdruckkammer, mit der er die Verhältnisse in den oberen Bereichen der Atmosphäre simulieren konnte. Mit einer anderen Reihe von Versuchen suchte er nach einer Möglichkeit, Flugzeugbesatzungen vor dem Kältetod zu retten, wenn sie völlig unterkühlt aus eisigem Meerwasser gefischt worden waren. Auch dabei waren KZ-Häftlinge die Versuchspersonen. Viele starben oder blieben zeitlebens gesundheitlich geschädigt. Die ersten Versuche hatte Rascher noch im Auftrag der Luftwaffe unternommen, aber sie hatte bald seinen Tatendrang gestoppt. Deshalb hatte er sich an Himmler gewandt und erreicht, daß er seine Versuche im Auftrag und mit dem Geld der SS-Organisation »Ahnenerbe« fortsetzen konnte. Es war dies die Gemischtwarenhandlung der SS, in der alles untergebracht wurde, was auch nur entfernt etwas mit Kultur und Wissenschaft zu tun hatte. Bürokratisch war das »Ahnenerbe« angebunden an den Chef des Persönlichen Stabes, und insofern mußte Wolff sich mit Raschers Experimenten beschäftigen. Versuche in der Unterdruckkammer ließ er sich sogar vorführen, und als er später deswegen verhört wurde, meinte er, seinerzeit hätte er sich als Patriot ohne Bedenken für solche Vorhaben zur Verfügung gestellt, wenn es an Freiwilligen gefehlt hätte. Doch daran war nach seiner Meinung kein Mangel gewesen. Viele Häftlinge in den Konzentrationslagern hätten sich freiwillig angeboten, weil sie sich davon eine Abkürzung ihrer Haftzeit versprochen hätten. Anderen, die bereits zum Tode verurteilt gewesen seien, habe man zugesagt, daß das Urteil nicht vollstreckt würde, wenn sie den Versuch überlebten.

Die Menschenversuche sollten in Nürnberg auch Milch angelastet werden, als Verbrechen gegen die Menschlichkeit. Ein Briefwechsel zwischen dem Generalluftzeugmeister und Wolff belastete ihn scheinbar. Doch der Zeuge Wolff sagte aus, die Luftwaffe sei an den scheußlichsten Versuchen des Sadisten Rascher, bei denen er das Sterben der Menschen im eisigen Wasser eines Bassins und in der Unterdruckkammer genossen hatte, schon nicht mehr beteiligt gewesen. Außerdem sei Milch genauso wie er überzeugt gewesen, daß die Opfer sich freiwillig zu den Versuchen hergegeben hatten.

Während dieser Vernehmungen, die vorwiegend in das Jahr 1947 fielen, war Wolff weiterhin ebenso hartnäckig wie emsig um seine eigene Freiheit bemüht. In Briefen an den Justizapparat der Amerikaner, an Dulles, Gaevernitz, an Waibel und Husmann erinnerte er sie an die Absprachen bei der Kapitulation: Wer nichts Strafbares begangen habe, sollte demnach schon nach kurzer Kriegsgefangenschaft an den heimischen Herd zurückkehren dürfen. Dulles habe sogar einmal zu ihm gesagt: »Wenn Sie auch keine persönlichen Forderungen gestellt haben, so hoffe ich doch auf Ihre bewährte Mitarbeit bei einer späteren Verwendung in Deutschland.« Ende Februar 1947 schrieb er an den US-Präsidenten Truman, zählte ohne falsche Bescheidenheit weitschweifig seine Verdienste auf und suchte um seine Entlassung aus Haft und Kriegsgefangenschaft nach – entsprechend den Zusagen in der Schweiz. Längst galt er in Nürnberg als Querulant, aber in mancher Hinsicht durfte er sich mit Recht als

der Betrogene fühlen. Das anerkannten auch Gaevernitz und Husmann. Da der letztere von Wolff immer wieder als einer der »Garanten« auf die damaligen Abmachungen angesprochen wurde, erwirkte er bei den US-Besatzungsbehörden sogar die Erlaubnis, Wolff im Gefängnis in Nürnberg besuchen zu dürfen. Andererseits war Wolffs Verhalten in der Haft auch nicht gerade dazu angetan, die Sieger günstig zu stimmen. Im Februar 1947 beklagte er sich wutentbrannt bei einem Vernehmer: »Ein Jude ist in den Gaskammern innerhalb weniger Sekunden ums Leben gebracht worden, ohne daß er es ahnte und wußte. Mich und meine Kameraden hat man 21 Monate lang jede Nacht einmal sterben lassen. Das ist viel unmenschlicher als die Ausrottung, die man den Juden gegenüber angewendet hat. Es ist ja auch vieles maßlos übertrieben worden.« Wen wundert es, daß die Amerikaner ihre geplante re-education, die Umerziehung der Deutschen zu Demokraten, ihm nicht anvertrauen wollten?
Geschickter verhielten sich da seine Schicksalsgefährten Dr. Eugen Dollmann, ehemals SS-Standartenführer, und Eugen Wenner, ehemaliger SS-Obersturmbannführer. Daß der letztere Wolffs Adjutant gewesen war, machte ihn zwar für die Ermittlungen der Alliierten interessant, aber andererseits hatte er die Kapitulationsurkunde unterschrieben und mußte dafür honoriert werden. Dollmann war stärker gefährdet. Die Italiener behaupteten, er sei zeitweilig SS-Polizeichef in Rom gewesen und er habe dabei mit dem faschistischen Polizeigewaltigen, einem folternden Sadisten zusammengearbeitet. Doch der Mailänder Kardinal Schuster sorgte dafür, daß Dollmann zunächst einmal nichts geschah. Im Sommer 1946 waren er und Wenner nicht mehr gewillt, sich mit der von den Besatzern geduldeten Halbillegalität und den damit verbundenen unsicheren Lebensumständen länger abzufinden. Sie baten den Baron Parrilli, der jetzt wieder als einflußreicher Manager in seinem Mailänder Bürohaus saß, er möge doch dafür sorgen, daß die Versprechungen von Allen Dulles, von Gaevernitz und dem ominösen Mister Blum endlich eingelöst würden.
Anfang Juli traf man sich in Parrillis Büro. Er wußte auch schon einen Weg: Als päpstlicher Kammerherr hatte er vor kurzem im Vorzimmer des Heiligen Vaters den US-Generalleutnant W. D. Morgan kennengelernt, Stabschef im alliierten Hauptquartier von Caserta, und da er diesem Amerikaner auch privat dienlich gewesen war, konnte er sich bei ihm für seine deutschen Freunde verwenden. Gemeinsam mit Husmann erreichte er, daß Dollmann und Wenner sicheres Geleit zu den Dienststellen des US-Geheimdienstes in Rom garantiert wurde, damit sie dort ihre Belohnung aushandeln könnten. Parrilli wußte auch schon, was die Amerikaner den ehemaligen SS-Führern vorschlagen würden: Ihnen sollten im Ausland neue Existenzen angeboten und alle Einbußen ersetzt werden, die sie bei ihrer Gefangennahme erlitten hatten. SS-Führer ließen sich nach Meinung der Amerikaner im Geheimdienst immer verwenden.
Ein Wagen der US-Army fuhr sie nach Rom. Sie stellte ihnen dort eine Wohnung, US-Verpflegung und reichlich Zigaretten, in jenen Tagen die einzige wertbeständige Währung, zur Verfügung. Es mußte sie allerdings stutzig machen, daß in diesem Haus nur Leute vom Geheimdienst wohnten. Ein US-

Captain, der sich schlicht Jim nannte, machte ihnen schließlich genauere Angebote, die eindeutig auf eine Spionagetätigkeit hinausliefen. Sie lehnten ab. In Gesprächen, die sich wochenlang bis in den September hinzogen, wurde ihnen dringlich die Auswanderung nach Brasilien vorgeschlagen. Für den Fall, daß sie auch damit nicht einverstanden sein würden, brachte ihr Gesprächspartner die Anschuldigungen der Italiener gegen Dollmann ins Spiel; die beiden Deutschen sollten einsehen, daß man mit ihnen auch anders verfahren könnte.

Nur scheinbar erleichterte es ihre Situation, daß man ihnen eines Tages Personalausweise mit erfundenen Namen und dazu auch Geld zur Verfügung stellte. Nun konnten sie sich auf den Straßen Roms bewegen. Prompt wurde Dollmann am 8. Dezember 1946 von der italienischen Polizei verhaftet und wenig später auch Wenner. Der US-Geheimdienst intervenierte, aber ohne Nachdruck. Die beiden sollten ein wenig garen. Als sie schließlich freikamen, wurde ihnen die Auswanderung nach Südamerika angeboten. Doch dann hieß es plötzlich, sie würden noch in Deutschland gebraucht. Im Mai 1947 wurden sie in das Geheimdienstzentrum der USA nach Oberursel im Taunus verfrachtet. Anfänglich wurden sie in Einzelzellen gesteckt, doch bald kamen sie in bessere Quartiere, erhielten gute Verpflegung, eine zusätzliche Tabakration und durften länger in frischer Luft spazierengehen.

Nach weiteren Wochen sahen die Leute vom Geheimdienst wohl ein, daß mit diesen SS-Führern nichts anzufangen sei. Sie durften um befristeten Urlaub zum Besuch von Angehörigen nachsuchen. Er wurde ihnen nicht nur gewährt, sondern es wurde ihnen auch noch nahegelegt, nicht mehr nach Oberursel zurückzukehren. Ihr Entweichen nach Italien sei wünschenswert, weil auf diese Weise verhindert werde, was für Besatzer und SS-Führer unangenehm werden könnte: Vernehmungen durch deutsche Entnazifizierungsorgane. Als Startgeld erhielt jeder tausend Schweizer Franken, vier Stangen Chesterfield-Zigaretten und zwei Flaschen Whisky – ein in jenen Tagen beachtenswertes Kapital für den Schwarzen Markt. Dazu kamen noch je 3400 Reichsmark rückständiger Wehrsold. Ferner erfuhren sie, den italienischen Behörden und der katholischen Kirche in Italien sei mitgeteilt worden, daß die USA keinerlei Komplikationen ihrer Person wegen wünschten. Ein Auto der Besatzungsmacht fuhr sie an den Tegernsee. Zur Erholung laut Urlaubsschein. Ein vom Vatikan geduldeter Hilfsdienst für flüchtige SS-Männer, geleitet von dem in Rom als Rektor eines Kollegs amtierenden Bischof Alois Hudal, lotste die beiden von Oberbayern durch Österreich nach Italien. Wenner ließ sich nach Brasilien ausschleusen. Den Kunsthistoriker Dr. Dollmann konnte die Kirche beschäftigen, und sie verbarg ihn, bis ihm keine Anklage mehr drohte.

Daß Internierte gelegentlich beurlaubt wurden, war nicht mehr ungewöhnlich. Auch Wolff hatte diese Vergünstigungen erbeten, aber seine Bitte war zunächst abgelehnt worden. Erst am 12. Oktober 1947 wurde er für sieben Tage in die Freiheit entlassen. Auch er wollte zum Tegernsee. Dort traf er

sich mit seinen Familien. Später hat er gelegentlich behauptet, auch ihm hätten die Amerikaner damals nahegelegt, er möge nicht mehr in die Haft zurückkehren. Doch das kann nicht stimmen. Denn zwei Tage nach Urlaubsantritt protestierte die amerikanische Anklagebehörde; Wolff sei ein Gefangener der Engländer, und sie seien nicht gefragt worden.
Eigentlich hätte er nach damaligen Gepflogenheiten jener Macht unterstehen müssen, die ihn gefangengenommen hatte, also den USA. Doch deren Anklagebehörde hatte den SS-General inzwischen als Tauschobjekt an die Briten verhökert, weil die Amerikaner für ihren Nürnberger Ärzteprozeß einige Beschuldigte brauchten, die in den englischen Gewahrsam geraten waren. Wahrscheinlich schoben sie Wolff um so bereitwilliger ab, als sie sich damit aus den Versprechungen stehlen konnten, die Allen Dulles in der Schweiz gemacht hatte.
Damals konnten die US-Richter auf die Anwesenheit Wolffs noch längere Zeit nicht verzichten. Im Lauf von zwölf Monaten wurde er siebzehnmal verhört, wobei elf Vernehmer versuchten, von ihm verwertbare Aussagen zu bekommen. Häufig genug wurden sie mit Binsenwahrheiten, manchmal auch mit phantastischen und abstrusen Erzählungen bedient. Als er sein Verhältnis zu Himmler schildern sollte, meinte er, den größten Einfluß auf den Reichsführer-SS habe natürlich Hitler ausgeübt. Reinhard Heydrich als Chef des Reichssicherheitshauptamtes habe Himmler immer wieder zur Härte aufgestachelt, indessen er, Wolff, ihn »ausgleichend und begütigend« beeinflußt habe, bis er dann ab Kriegsbeginn im Führerhauptquartier gebraucht worden sei. Das Ende Himmlers, sein »angeblicher« Selbstmord, bedürfe noch der Aufklärung. Es sei doch unwahrscheinlich, daß dieser Mann, dem ein solcher Tod in einer solchen Situation nicht gemäß gewesen sei, die Strapazen eines Marsches ins britische Hauptquartier auf sich genommen habe, um sich in Gefangenschaft zu begeben, daß er auch gleich seinen Namen nenne, nur um sich dann sofort zu vergiften. Es seien »viele alte SS-Männer innerlich fest davon überzeugt, daß Himmler zu Tode gefoltert worden ist«.
In einer Denkschrift, für die Amerikaner in den Ostertagen des Jahres 1947 verfaßt, entwickelte Wolff die Theorie, Himmler habe »aufgrund von Gesprächen, die der Führer mit dem Reichsführer in allgemeiner Art führte«, sich entschlossen, »dem neuen Messias Adolf Hitler... Lasten abzunehmen, die von ihm nicht getragen werden sollten. Der Führer sollte unsündig bleiben.« Himmler wollte deshalb »stillschweigend diese Schmutzarbeit... verrichten.« Nämlich: Durch Massenmorde den »im Osten gewonnenen Lebensraum keimfrei« zu machen. Demnach war der Holocaust ein Mißverständnis zwischen Hitler und Himmler?
Bis zu seinem Tod blieb Wolff überzeugt, Hitler habe nicht gewußt, was in den Vernichtungslagern geschah. Wie wenig ehrlich er sich selber gegenüber damals war, verriet er am 24. April 1947 während eines Verhörs durch den Amerikaner Dobbs. Ihm versicherte er hoch und heilig, er habe vor Kriegsende nie etwas von Einsatzkommandos der Sicherheitspolizei gehört. Konnte er sich wirklich nicht

mehr erinnern, daß er gemeinsam mit Himmler in Minsk zugesehen hatte, wie das Einsatzkommando 8 über hundert Opfer in eine Grube getrieben und dort ermordet hatte?
Wie man sich gegen solche Greuel abschottet, versuchte die Publizistin Gitta Sereny während eines neuntägigen Besuchs bei Hitlers Rüstungsminister Albert Speer zu ergründen (veröffentlicht im ZEIT-Magazin 1978). Nachdem er seine vom Nürnberger Tribunal verhängte Freiheitsstrafe in Spandau verbüßt hatte, lebte er memoirenschreibend in Heidelberg. Auch er behauptete, von den Massenmorden nichts gewußt zu haben, was insofern glaubhaft erscheint, als er mit Himmler und der SS verhältnismäßig wenig gemein hatte. So nahm ihm denn auch das Nürnberger Tribunal ab, daß er über die Massenmorde nicht informiert worden war. Gegenüber Gitta Sereny gestand er jedoch: »Ich kann sagen, daß ich es ahnte . . ., daß etwas Entsetzliches mit den Juden passierte.« Wer von der hohen Warte eines Reichsministers oder auch eines SS-Obergruppenführers das Geschehen in Hitlers Reich beobachten konnte, mußte das Schreckliche zumindest ahnen. Doch das hat Wolff nie zugegeben.

Seit April 1947 galt er in Nürnberg nicht mehr als Untersuchungshäftling. Vielleicht hatten dies seine zahlreichen Proteste bewirkt, vielleicht war auch der Entschluß bestimmend, ihn nicht anzuklagen, daß er in den Status eines »PoW. Enclosure« versetzt wurde. Zudem wurde er »Senior« der Kriegsgefangenen und damit ihr Sprecher gegenüber der US-Obrigkeit. So mußte er sich für die Rückkehr jedes Urlaubers verbürgen. War das Essen schlecht, hatte er die Klagen vorzutragen. Als die Amerikaner die deutschen Putzfrauen entließen, die bisher die Flure, Treppen und Toiletten gereinigt hatten, schrieb er an den »Prison Direktor«, einen Oberstleutnant der US-Army, dieser möge doch bitte »die laufende Reinigung der öffentlichen Räume wieder veranlassen«.
Doch mit solcher Geschäftigkeit konnte er nicht seine Sorgen überspielen, die er sich wegen seiner Familie machte. Frau Frieda (geborene von Römheld) schlug sich mit ihren vier Kindern mit Hilfe ihrer Verwandten tapfer durch die schweren Zeiten und schrieb ihrem Ex-Gatten tröstliche Briefe. Anders Frau Inge (geschiedene Gräfin Bernstorff), die mit ihren drei Kindern von drei Ehemännern zunehmend in Not geriet. Im Sommer bat er seinen Vernehmer Rapp, mit dem er sich offenbar gut verstand, brieflich um Beistand: Die Barschaft, die ihm bei seiner Gefangennahme in Bozen abgenommen worden war – Schweizer Franken, Lire, Reichsmark – war noch immer nicht an seine Frau gelangt. Irgendein ›Ami‹ hatte sie schlichtweg in die eigene Tasche verschwinden lassen. Seine Frau sei nun zweieinhalb Jahre ohne Einkommen und deshalb genötigt, ihre letzten Wertsachen zu Schleuderpreisen zu verkaufen. Neuerdings habe man ihr auch noch die Möbel beschlagnahmt – was als Repressalie gegen hochgradige Parteigenossen der NSDAP üblich war.
Etliche Monate später schrieb er an Husmann einen Bittbrief. Darin zitierte er, was ihm die erkrankte Frau Inge geklagt hatte: »Beide Ärzte verordneten Ruhe, inneren Frieden« und ein Medikament, das »nur im Ausland zu haben« ist.

»Neuerliche seelische Belastungen können zum langsamen Auslöschen führen.« Wolff bat Husmann »inständig... schnellstens eine entsprechende Dosis des Medikamentes zu beschaffen. Ihre Auslagen werde ich Ihnen selbstverständlich baldmöglichst ersetzen. Falls meiner Frau infolge der fortgesetzten Rücksichtslosigkeit« (den noch immer uneingelösten Versprechungen, ihn und die Seinen vor Verfolgung zu bewahren) »etwas Ernstliches zustoßen sollte, so würde das der öffentliche Bankrott Ihrer Garantieverpflichtung bedeuten.«
Husmann nahm diese massive Erinnerung an seine Vermittlerrolle bei der Kapitulation nicht übel. Er stand auch weiterhin zur Verfügung, wenn er Wolff beistehen konnte. Er nahm es hin, daß Wolff ihn und Waibel als die »Garanten« für die mehr oder weniger vagen Zusagen von alliierten Verhandlungspartnern in Anspruch nahm. Bei ihnen konnten die beiden Schweizer – ein Internatsdirektor und ein Offizier ohne offizielle Rückenstärkung – bestenfalls etwas bewirken, indem sie mit hartnäckigen Interventionen lästig fielen. Allen Dulles wäre zuständig gewesen für Wolffs Beschwerden. Doch der Anwalt hatte Ursachen, sich nach außen hin taub zu stellen; er war als Politiker auf dem Weg, Chef des CIA zu werden, und sein Bruder John Foster Dulles strebte nach dem Sessel des Außenministers der Vereinigten Staaten. Allen Dulles konnte es sich zwar leisten, schon bald nach Kriegsende in einer Rede in New York wirtschaftliche Hilfen für die hungernden Deutschen zu empfehlen, aber wenn er sich erkennbar für einen SS-Obergruppenführer eingesetzt hätte, wäre das seiner Karriere schlecht bekommen.
Der Vernehmer Rapp belehrte Wolff, daß das Amt von Allen Dulles »mit Ende des Krieges erledigt« sei; der Anwalt habe »aufgrund seiner Beziehungen höchstens einen indirekten Einfluß..., aber keine Befehlsgewalt«. Helfen könne eher der Gesandte Murphy, politischer Berater des US-Hochkommissars der amerikanischen Besatzungszone, des General Lucius Clay, und Murphy würde günstig gestimmt, wenn Wolff hülfe, einige unklare Vorgänge der letzten Kriegswochen aufzuklären. So knüpfte Rapp an eine Behauptung Wolffs an, es habe während der Kapitulationsverhandlungen einen »Verräter« gegeben, der Kaltenbrunner und Himmler über das landesverräterische Unternehmen des Höchsten SS- und Polizeiführers in Italien laufend unterrichtet habe.
»Es war«, sagte Wolff, »der Chef der schweizerischen Abwehr, Oberst Masson.« Dies habe ihm der SS-Gruppenführer Walter Schellenberg, Chef der deutschen Spionage in der letzten Kriegsphase, bei einer zufälligen Begegnung im Nürnberger Gefängnis verraten. In der Tat war die Rolle des Roger Masson unter den Eidgenossen zeitweilig umstritten; er pflegte schon den Austausch von Nachrichten mit Schellenberg, als dieser noch ausschließlich als Chef der Auslandsabteilung des SD amtierte. Masson trug Wasser auf beiden Schultern, indem er eine Tauschzentrale für Geheimes zwischen den Achsenmächten und den Westalliierten einrichtete. Von seinem Untergebenen, dem Major Waibel, erfuhr er in groben Umrissen, welche Fäden zwischen Wolff und Dulles gesponnen wurden. Sie mißfielen Schellenberg, weil er selber gern über den Kontakt zum amerikanischen Geheimdienst verfügt hätte – sei es, um seine eigene

Person rechtzeitig zu salvieren, sei es, weil sowohl Himmler wie Kaltenbrunner von ihm eine Verbindung zu den Westalliierten forderten. Beide hofften, sie könnten sich auf diese Weise noch aus der NS-Götterdämmerung herausmogeln.

Es ist später mehrmals gefragt worden, weshalb die Amerikaner Wolff in Nürnberg nicht angeklagt haben. Er selber parierte diese Frage stets mit der Antwort, man habe trotz gründlicher und langwieriger Untersuchungen nichts Strafbares entdeckt. Chefankläger war in der zweiten Phase der Nürnberger Prozesse der amerikanische Jurist Telford Taylor, von Beruf Rechtsanwalt in New York. Anläßlich der Ermittlungen zum Münchner Schwurgerichtsprozeß gegen Wolff hat Taylor vor einem bayerischen Untersuchungsrichter unter anderem ausgesagt: »Herr Wolff war zunächst in der Gruppe der Leute, die hätten angeklagt werden können... Nachdem er britischer Gefangener geworden war, unterstand er nicht mehr der amerikanischen Gerichtsbarkeit.« Als Taylor gefragt wurde, ob die in München gegen Wolff vorgebrachten Anschuldigungen auch zu einer Anklage in Nürnberg ausgereicht hätten, sagte er: »Es wäre der geeignete Platz gewesen.« In der Anklageschrift der Münchner Staatsanwaltschaft haben Taylors beschworene Aussagen – »mit einigen Meineiden«, behauptete Wolff – zu der Feststellung geführt, daß »die amerikanischen Strafverfolgungsbehörden«, die nicht nach dem deutschen Legalitätsprinzip verfahren mußten, »unter den vielen seinerzeit möglichen Angeklagten eine freie Auswahl getroffen... haben«. Wolff »gehörte in Nürnberg zu den Verdächtigen, die von einer abschließenden Untersuchung und Verfolgung verschont wurden«. Warum wohl? Der von Wolff treulos gescholtene Allen Dulles hätte dazu vermutlich einiges sagen können.
Im Januar 1948 wurde Wolff endgültig den Engländern übergeben, aber von ihnen übel empfangen. Sie steckten ihn in die Arrestanstalt »Tomato« in Minden in einer ständig verriegelten Zelle ohne Fensterglas, ohne Heizung, ohne Tisch und ohne Stuhl. Sie nahmen ihm fast alles ab, was er mit sich führte, auch seine Akten und – was ihn am meisten schmerzte – alle seine Orden. In einem Schreiben »To Prison Commandant Tomato« mit der Überschrift »Eilt« und der lapidaren Anrede »Sir« protestierte er; er sei »weder Kriegsverbrecher noch aus der Wehrmacht entlassen«, beanspruche also den »Status eines kriegsgefangenen Voll-Generals«. Er drohte mit Interventionen durch den Botschafter Murphy (dessen Namen er nur vom Vernehmer Rapp gehört hatte), durch Feldmarschall Alexander, und er werde den »skandalösen Fall zur Kenntnis der englischen und amerikanischen Öffentlichkeit bringen«. Den Kommandanten beeindruckte er damit nicht. Er ließ den SS-General zwölf Tage in der winterkalten Zelle frieren, mit dem Ergebnis, daß Wolff an Nieren und Blase krankte, als er ins ehemalige KZ Neuengamme bei Hamburg verlegt wurde. Dort eröffnete man ihm, daß er von nun an nicht mehr die Rechte eines Kriegsgefangenen – so gering sie auch sein mochten – beanspruchen konnte; er war jetzt ein Zivilinternierter, ein Untersuchungs-

häftling, weil er einer in Nürnberg für verbrecherisch erklärten Organisation angehört hatte.
In einer Liste seiner »Gefangenschaftsdaten« nennt Wolff das Lager Neuengamme ein »engl. Internierungs-KZ«. Er wollte wohl kaum daran erinnern, daß dieses Areal während vieler Jahre eine Stätte des SS-Terrors gewesen war und daß die Engländer als Befreier der Häftlinge entsetzt vor Leichenstapeln gestanden hatten – Verhungerte, an Seuchen Gestorbene, durch Fronarbeit zu Tode Geschundene.
Wolff wurde mitgeteilt, daß gegen ihn nun das Entnazifizierungsverfahren durchgeführt würde. Ihm hatten sich in den ersten Jahren nach der NS-Herrschaft alle Deutschen zu stellen. Zuständig dafür waren eigens geschaffene Spruchkammern. Allein schon die einfache Mitgliedschaft in der NSDAP oder auch in einer ihrer Unterorganisationen gab Anlaß zu einer Untersuchung. Dies galt erst recht für die Zugehörigkeit zu einer in Nürnberg als verbrecherisch eingestuften Organisation wie die SS. Wer gar bei ihr den Rang eines Obergruppenführers erreicht hatte, galt automatisch als »Hauptbelasteter«. Je nach Rang, Stellung und persönlicher Belastung konnte ein Angeklagter von der Spruchkammer zu langjähriger Gefängnisstrafe, zu Geldbuße, Vermögensentzug, Berufsverbot und anderen Nebenstrafen verurteilt werden.
Die formelle Belastung ließ sich mildern durch den Nachweis, daß man zwar Beiträge bezahlt, aber außer gelegentlichem Erheben des rechten Armes mit ausgestreckter Hand in strammer Haltung beim Ertönen der Nationalhymnen nichts zur Stärkung von Hitlers Gewaltherrschaft beigetragen hatte. Geradezu Gold wert waren Abweichungen von NS-Geboten, eidesstattlich bestätigt von rassisch oder politisch Verfolgten, von Juden, christlichen, marxistischen oder gar staatsfeindlich aktiven Gegnern des abgetretenen Regimes. Da die Mehrzahl der Deutschen irgendeiner NS-Organisation angehört hatten, frei nach Goethes ›Fischer und Nixe‹: Halb zog sie ihn, halb sank er hin, wurden sie mehr oder weniger gravierend von der Entnazifizierung betroffen. Viele legten sich deshalb in jenen Tagen eine Sammlung an, in denen ihnen freundlich gestimmte Mitmenschen bestätigten, daß sie sich mit dem Hakenkreuz nur gezwungenermaßen, aus Leichtgläubigkeit, zur Tarnung geheimer Gegnerschaft oder aus irregeführtem Idealismus geschmückt hatten (Nichtzutreffendes war zu streichen).
Wolff besaß schon in Nürnberg eine ansehnliche Sammlung solcher »Persilscheine«. Nun nutzte er die drei Monate in Neuengamme, den Stapel zu erhöhen. Gaevernitz schickte ein Zeugnis. Der Pastor seiner einstigen evangelischen Gemeinde in München bescheinigte ihm, daß er sogar in SS-Uniform das Gotteshaus besucht hatte – ehe er aus der Kirche austrat. Ein millionenschwerer deutscher Bankier bestätigte, daß Wolff sich für die Freilassung von Baron Rothschild, seines Wiener Kollegen, eingesetzt hatte. Doch in seiner Sammlertätigkeit wurde er unterbrochen, als die Engländer glaubten, sie müßten ihn noch wegen Morden in Italien vor ein Gericht

stellen, wie es auch dem Feldmarschall Kesselring geschah. Also mußte Wolff noch drei Monate im Kriegsverbrecherlager Braunschweig absitzen.
Im Hochsommer 1948 gaben es die Engländer auf, ihm Strafbares nachzuweisen; sie verschickten ihn ins Internierungslager Fallingbostel, in der Heide nördlich von Hannover. Er hatte sich inzwischen einen Anwalt aus Hamburg engagiert, aber er war nicht in der Lage, dessen Honorar aufzubringen. Lediglich das Kopfgeld, das jeder Deutsche bei der Währungsreform im Sommer 1948 erhielt, 40 D-Mark, konnte Wolff überweisen. Doch er machte den Anwalt auf Geldquellen aufmerksam. Da war beispielsweise Max Waibel, inzwischen zum Oberstleutnant der eidgenössischen Armee aufgerückt und nun Militärattaché in Washington. Er war vermögend genug, um einzuspringen, vor allem aber könnte er die Amerikaner Dulles und Gaevernitz (»die beide sehr vermögend sein sollen«) zu einem Unkostenbeitrag bewegen.

15 Der »General«-Vertreter

Der inzwischen voll entbrannte Kalte Krieg zwischen Ost und West bestätigte Wolff, daß er in Italien bereits den Weg zu einer neuen deutschen Zukunft erschlossen hatte. »Meine Kapitulation«, schrieb er an einen Freund, »war das Tauroggen des 20. Jahrhunderts . . . und enthält noch alle dementsprechenden Möglichkeiten für Deutschland.« Er sah sich in der historischen Heldenrolle jenes preußischen Generals York von Wartenburg, der mit seiner Armee 1812 nach dem Rückzug aus Rußland das Bündnis seines Souveräns mit Napoleon auf eigene Faust zerbrochen und mit dem bisherigen Feind paktiert hatte. »Mein Fall«, schrieb er weiter, »ist weder ein juristischer, vor allem kein Prozeß- oder Spruchkammerfall, sondern ein die Ehre und den Wortbruch Präsident Trumans, Churchills und Feldmarschall Alexanders betreffender hochpolitischer. Das ist mein Glück und zugleich meine Tragik.« Wie schon oft in seinem Leben zog er sich auch diesmal Schuhe an, die einige Nummern zu groß waren, obgleich er in körperlicher Hinsicht schon auf sehr großem Fuß lebte.

Ende August 1948 hatte der Öffentliche Ankläger beim Spruchgericht Hamburg-Bergedorf die Anklageschrift fertig – für ein nur in der britischen Besatzungszone übliches Strafverfahren, das dem eigentlichen Spruchkammerurteil voranging. Vom 3.bis 6. November wurde in öffentlicher Sitzung gegen Wolff verhandelt, um der ganzen Welt erlittenes Unrecht verkünden zu können. An Husmann hatte er im Sommer geschrieben, es würde »zu einem beispiellosen Skandal und Prestigeverlust der Anglo-Amerikaner führen, wenn sie sich noch länger der nun schon seit drei Jahren überfälligen Einlösung ihrer Versprechungen« entzögen, indem sie es zu einer Strafverfolgung kommen ließen. »Wenn die Unsummen der Verbrechen gegen die Menschlichkeit und Gerechtigkeit, die seit Jahren am laufenden Band nicht nur gegen uns, sondern damit auch gegen unsere unschuldigen tausende Frauen und Kinder begangen werden, zur Kenntnis der Öffentlichkeit gelangen, dann wird die Welt den Atem genauso entsetzt anhalten wie bei Bekanntwerden der Nazi-Greuel.« Sein Vergleich beweist einmal mehr, daß sich Perspektiven grundsätzlich ändern, sobald jemand vom Unterdrücker zum Unterdrückten geworden ist.

Husmann reiste zu der Verhandlung als Zeuge an. Ausführlich durfte er über Wolffs Anteil an der Italien-Kapitulation berichten. Sowohl der Vorsitzende des Gerichtes, ein Landgerichtsdirektor, wie auch die beiden Hamburger Bürger als

Beisitzer waren beeindruckt von der achtungsvollen Anerkennung, die ein neutraler Teilnehmer an jener Aktion einem Deutschen zumaß. Den Verdacht, Wolff »habe nur aus egoistischen Motiven gehandelt«, wies Husmann emphatisch zurück; er berief sich dabei auf seine im pädagogischen Beruf erworbene Menschenkenntnis. Er wies das Gericht darauf hin, daß die Alliierten verzichtet hatten, »gegen Wolff Anklage zu erheben, weil sie von seiner Person überzeugt sind. Ich erbitte auch von den Deutschen«, fuhr er fort, »für Wolff das Verständnis, das wir Schweizer, die Amerikaner und Engländer dem Angeklagten entgegenbrachten.«
So sehr er damit das Gericht beeindruckte, so mußte es doch auch bedenken, daß der enthusiastische Zeuge den Angeklagten nur aus den letzten acht Wochen seines Wirkens als SS-Führer kannte. Daß dieser Mann die Uniform der schwarzen Garde zuvor schon 161 Monate getragen hatte, durfte das Gericht ebensowenig vergessen wie die Untaten, die in dieser Zeit im Zeichen der SS-Runen verübt worden waren.
Als Wolff vor dem Gericht seine Verdienste ausbreitete, stand er sich gelegentlich selber im Weg; einerseits wollte er mit seinem Aufstieg im Herrschaftssystem Hitlers brillieren, andererseits schob er jede Verantwortung nach Möglichkeit von sich. Chef des Persönlichen Stabes war nach seiner Darstellung ein irreführender Titel; in Wahrheit sei er nur Himmlers Protokollchef gewesen. Als ihm anhand des Organisationsbuches der NSDAP vorgehalten wurde, daß seine Kompetenzen viel größer gewesen sein mußten, meinte er, das Buch habe Dr. Robert Ley, der Reichsorganisationsleiter der Partei verfaßt, und diesen Mann könne man »nicht ganz ernst« nehmen. Er fand zwar »die Konzentrationslager bestimmt nicht schön«, aber weil er »vor dem Krieg in Gesellschaft« des öfteren mit »Witzen und Greuelmärchen« darauf angesprochen worden sei, habe er »bei jedem Besuch in einem Lager einzelne Häftlinge unter der Zusicherung meines Schutzes nach der Behandlung befragt. Keiner hat mir irgendeine Klage vorgebracht.« Daß er sich die medizinischen Höhenexperimente des Luftwaffenarztes Dr. Rascher mit KZ-Häftlingen als Versuchspersonen angesehen hatte, gab er freimütig zu, denn darüber stand ja auch schon einiges in den Nürnberger Gerichtsakten. Wolff versicherte aber auch jetzt wieder, er würde sich jederzeit für solche Experimente des guten Zweckes wegen zur Verfügung stellen.
Seltsam zurückhaltend – verglichen mit dem späteren Stimmaufwand in diesem Punkt – schilderte er in dieser Bergedorfer Verhandlung seine Beziehungen zum Vatikan. Vom Hitler-Auftrag, den Papst aus Rom zu entführen, sprach er gar nicht; man habe nur allgemein erwogen, das Haupt der katholischen Kirche vor den heranrückenden Alliierten zu evakuieren, und dagegen sei er ja dann auch gewesen. Er habe seinerzeit »eine Einladung in den Vatikan von einer hochstehenden Persönlichkeit« erhalten – und damit deutete er seine Audienz bei Pius XII. wiederum nur sehr verschwommen an. Mit dieser einstündigen Unterredung am 10. Mai 1944 habe er »Kopf und Position« riskiert, weil er den Papst als Friedensvermittler gewinnen wollte. Daraus sei leider nichts gewor-

den, denn ein geplantes weiteres Gespräch sei nicht mehr zustande gekommen, weil er erkrankt sei und die Alliierten inzwischen Rom besetzt hätten.
So ernst, wie später die Sache mit dem Antisemitismus geworden sei, habe er diesen Punkt im Parteiprogramm nie genommen. Daß alle Juden einen gelben Stern tragen mußten, hielt er »nicht für glücklich und nicht schön«. Himmler habe ihm erklärt, weshalb die Kennzeichnung notwendig sei: Weil der Weltjudenführer Chaim Weizmann alle Juden auf der Erde zum aktiven Kampf gegen die Nationalsozialisten aufgerufen habe, müßte man sie alle als Gegner kennzeichnen. Deutsche liefen sonst Gefahr, ihnen bei Gesprächen ungewollt Informationen zu liefern. »Ich hatte die Vorstellung«, sagte Wolff über den gelben Stern, »daß er für rassebewußte Juden eine Ehre wäre.«
Als er beim Staatssekretär Ganzenmüller im Reichsverkehrsministerium telefonisch die Waggons für die Züge von Warschau nach Treblinka angefordert habe, sei er des Glaubens gewesen, er müsse nur eine momentane Transportstockung beheben. »Es ist möglich«, sagte er, »daß ich wußte, daß es ein Judentransport war.« Erst durch Ganzenmüllers »Brief erfuhr ich von den großen Transporten . . . Ich hatte nicht das Bewußtsein, daß etwas Verbrecherisches geschah.«
Die Verhandlung zog sich vom Mittwoch bis zum Samstag hin, über vier Tage. Das war für ein Verfahren vor dem Spruchgericht ziemlich lang. Die Versuche, dem Angeklagten persönliche Schuld nachzuweisen, blieben schwach und versickerten jedesmal in allgemeinen Erörterungen über NS-Verbrechen. Der Ganzenmüller-Komplex, der 16 Jahre später zu Wolffs Verurteilung wegen Beihilfe zum Massenmord führte, wurde nur genutzt, um nachzuweisen, er habe gewußt, daß Juden verfolgt wurden. So wurde er denn in Bergedorf gemäß der Anklage verurteilt, weil er »nach dem 1. September 1939 Mitglied einer verbrecherischen Organisation« gewesen war, »in Kenntnis dessen, daß diese für Handlung verwandt wurde, die gemäß Art. 6 des Status des Internationalen Militärgerichtshofs als verbrecherisch erklärt worden sind«. Fünf Jahre Gefängnis lautete das Urteil; zwei Jahre galten durch die Untersuchungshaft als verbüßt.

Über Sinn und Unsinn der Entnazifizierung hat man in Westdeutschland viel diskutiert. Schon in den fünfziger Jahren war man sich weitgehend einig, daß sie vielleicht gut gemeint und auch in irgendeiner Art notwendig gewesen sei, daß sie aber kurzsichtig hinsichtlich ihrer Wirkungen, engstirnig in ihren Vorschriften, unzureichend in der Konsequenz und außerdem fundamentalen Rechtsgrundsätzen widersprechend angelegt worden sei. Sie verhängte Kollektivstrafen, indem sie allein schon die Zugehörigkeit zu einer Anzahl von Personenkreisen mit Vergeltung bedrohte. Sie sparte sich die Mühe, persönliche Schuld nachzuweisen, was manchem Naziverbrecher zugute kam, und mutete theoretisch jedem Beschuldigten zu, er möge seine Unschuld beweisen. Doch wie überzeugt man einen Ankläger, daß man im Lauf vieler Jahre nie einen Juden ermordet hat? Sie bot verführerische Möglichkeiten zur Denunziation und andererseits zum Zeugenkauf. Bezeichnend für das Ansehen der Entnazifizierung im Volk war der Witz vom Lehrer, der als Parteigenosse mit Berufsverbot

belegt wurde und strafweise die Straße kehren mußte, weshalb ihn ein anderes Parteimitglied beneidete, der bisher als städtischer Arbeiter die Straßen gesäubert hatte und entlassen worden war, weil kein Nazi im öffentlichen Dienst stehen durfte.
Man kann das Urteil gegen Wolff für zu milde oder ebenso für zu hart halten, aber eine Diskussion darüber erübrigte sich: Es wurde ohnehin nicht rechtskräftig, weil die Gerichtskanzlei bei der Berufung der Beisitzer gepfuscht hatte, wohl aus Bequemlichkeit. Sie waren nicht an der Reihe gewesen, und ein solcher Verstoß erzwingt allemal eine Revision, gleichgültig, ob das Urteil fehlerhaft ist oder einwandfrei. Der Revisionsantrag änderte freilich nichts an der Situation Wolffs. Er blieb in Haft. Man brachte ihn gleich nach der Verhandlung in das »Internierungs-KZ« (wie er es nannte) Esterwegen im Emsland, wo unter Hitler die staatsfeindlichen »Moorsoldaten« geschippt hatten. Wolff war schon einmal dort gewesen, als Begleiter Himmlers, der sich im Lager den Schriftsteller Carl von Ossietzky vorführen ließ, den mit dem Friedensnobelpreis ausgezeichneten Herausgeber der Zeitschrift »Die Weltbühne«.
Am 8. März 1949 wurde das Urteil des Spruchgerichts aufgehoben. Weil eine neue Verhandlung damit notwendig geworden war, kam Wolff wieder in das Amtsgerichtsgefängnis Bergedorf. Für das nun zu erwartende und, wie er hoffte, letzte Gefecht mit der hartnäckigen Göttin Justitia sammelte er mit einem Eifer wie nie zuvor weiteres Material. Beim Spruchgericht beantragte er gleich, man möge ihm in seiner Zelle eine Schreibmaschine gestatten, um – wie sein Verteidiger sich ausdrückte – »die Irrtümer der ersten Spruchinstanz zu widerlegen«. Es gingen denn auch in den folgenden Wochen weitere »Persilscheine« bei Wolff ein. Unter anderem vom ehemaligen Reichsminister Dr. Hans-Heinrich Lammers, der aus dem Nürnberger Gefängnis heraus bescheinigte, wie wenig Wolff zu sagen gehabt habe, vom Generalfeldmarschall Albert Kesselring, vom Generalfeldmarschall Milch, vom Ex-Staatssekretär und Botschafter Ernst von Weizsäcker, von Baron Parrilli aus Italien, von Allen Dulles aus USA, von SS-Obergruppenführer August Heißmeyer. Der Stinnes-Schwiegersohn Gero von Gaevernitz versprach, er werde zur Verhandlung aus den USA kommen, um für Wolff auszusagen.
Auch die zweite Verhandlung erforderte vier Tage, vom 31. Mai bis zum 3. Juni 1949. Ein anderer Landgerichtspräsident war Vorsitzender, den Wolff rasch für sich einnehmen konnte, indem er – laut Pressebericht – »die Fragen des Gerichtes in verbindlichster Weise« beantwortete. Gutes über den Angeklagten sprachen und beschworen vor dem Richtertisch unter anderen der Gesandte a. D. Rudolf Rahn und der Ex-Staatssekretär im Propagandaministerium Gutterer, zwei Prominente aus der Oberschicht des Dritten Reiches, die überlebt hatten und sich auf freiem Fuß befanden.
Höhepunkt der Verhandlung war der Auftritt von Gaevernitz, den eine Hamburger Tageszeitung fälschlich auch noch zum US-Diplomaten ernannte. Es falle ihm, sagte er, nicht leicht, »für einen SS-General eine Zeugenaussage zu machen«, denn er habe »seit Beginn des Nationalsozialismus gegen ihn und

seine Idee gekämpft«. Doch die Gerechtigkeit verlange, »daß ich über die Dinge aussage, die ich im Zusammenhang mit der Kapitulation der italienischen Armee kenne«. Es sei Wolff zu verdanken, daß sie zustande kam und daß beim Rückzug der Deutschen die großen italienischen Wasserkraftwerke am Alpenrand und die Hafenanlagen von Genua und Triest nicht gesprengt wurden, wie es Hitler und Himmler befohlen hatten. Wolff habe zudem wertvollste Kunstwerke Italiens vor der Vernichtung durch die Kämpfe retten lassen, und er habe verhindert, daß eine große Anzahl politischer Gefangener von der Gestapo umgebracht wurden, als die alliierten Streitkräfte vordrangen. Obwohl Wolff während der Kapitulationsverhandlungen mehrmals in Lebensgefahr geraten sei, habe er niemals »irgendeine besondere Behandlung nach dem Krieg gefordert«.

Hier hätte Wolff eigentlich widersprechen müssen, denn seit Jahren protestierte er, Versprechungen seien nicht erfüllt worden. So hatte er sich für die Verhandlung von Husmann schriftlich bestätigen lassen, daß ihm eine Mitwirkung an maßgebender Stelle beim demokratischen Aufbau in Deutschland von den alliierten Vertretern zugesagt worden war. Doch er hielt es jetzt wohl für besser, wenn er sein edel gezeichnetes Porträt nicht durch solche unzeitgemäßen Forderungen trübte. Spürbar entwickelte das Gericht mehr und mehr Mitgefühl. Der Landgerichtsrat bedauerte: »Man hat den Angeklagten hart behandelt und lange festgesetzt.«

Zur Zeit der Verhandlung war Wolff schon gegen eine Kaution von 4000 neuer D-Mark auf freiem Fuß. Das war damals ein kleines Vermögen; Freunde hatten es ihm geliehen. Sie waren gewiß, jetzt würde es wieder aufwärts gehen mit ihm. Sein »Personalkredit« war ungekündigt. Mit dem zweiten Urteil konnte er zufrieden sein: Vier Jahre Gefängnis, aber weil vier Jahre Untersuchungshaft angerechnet wurden, war er von diesem Augenblick an nicht mehr von der Haft bedroht. Das Gericht konnte ihn kaum billiger davonkommen lassen, wenn es vermeiden wollte, daß ein SS-Obergruppenführer Ansprüche an die demokratische Staatskasse gewann, weil man ihn zu lange eingesperrt hatte. Bemängelt wurde in der Urteilsbegründung nur »die einschränkende und verklausulierte Form, in der der Angeklagte sein Wissen um die NS-Greuel zugegeben« habe. Andererseits bedauerte das Gericht nahezu, daß es gezwungen war, »auf eine Freiheitsstrafe zu erkennen, die in gerechtem Verhältnis zu den über niedrigere SS-Ränge verhängten Strafen stehen mußte«. Denn Wolf sei »mit seinem lauteren Wesen ein Fremdkörper in der SS gewesen« . . . »Er könne mit einem reinen und fleckenlosen Kleid aus dem Gerichtssaal« gehen.

Wolffs Verteidiger war selbst damit nicht zufrieden. Als er den Saal verließ, protestierte er halblaut vor sich hin: »Freispruch! Freispruch!« Dann hätte die Staatskasse sein Honorar bezahlen müssen und nicht sein momentan nahezu bargeldloser Mandant. Der jedoch trug fortan die forensische Anerkennung wie einen weiteren Orden. Er war wieder jemand, noch dazu versehen mit einem demokratischen Gütesiegel. In Hamburg wohnte er seit seiner Entlassung aus der Haft standesgemäß wieder einmal in vornehmer Wassernachbarschaft unweit der Außenalster. Nun zog es ihn zu neuen Ufern. Beim Chef des Polizeibezirks Lüneburg, der infolge des Aufenthalts im Lager Fallingbostel noch immer die Personalakte Wolff führte und der aufgrund des Urteils jeden Ortswechsel genehmigen mußte, beantragte Wolff, man möge ihm den Umzug zum Tegernsee in das Haus des Maler-Professors Padua gestatten. Dessen Öl-Stück – Wolff in weiß und lebensgroß – existierte noch, und es sollte nicht mehr lange dauern, bis es wieder im eigenen Haus eine Wand zierte.

Beim Start in sein neues Leben besaß er außer einer Bescheinigung des Männergefängnisses Hamburg-Bergedorf, wonach er mit Lebensmittelmarken bis zum 18. Juni 1949 versehen sei, auch einen Bescheid, daß er von der Spruchkammer als Minderbelasteter (Kategorie III) eingestuft worden sei. Seinem Rang entsprechend hätte er Hauptbelasteter (Kategorie I) oder wenigstens Belasteter (Kategorie II) sein müssen. Während viele SS-Mitglieder der unteren Ränge nur als Hilfsarbeiter beschäftigt werden durften bei einem Stundenlohn von etwa einer Mark, war ihm lediglich die Tätigkeit im öffentlichen Dienst untersagt.
Auf diese Laufbahn war er ohnehin nicht scharf; die öffentliche Hand war in den kärglichen Aufbaujahren knauserig. Als er im November 1949 die Mitteilung erhielt, daß er nun in die Kategorie IV der Mitläufer versetzt worden war, war sie adressiert an den »ehem. General der Waffen-SS«, aber er hatte bereits einen anderen Titel: Er war jetzt General-Vertreter. Als solcher arbeitete er für die Anzeigenabteilung einer illustrierten Wochenzeitschrift, eines Pressetyps, der dabei war, sich unter den Westdeutschen eine breite Leserschaft zu erobern. Wolff hatte seinen Sitz in Köln, im damals wirtschaftsstärksten Gebiet der Bundesrepublik. Er verdiente gut und zunehmend besser und konnte es sich schon nach kurzer Zeit gestatten, seine Inge-Familie nach Starnberg in eine Wohnung zu holen, deren Balkon einen herrlichen Ausblick auf den See und auf die Berge bot. Er wohnte in Köln in einer Vier-Zimmerwohnung. Sein Selbstvertrauen war ungebrochen. Seinen Bekannten erzählte er, daß er jetzt wieder ein Schlößchen bewohne, wie einst am Wolfgangsee. Das Starnberger Heim bestand jedoch nur aus drei Zimmern im ersten Stock der »kleinen Villa des Herrn Frederico de Osa in Kempfenhausen«. So nüchtern wird die Unterkunft in einer Wohnrechts-Bescheinigung des Landratsamtes Starnberg beschrieben.
Sein Aufstieg erwies sich als unaufhaltsam. Mit seinen noch aus dem Freundeskreis Himmlers herrührenden Bekanntschaften zu Industriellen und Bankiers fand er leicht Zugang zu den Werbeabteilungen großer Unternehmen. Seine Fachkenntnisse aus der Münchner Annoncen-Expedition und seine Begabung, in Gesprächen durch voluminöse Formulierungen Banales aufzuwerten, machten ihn zu einem Vertreter, dem der Generalsrang zustand. Ihm kam zugute, daß in jenen Tagen viele Unternehmen so gut verdienten, daß sie ihre überquellenden Gewinne in die Werbung steckten, damit das Finanzamt sie nicht holen konnte. Angesichts der steigenden Umsätze des Kölner Büros hatte ein Verleger in München – an sich ein engagierter Antifaschist – keine Bedenken, einen

ehemaligen SS-Obergruppenführer zu einem reichen Mann zu machen. Dessen Einkommen war mit dem Umsatz gekoppelt; es stieg Jahr für Jahr und erreichte schließlich bis zu seinem Ausscheiden – nach Wolffs eigener Aussage – mehr als 120000 Mark monatlich. Es fiel ihm nicht schwer, das Schlößchen schon 1953 zu kaufen, mit 7000 Quadratmeter Ufergrundstück, Steg, Badehäuschen und Bootsanlegesteg. Frau Inge und ihre drei Kinder waren damit wieder untergebracht, wie es dem gewohnten Lebensstil entsprach. Da Frau Frieda mit nun schon erwachsenen Töchtern und den zwei jüngeren Söhnen gleichfalls in Bayern lebte, ließen sich die Sippenbindungen unschwer pflegen. Der Vater beider Familien hätte nun die Chance gehabt, als unbeachteter Bundesbürger ein gesichertes Leben zu führen, mit einem am allgemeinen Wohlstand reichlich bemessenen Anteil und mit der Gewißheit, daß von seiner schwarzen Vergangenheit nur noch im Kreis von Vertrauten die Rede sein würde.
Doch so sang- und klanglos mochte er seine heldische Vergangenheit nicht in die Vergessenheit sinken lassen. Soweit ihm neben dem Geldverdienen und der Pflege von Beziehungen und Freundschaften noch freie Zeit blieb, machte er sich daran, seine Lebenserinnerungen aufzuzeichnen. Er kam dabei über lose Fragmente nicht hinaus, und wenn er auch dabei versicherte, er wolle nun endlich erzählen, was im Dritten Reich wirklich geschehen war, so enthalten diese Memoirenbruchstücke nur wenig Unbekanntes und viel Unwichtiges. Weil er bald merkte, daß es ihm kaum gelingen würde, sich mit der eigenen Schreibmaschine im Buch der Geschichte zu verewigen, suchte er Verbindungen zur schreibenden Zunft. Was lag näher als der eigene Verlag, der jetzt gerade die Konjunktur der Vergangenheitsbewältigung nutzen wollte.
In jenen Tagen hatten die Deutschen das Bedürfnis, über die Hintergründe des NS-Regimes mehr zu erfahren; sie waren fleißig dabei, die Folgen der Katastrophe zu beseitigen, aber sie wollten deshalb auch wissen, wie es dazu hatte kommen können. Solange das Besatzungsstatut der Alliierten ihr Grundgesetz gewesen war, stand über jeder Publikation, die sich mit der NS-Vergangenheit beschäftigte, das Risiko, daß ein Zensor in Uniform argwöhnte, sie diene verbotenem Nazismus. Als dann die junge Demokratie die Pressefreiheit verkündete, servierte die gerade entstehende Regenbogenpresse den Deutschen so phantastische Enthüllungen wie das dreist gefälschte Tagebuch der Hitlerfreundin Eva Braun. Die in München beheimatete Illustrierte »Revue«, Wolffs Arbeitgeber, wollte ihren Lesern Besseres bieten. Ihr Autor Heinrich Benedikt schrieb eine Serie von Berichten unter dem Titel »Die ungeklärten Fälle«, und schon im Mai 1950 sah sich der Generalvertreter Wolff in drei Folgen als General der Waffen-SS in Wort und Bild den Lesern nahegebracht.
Darin wurde vorwiegend erzählt, was in Wolffs großer Zeit in Italien geschah, garniert mit anekdotischen Interna aus dem SS-Betrieb. Von den Verbrechen dieser Parteiformation war kaum die Rede. Da Wolff im Glanz seiner Ämter viel fotografiert worden war und da er nie versäumt hatte, sich Abzüge geben zu lassen, lernten die »Revue«-Leser ihn zumindest optisch und damit von seiner besten Seite kennen: ein schmucker Mann und Soldat mit angenehmen Gesichtszü-

gen, der mal neben, mal hinter Himmler stand und zwischendurch auch neben Hitler oder Mussolini. Ohne Zweifel, er war ein bedeutender Mann gewesen. Trotzdem hatte Wolff bereits mit der dritten Folge als Hauptdarsteller ausgedient; in der Serie trat ein anderer an seine Stelle. Das Echo auf diese Veröffentlichung war gering. Sie fand sogar bei seinen Ordensbrüdern von ehedem wenig Beachtung, denn aus ihrer Sicht gesehen war Wolff dabei, sich zwischen sämtliche SS-Stühle zu setzen. Sie waren nämlich der Spaltung verfallen. Da gab es die früheren Angehörigen der Waffen-SS, die als Soldaten und Kämpfer für Deutschland oder auch für ein germanisches Europa gesehen werden wollten. Anders die sogenannte Schwarze SS, die heterogen alles beherbergte, was die Friedensuniform getragen hatte, vom Funktionär bis zum Sektierer, vom kleinen Marschierer bis zum Industriellen und Ehrenführer. Die Mehrzahl von ihnen ließ sich nur ungern an ihre Mitgliedschaft erinnern. Schließlich gab es noch die dubiosen Existenzen aus der Gestapo, aus dem SD und aus den Reihen der KZ-Bewacher, mit denen die beiden anderen Sparten nichts zu tun haben wollten. Auch Wolff wollte natürlich zu ihnen nicht gehören. Die Soldaten lehnten ihn ab, weil er seit seiner Leutnantszeit im Ersten Weltkrieg kaum mehr eine Gewehrkugel pfeifen gehört hatte. Beim Gros der Allgemeinen SS war er unbeliebt, weil er angeblich als Himmlers rechte Hand zuviel intrigiert hatte und weil er nun durch öffentliches Auftreten schlafende Hunde weckte, indem er die SS ins Gerede brachte. Alle behaupteten, er habe aus den Erfahrungen der Nachkriegsjahre nichts gelernt.

Wie recht sie damit hatten, sollte sich in den folgenden Jahrzehnten noch zeigen. Ein Beispiel mag zunächst genügen: Als er 1952 seine Bekenntnisse dem Münchner »Institut für Zeitgeschichte« anvertrauen wollte, behauptete er, wie er dem Autor später gegenüber erwähnte, Hitler habe die Vernichtung der Juden nicht befohlen und habe erst Ende 1944 davon erfahren. Darüber hat dann Heinrich Heim, ein Beamter, der im Führerhauptquartier zeitweise Hitlers Tischgespräche mitgeschrieben hatte, in einem von ihm selbst hergestellten Rundbrief gleichgesinnten Unbelehrbaren berichtet. Er und Wolff kannten sich aus der »Wolfsschanze«. Heim zählte offensichtlich den Ex-General zur Gemeinde der Standhaften, als er ihm das Blatt zuschickte. Auch als von dem noch immer antisemitisch gesinnten Heim Jahre später ein langes Elaborat kam, in dem scheinbar bewiesen wurde, daß es keine Gaskammern in KZs gegeben habe, versuchte Wolff keineswegs, diesen chronischen Blinden sehend zu machen, sondern er bewahrte die Blätter als zeitgeschichtliches Material auf.

Andererseits legte er jedoch Wert darauf, das Odium eines mit Gefängnis Bestraften loszuwerden. Als er schon 1950 erfuhr, daß mit dem gesetzlich vollzogenen Abschluß der Entnazifizierung in der Hansestadt Hamburg auch seine Berufseinschränkungen gelöscht waren, verfügte er neben dem fleckenlosen Kleid, das ihm die Spruchkammer attestiert hatte, auch wieder über fleckenlose Personalpapiere. Anstandslos gewährte ihm die gegen Ex-Nazis allergische Schweiz die Einreise, als er dort 1953 mit Frau Inge seine früheren Verhandlungspartner besuchte.

Zwei Tage war das Ehepaar im August Gast im Landhaus des inzwischen zum Oberst aufgestiegenen Max Waibel, im Patriziersitz Dorenbach bei Luzern. Dort hatten acht Jahre zuvor die entscheidenden Verhandlungen mit Dulles stattgefunden. »Nun hat sich ein Kreis wieder glücklich geschlossen«, schrieb Wolff ins Gästebuch. Die Sympathien von Frau Waibel hatte er schon beim ersten Besuch gewonnen. Sie hatte ihn als einen »gepflegten und kultivierten Gast« empfunden, und es hatte ihr nur Sorgen bereitet, wo sie »um Gottes willen für diesen Hünen ein Bett hernehmen« sollte. Damals hatte sie tief bedauert, »daß er bei der SS ist«. Jetzt las sie in ihrem Gästebuch: »Hoffentlich auf baldiges Wiedersehen bei uns in Deutschland.« Es war ja Frieden und eitel Sonnenschein allerorten.
1956 gab es eine Hochzeit im Hause Wolff. Die älteste Tochter heiratete den Sohn eines ebenso bekannten wie betuchten Sportsmannes, den Karl Wolff bei den Vorbereitungen für die Olympischen Spiele 1936 in Berlin schätzen gelernt hatte. Er rückte nun auch mit der Enthüllung heraus, daß er die ganzen Jahre hindurch tiefgestapelt hatte: Der Führer Adolf Hitler habe ihn vor dem Selbstmord am 20. April 1945 aus der Katakombe unter der Reichskanzlei heraus noch zum Generaloberst der Waffen-SS befördert. In den amtlichen Archiven wurde die Rangerhöhung freilich nicht mehr vermerkt. Dafür jedoch im »Deutschen Geschlechterbuch« Band 175, dem Gotha-Verschnitt der Bürgerlichen, wo der so Geehrte selber dafür sorgen konnte, daß sein Licht nicht unter dem Scheffel blieb.

In Stuttgart wurde in den Nachkriegsjahren eine »Zentralstelle« eingerichtet, die alles Material über NS-Verbrechen sammelte und ordnete. Sie war notwendig geworden, weil diese Taten von den Justizverwaltungen der Bundesländer häufig nur bruchstückweise erfaßt werden konnten; Opfer und Täter eines Komplexes waren meist über die ganze Bundesrepublik verstreut. Dadurch war Doppelarbeit bei den Ermittlungen unvermeidbar und manche Zusammenhänge wurden erst sichtbar, wenn man alle Unterlagen in einer Hand zusammenfaßte. Auf diese Weise wurden nun, wenn auch reichlich verspätet, immer mehr Schuldige entdeckt und angeklagt.
So ermittelte die Staatsanwaltschaft München gegen den ehemaligen SS-Hauptsturmführer Dr. Otto Bradfisch, weil er als Leiter des Einsatzkommandos 8 beim Überfall auf die Sowjetunion hinter der ostwärts vordringenden Front Massenmorde befohlen hatte. Vorwiegend waren Juden und Kommunisten die Opfer. Als er am 9. Juni 1958 über Erschießungen in Minsk verhört wurde, die Mitte August 1941 stattgefunden hatten, behauptete er, dies seien legale Hinrichtungen gewesen, die ihm befohlen worden seien. Dies werde allein schon bewiesen durch die Anwesenheit des Reichsführers-SS und Wolffs. Alles sei auf höhere Weisung geschehen, und wenn er sich geweigert hätte, wäre er in eine gefährliche Lage geraten.
Noch dachte niemand in der Justiz daran, Wolff wegen der bloßen Anwesenheit bei den Morden anzuklagen. Er wurde genau einen Monat später staatsanwalt-

schaftlich befragt, ob Bradfisch sich zurecht auf einen Befehlsnotstand berufe. Wolff bestätigte dies. Ein schlichter Oberregierungsrat bei der Geheimen Staatspolizei – das war die Zivilstellung des Juristen Bradfisch – habe sich unter Himmler kaum erlauben können, einem Befehl nicht nachzukommen oder gar ihm entgegenzuhandeln. Er als Obergruppenführer habe sich in dieser Hinsicht mehr leisten können, »wie zum Beispiel die Aufnahme von Kapitulationsverhandlungen in Italien . . . weil ich ja letzten Endes einen Dienstrang und eine Dienststellung hatte, aufgrund deren man mich nicht ohne weiteres verschwinden lassen konnte«.

Damit schien für ihn die Sache ausgestanden. Bradfisch wurde 1961 vom Landgericht München zu zehn Jahren Zuchthaus verurteilt. In dieser Verhandlung sagte er, in Minsk habe er Himmler gefragt, wie weit die Exekutionen von einem Gesetz gedeckt seien. Diese Skrupel habe Himmler beiseite geschoben; ein Führerbefehl sei ein Gesetz, und Hitler habe befohlen, die gesamte jüdische Bevölkerung im Osten auszurotten.

16
Der Eichmann-Komplize

Ein Alarmzeichen von ganz anderer Seite erreichte Wolff, als 1960 ein Buch mit dem Titel »Eichmann und seine Komplicen« erschien. Der Autor Dr. Robert Kempner war bis 1933 Oberregierungsrat im preußischen Staatsdienst gewesen, war emigriert, weil ihn die Nationalsozialisten als politischen Gegner haßten und verfolgten, und er war nach Kriegsende als Mitglied der amerikanischen Anklagebehörde an den Internationalen Militärgerichtshof nach Nürnberg gekommen. Wie kaum ein anderer Mitarbeiter dieses Apparates war er mit den Vorgängen und den Zusammenhängen in Deutschland auch während des Dritten Reiches vertraut, und er war entschlossen, alle Nazi-Verbrecher zur Strecke zu bringen. Ihm kam dabei zustatten, daß ihm als Jurist das amerikanische Recht ebenso geläufig war wie das deutsche und daß er beide Sprachen beherrschte.
Als dem Zeugen Karl Wolff im Nürnberger Prozeß gegen den Chef des Verwaltungs- und Wirtschaftshauptamtes der SS sein Briefwechsel mit dem Staatssekretär Ganzenmüller, also die Aktion zur Beschaffung der Waggons für den Transport der Warschauer Juden ins Vernichtungslager Treblinka, vorgehalten wurde, war Kempner längst fest entschlossen, diesen SS-Führer auf eine Nürnberger Anklagebank zu bringen. Sein damaliger Vorgesetzter, der Chef der Anklagebehörde Telford Taylor hätte ihn nicht daran gehindert, wäre er nicht offensichtlich durch Mr. Murphy, den politischen Berater des Generals Clay, dem amerikanischen Hochkommissar für die US-Zone, angewiesen worden, Wolff müsse ungeschoren bleiben. Doch Kempner wollte nicht vergessen und nicht vergeben. Er war auch nach der Gründung der Bundesrepublik in Deutschland geblieben, lebte als Anwalt in Frankfurt, und in seinem Buch war nun der Briefwechsel mit Ganzenmüller als Hinweis auf einen Mann wiedergegeben, der in der Bundesrepublik lebt und an der Judenvernichtung mitgewirkt hat. Als Taylor im Zusammenhang mit dem Wolff-Prozeß später als Zeuge befragt wurde, weshalb der SS-Obergruppenführer damals nicht wegen der Verstrickung in die Judentransporte angeklagt worden sei, meinte er, daß »andere Wege ... günstiger erschienen« seien, um diesen Fall »zu erledigen«. Etwa die Entnazifizierung oder die deutsche Justiz. Sie wollte Kempner nun an diese Aufgabe erinnern; die Zeit schien ihm reif, weil die Weltöffentlichkeit durch die Entführung des ehemaligen SS-Obersturmbannführers und Judenreferenten der Gestapo Adolf Eichmann aus Argentinien und durch seinen Prozeß

in Jerusalem alarmiert war. Dort erwähnte der Angeklagte Eichmann in der Verhandlung auch Wolff als den Typ jener SS-Führer, die ihre Geschäfte mit weißen Handschuhen zu erledigen pflegten, damit sie sich die Hände nicht schmutzig machen mußten.
Für die in Köln erscheinende »Neue Illustrierte« war dieser Prozeß der Anlaß, den Deutschen mitzuteilen, »was ein überzeugter Vasall Hitlers zu den entsetzlichen Taten des Dritten Reiches sagt«. Unter den großen Lettern »Eichmanns Chef: Heinrich Himmler« veröffentlichte sie im Frühjahr 1961 »ein Porträt« des Reichsführers-SS, verfaßt »von Karl Wolff, General der Waffen-SS«. Die Vorrede besagte, es nehme hiermit »zum ersten Mal seit dem Zusammenbruch des tausendjährigen Reiches ein Mann das Wort, der zehn Jahre zum engsten Teufelskreis um Himmler gehörte... Wolff berichtet Tatsachen, und er sagt seine Meinung darüber. Seine Meinung, nicht die der Redaktion...« Er betrachte sich als Kronzeuge und die Leser sollten als Richter ihr Urteil fällen.
Etwa über Himmler? Der war von aller Welt bereits bis in alle Ewigkeit verdammt. Über Wolff? Der hatte sich nie schuldig gefühlt; sogar seine Strafe aus der Entnazifizierung war im Leumundszeugnis gelöscht. Er erwartete vom Leserurteil vielmehr eine öffentliche Anerkennung für Gesinnung und Taten eines leider immer noch wenig bekannten Generals. Aus diesem Grund begann die erste Folge mit der sympathiewerbenden Erzählung von jener Beinahe-Prügelei, bei der er angeblich Himmler im August 1943 aus dem Schreibtischsessel gejagt hatte. Nach dieser Szene berichtete Augenzeuge Wolff über die Massenmorde am Minsker Stadtrand, vielmehr (wie es in dem Bericht heißt) über die »Hinrichtung von hundert jüdischen Spionen und Saboteuren«. Dann folgte Himmlers Lebenslauf, beginnend mit der Frühzeit der NSDAP, die Wolff nicht aus eigener Anschauung kennen konnte.
Genau genommen hat er ja auch nicht eine Zeile davon geschrieben. Doch der Text beginnt so: »Ich, Karl Wolff, SS-Obergruppenführer und General der Waffen-SS, melde mich hiermit zu Wort. Mein Gewissen zwingt mich dazu.« In Wahrheit hatte das Wort ein Journalist der »Neuen Illustrierten«. Einmal mehr glaubte Wolff, er habe einen wortgewandten Verkünder seiner Taten gefunden. Der Mann war bei der Waffen-SS gewesen. Doch schon bei der zweiten Folge ergab es sich, daß selbst auf Männer dieses Schlages kein Verlaß mehr war; der SS-Kamerad stellte sich den Lesern als Bearbeiter vor, und ab der dritten Folge war von Wolff nicht mehr die Rede. Einleitend hatte er verkündet: »Seit Kriegsende habe ich geschwiegen, voller Scham, daß ich so lange Heinrich Himmler gedient hatte.« Jetzt mußte er wieder schweigen: Bei der Illustrierten sagte man ihm, seine Story käme nicht an.
Sie kam an, wenn auch anders, als er es gewollt hatte. Leser protestierten. Da er wieder einmal behauptet hatte, Hitler und auch er hätten von den Massenmorden in den Vernichtungslagern nichts gewußt, hielt ihm jemand vor, er verbreite »ungeheuerliche Behauptungen« wie schon 1952 als Zeuge in einem Strafprozeß. Und ein Doktor aus Innsbruck meinte, entweder lüge Wolff,

oder er sei bei Himmler ein so unfähiger Adjutant gewesen, daß man sich fragen müsse, wie er zehn Jahre lang diesen Posten behalten habe. Auch der Schriftsteller Axel Eggebrecht meldete sich; er nannte Wolff in seinem Brief schlichtweg einen »Mittäter«.
Dieser Ansicht war auch Robert Kempner. In seinem Brief setzte er unter seinen Namen den Titel »fr. stellv. US-Hauptankläger in Nürnberg«. Er sei, so schrieb er, »im Zusammenhang mit Personen wie Wolff« oft gefragt worden, warum dieser hohe SS-Führer nicht in Nürnberg angeklagt wurde. Dort seien jedoch nur die Hauptkriegsverbrecher angeklagt worden, insgesamt 199. Weit mehr Schuldige seien von deutschen, französischen, holländischen und anderen Gerichten abgeurteilt worden. Viele Beweise für begangene Verbrechen seien »erst in den Jahren nach Beendigung der Nürnberger Verfahren aufgefunden« worden. »Aus diesem Grund kann sich niemand darauf berufen, die Alliierten hätten in Nürnberg nichts gegen ihn gefunden. Die oft gebrauchte Redensart ›sogar Dr. Kempner hat meinen Fall geprüft und mich losgelassen‹, ist juristisch nicht von Bedeutung. Wer also nur als Zeuge in Nürnberg war, ist keinesfalls vor deutschen Verfahren geschützt.« Das war für deutsche Staatsanwälte ein Wink mit dem Zaunpfahl.
Selbst von den SS-Kameraden bekam Wolff alles andere als Beifall. Es gab einen Verein ehemaliger Soldaten der Waffen-SS, die HIAG. Ihre Legalität wurde oft angezweifelt, aber sie wurde nie verboten. Dieser Verein verschickte an seine Mitglieder ein Blatt, genannt »Der Freiwillige«, das der Öffentlichkeit klarmachen sollte, daß SS nicht immer gleich SS gewesen sei. Die »Waffen-SS genannte Feldtruppe« habe sich »ständig von der SS im eigentlichen Sinn entfernt und hatte mit dieser nichts mehr zu tun«. Himmler habe zwar die Höheren SS- und Polizeiführer zu Generälen der Waffen-SS gemacht, aber sie hätten nur den Rang und nie militärische Kommandos gehabt. So liest man es in einer Erklärung des Vorstandes des »Bundesverbands der Soldaten der ehemaligen Waffen-SS«. Darin wird dann auch gesagt, daß nun anstelle der Besatzungsmächte »eine gewisse Sensationspresse« es übernommen habe, die Deutschen zu guten Demokraten umzuerziehen – »auf der Basis sensationslüsternen Kommerzialismus«.
Dies konnte auf Wolffs illustrierte Bekenntnisse gezielt sein. In einem der folgenden Blätter erschien dann unter der Überschrift »Des Teufels Adjutant« ein Interview mit dem »Kameraden Wolff... um durch Frage und Antwort zu ergründen, welche Bewandtnis es mit der Veröffentlichung« in dem Kölner Blatt hat. Zuvor schon hatte der Landesverband Baden-Württemberg des Vereins seine Mitglieder in einem Rundschreiben über »Wolffs bezahlte Scham« unterrichtet. In dem Interview bekannte er, den Bericht habe er nicht selber verfaßt und dem Journalisten nur »Hinweise, Dokumente und Bilder zur Verfügung gestellt.« Sein Motiv? Um ein Honorar war es dem Großverdiener bestimmt nicht gegangen. »Im Zuge des Eichmann-Prozesses« – so sagte er – »befürchtete ich eine neue Welle von Kollektivschuldvorwürfen auch gegen die Waffen-SS«, und er habe für eine wahrheitsgemäße Darstellung sorgen wollen.

Machte er wieder einmal mit, um Schlimmeres zu verhüten, oder wollte er auf seine Lorbeeren aufmerksam machen?
Von seinem Gesprächspartner kamen die unvermeidlichen Fragen, ob er überhaupt General der Waffen-SS gewesen sei. Er konterte: »Der ersternannte General der Waffen-SS.« Ob er je im Krieg eine Truppe geführt habe? Er wies auf Rang und Stellung als Leutnant und Kompanieführer im Leibgarde-Infanterie-Regiment Nr. 115 hin und auf seine Dienstbezeichnung als »Bevollmächtigter General der Deutschen Wehrmacht in Italien«, der für Kesselrings Südfront »die Nachschubwege freizuhalten und die in ihrem Rücken stehenden Partisanen, zeitweise bis zu 300000 Mann, zu bekämpfen hatte.« (N. B.: Andere geben kaum die halbe Stärke an). Dafür sei er mit dem Deutschen Kreuz in Gold dekoriert und auch noch im Februar 1945 zum Ritterkreuz eingereicht worden. Diese Auszeichnung erreichte ihn allerdings nicht mehr, wohl weil der Feind schneller als die deutsche Militärbürokratie vorankam. Über seine Verhandlungen mit Allen Dulles befragt, sagte er, »nach einer sehr kritischen Prüfung meiner Motive und eigenmächtigen Handlungsweise« habe Hitler sein Verhalten »voll gebilligt« – was nun wirklich gelogen war, weil er seinem Führer die schon beschlossene Kapitulation verschwiegen hatte und weil sie ihm ausdrücklich verboten worden war.
Die Behauptung Wolffs, er habe erst im März 1945 von den Morden an Juden gehört, mache ihn unglaubwürdig, meinte der Gesprächspartner. »Man muß«, entgegnete Wolff, »die Diktatur und ihre Macht- und Aufgabenverteilung kennen, um dieses Nichtwissen verstehen zu können . . . Schon die geringste Verletzung der Geheimhaltungsvorschriften war mit dem Tode und der Sippenhaft bedroht. Laut Aussagen Eichmanns ist der Mordbefehl nur mündlich erteilt worden.« Himmler habe »niemals persönlich oder vertraulich mit mir über diese Dinge gesprochen«. Deshalb könne er »keinerlei Kenntnis von diesen Vorgängen erhalten« haben.
Ironisch antworteten seine SS-Gegner in der nächsten Nummer des »Freiwilligen«: »Er war nur Verbindungsoffizier zwischen dem mächtigsten und dem zweitmächtigsten Mann im Reich. Wie hätte er da erfahren können, was Landser erfuhren?« Er habe wohl während seines Interviews vergessen, »daß er der Neuen Illustrierten die aufschlußreiche Geschichte erzählt habe, wie bei einer Massenexekution Himmler das Gehirn eines Opfers ins Gesicht spritzte . . . Hat er denn angesichts solcher Vorfälle sich als ein tumber Parzival gefühlt? Ob Wolff das Vertrauen Himmlers besessen habe? Eine köstliche Frage. Wir haben nie gehört, daß hohe Herren sich Adjutanten bestellten, denen sie kein Vertrauen schenkten.«
Gewiß war der General Karl Wolff kein so genialer Stratege wie sein berühmter Kollege Graf Moltke anno 1870, aber er wäre besser gefahren, wenn er wenigstens von ihm schweigen gelernt hätte. Sein Zeitschriften-Arbeitgeber sah sich wegen der Veröffentlichung veranlaßt, die einträgliche Position zu kündigen, willigte jedoch ein, daß Wolffs in Köln lebender Stiefsohn aus der Inge-Ehe, Werbekaufmann von Beruf, den Posten einnahm. Es mag auch dahinge-

stellt sein, ob der Haftbefehl des Amtsgerichts Weilheim, der ihm am 18. Januar 1962 in seinem ›Schlößchen‹ in Kempfenhausen präsentiert wurde und der den arbeitslos Gewordenen aus seiner liebsten Beschäftigung, dem Schreiben von Memoiren, herausriß, nur durch die Bemühungen ausgelöst worden war, sich ein Podest in der deutschen Ruhmeshalle zu sichern. Fraglos hat er jedoch durch seine »Öffentlichkeitsarbeit« erreicht, daß ihn jene Leute nicht vergaßen, die sich von Amts wegen oder aus moralischer Verpflichtung dafür einsetzten, daß nationalsozialistisches Unrecht gesühnt werde.

Der Haftbefehl kam, wie er sagte, aus heiterem Himmel. Er setzte voraus, daß Wolff das schreckliche Geheimnis des Dritten Reiches kannte, als er beim Reichsverkehrsministerium die Waggons für die Judentransporte anforderte. Auf der letzten der acht maschinenbeschriebenen Seiten heißt es darin: »Die organisierten Massenmorde an Juden in den Vernichtungslagern erfolgten aus niedrigen Beweggründen und auf grausame Art und Weise« – womit der laut Strafgesetzbuch für die Mordanklage erforderliche Tatbestand erfüllt war. »Der Beschuldigte ist daher verdächtig der Beihilfe zur Ermordung Hunderttausender Juden. Die Haft wird angeordnet, weil Verbrechen der Gegenstand der Untersuchung bildet, so daß Fluchtgefahr keiner besonderen Begründung bedarf und außerdem mit Rücksicht auf den Umfang der weiter notwendigen Ermittlungen auch Verdunkelungsgefahr gegeben erscheint.«

Einige Wochen war er im Gefängnis des Amtsgerichts Weilheim inhaftiert, ehe er in die Strafanstalt München-Stadelheim überstellt und das Verfahren an das Landgericht München abgegeben wurde. Als Rechtsbeistand wählte er den Münchner Anwalt Dr. Alfred Seidl, der schon vor dem Internationalen Militärgerichtshof in Nürnberg einschlägige Erfahrungen in der Verteidigung von Nationalsozialisten gesammelt hatte. Erste Hilfe erhoffte sich Wolff von einer Seite, die zu den Punkten der Anklage nun wirklich nichts sagen konnte – von seinem amerikanischen Freund Gero von Gaevernitz, der sich dann auch schon Anfang Februar in München der Staatsanwaltschaft zu einer Aussage stellte. Sie blieb natürlich wirkungslos, aber die Anrufung dieses Nothelfers deutet doch darauf hin, daß Wolff sich von seinen Kapitulationsaktivitäten eine Art Generalablaß von allen Sünden seiner NS-Vergangenheit versprochen hatte.

Es scheiterten auch andere Versuche des Verteidigers, seinem Mandanten die Untersuchungshaft zu ersparen. Vergebens bot er eine Kaution von hunderttausend Mark an, wobei er darauf hinwies, daß der Adjutant des Auschwitzer Lagerkommandanten für das halbe Geld vorläufig aus der Haft entlassen worden war. Das Gericht entschied, Fluchtgefahr bestehe immer in einem solchen Fall, denn es habe sich gezeigt, »daß gerade der Personenkreis, der im dringenden Verdacht steht, an derartigen Verbrechen mitgewirkt zu haben, sich durch Flucht ins Ausland der Strafvollstreckung zu entziehen vermochte«.

Der Verteidiger brachte auch schon in diesem frühen Stadium, nämlich Mitte Februar 1962, ein Argument in das Verfahren, mit dem er den Prozeß bereits im Entstehen abwürgen wollte und auf das sich sein Mandant in der Folgezeit noch mehrmals berufen wird. In einem Schriftsatz wies Dr. Seidl darauf hin, daß die

amerikanische Anklagevertretung des Militärtribunals Nürnberg dem Beschuldigten »im Kreuzverhör den Schriftwechsel mit Dr. Ganzenmüller vorgelegt« habe und daß sie »selbstverständlich auch die Frage geprüft hat, ob sich der Beschuldigte in diesem Fall einer strafbaren Handlung schuldig gemacht hat«. Anklage sei zu keiner Zeit erhoben worden.
Im nächsten Schriftsatz wurde dann noch ergänzend gesagt, daß eine solche Anklage damals nahegelegen hätte, weil ein Prozeß gegen mehrere SS-Führer in Nürnberg ohnehin gerade vorbereitet worden sei. In diesem Verfahren wurden unter anderen der Obergruppenführer Gottlob Berger und der Brigadeführer Walter Schellenberg zu längeren Freiheitsstrafen verurteilt, aber sie wurden schon 1952 wieder durch eine Amnestie in die Freiheit entlassen. Aus der Perspektive des Dr. Seidl gesehen, hätten also die Amerikaner ihrem Schützling einen Bärendienst erwiesen, wenn sie ihn von einer Strafverfolgung verschonten. Wäre er nämlich damals wegen der Ganzenmüller-Angelegenheit verurteilt worden, dann wäre er jetzt ohnehin frei, und kein Gericht könnte ihn mehr verfolgen.
Die Lage des Häftlings verschlechterte sich noch, als am 31. Juli 1962 ein zweiter Haftbefehl nachgeschoben wurde. Darin wurde er zusätzlich beschuldigt, bei dem Massaker in Minsk, im August 1941, »in der Eigenschaft als SS-Obergruppenführer und SS-Hauptamtschef ... psychologische Beihilfe wenigstens für diese Exekution geleistet« zu haben. Denn der Besuch Himmlers und »höchster SS-Führer« habe den Zweck verfolgt, bei den Männern des Einsatzkommandos Gewissensbisse unwirksam zu machen. »Von ihm ging gleichermaßen eine die Männer bestärkende Wirkung aus, derer er sich auch bewußt war.«
Vielleicht wäre die Haftverschonung doch noch möglich gewesen, wenn es gelungen wäre, wenigstens einen der beiden Anklagepunkte aus der Welt zu schaffen. Dr. Seidl hatte in Nürnberg den SS-Obergruppenführer Oswald Pohl verteidigt und Wolff hatte in diesem Prozeß als Zeuge ausgesagt – um Pohl beizustehen, behauptete er, indessen Pohl nach seinem Todesurteil Karl Wolff beschuldigte, er habe durch eine verzerrte Darstellung der organisatorischen Struktur der SS seine eigene Verantwortung den anderen Hauptamtschefs zugeschoben. In diesem Prozeß hatte Wolff am 4. Juni 1947 einmal mehr beteuert, er habe nicht gewußt, was mit den Juden geschah. Der Ankläger hatte ihm jedoch den Briefwechsel mit Ganzenmüller präsentiert und gefragt: »Frischt das Ihr Gedächtnis auf, Herr General?« Leugnen wäre zwecklos gewesen. Wolffs Antwort: »Ich bestreite in keiner Weise nach dieser Auffrischung des Gedächtnisses, mit diesen Dingen in Berührung gekommen zu sein ... Aber ich kann in der Tatsache einer Transportierung von Juden noch nichts Verbrecherisches erkennen.« Der Ankläger hatte dann mit weiteren Fragen den Nachweis versucht, daß Wolff durch Himmler-Reden oder durch Schriftstücke über die Mordaktion informiert sei. Als dann am folgenden Tag wiederum die Rede auf den Briefwechsel gekommen war, hatte Seidl eingegriffen und durch seine Fragen Wolff die Gelegenheit verschafft, seine Version

über den Briefwechsel vorzutragen. Nach seiner Darstellung ließ ihn nur eine unglückselige Verkettung der Umstände als Mitwisser erscheinen.
»Der Herr Richter Phillips«, so hatte er seinen Aussagen hinzugefügt, »hat gestern Zweifel in die Glaubwürdigkeit meiner Aussage gesetzt.« Nun möge der Richter bitte sagen, »ob er seine Zweifel auch jetzt noch aufrechterhält. Ich darf bemerken, daß eine Aufrechterhaltung des Zweifels praktisch in ihren Auswirkungen die gleichen unglücklichen Folgen haben würde, die im Vorjahr meine Verbringung in die Irrenanstalt zur Folge hatte.«
Diese Probe Wolffschen Wortschaums läßt erkennen, wie er in kritischen Situationen die Menschen beeindruckte. Auch Richter Phillips war damals besänftigt und hatte nur noch gesagt: »Ich werde Ihre Erklärung annehmen.«
War das eigentlich schon ein Freispruch? Wolff behauptete es jetzt beim Münchner Untersuchungsrichter, der damit begreifen sollte, daß seine Bemühungen zwecklos würden. Hatte sich tatsächlich ein alliiertes Gericht bereits mit Wolffs Waggonaktion beschäftigt, dann konnte er aufgrund des Überleitungsvertrags zwischen den Alliierten und der Bundesrepublik deswegen nicht mehr behelligt werden.
Die Münchner nahmen diesen Einwand ernst. Sie ließen den Richter D. Donald Phillips, der jetzt wieder in Nord-Karolina amtierte, dort eidlich befragen, wie weit der Auftritt des Zeugen Wolff als Freispruch zu werten sei. Der Richter erinnerte sich, daß »General Wolff vom Anklagevertreter Robbins, von Richter Musmanno und vom Bekundenden einem äußerst dringlichen Kreuzverhör unterzogen worden« war. Ebenso erinnerte er sich, daß er gesagt hatte: »I accept your explanation.« Es habe anschließend – laut Phillips – eine vertrauliche Richterberatung stattgefunden, ob das Gericht der Obersten Verfolgungsbehörde für Kriegsverbrechen eine Anklage gegen Wolff empfehlen sollte. Dies habe man verneint. Damit sei für das II. Tribunal des Internationalen Militärgerichtshofs der Fall abgeschlossen gewesen.
Zum gleichen Komplex wurde dann auch noch der ehemalige US-Ankläger Redford Taylor gehört. Er erklärte, »eine Person, die nicht angeklagt war« und freigelassen wurde, könne nicht folgern, »daß sie später nicht von irgendeinem anderen Gericht verfolgt werde«. So wurde denn auch in die Anklageschrift aufgenommen, Wolff habe in Nürnberg zu den Verdächtigen gehört, »die von einer abschließenden Verfolgung verschont wurden«.
Damit war die Hoffnung geschwunden, mit Hilfe des Überleitungsvertrags der deutschen Justiz zu entkommen. Der Verteidiger verzichtete auf dieses Argument. Wolff hätte jedoch Phillips Aussage gern auf eine andere Weise genutzt. In seinem Schlußwort – nie gesprochen, kalligraphisch geschrieben und graphisch streng geordnet – mit dem er nach seiner Verurteilung viele Seiten füllte und sich in seiner Zelle die Zeit verkürzte, warf er den deutschen Richtern vor, sie hätten die Meinung ihres amerikanischen Kollegen nicht beachtet. Er überging dabei, daß das deutsche Gericht aus neu entdeckten Dokumenten und zusätzlichen Aussagen schließen durfte, daß er von der Endlösung Kenntnis gehabt habe.

Der Untersuchungshäftling grübelte stundenlang über den Undank des Vaterlandes. Er hatte ihm viele Jahre gedient – gläubig-leichtgläubig, gewissenhaft-gewissenlos. Er war mit Geld nicht gerade fürstlich belohnt worden, dafür aber mit Macht und Ehren. Wenn er behauptete, den Krieg um Monate abgekürzt zu haben, dann rechnete er damit, daß Hitler in der »Alpenfestung« noch lange hätte widerstehen können – wobei ein ehrlicher Wolff sich eigentlich hätte sagen müssen, daß diese Festung nur ein Bluff Hitlers gewesen war. Niemand wußte besser als er, daß es in den Alpen weder vorbereitete Stellungen noch Vorratslager oder Industriebetriebe gegeben hatte. Und hatte nicht er, der Obergruppenführer Wolff, mit dem vorgezogenen Kriegsende den Deutschen am Ende noch die Atombombe erspart? In seinem schriftlichen Schlußwort gab er dies alles zu bedenken, aber erwogen muß er dies alles schon vor der Verhandlung haben.

Ungeachtet solcher Verdienste kamen nun die Anklagen mit der Unerbittlichkeit des bürokratischen Justizapparats auf ihn zu. Wo gab es Hilfe, wo eine Rettung? Im Dezember 1963 wurde dem Untersuchungsrichter gemeldet, der Beschuldigte leide unter Depressionen und Sprachhemmungen. Er wurde in die Geschlossene Abteilung der Universitätsklinik München gebracht. Dort war er kein Unbekannter; man hatte ihn schon einmal fünf Wochen lang verarztet. Ende Februar 1964 verlegte man ihn ein weiteres Mal in das Krankenhaus. Diesmal in die urologische Abteilung. Eine Operation verlief problemlos.

Der 13. Juli 1964 war der erste Prozeßtag, und er begann mit Krakeel. Noch ehe der Angeklagte in den Saal des Schwurgerichts gebracht worden war, brüllte ein Mann auf den Zuhörerplätzen, er werde nicht dulden, daß in München ein zweiter Eichmann-Prozeß stattfinde. »Ich bin«, verkündete er überlaut, »ein reinrassiger SS-Mann.« Er wurde abgeführt.

Das Rüpel-Vorspiel ließ den eleganten Herrn, den anschließend zwei Wachtmeister zum Platz des Angeklagten geleiteten, um so seriöser erscheinen. Es hätte nicht des dunkelblauen Maßanzugs, der silbergrauen Krawatte, der dekorativen weißen Haare und des würdevollen Gehabes bedurft, um klarzustellen, daß es in der Schwarzen Garde der Nazis nicht nur Rabauken gegeben hatte. Der Vorsitzende Landgerichtsdirektor ließ ihn seinen makellosen Lebenslauf ausführlich abspulen und zusätzlich mit zahlreichen Glanzlichtern seiner »Guttaten« aufputzen. »Ich nehme für mich in Anspruch«, sagte er programmatisch, »ein Idealist gewesen zu sein.« Er präsentierte sich – zeitgemäß im Kalten Krieg – als Antibolschewist, der deswegen 1931 in die SS eingetreten sei und abschließend aus der gleichen Gesinnung heraus 1945 die Kapitulation mit den Westmächten vereinbart habe.

Die Zuhörer wunderten sich, statt eines hartgesottenen Gewaltmenschen einem offensichtlich konzilianten und gebildeten Herrn zu begegnen, der sich mit weicher, heller Stimme etwas larmoyant darüber beklagte, daß ihn die Nazis getäuscht und ausgenutzt hätten. Als er allzubereit seine Verdienste um das Vaterland schilderte, bremste ihn der Vorsitzende: »Das Schwurgericht hat keine historische Forschung zu treiben. Wir können unterstellen, daß Sie sich, wenn auch spät, Verdienste erworben haben. Aber wie ist das zu vereinbaren mit dem Gegenstand der Anklage? Waren Sie damals ein anderer Wolff?« Er nutzte die Gelegenheit, um zu beteuern, daß alles Schreckliche der NS-Zeit hinter seinem Rücken geschehen sei. Ein Presseberichterstatter schrieb, er zeige schon am ersten Tag, daß er auch vor Gericht »die schon legendäre Rolle des weißen Schafes unter reißenden SS-Wölfen spielen würde«.

Solange der Prozeß dauerte, bekam er kaum eine gute Presse. Die großen Tageszeitungen hatten erfahrene Journalisten in den Schwurgerichtssaal geschickt und räumten ihnen gelegentlich mehr als hundert Druckzeilen in einer Ausgabe ein. Diese Journalisten waren zumeist kritische Intellektuelle, denen es schwerfiel, die Motive eines SS-Obergruppenführers zu billigen. Wie das rote Tuch den Stier, so reizte sie der prätentiöse Mensch, der Heldendarsteller auf der Anklagebank. Der Berichterstatter der »Süddeutschen Zeitung« schilderte ihn als »einen großgewachsenen, fülligen Mann, der nicht ohne Eitelkeit sein scharfes Profil wirkungsvoll zur Geltung bringt und bis zum Bersten mit Geltungsbedürfnis erfüllt ist«. Er sei »der vollendete Typ jener Frühstücksoffiziere, die man im Dritten Reich bedenkenlos überall hinschicken konnte – eine willkommene Staffage, um hinter einem geschmeidigen Rücken die Schrecken der Wirklichkeit zu verbergen«. Und: »Man hört einen Mann von pathetischer Geschwätzigkeit, der die Düsternis des Dritten Reiches mit konventionellem Geplapper von Rittertum, Tradition und höherem Idealismus übertönt.«

Der als Sachverständiger aussagende Psychiater urteilte, der Zeitgeist der NS-Ära sei in Wolff »auf eine wesensverwandte Struktur gestoßen«, den nun ein überzogenes Geltungsbedürfnis zwinge, mit aller Beharrlichkeit den General zu mimen. »Der Angeklagte neigt zum Selbstbetrug. Leute wie er geben sich keine Rechenschaft. Durch Autosuggestion kommt es immer wieder zu Selbsttäuschungen.« Als Wolff gefragt wurde, was ihn denn zum General qualifiziert habe, da er im Ersten Weltkrieg nur Leutnant geworden sei, meinte er selbstbewußt, er habe sich inzwischen weitergebildet. Er habe als General »alle mir übertragenen Aufgaben zur Zufriedenheit erfüllt«. Der Staatsanwalt hielt ihm jedoch vor, seine Leistungen seien so kümmerlich gewesen, daß ein wirklicher Soldat wie der SS-General Felix Steiner (der aus dem Heer stammte), »in diesem Gerichtssaal nur ein müdes Lächeln dafür fand«.

Widerlegt wurde auch Wolffs Behauptung, er sei im Führerhauptquartier der Vertreter der Waffen-SS gewesen. Unter den mehr als fünf Dutzend Zeugen waren auch jene SS-Führer, die diese Funktion tatsächlich ausgeübt hatten und nun genußvoll berichteten, daß Wolff im Führerhauptquartier so gut wie nie mit den Angelegenheiten dieser Truppe befaßt und kaum einmal zu den Lagebesprechungen zugelassen worden war. So war er denn auch nicht während der Krise um Stalingrad im Januar 1943 – wie er behauptete – eine Stütze im Hauptquartier gewesen, sondern war in jenen Tagen mit Himmler durch Polen gereist, um in Warschau die Auflösung des Gettos und den Abtransport der Juden einzuleiten. Es bekundeten zwar eine Anzahl Zeugen, daß er Menschen geholfen hatte, die wegen »nichtarischer« Abstammung in Bedrängnis waren, aber anders als im Entnazifizierungsverfahren wurden diese Guttaten diesmal nicht nur zu seinen Gunsten gewertet; das Gericht fragte, warum er wohl solche Hilfen leistete, wenn er doch überzeugt war, den Juden geschehe nichts Schlimmes?

Verständlicherweise ließ er alle aufmarschieren, die seine Guttaten bezeugen konnten. Auch Gero von Gaevernitz trat wieder an, und auch er pochte darauf, daß Wolff mit der Kapitulation ungezählten Menschen den sogenannten Heldentod erspart habe. Doch der Vorsitzende bremste solche Spekulation. Es gehe schließlich in diesem Verfahren nicht darum, wie vielen Menschen Wolff das Leben gerettet, sondern wie viele es durch seine Mitschuld verloren hatten. Und diese Mitschuld war gegeben, wenn das Gericht zur Überzeugung kam, daß er den Zweck der Transporte, die »Endlösung« kannte.

Der Zeuge Ganzenmüller, der die Waggons herbeigeschafft hatte, hütete sich, zuzugeben, daß er auch nur geahnt hatte, wohin die Reise der Juden damals ging. Doch einer seiner Beamten, der Direktor einer Bundesbahndirektion, bekannte, daß er Bescheid gewußt habe. »Nicht von Amts wegen«, sagte er, »sondern von unten her. Das war in den Eisenbahnerkreisen entlang der Strecke bekannt.« Ganzenmüller gab sogar vor, er habe nicht einmal den Dankesbrief Wolffs gelesen – von dessen Mitarbeiter diktiert, von ihm unterschrieben – denn allein schon die dabei benutzten Ausdrücke aus der NS-Tarnsprache hätten ihn stutzig machen müssen. Der ganze Vorgang, behauptete Ganzenmüller, sei an ihm vorbeigelaufen – eine Formel, die auch Wolff immer dann benutzte, wenn ihn ein Schriftstück belastete.

Dies war im Lauf der Verhandlungstage häufig der Fall, aber je öfter dieser Satz zu hören war, desto weniger fand er Glauben. Sogar Rudolf Rahn, Wolffs diplomatischer Helfer bei der Kapitulation, meinte als Zeuge: »Die Judenerschießungen sind Wolff wohl kaum entgangen.« Und Duzfreund SS-Obergruppenführer Erich von dem Bach-Zelewski, der als Massenmörder bereits zu lebenslänglichem Zuchthaus verurteilt war, sagte im Gerichtssaal: »Es ist einfach unmöglich, wenn heute jemand, der eine so hohe Stellung hatte, behauptet, er habe von gar nichts gewußt.«

Die schwierige Aufgabe, dem Angeklagten statt einer Tat nur sein Wissen um Taten nachzuweisen, zwang das Gericht, die selbstgesetzten Termine weit zu überschreiten. Drei Zentner Akten mußten ausgewertet werden, dazu die medizinischen und zeitgeschichtlichen Gutachten, die während der Verhandlung vorgetragen wurden. Der Verteidiger Wolffs war zudem für zeitraubende Praktiken bekannt. Es war nicht mehr Dr. Seidl; an seiner Stelle wirkte der ebenfalls in Nürnberger Prozessen erprobte Dr. Rudolf Aschenauer. Er hatte es schwer mit diesem Angeklagten, der selbstgefällig zustimmte, wenn man ihn einen einflußreichen Mann im Dritten Reich nannte, der aber andererseits nur die Verantwortung eines Himmlerschen Protokollchefs tragen wollte. Der Anwalt wurde in seinem Wirken auch durch den Umstand beeinträchtigt, daß er gleichzeitig vor einem Frankfurter Schwurgericht den ehemaligen SS-Führer Robert Mulka verteidigte, der in Auschwitz Adjutant des inzwischen hingerichteten Lagerkommandanten Rudolf Höß gewesen war. Dadurch war Aschenauer gezwungen, ständig zwischen der bayerischen und der hessischen Landeshauptstadt zu pendeln. Die in Frankfurt besprochenen Scheußlichkeiten schlugen unvermeidlich auch in München durch. Sie weckten die Befürchtung, daß man wieder einmal mehr die kleinen Sünder in Frankfurt hängen und den großen in München laufen lassen werde.

Am 15. September kamen die Staatsanwälte zu Wort; es waren zwei, die sich den Prozeßstoff geteilt hatten. Ihr Strafantrag: Der Angeklagte ist wegen gemeinschaftlich begangenen Mordes in wenigstens 300000 Fällen zu lebenslangem Zuchthaus zu verurteilen. Das war die geschätzte Anzahl der Juden, die in Wolffs Waggons zu den Gaskammern gefahren worden waren. Die Anklage wegen der Erschießungen in Minsk wurde fallengelassen; es kam auf diese Tat auch nicht mehr an, und vielleicht hatte diese Anklage nur dazu gedient, dem Angeklagten nachzuweisen, daß er schon 1941 gewußt haben mußte, wie mit den Juden verfahren wurde. Die sogenannten Guttaten wollte die Staatsanwaltschaft nicht gewertet haben; auch Hitler, Göring und Himmler hätten einzelne Juden geschützt, und es wäre wohl absurd, wollte man sie deswegen von Schuld freisprechen.

Anwalt Aschenauer plädierte ohne abzusetzen vier Stunden für die Unschuld seines Mandanten. Er sah ihn als einen überzeugten Nationalsozialisten, der jedoch von politischen Kenntnissen unberührt gewesen sei. Deshalb sei er auch eine völlig andere Persönlichkeit als jene NS-Täter, die oft aus sadistischem Antrieb Verbrechen schlimmster Art vollbracht hatten. In Italien habe Wolff endlich die Gelegenheit gefunden, sein wahres Gesicht zu zeigen. Ihm sei nicht nachzuweisen, daß er vor 1945 von den Greueln gewußt habe; allein schon sein Charakter hätte ihn gehindert, einem System zu dienen, das er als verbrecherisch erkannt hatte, noch viel weniger sei es ihm möglich gewesen, sich an den Verbrechen zu beteiligen. Deshalb forderte Aschenauer den Freispruch. Wolff sprach nur ein kurzes Schlußwort. Ein langes, geschriebenes entstand erst nach der Verurteilung. Er sei sicher, sagte er im Gerichtssaal, »daß die Richter das Ziel meines Lebens, dem Vaterland zu dienen, in gerechter Weise zu würdigen wissen«.

Es kam anders. Am 30. September wurde er in Handschellen zur Urteilsverkündung in den Gerichtssaal geführt, und ein ungewöhnliches Aufgebot an Polizei bewachte den Justizpalast. Jemand hatte telefonisch angedroht, Wolff werde gewaltsam befreit, falls er verurteilt würde. Dahinter stand wohl nur purer Mutwille, denn es geschah nichts dergleichen, als der Vorsitzende des Gerichts das Urteil verlas und begründete: 15 Jahre Zuchthaus wegen Beihilfe zum Mord an 300000 Juden. Die Höchststrafe wäre lebenslänglich gewesen; ausgerechnet für einen solchen Fall gab es eine Gesetzesänderung aus der Hitlerzeit, die bei Straftaten für Beihilfe die gleiche Sühne gelten ließ wie für die eigentliche Tat.

Als Wolff die schriftliche Fassung des Urteils in seiner Stadelheimer Zelle bekam, begann er sogleich, die 354 Seiten durchzuackern. Er und sein Anwalt waren entschlossen, gegen diesen »Justizmord« anzugehen, denn nicht anders konnte man es seiner Meinung nach nennen, wenn ein verdienter Mann, 64

Jahre alt, unbescholten und auch in diesem Fall schuldlos, von nun an mehr als ein Jahrzehnt hinter Gittern leben und wahrscheinlich sogar dort sterben sollte. Mit Randnotizen machte er in dem dicken Urteilsband seiner Empörung Luft. Wo immer die Rede darauf kam, daß er über die Judenvernichtung informiert gewesen sei, vermerkte er mit breitem Stift das Wort »Beweis!« An einer Stelle wird geschildert, wie er in einem KZ den Vollzug der Prügelstrafe an einer Frau beobachtet habe. Dort liest man von seiner Hand »5 Hiebe!« – eine Anmerkung, die sowohl sein gutes Gedächtnis beweist, wie auch besagen soll, daß es sich nicht lohne, eine solche Kleinigkeit zu erwähnen.

Die Urteilsbegründung bestätigte bis zu einem gewissen Grad, daß die Anklage wegen des Minsker Massakers nur als Beweis-Vehikel dienen mußte. Dazu heißt es: »Das Schwurgericht ist daher überzeugt, daß der Angeklagte spätestens Mitte August 1941 von den Judenvernichtungsbefehlen Hitlers und Himmlers ... durch die Begebenheiten in Minsk Kenntnis erlangt hat.« Es müsse aber im Urteil »berücksichtigt werden, daß der Angeklagte während seiner Tätigkeit in Italien allmählich zu der Einsicht gelangt ist, daß er Hitler, Himmler und anderen führenden Männern des Dritten Reiches in ihrer unmenschlichen Gewaltpolitik nicht mehr folgen dürfe.«

Eine Zeitung schrieb, dies sei ein überraschendes Urteil. Einerseits habe es »auch für erfahrene und juristisch bewanderte Prozeßbeobachter keineswegs« festgestanden, daß die Indizien »zu einer Verurteilung ausreichen würden«. Andererseits habe das Gericht »den Rahmen der zeitlichen Zuchthausstrafe voll ausgeschöpft und auf die lebenslange Zuchthausstrafe nur wegen besonderen mildernden Umständen verzichtet«. So war es denn auch nicht verwunderlich, daß sich weder der Angeklagte noch die Ankläger mit einem so zwiespältigen Spruch abfinden mochten. Beide verlangten eine Revision. Wolffs Verteidiger verwies auf eine Anzahl sachlicher Widersprüche. Die Staatsanwaltschaft wollte erreichen, daß der Angeklagte nicht nur wegen Beihilfe, sondern als Mittäter verurteilt würde. Zwangsläufig hätte dann das Urteil auf eine lebenslange Freiheitsstrafe lauten müssen.

Doch was bedeutete dieser Unterschied für einen Strafgefangenen dieses Alters? Würde er die vielen Jahre überhaupt überleben? Bei einer zeitlich begrenzten Strafe war in der Tat die Chance größer, durch einen Straferlaß auf dem Gnadenwege die Freiheit zurückzugewinnen. So war Wolff zutiefst enttäuscht, als der Bundesgerichtshof Ende Oktober 1965 sein Revisionsbegehren zurückwies, aber er hatte wenigstens den Lichtblick, daß auch die Forderung der Staatsanwaltschaft abgewiesen wurde. Aus dem Untersuchungshäftling wurde damit ein Strafgefangener. Von Stadelheim wurde er in das Zuchthaus Straubing umquartiert.

»Mit der himmelschreienden Ungerechtigkeit« des Urteils wollte er sich auch dort nicht abfinden. Ein Mithäftling erzählte, Wolff habe die Zuchthausmonate seiner Kriegsgefangenschaft zugerechnet. Da er seines Alters wegen nicht zur Arbeit verpflichtet war, nutzte er zunächst Zeit und Ruhe seines Zellendaseins, um an Gott und die Welt Briefe zu schreiben. Hilferufe empfingen seine

deutschen, die Schweizer und die amerikanischen Freunde, Politiker der Bundesrepublik, katholische Geistliche der oberen Garnitur, einflußreiche Männer der Wirtschaft. Doch wer kann schon etwas unternehmen gegen ein rechtskräftiges Urteil, solange nicht neue Erkenntnisse eine Wiederaufnahme des Verfahrens notwendig machen? Da sie kaum zu erwarten waren, blieb nur die Hoffnung auf eine Begnadigung. Doch die konnte man Bayerns Landesregierung so früh nicht zumuten. Sie hätte einen politischen Skandal ausgelöst. Wer immer um Hilfe angegangen wurde, konnte nur zur Geduld raten.
Als der Gefangene einsah, daß er vorläufig sein Geschick nicht ändern konnte, reduzierte er seinen Briefwechsel und bewarb sich um eine Beschäftigung. Mit Tütenkleben, der traditionellen Zuchthausarbeit, begann er seine vierte Karriere. Weil er gefügig war und auch als Häftling immer distinguiert blieb, war er in dem festen Hause vom Wärter bis hinauf zum Direktor wohlgelitten. Bald stieg er zu etwas besser bezahlten Tätigkeiten auf, und schließlich bekam er sogar einen Büroposten außer Haus im Straubinger Betrieb der Maschinenfabrik Augsburg-Nürnberg. Was ihm dafür als Lohn gutgeschrieben wurde, war lächerlich gering, aber dennoch hochwillkommen. Denn wieder einmal war er finanziell am Ende.
Sein Vermögen, das er als Anzeigenwerber so schnell angesammelt hatte, war durch die Honorare der Strafverteidiger nahezu aufgezehrt. Frau Inge und ihre Kinder wollten leben, und nicht gerade ärmlich. Sie hatte längst auf den attraktivsten ihrer Familiennamen zurückgegriffen und nannte sich Gräfin Bernstorff-Wolff. Die Gerichtskosten waren dem Verurteilten aufgebrummt worden, und sie waren durch die lange Dauer des Prozesses und die vielen Zeugen erschreckend hoch. Solange bei Wolff noch etwas zu holen war, griff der Staat zu. Frau Inge bat deshalb ihren Ehemann, er möge ihr eine Generalvollmacht für alle finanziellen Angelegenheiten der Familie geben. Sie und ihre Söhne räumten damit ab, was noch zu retten war. Das Haus am Starnberger See wurde verkauft. Später beklagte sich Wolff, daß seine Familie auf diese Weise den Rest seines Vermögens an sich gebracht habe. Außerdem war es Frau Inge leid, mit einem Mann verheiratet zu sein, der sein Leben in einem Zuchthaus verbringen mußte. Sie verlangte die Scheidung, klagte deswegen bei Gericht, aber am Ende einigten sich die Eheleute, daß sie auf dem Papier verheiratet blieben. Die Frau zog zu ihrem Wolff-Sohn in die Schweiz, der sich dort eine Existenz aufgebaut hatte. Später, als der Vater wieder in Freiheit war, wollte er sie dort besuchen, aber dabei zeigte es sich, daß die Eidgenossen gegen den Ex-General ein Einreiseverbot ausgesprochen hatten. Wer es betrieben hatte, war nicht zu erfahren.
Schließlich kam dem Gefangenen doch noch frühzeitige Hilfe von außen. Als verläßlichster Freund erwies sich wieder einmal mehr Gero von Gaevernitz. Er schrieb an den bayerischen Justizminister, man möge nun endlich Wolff begnadigen; verdient habe er es schon lange. Unter der Hand bekam die Münchner Regierung, wie er dem Biographen erzählte, auch noch Winke aus dem bischöflichen Palais und vom amerikanischen Geheimdienst. Der Justizminister soll

jedoch alle Gesuche abgelehnt haben, weil ihm das Eisen noch immer zu heiß war, aber er wußte einen anderen, einen unauffälligeren Weg. Wieder einmal mußte sich der General den Medizinern präsentieren. Über sein Befinden klagte er ohnehin permanent. Gemeinsam bescheinigten ihm ein Internist und ein Urologe, er sei insofern haftunfähig, als seine Leiden sich in der Zellenenge nur noch verschlechtern würden. Ende August 1969 wurde er wegen »krankheitsbedingter Vollzugsunfähigkeit« zunächst einmal für ein Jahr aus dem Zuchthaus entlassen.

17
Eine schillernde Persönlichkeit

Wohin? Zur ersten Frau oder zu einem ihrer gemeinsamen Kinder, die mit einer Ausnahme inzwischen alle verheiratet waren? Zur zweiten Frau oder zu einem der Kinder? So richtig für die Dauer willkommen muß er wohl nirgendwo gewesen sein. Denn zunächst einmal fand der Obdachlose, der sich um den Papst und um den Klerus in Italien verdient gemacht hatte, ein Obdach in Klöstern der Benediktiner in Bayern. Sie gewährten es dem verdienten Mann um Gotteslohn, denn er war jetzt nahezu mittellos, wenn man von einer kleinen Rente absah. Zwei Jahre lebte er im Umherziehen als Gast bei Freunden, Bekannten und bei Leuten, die es genossen, einen General a. D. zu beherbergen.

Emsiger als bisher empfahl er sich nun den Deutschen als Retter des Papstes, den er angeblich vor einer Verschleppung in die Nazigefangenschaft bewahrt hatte. Pius XII. war inzwischen gestorben; er konnte nichts mehr bestätigen und nichts mehr dementieren. Die Archive des Vatikans blieben ohnehin traditionsgemäß zuverlässig stumm. Wolff hielt Vorträge in den Versammlungen katholischer Vereine. Darüber erschienen Berichte in Tageszeitungen. Großes Aufsehen erregte ein mehrseitiger Bericht in der Illustrierten »Stern«; von nun an war ihm die Aufmerksamkeit von Journalisten sicher. Was er ihnen sagte, ließ er sich honorieren. Doch damit wurde er schon wieder zu auffällig. Der in Wien lebende Nazijäger und KZ-Überlebende Simon Wiesenthal schlug Alarm, worauf der bayerische Justizminister dem ruhmreichen SS-General durch einen hohen Geistlichen sagen ließ, wenn er gesund genug sei, sich in der Öffentlichkeit so breit zu machen und lange Reden durchzustehen, dann könne er auch wieder seine Strafe antreten.

Andererseits wurden seine Erzählungen nun doch da und dort ernstgenommen. Im Vatikan sammelte man traditionsgemäß Informationen über das Leben des verstorbenen Papstes mit dem Ziel, Pius XII. zunächst einmal selig- und später auch heiligzusprechen. Dabei kam die Vatikan-Zeitschrift »La civilta cattolica« auch auf mutmaßliche Pläne einer Entführung zu sprechen. Doch Wolff wurde darin nur am Rande erwähnt. Trotzdem wurde er im Frühjahr 1972 ins bischöfliche Ordinariat München gebeten, damit er alles erzähle, was er über den Heiligen Vater wisse. Seine Aussagen wurden protokolliert. Ob sie sich mit der von ihm bevorzugten und auch im »Stern« veröffentlichten Darstellung

deckten, muß offenbleiben. Alle kirchlichen Institutionen sind wenig auskunftsfreudig, wenn es sich um Angelegenheiten des Vatikans oder gar um die Person des Papstes handelt.
Auch wenn es Wolff nun gelungen war, die deutsche Öffentlichkeit über die Bedeutung seiner Person aufzuklären, so bedrückte ihn um so mehr, daß ihm die Freiheit nur geborgt war. Jedes Jahr mußte er sich erneut untersuchen lassen, und jedesmal wurde er nur wieder für zwölf Monate krankgeschrieben. Im Sommer 1973 war der Befund geradezu erschreckend positiv; vielleicht war er bald wieder zellentauglich, denn diesmal bekam er seinen Freibrief nur für ein halbes Jahr. So mußte er denn in den ersten Wochen des Jahres 1974 abermals auf den Prüfstand und eine Anordnung der Staatsanwaltschaft schickte ihn gar für eine ganze Woche in die Nervenklinik der Universität München, und zwar in die Abteilung für gerichtsmedizinische Psychiatrie.
Außer der Freiheit hatte er noch anderes zu verlieren. In den letzten beiden Jahren war er wieder seßhaft geworden. In München hatte er ein Appartement gemietet, und in seiner Vaterstadt Darmstadt war ihm im Haus eines Schulfreundes eine kleine Wohnung zur Verfügung gestellt worden. Er war zwar noch immer nicht dazugekommen, seine Memoiren zu schreiben, aber nun sollte es doch geschehen. Er wollte seine Verbindungen zu alten Kameraden nicht abreißen lassen; vielleicht konnten sie ihm bei der Suche nach Beweisen für seine Unschuld helfen. Mit Schilderungen seiner Erlebnisse im Führerhauptquartier und auch in Italien beeindruckte er bei Veranstaltungen oder auch im kleinen Kreis besonders Frauen, die während des Krieges im weiblichen Arbeitsdienst gedient oder im Bund deutscher Mädchen, der weiblichen Hitler-Jugend, mitmarschiert waren. Seit seinen Leutnantstagen genoß er seine Wirkung auf Frauen, und auch jetzt fanden sich unschwer weibliche Wesen, die dem ständigen Strohwitwer hilfreich zur Seite stehen wollten.
Den Ärzten gegenüber durfte er allerdings mit solchen Erfolgen nicht protzen. Bei ihnen klagte er über Herzklopfen, Blutandrang zum Kopf, über Augenblicke des Schwindels, über Atemnot beim Treppensteigen, Schlafstörungen, häufigen Harndrang, bedrückende Träume, Depressionen bis zu Weinkrämpfen.
Andererseits stellte ein Professer fest, Wolff habe »eine aufrechte und gestraffte Körperhaltung, ist sorgfältig gekleidet und zeigt höfliche, gewandte Umgangsformen«. Seine »gegenwärtige Stimmungslage ist gedrückt«. »Schwungvoll und elastisch zu gehen« gelingt ihm »nur streckenweise«. Ihn plagte die Furcht, wieder in die Zelle zu müssen. Der Professor hielt es nicht für ausgeschlossen, daß die Fortsetzung des Strafvollzuges einen Selbstmordversuch auslösen könne. Aus psychischen Gründen sei Wolff nicht haftfähig, und bei der fortschreitenden Verschlimmerung der altersbedingten Beschwerden sei in Zukunft auch »ein Wiedereintritt der Haftfähigkeit nicht mehr zu erwarten«.
Das war der Freibrief für alle Zeiten. Nun mußte er nicht mehr befürchten, in seinen wichtigen Vorhaben unterbrochen zu werden. Da mußte nun zuerst das Mal der Zuchthausstrafe getilgt werden. Dazu sollte ihm der Glasermeister

Norbert Kellnberger aus Wartenberg unweit München verhelfen, der seinerzeit als Geschworener am Richtertisch gesessen hatte, als der Angeklagte Wolff sich vor dem Schwurgericht verantworten mußte. Der Handwerksmeister mit eigenem Betrieb hatte sich vor kurzem bei Wolff gemeldet und ihm eine Geschichte erzählt, mit der er das Urteil des Schwurgerichts aus den Angeln zu heben gedachte. Zu diesem Zweck hatte er Kellnberger an seinen derzeitigen Anwalt verwiesen. Dort versicherte der Meister am 10. Mai 1973, daß es im September 1964 im Beratungszimmer des Schwurgerichts nicht korrekt zugegangen sei.

Nach den Plädoyers der Staatsanwälte und des Dr. Aschenauer – so berichtete Kellnberger – seien die drei Berufsrichter und die sechs Laienrichter über Schuld oder Unschuld der Angeklagten tagelang uneins gewesen. In der Tat hatte zwischen den Plädoyers und der Urteilsverkündung acht Tage Pause gelegen. Zumindest drei der Geschworenen hätten einen Freispruch mangels Beweisen gefordert, und andere seien unschlüssig gewesen. Eifrigster Verfechter eines Schuldspruches sei der als Beisitzer amtierende Landgerichtsrat Jörka gewesen. Er habe argumentiert, die öffentliche Hand verlange Wolffs Verurteilung, und er habe dann nach einer quälend langen Beratung die für das Urteil notwendige Mehrheit dadurch gewonnen, daß er den Laienrichtern weisgemacht habe, dies sei ein politischer Prozeß, der mit einer Verurteilung Wolffs enden müsse, aber der ins Zuchthaus verdammte Angeklagte werde ohnehin schon nach einem Jahr aus seiner Haft entlassen. Als Kellnberger jedoch später festgestellt habe, daß Wolff immer noch büße, habe er sich dem Münchner Weihbischof Neuhäusler anvertraut und ihn gebeten, die Kirche möge doch etwas für den nach seiner Ansicht zu Unrecht Verurteilten unternehmen.

Weil daraufhin offenbar nichts geschehen war, hatte Kellnberger im Mai 1973 Wolffs Anwalt informiert. Dessen Meldung löste bei der Münchner Staatsanwaltschaft ein Ermittlungsverfahren gegen den Richter Jörka wegen des Verdachts der Rechtsbeugung aus. Es kam aber nicht so recht voran, obwohl Kellnberger seinen Bericht vor einem Staatsanwalt wiederholte und dabei erwähnte, daß zwei weitere Geschworene sich von Jörkas irreführenden Argumenten hätten umstimmen lassen. Im Frühjahr 1974 glaubte Wolff deswegen, er könne dieses Verfahren mit einem schweren Geschütz aus dem Arsenal der katholischen Kirche erzwingen. Er versicherte sich des Wohlwollens der »Neuen Bildpost«, nach deren eigenen Angaben eine »35-Pfennig-Wochenzeitung«, die mit einer Auflage von 350000 Exemplaren pro Nummer »die größte christliche Wochenzeitung Europas« sei.

Dieses Boulevard-Blatt für Gläubige, mit den reißerischen Überschriften und der wilden Graphik eine abgeschwächte Kopie von »Bild« aus dem Hamburger Axel-Springer-Verlag, benutzte einen Bericht über eine Veranstaltung des »Katholischen Bildungswerkes Berchtesgadner Land«, um sich des Schicksals des Vortragenden, nämlich des Generals Karl Wolff, anzunehmen. Es erschienen acht Folgen von einiger Länge. Kellnbergers Intervention wurde ebenfalls veröffentlicht. Den Redner beschrieb das Blatt als »einen hochgewachsenen Mann mit silbergrauem Haar, der vor 30 Jahren zu den mächtigsten Männern in

Europa zählte«. Nun sei er »neben Rudolf Heß« der »bedeutendste noch lebende Machthaber aus der NS-Zeit«. Das war nun freilich noch keine Empfehlung, eher eine Spekulation auf die Sensationslust. Deshalb wurde einleitend dann auch nicht verschwiegen, Wolff sei »ein heiß umstrittener Mann, mit dem sich die Historiker noch lange beschäftigen werden«. Andererseits wurde er jedoch vorgestellt als »einziger SS-Führer, der von Pius XII. in Privataudienz empfangen wurde«. In der ersten Folge fehlte dann auch nicht ein Zitat jenes angeblichen Papstwortes, wonach viel Unglück hätte vermieden werden können, wenn Gott den Karl Wolff und den Pontifex Pius früher zusammengeführt hätte.

Alle acht Folgen liefen unter der Überzeile »Der Mann, der den Papst verschleppen sollte«. Da jeder Leser wußte, daß er es, entgegen einem angeblichen Führerbefehl, nicht getan hatte, bekam die fromme Leserschaft von Anfang an ihren Helden, trotz aller von der Redaktion eingeflochtenen Distanzierungen. Ob Hitler je eine Entführung befohlen hatte, wurde von der »Bildpost« gar nicht in Frage gestellt. Weil deren Leser wohl kaum auf das Mitteilungsblatt der ehemaligen Waffen-SS-Soldaten abonniert waren, erfuhren sie nie, daß dieses Kapitel der Wolff-Erzählung sogar bei seinen alten Kameraden auf Unglauben stößt.

Der Vatikan hat sich bis heute zu diesem Komplex nicht offiziell geäußert. Auf der NS-Seite gibt es außer Wolff niemanden, der einen solchen Befehl Hitlers bestätigen könnte, denn nach eigenen Angaben hat ihn sein Führer nur ihm und dem Reichsführer-SS erteilt. Jeder andere könnte also nur wiedergeben, was er von einem dieser beiden Männer gehört hat. Bezeichnenderweise hat sich noch niemand bestätigend auf Himmler berufen. Andererseits meldeten sich anläßlich der »Bildpost«-Veröffentlichung im »Freiwilligen« der ehemalige SS-Hauptsturmführer Richard Schulze-Kossens zu Wort. Er war 1943/1944 Adjutant Hitlers im Hauptquartier gewesen, und er hatte auch als der eigentliche Vertreter der Waffen-SS regelmäßig an den Lagebesprechungen teilgenommen. In der SS-Hauspostille schrieb er, wenn Wolff behaupte, er habe »als Retter ... Hitlers Plan durchkreuzt, ... dann hätte er besser geschwiegen, denn es hat im Ernst nie einen Befehl Hitlers gegeben, den Papst zu entführen. Männer aus Hitlers Umgebung werden das bestätigen.«

Wem kann man glauben? Fiel dem Münchner Schwurgericht schon der Nachweis schwer, Wolff habe die Mordpläne Hitlers gekannt, so ist es fast unmöglich zu beweisen, daß Hitler den Entführungsbefehl nicht gegeben hat. Dem unparteiischen Leser bleibt es deshalb überlassen, zu fragen, wem eigentlich die sonst umstrittene Geschichte von Nutzen war – nach der altrömischen Richterregel cui bono = wer hatte den Vorteil? Wolff hat sicherlich davon viel profitiert. Andererseits waren er und seine Widersacher sich nicht immer grün. In früheren Jahren hatte der Obergruppenführer den Hauptsturmführer gelegentlich den Rangunterschied fühlen lassen, weil er ihn als einen, wenn auch kleinen, Rivalen in der Gunst Hitlers betrachtete. Jetzt trennte sie auch noch der Graben, der schon während des Krieges und erst recht hinterher zwischen Waffen-SS und

Parteiformation aufgebrochen war. Schulze-Kossens gehörte zu den SS-Offizieren, die behaupteten, Wolff habe Rang und Titel nur aus dekorativen Gründen bekommen. Ihm jedoch brachte es keinen Vorteil, wenn er seinen einstigen Kameraden dementierte.

Wie breit der Graben zwischen den beiden war, wurde publik, als Schulze-Kossens im Frühsommer 1974 im »Freiwilligen« seinen Kameraden mitteilte, daß ein sehr bekanntes Auktionshaus für eine Militaria-Versteigerung ankündigte, es werde »drei Uniformteile aus dem Besitz von Oberstgruppenführer und Generaloberst der Waffen-SS Karl Wolff« versteigern. Allein schon die in SS-Kreisen nicht anerkannten Rangerhöhungen forderten den Unmut der Leser heraus. Ergrimmt zählt dann Schulze-Kossens das Angebot auf: Eine Generalmütze, Größe 58; der »persönliche feldgraue Rock . . . Sonderschnitt in Art der Feldbluse des 2. Weltkrieges . . . wie sie nur von General Wolff und in der übrigen Wehrmacht nur von Göring und Udet getragen wurde«; ferner der »persönliche weiße Rock . . . mit eingeknöpftem, alugeflochtenem Gala-Achselband . . . wahrscheinlich einzigartig«. Für jeden Artikel gab es gratis eine »Originalitätsbescheinigung von General Wolff persönlich«, und bei jedem war der Einstandspreis auf tausend Mark angesetzt.

Der Eigentümer trennte sich von diesen Gegenständen hehrer Erinnerungen nur, weil er stets knapp bei Kasse war. Seine Rente war zu gering, um seine Ansprüche zu decken; um sie aufzubessern, prozessierte er mit der Bundesanstalt für Angestellte. Künftigen Reichtum erwartete er von seinen Memoiren. Angeblich hatte ihm einige Jahre vor dem Strafprozeß eine große amerikanische Agentur dafür zwei Millionen Mark geboten. Jetzt hätte er es auch billiger gemacht, aber die Memoiren gab es noch immer nicht. Auf der Suche nach einem Ghostwriter sprach er von einigen hunderttausend Mark, die er für sich daraus erwarte, aber solange der Partner nicht gefunden war, konnte man mit keinem Verlag wegen eines Vorschusses reden. So blieb ihm als Geldquelle neben Vorträgen und Veröffentlichungen vorläufig nur der Griff in die Mottenkiste, wo er die Reste seiner einstigen Würden verwahrte.

Wenn es noch einigermaßen verständlich ist, daß jemand für eine seltene Briefmarke ein Vermögen zahlt, weil ihr Besitz ihn vor anderen Sammlern auszeichnet, so ist doch schwer zu begreifen, weshalb die abgelegten Kleidungsstücke ehemaliger Größen sammelnswert sein sollen – es sei denn, sie haben eine kulturgeschichtliche Bedeutung. Daß es trotzdem einen, wenn auch beschränkten, Kreis von wohl auch beschränkten Liebhabern solchen Altmaterials gibt, erfuhr die Öffentlichkeit durch den Strafprozeß, der im Spätsommer 1984 in Hamburg stattfand. Einer der beiden Angeklagten, der 53jährige ehemalige Reporter des »Stern«, Gerd Heidemann, war damals schon seit Jahren mit Wolff befreundet. Er besaß zahlreiche Devotionalien dieser Art, etwa die Pistole, mit der sich Hitler erschossen haben soll oder eine große Motorjacht, mit der Reichsmarschall Hermann Göring in den Jahren seines Glanzes durch die Meere geschippert war. Mitangeklagt war in dem Prozeß der Stuttgarter Konrad Kujau, 46jährig, der nie einen Beruf gelernt, dennoch viele Tätigkeiten ausge-

übt und zuletzt einen Handel mit abgelegten Uniformstücken, Waffen, Orden und anderen Dingen aus Hitlers Reich betrieben hatte.
Herauszufinden, weshalb der Reporter Heidemann eines Tages begonnen hatte, sich mit Hitler und dessen Trabanten zu beschäftigen, wäre Aufgabe eines Psychologen. Er war 14 Jahre alt, als der Führer und Reichskanzler in seiner Berliner Katakombe unter der Reichskanzlei durch Selbstmord endete. Er hatte demnach zwar als Hitlerjunge noch ein wenig Krieg in der Hamburger Trümmerlandschaft mitgespielt, durfte aber die verführerische Schokoladenseite des Nationalsozialismus nie gesehen und eigentlich nur unter dessen schlimmer Hinterlassenschaft gelitten haben. Heidemann verstand es, mit Fotogerät umzugehen, als er sich beim »Stern« als freier Mitarbeiter einfand. Weil er gute Bilder anbrachte, schickte ihn die Chefredaktion im Spätherbst 1955 in das Lager Friedland, als dort die letzten deutschen Kriegsgefangenen aus der Sowjetunion eintrafen. Da er ohne Hemmung und ohne Rücksicht auf das Empfinden der Betroffenen die von Schmerz und Freude bewegten Gesichter der Heimkehrer und ihrer Angehörigen auf seinen Filmen festhielt, wurden seine Bilder Dokumente der Zeitgeschichte. Er bekam weitere Aufträge, wurde fest angestellt und dabei stellte es sich heraus, daß er nicht nur fotografieren, sondern auch gut recherchieren konnte. Dabei war es seine Taktik, die Menschen nur wenig zu fragen, aber er hatte die Gabe, sie zum Reden zu bringen, und wenn er ihnen zuhörte – mit einem Tonbandgerät ausgerüstet –, plauderten sie oft mehr aus, als sie eigentlich sagen wollten.
Als er sich zeitgeschichtlichen Themen zuwandte, besaß er dafür nur eine schwache Wissensgrundlage. Doch mit beharrlichem Fleiß füllte er Lücken aus; und weil er einen sachkundigen Informanten für ein Thema suchte, in dem auch die SS vorkam, verwies ihn ein Kollege in der Redaktion an jenen SS-General, der immer so viel von sich reden machte, an Karl Wolff.
Er und Heidemann fanden sich auf Anhieb sympathisch. Der Jüngere erwies dem Älteren die Achtung, die dieser aufgrund seines Ranges beanspruchte, und umgekehrt ließ der General den Partner nicht den gesellschaftlichen Abstand spüren, der sie im Herkommen trennte. Ihre Interessen ergänzten sich; Heidemann wollte sein Wissen über das Dritte Reich erweitern und Sensationen aus jener Zeit ausgraben, und Wolff konnte ihm zudem als Passepartout dienen, der die Türen zu den noch lebenden Würdenträgern aus Hitlers Reich aufschloß. Der General hingegen hoffte wieder einmal, die richtige Feder für seine Biographie gefunden zu haben. Ein Anfang dazu wurde tatsächlich gemacht: Wolff durfte seine schon vielfach erzählten Geschichten noch einmal auf Tonbänder sprechen. Er erzählte sie stets in der gleichen Wortfolge, als habe er den Text irgendwann einmal auswendig gelernt. Sie klangen, als lese er ein Manuskript ab, das ein geschwätziger Mann aus gutbürgerlichen Kreisen Hessens in der hochgestelzten Sprache der wilhelminischen Epoche diktiert hatte.
Wenn Heidemann es in den Jahren ihrer Bekanntschaft vermied, endlich das von Wolff so sehnlich gewünschte Epos zu verfassen, so hatte er zwei gewichtige Gründe. Der erste: er hätte dafür nur bekannte Fakten und unbewiesene,

ja sogar längst widerlegte Behauptungen verwenden können. Der zweite Grund: er konnte zwar gut recherchieren, aber keineswegs gut schreiben. Trotzdem blieb es bei der Zusammenarbeit. Heidemann verschaffte Wolff Honorare für Informationen, nahm ihn mit auf Reisen bei hohen Spesensätzen, und Wolff bekam das Gefühl, daß er an einer Korrektur der Geschichte des Dritten Reiches mitarbeiten konnte.
Die erste Gelegenheit für eine schöne Reise bekam er ausgerechnet durch einen »Stern«-Journalisten, der als junger Mann von der SS in ein Konzentrationslager gesperrt worden war und durch schlimme Erlebnisse im Grunde seines Herzens jeden Menschen haßte, der dem Hakenkreuz gedient hatte: Erich Kuby. Der ziemlich weit links angesiedelte Intellektuelle, der sich weniger als Reporter und mehr als Schriftsteller empfand, hatte vom Chefredakteur und späteren Herausgeber Henri Nannen den Auftrag bekommen, Leben und Tod der Clara Petacci in einem breit angelegten Bericht zu schildern. Über sie hatte der »Stern« in seinen ersten Jahren schon einmal eine ziemlich rührselige Geschichte veröffentlicht, aber Nannen fand, daß man der Mussolini-Geliebten damit nicht gerecht worden war und daß die Faszination ihres Schicksals viele Leser fesseln müßte. Er hatte als Kriegsberichter in Italien ihre letzten Lebensjahre an der Seite des Duce zwar nur aus Distanz, aber mit viel Anteilnahme beobachtet und an der Tragik ihres Lebens Anteil genommen. Also reiste Kuby ab 1977 in Italien herum, und Heidemann war ihm für Recherchen beigegeben. Der wiederum riet, man möge doch den ehemaligen Höchsten SS- und Polizeiführer und SS-General Karl Wolff als Informanten mitnehmen. Der Antifaschist Kuby überwand sich seinem Werk zuliebe und hatte nichts dagegen.
Er hat die Petacci-Geschichte bis heute noch nicht geschrieben. Hingegen entstand sein Buch »Verrat auf deutsch«. Im »Stern«, der diese Reise mit Gehältern, Honoraren und Spesen finanziert hatte, erschien der Text nicht, und auch das Buch kam in einem anderen Verlag heraus. Kuby und Nannen entzweiten sich, und ihre Feindschaft entwickelte sich so weit, daß der frühere Brotgeber von seinem ehemaligen Mitarbeiter in einem Pamphlet ein Schwein genannt wurde. In diesem Buch belehrt Kuby die Deutschen, daß nicht etwa die Italiener mit ihrem Frontwechsel im Jahre 1943 einen Verrat begangen haben – weg von der Achse und hin zu den Alliierten –, sondern daß Hitler sie und auch seinen Freund Mussolini permanent verraten und getäuscht hat. Wolff hat zum Schluß – so Kuby – auch noch den Duce und dessen Volk verraten, als er ohne Konsultation des Bündnispartners und also auch ohne dessen Zustimmung über die Kapitulation mit den Feinden verhandelte. Auch wenn Kuby dies nicht gerade expressis verbis sagt, so beschuldigt er doch mit seiner Darstellung der Ereignisse den General zusätzlich, mitverantwortlich zu sein, daß der Duce und Clara Petacci in einer Nacht-und-Nebel-Aktion umgebracht wurden. Wolff habe nichts mehr zum Schutz dieser Menschen getan, weil der Duce ihm unbequem geworden sei.
In mancher Hinsicht hätte Kuby recht, wenn in der Politik und vor allem auch

in Kriegen die Grundsätze der Moral schon immer maßgebend gewesen wären oder wenn sie es wenigstens künftig sein würden. Doch hier ist nicht der geeignete Platz, sich damit auseinanderzusetzen. Doch wenn schon von Moral die Rede ist – hat eigentlich der SS-General während der gemeinsamen Italienreise erfahren, was er sich mit seiner Geschwätzigkeit von Kuby einhandelte?

Ohne Wolffs Informationen hätte der Autor sein Buch in dieser Form nicht schreiben können. Dafür nennt er seinen Reisegefährten auch einmal einen »liebenswürdigen alten Herrn«, der sich »mit expressiv bezeugter Offenheit für unsere Recherchen zur Verfügung gestellt« hat. Bereitwillig und blind in seiner Eitelkeit führte Wolff den »Stern«-Mann an alle Schauplätze wichtiger und auch intimer Begebenheiten. Durch die örtlichen Erinnerungen hochgestimmt, erzählte er von seiner Statthalterherrlichkeit, von großen und kleinen Kabalen und war zugleich, ungewollt und von ihm unbemerkt, ein Objekt kritischer Beobachtung durch den Autor. »Wir hören«, schreibt Kuby, »von ihm Sätze, die an landesherrliche Befugnisse denken lassen.« Oder: »Es könnte auch Napoleon auf St. Helena sein, mit dem wir sprechen.« Er selber nimmt allerdings auch das gemeinhin von Landesherren bevorzugte Fürwort »Wir« laufend in Anspruch und beschreibt dann, wie »Wolffs gleichmäßig freundliche Zuvorkommenheit« durch keine lokalbedingte böse Erinnerung getrübt worden sei. In dem Ex-General sieht der Journalist »exemplarisch gleichsam unser ganzes Volk«, das die Fähigkeit entwickelt habe, »eine Epoche kollektiven Verbrechens abzuschütteln wie einen Regentropfen von einer Ölhaut«.

Durchschaut hat Kuby Wolffs Bemühungen sich zu exculpieren, so daß er bei den Schilderungen seines Wirkens zu »nachträglichen Ausschmückungen, späteren Erfindungen« und ausgesprochenen Falschdarstellungen kommt. Auch ihm ist die Papsterzählung eine dubiose Angelegenheit, wie er denn überhaupt der Ansicht ist, daß Wolffs »Guttaten« in Italien einschließlich der Kapitulation vorwiegend eine Alibifunktion hatten und frühere Schandtaten vergessen lassen sollten. In Italien sei »aus Wölfchen der elegante, mit allen Wassern gewaschene Wolff« geworden. War er das nicht schon lange zuvor gewesen? Offenbar hat sich Kuby nicht gründlich genug um die Vergangenheit seines Reisegefährten gekümmert.

Das Buch erschien 1982, und Wolff taucht darin im Personenregister mit den meisten Seitenzahlen auf; er dürfte trotz der starken Beachtung daran keine Freude gehabt haben. Er erinnerte sich deshalb auch nur ungern, daß sein und Kubys Name im Bordbuch von Heidemanns Jacht nebeneinander mit einem vielsagenden Text verewigt sind. Wiederum im Majestätsplural schrieb Kuby: »Auf diesem stillen Meer, wenn man die Elbe hier schon so bezeichnen kann, haben wir mit General Wolff das herrliche Dritte Reich wiederauferstehen lassen.« Heidemann hat die beschauliche Stunde seiner beiden ungleichen Freunde in einem Foto festgehalten: beide an einem Tisch an Deck vor Gläsern sitzend und plaudernd, im Hintergrund das Ufer mit Bauten und Bäumen. Als der engagierte Antifaschist einige Jahre später auf diesen Text angesprochen

wurde, sagte er: »Das ist eine Spitze gegen den Herrn Wolff, die finde ich sehr schön.«
Die Motorjacht war Heidemanns liebstes und zugleich sein Sorgenkind. Er hatte sie Mitte der 70er Jahre in ziemlich heruntergekommenem Zustand gekauft. Ihr Preis, die Renovierung und der Unterhalt überstiegen seine eigenen Mittel. Er nannte das Schiff wie der Erstbesitzer Göring »Carin II« nach dessen erster verstorbenen Ehefrau, einer Schwedin. Der neue Eigner hatte den Ehrgeiz, das Schiff in den gleichen Zustand zu versetzen, in dem es der Reichsmarschall benutzt hatte. Auf zwei Wegen hoffte er wieder zu seinem Geld zu kommen und auch noch einen dicken Gewinn einzustreichen. Irgendein finanzieller Großmogul sollte das traditionsbeladene Schiff eines Tages als historisches Relikt zu einem Phantasiepreis kaufen. Bis dahin sollte es ihm als Treffpunkt ehemaliger prominenter Nationalsozialisten dienen, die auf diesen geweihten Planken in vertrauter Runde über die Vergangenheit reden und das »herrliche Dritte Reich wiederauferstehen lassen« sollten. Er würde sie dabei mit Mikrophon und Tonband belauschen und ihre Unterhaltungen sollten dann unter dem Titel »Bordgespräche« im »Stern« und als Buch veröffentlich werden. Noch ehe er damit recht begonnen hatte, kassierte er auch schon Vorschüsse dafür.
Sein Freund Karl Wolff, den er längst mit »Du« anreden durfte, diente ihm dabei als Köder. Wer von den alten Parteigenossen konnte schon der Versuchung widerstehen, sich mit Himmlers rechter Hand und Hitlers besonderem Günstling zu treffen? Einige aus der alten Garde hatten sich auch schon eingefunden. So der Hamburger Wilhelm Mohnke, Brigadeführer der Waffen-SS (also Generalmajor) und zuletzt Kommandant des Führerbunkers unter der Reichskanzlei bis zum bitteren Ende am 1. Mai 1945. Als Heidemann zum vierten Mal heiratete, am 1. Dezember 1978, engagierte er die beiden Recken aus der Schwarzen Garde als Trauzeugen. Wie üblich wurde Wolff bei der Amtshandlung vom Hamburger Standesbeamten nach seinem Beruf gefragt. Er sagte stolz: »General a. D.« Mohnke dagegen antwortete auf die gleiche Frage schlicht: »Rentner.« Damit war die Szene für Wolff nicht mehr standesgemäß. Laut und rügend tönte er: »Wilhelm! Du warst doch auch General!«
Die Hochzeitsreise der Neuvermählten ging nach Südamerika, teilweise auf »Stern«-Kosten, denn sie war auch eine Dienstreise, weil Heidemann dort den versteckten alten Nazis auf die Spur kommen wollte. Er suchte Klaus Barbie, ehemals SS-Führer und Gestapobeamter in Frankreich, genannt »der Schlächter von Lyon«, ferner den SS- und KZ-Arzt Dr. Mengele, den holländischen Eichmann-Freund Wim Sassen und seltsamerweise auch Martin Bormann, Reichsleiter der NSDAP, zuletzt Sekretär des Führers und laut amtlichen Urkunden schon am 1. Mai 1945 durch Selbstmord in Berlin gestorben. (Siehe: Jochen von Lang, »Der Sekretär« DVA). Wolff durfte das glückliche Paar begleiten, was auch der »Stern« bezahlte. Seine Aufgabe war, Vorträge über seine »große Zeit« im Krieg und Frieden vor den Mitgliedern Deutscher Clubs in den besuchten südamerikanischen Hauptstädten zu halten. Heidemann rechnete damit, daß die Kameraden aus Partei und SS sich dazu neugierig einfinden

würden. Er irrte sich nicht. Einige dunkle Gestalten tauchten auf, die ihre Heimat meiden, weil sie sonst dort zur Rechenschaft gezogen werden. Auch Barbie war unter ihnen. Es bedurfte jedoch mehrerer Reisen, und damit bekam Wolff auf seine alten Tage noch viel von der neuen Welt zu sehen.

Bis in das Jahr 1981 war das Gespann Wolff-Heidemann in Lateinamerika zeitweise unterwegs. Am 22. August jenes Jahres schrieb der Reporter an Klaus Barbie einen Brief, in dem er sich entschuldigte, weil er dem Adressaten mit einer Veröffentlichung Schwierigkeiten in Bolivien verursacht habe. »Ich bedauere sehr«, heißt es weiter, »durch diese dumme Geschichte Ihre Freundschaft verloren zu haben.« Es sei ihm gelungen, »den Großteil von Hitlers Besitz sicherzustellen – hochinteressante Aufzeichnungen, Aquarelle und Ölgemälde, die Pistole, mit der sich der Führer im Bunker das Leben genommen hat (ein handgeschriebener Brief Bormanns verbürgt das), Kisten mit Akten aus der Reichskanzlei und vor allem die Blutfahne.« Mit diesem Hakenkreuztuch pflegte Hitler an Reichsparteitagen die Fahnen neuer SS-Einheiten zu weihen, indem er sie mit jenem alten Banner berührte, das angeblich beim Putsch am 9. November 1923 in München dabeigewesen war, als etliche NS-Marschierer vor der Münchner Feldherrnhalle als Revoluzzer bei ihrer Demonstration erschossen worden waren.

Der Hinweis auf die interessanten Erwerbungen war nur teilweise geprahlt. In jenem Sommer 1981 beschäftigten sich Heidemann und Wolff bereits mit einem Projekt, das zumindest den Journalisten weltweit und auch spektakulärer bekanntmachen würde als alle seine Recherchenerfolge. Davon erhoffte er sich sogar Millionengewinne, mit denen er die Pleite abwenden wollte, in die er durch sein Schiff und den Ankauf von NS-Devotionalien geraten war. Seine Spekulation ging nur insofern auf, als er durch sie zu einer Menge Geld kam, aber andererseits brachte sie ihn ins Gefängnis.

Die Sache hatte damit begonnen, daß er durch Mohnke einen begüterten Generalvertreter aus der Stuttgarter Gegend kennenlernte, der eine unwahrscheinliche Menge von NS-Restbeständen zusammengekauft hatte – Handschriften, Zeichnungen, Aquarelle, alles von Hitlers Hand, aber leider, wie es sich später herausstellte, alles gefälscht. Ferner besaß dieser Sammler so dubiose Utensilien wie die angeblich erste Fahne der NS-Partei, Orden, Uhr und Fotoapparat des Adolf Hitler, dessen Frack und Zylinder – alles Dinge, die an die Frühzeit christlicher Heiligenverehrung erinnerten, als in den Kirchen noch Fläschchen mit der biblischen Finsternis und von einem einzigen Heiligen mehr Knochen als Reliquien verehrt wurden, als ein Dutzend Menschen besessen haben konnten.

Diese NS-Wunderdinge und noch etliche mehr hatte der Stuttgarter Militaria-Händler Konrad Kujau beschafft. Von ihm stammte auch ein angebliches Tagebuch des Führers, eine handgeschriebene Kladde, im Format DIN A 4 des üblichen Schreibpapiers, in einem Einband aus schwarzem Stoff, der verziert war mit einer roten Kordel und rotem Siegel. Heidemann war bei dem Besitzer dieser Prachtstücke als Sammler aufgetreten, der kaufen oder tauschen wollte, und weil er dachte, daß dieser offenbar reiche Mann ihm Interessenten für die Jacht vermitteln könnte. Doch als er das Tagebuch sah, witterte er eine journalistische Sensation.

Es braucht hier nicht die ganze Groteske erzählt zu werden, wie Heidemann nach einigem Hin- und Hergerede von Konrad Kujau im Laufe der Zeit 60 solcher Kladden erwarb, wie der »Stern« im Mai 1983 mit gewaltigem Trara seine Entdeckung vorstellte, den ersten Bericht darüber veröffentlichte und wie einer seiner Chefredakteure, Peter Koch, großmäulig verkündete, aufgrund dieser neu entdeckten Tagebücher müsse die ganze Geschichte des Dritten Reiches umgeschrieben werden. Diese Arbeit blieb den Deutschen erspart, denn alle 60 Kladden plus einiger Zugaben, für die der Verlag des »Stern« mehr als neun Millionen Mark an Heidemann zur Weitergabe an einen angeblich unbekannten Lieferanten gegeben hatte, erwiesen sich bei der Prüfung durch Sachverständige als gefälscht. Konrad Kujau und Heidemann wurden im Mai 1983 wegen Betrugsverdacht in Untersuchungshaft genommen, und der erstere gestand, der Fälscher zu sein.

Durch die Ermittlungen der Hamburger Staatsanwaltschaft wurde bekannt, wie Heidemann die Bewältigung der deutschen Vergangenheit nutzen wollte, um den Schuldenberg aus seiner Vergangenheit zu bewältigen. Mehr noch, er wollte mit seinem Coup erreichen, daß er für den Rest seines Lebens ausgesorgt haben würde. Daß ihm sein Verlag für seine schwierige und (nach seiner Darstellung auch gefahrvolle) Beschaffung der Tagebücher eine Prämie von weiteren 1,5 Millionen Mark spendete, war nur noch das Dessert nach dem Galadiner. Hatte er doch dem Fälscher Kujau nur einen kleinen Teil der neun Millionen gegeben. Weitere Geschäfte hatte er mit dem leicht gewonnenen Betriebskapital schon angebahnt.

Im Hamburger Snob-Viertel unweit der Außenalster hatte er Räume für eine »Galerie« gemietet, in der er NS-Trödel präsentieren und verkaufen wollte. Um seine eigenen Bestände auszuweiten, erwarb er von Münchner Militaria-Händlern, bei denen Wolff seine Klamotten abzusetzen pflegte, für mehr als eine Viertelmillion Mark weiteres Altmaterial aus der Hakenkreuzepoche. Er prahlte dann mit Raritäten wie etwa einem blauen Zweireiher-Anzug aus Hitlers Kleiderschrank, mit einer Göring-Uniform und mit Gegenständen, die angeblich mit den Tagebüchern aus den Trümmern eines im Erzgebirge abgestürzten Flugzeugs geborgen wurden und im Besitz Hitlers gewesen waren. So Zeichnungen von dessen Hand und ein Spazierstock Friedrichs des Großen. Er prahlte auch mit einer Pistole, die er durch hartnäckiges Suchen selber in Berlin aufgestöbert haben wollte und an der ein Zettel hing mit dem handschriftlichen Vermerk: »30. 4. 45 – Mit dieser Pistole erschoß sich unser Führer. Die Lage ist hoffnungslos. Heil Hitler. Martin Bormann«. Der Zettel wurde auch nicht entfernt, als ein alter Bekannter von Wolff, der SS-Sturmbannführer Otto Günsche, einst Hitlers Adjutant, Heidemann besuchte und dabei festgestellt hatte, es sei gewiß die falsche Waffe. Er hatte seinerzeit als erster die Selbstmordpistole vom Fußboden des Führerbunkers aufgehoben, und sie war ein anderes, ein deut-

sches Fabrikat gewesen. (Wie konnte Heidemann ein solcher Lapsus unterlaufen? Schließlich bleibt ein deutscher Führer auch in seinem Tod noch dem Vaterlande treu und bevorzugt eine Waffe aus Suhl in Thüringen.)
Wolff profitierte auch von Heidemanns Geldschwemme. Er bekam bar auf die Hand, in 500-Mark-Scheinen gebündelt, wie der Verlag sie zum Ankauf weiterer Tagebücher geliefert hatte, 30000 Mark für den Ehrendegen, den Himmler an verdiente SS-Führer zu verleihen pflegte. Er durfte nur bei feierlichen Anlässen an der Hüfte baumeln. Soviel war das Stück Stahl bestimmt nicht wert, gemessen am Marktpreis; fraglos steckten in dem Betrag auch Honorare für geleistete Dienste. Schließlich hatte Wolff auch bei anderen spekulativen Geschäften Heidemanns mitgewirkt.
Die beiden hatten bei ihren Italienreisen im Dienste Kubys auch den Südtiroler Hotelier Franz Spögler aufgesucht. Er war trotz seiner italienischen Staatsangehörigkeit unter Wolffs Regentschaft in die SS aufgenommen worden. Als SS-Untersturmführer und Mitarbeiter des SD hatte er am Gardasee Clara Petacci zu beschützen und zu überwachen. Außerdem leitete er im Keller von Mussolinis Amtssitz einen Abhördienst, der jedes Telefongespräch des italienischen Regierungschefs mitstenographierte. Mit ihm hatten Wolff und Heidemann auch über die letzten Tage des faschistischen Regimes gesprochen und über den sagenhaften Schatz von Dongo, der bei der Gefangennahme des Duce und seiner letzten Getreuen als deren eiserne Finanzration im Gepäck gewesen und in den Comer See versenkt worden war. Aufgrund des Gespräches mit Spögler versuchten im August 1983 zwei von Heidemanns Freunden im See als Taucher den Schatz zu finden. Das erfolglose Unternehmen kostete ihn nahezu eine halbe Million.
Gegen ihn und Kujau begann der Prozeß beim Landgericht Hamburg Ende August 1984. Mehr als 60 Zeugen waren geladen. Darunter auch der inzwischen in den Ruhestand gegangene »Stern«-Herausgeber Henri Nannen, der Journalist Erich Kuby, der ehemalige SS-Brigadeführer Wilhelm Mohnke und unter der Nummer 35 »Karl Wolff, Kirchenweg 9, Prien am Chiemsee.« Er hatte es zuletzt wieder zu einer standesgemäßen Adresse gebracht. Doch dieser Zeuge konnte nicht mehr aussagen; er war am 15. Juli 1984 im Krankenhaus Rosenheim nach schwerer Krankheit gestorben.
Es ist wohl kaum ein Verstoß gegen das sprichwörtliche Gebot, man möge den Toten nichts Böses nachsagen, wenn hier untersucht wird, ob er als Freund des Angeklagten Gerd Heidemann bei dieser Tagebuch-Groteske fördernd oder warnend mitgewirkt hat. Karl Wolff hat Zeit seines Lebens Wert darauf gelegt, im Rampenlicht zu stehen. Das sei ihm auch in diesem letzten Akt gegönnt, denn in irgendeiner Form war er ein Mitwirkender. Es sei denn, es wäre wieder einmal alles an ihm vorbeigelaufen. Auch die Todesnachricht bescherte ihm noch einmal einen Auftritt in der deutschen Öffentlichkeit. Sie wurde mit einem Lebenslauf von der Deutschen Presseagentur (dpa) verbreitet. Es gab kaum eine Zeitung von Format und auch kaum einen Sender, der nicht sein Ableben bekanntgegeben hätte. »Der Mann, der Hitlers Pläne enthüllte« sei gestorben,

Generaloberst a. D.

Karl Wolff

geb. 13. 5. 1900 gest. 15. 7. 1984

In stillem Gedenken:

Frieda von Römheld
Dora Maass, geb. Wolff
Edeltraud Ziegmann

Irene Halt, geb. Wolff mit Familie
Helga Heeren, geb. Wolff mit Familie
Thorisman Wolff mit Familie
Widukind Wolff, mit Familie
Hartmut Wolff, mit Familie

8210 Prien am Chiemsee, Kirchenweg 9, Tel. 0 80 51 - 26 38

Beisetzung Samstag, den 21. 7. 1984 um 11.30 Uhr Friedhof in Prien.

verkündete eine der auflagenstärksten deutschen Tageszeitungen mit ziemlich auffälliger Überschrift. Sie bezog dies auf die Papstlegende. Die Zeitung nannte ihn aber auch »eine der schillerndsten Figuren des Naziregimes« – und diesem Ruf ist er in der Gesellschaft Heidemanns noch einmal gerecht geworden.

Was hätte sich ergeben, wenn er als Zeuge unter Eid hätte aussagen müssen, wie weit er über die Fälschergroteske im Bilde war? Wußte er wieder einmal von nichts? Auch diesmal sprechen Indizien gegen ihn. Als er von einem Reporter der englischen Zeitung »Sunday People« über die Tagebücher Hitlers befragt wurde, sagte er: »Was ich und meine Freunde seit Jahren sagen, wurde nun bestätigt: Hitler hat nie die Ausrottung der Juden befohlen. Mit dieser Beschuldigung wurde stets Hitlers Bild geschwärzt und dem Ruf des deutschen Volkes Schaden zugefügt. Die Tagebücher säubern diesen Ruf und auch meinen eigenen. Wir sind national denkende Menschen und Idealisten, keine Kriminellen.«

Wolff hat sich für die Echtheit der Tagebücher auch insofern eingesetzt, als er die Legende ihrer Herkunft unterstützte. Heidemann hatte behauptet, die Kladden seien in Berlin am 21. April 1945 in ein Flugzeug verfrachtet worden, um nach Innsbruck geflogen zu werden. Wolff gab an, von diesem Vorhaben im Führerhauptquartier gehört zu haben. Zwar hatte er sich schon am Nachmittag des 18. April von Hitler für immer verabschiedet, aber angeblich hatte man im Bunker davon gesprochen, daß der Führer wichtigste Aufzeichnungen durch eben jenen Piloten ausfliegen lasse, der dann drei Tage später beim Absturz der Maschine ums Leben kam.

Obwohl nahezu alle Menschen, die je in Hitlers Umgebung gelebt hatten, von den Tagebüchern nie etwas gesehen und fast alle bezweifelt hatten, daß Hitler Zeit und Gelegenheit gefunden hätte, sie heimlich zu verfassen, hielt Wolff sie für echt. Er hatte immer behauptet, Hitler habe den Flug des Rudolf Heß nach England 1941 nicht nur gebilligt, sondern sogar gewollt, damit ihm ein Friedensschluß mit England den Rücken für den Angriff auf die Sowjetunion frei mache. Und genau das hatte der Autor der Tagebücher geschrieben. In deren Texten wird dem Reichsführer-SS vorgeworfen, ihm fehle das soldatische Erlebnis im Ersten Weltkrieg und er sei ein vom Rassenwahn besessener Kleintierzüchter. Hatte nicht Wolff mit solcher Charakteristik dem toten Himmler gelegentlich dessen Ungnade vergolten, unter der er einige Zeit gelitten hatte?

Es ist kaum anzunehmen, Wolff habe die Texte der Tagebücher mitverfaßt. Es ist jedoch nicht zu übersehen, daß sie den Führer in jenem Licht zeigen, in dem Wolff ihn zu schildern pflegte. Einige Stellen kamen Wolff auch in seinen persönlichen Angelegenheiten sehr zupaß; er wollte sie benutzen, um noch einmal gegen das Urteil des Münchner Schwurgerichts anzugehen, nachdem die Anzeige wegen Rechtsbeugung gegen den Richter Jörka nichts eingebracht hatte. Wolffs Argument: Wenn Hitler die Juden am Leben lassen und ihnen ein eigenes Territorium verschaffen wollte – worauf sich angeblich der Obergruppenführer Karl Wolff immer verlassen hatte –, dann durfte dieser mit Recht annehmen, der Abtransport der Juden aus Warschau diene vorbereitend diesem Ziel und war statt der Beihilfe zum Mord eine »Guttat«.

Man kann mutmaßen, daß diese Gedankengänge Wolffs über den nazistisch infizierten und historisch unbedarften Heidemann in Kujaus Fälscherfeder flossen. Es ist auch denkbar, daß solche Ansichten in den Kreisen der Liebhaber für NS-Trödel üblich sind. Wer sich an Hitlers Restbeständen ergötzt, muß wohl auch mit seinem System sympathisieren. Diese Überzeugung hat sich dann auch in den Texten der Tagebücher niedergeschlagen. Wie Wolff, verharmlosen auch sie diesen Führer und seine Gehilfen. Hätte man dies alles dem Zeugen Wolff in Hamburg vorhalten können, dann hätte er wohl wieder einmal versichert, man habe ihn, den Idealisten, betrogen und mißbraucht. Doch das war zu allen Zeiten das Schicksal der Idealisten, und deshalb war Wolff diese Formel seit Jahrzehnten geläufig.

Es ist auch die Formel der Deutschen insgesamt, soweit sie den Nationalsozialismus noch bewußt erlebt haben. Daß Wolff bei den Getäuschten und Mißbrauchten immer ins erste Glied geriet, ist weder Zufall noch persönliches Pech. Ihn haben Selbstüberschätzung, Ehrgeiz und Eitelkeit ständig nach vorn getrieben, dorthin, wo man gesehen, gehört und geehrt werden kann. Seine äußere Erscheinung, seine Herkunft und Erziehung und seine taktische Geschicklichkeit haben ihm dabei geholfen. Damit ist es ihm sogar gelungen, sich 1945 für einen Augenblick an einem Zipfel des Kleides der Schicksalsgöttin festzuhalten. Doch er hatte zu dieser Zeit schon zu viele Klötze am Bein, daß ihr Gewicht ihn zwang, den Zipfel loszulassen. So wurde er daran gehindert, der große Mann zu werden, der er sein wollte. Immerhin hat er einen öffentlichen Nachruf bekommen. Darin wurde er »eine der schillerndsten Figuren« genannt. Ein Superlativ ist ihm also geblieben.

ANHANG

Dokumente

Anlage 1 a bis b
Aus der Personalakte des Karl Wolff:
SS-Aufnahme- und Verpflichtungsschein vom Oktober 1931

Anlage 2 a und b
Personalbericht und Beurteilung vom Januar 1933, mit der Wolffs Beförderung zum Sturmhauptführer (spätere übliche Bezeichnung: Hauptsturmführer) vorgeschlagen wird. Der »überzeugte Nationalsozialist« wird hier als »guter Abrichter« gepriesen.

Anlage 3 a bis c
SS-Stammrollen-Auszug des Karl Wolff

Anlage 4
Bescheinigung über Wolffs vormilitärische Ausbildung vom 14. bis 17. Lebensjahr (1914 bis 1917) in Darmstadt

Anlage 5
Himmler erbittet Freistellung des Karl Wolff als Adjutant des Reichsstatthalters von Bayern wegen Führermangel der SS. Der Empfänger ist der Stabschef der SA, z. Z. noch Himmlers unmittelbarer Vorgesetzter. Nach der Machtübernahme war Röhm zusätzlich Staatssekretär in der bayerischen Landesregierung.

Anlage 6
Der Chef des Persönlichen Stabes in Aktion für den Reichsführer SS.

Anlage 7 a und b
Geschenkliste des Paten Heinrich Himmler für den Wolff-Sohn Thorisman, der Karl-Heinz gerufen wird. (Urkunde siehe Seite 43 und 44)

Anlage 8 a und b
Himmler-Geschenke für den »reinrassigen« Sohn Widukind aus der Verbindung Wolff – Gräfin Bernstorff, der in Budapest zur Welt kommen mußte.

Anlage 9
Orden für Karl Wolff.
Zum ersten Mal trägt sein Schreiben den Stempelaufdruck: ›z. Zt. Führerhauptquartier‹.

Anlage 10
Hitler verleiht Wolff im Mai 1940 die Rangabzeichen eines Generalleutnants und stellt damit den Partei-Offizier den Generälen der Wehrmacht gleich.

Anlage 11
Der Chef des Persönlichen Stabes bedankt sich für die Geburtstagsgrüße des SS-Oberführers Hildebrandt, der vor langer Zeit Wolffs Beförderung zum Sturmhauptführer befürwortet hatte.

Anlage 12
›Geheime Kommandosache‹: Wolffs Eigenheim am Tegernsee.
Schreiben Heinrich Himmlers an den NSDAP-Schatzmeister Franz Xaver Schwarz, nachdem Partei- und SS-Kasse die Schulden des Gruppenführers Wolff übernommen haben.

Anlage 13
Gestapo-Chef Heinrich Müller bedient sich des verstorbenen Reinhard Heydrich, um Wolff wegen seiner Verbindung zu einer Jüdin zu verwarnen.

Anlage 14
Wolff in Ungnade beim Reichsführer SS. Himmler verbietet den höheren SS-Führern den Besuch am Krankenbett seines Chefs des Persönlichen Stabes.

Anlage 15
Wolffs Bestallungsurkunde als Sonderberater der faschistischen Regierung Italiens durch Hitler vom 11. Oktober 1943. Der Chef der Reichskanzlei, Reichsminister Hans Heinrich Lammers, registriert die Ernennung.

Schriftgut aus dem Geschäftsbereich ›Chef des Persönlichen Stabes Reichsführer SS‹. Wolff ist nicht immer der Empfänger. Doch geht jedes Schriftstück über seinen Tisch.

Anlage 16 a und b
Schreiben Hermann Görings, in dem er feststellt, daß vor dem Weltkrieg in seinen »Kreisen eine jüdische Frage gar nicht existierte«. Im Sommer 1941 wird er als Vorsitzender Ministerrat für die Reichsverteidigung Hitlers Befehl für die »Endlösung der Judenfrage« an die SS weiterleiten.

Anlage 17 a und b
Wolff erhält Kenntnis von den Euthanasie-Aktionen der Reichskanzlei durch westfälischen Regierungspräsidenten aus Minden.

Anlage 18 a bis c
Wolff erhält Kenntnis von Judenaktionen durch den höheren SS- und Polizeiführer Serbien, Staatsrat Dr. Turner.

Anlage 19 a bis e
›Geheime Reichssache!‹ Schreiben mit Abänderungsvorschlägen für die Spezialwagen, in denen seit Dezember 1941 die Juden in den eroberten Ostgebieten vergast werden. (SS-Amtsdeutsch: verarbeitet!) Die Opfer werden hier als »Ladegut« bezeichnet.
Der Einsatzleiter Obersturmbannführer Rauff gehört später in Italien zum Mitarbeiterstab von Wolff.

Anlage 20
Aktennotiz über den Streit Himmlers mit Gauleiter und Reichsstatthalter Albert Forster vom Gau Danzig-Westpreußen.

Anlage 21 a und b
›Geheime Reichssache!‹: Reichsstatthalter Arthur Greiser erbittet Einsatz der Himmlerschen Einsatzgruppen zur Vernichtung von Tbc-kranken Polen, nachdem die Judenaktion im Warthegau abgeschlossen ist.

Anlage 22 a und b
Der höhere SS- und Polizeiführer, Obergruppenführer Koppe, befürwortet den Antrag des Reichsstatthalters.

Anlage 23
Himmler stimmt der Sonderbehandlung zu und erbittet »möglichst unauffällige« Durchführung, was in jedem Falle Liquidierung bedeutet.

Anlage 24 a und b
Antwort von Arthur Greiser an Heinrich Himmler, mit der er dessen Genehmigung zur »Sonderbehandlung« der Tbc-kranken Polen bestätigt.

Anlage 25 a bis c
Als die Aktion gegen die Tbc-kranken Polen auch auf das Gebiet des Generalgouvernements ausgedehnt wird, protestiert der Stadtmedizinalrat Dr. Wilhelm Hagen bei Hitler.

Anlage 26
Die Fürsprache des Reichsgesundheitsführers Dr. Leonardo Conti bewahrt Dr. Hagen vor einer harten Bestrafung durch Hitler.

Anlage 27
Gestapo-Chef Heinrich Müller vertröstet Wolff, der eine schnelle Evakuierung von Juden, die für die Beskiden-Erdölgesellschaft im Generalgouvernement arbeiten, gefordert hatte.

Anlage 28
Schreiben Himmlers an seinen Hauptamtschef Oswald Pohl, der für die Konzentrationslager zuständig ist und dafür Sorge trägt, daß die den umgebrachten Juden abgenommenen Textilien dem Reichswirtschaftsminister zugeführt werden. Wolff erhält Kenntnis.

Anlage 29
Fernschreiben Himmlers vom 15. 9. 1944, welches beweist, daß der freundschaftliche Ton im Verkehr mit Wolff wieder aufgenommen wurde. Himmler benützt wieder die Anrede: »liebes Wölffchen«.

Anlage 30 a und b:
Sitzungsprotokoll des Internationalen Militärtribunals in Nürnberg: Wolff als Zeuge für Oswald Pohl.

Anlage 31
Schreiben Wolffs aus dem Nürnberger Gefängnis an den Schweizer Husmann, Vermittler der Teilkapitulation.

SS-Aufnahme- und Verpflichtungsschein

1. SS-Sturm
II/1. SS-Standarte.

Nr. 14235

1. a) Zuname: Wolff
   b) Vorname: Karl
2. Beruf: Leutnant a. D. Kaufmann
3. Kraftfahrzeugbesitzer: ./. Art: ./. Führerschein: 3 b
4. a) Geburtsdatum: 13. Mai 1900 Größe: 1.83 m
   b) Geburtsort: Darmstadt
5. ledig — verheiratet — geschieden — verwitwet: verheiratet
6. Wohnort: München 27
7. Wohnung: Am Priel Straße/Platz Nr. 10
8. im Felde von [illegible] 1917 bis [illegible] Okt. 1918
9. bei welcher Formation: [illegible] Leibgarde-Infanterie [illegible]
10. Dienstgrad: [illegible]
11. Auszeichnungen: E.K. II u. I. Klasse [illegible]
12. Verwundet: ./. Leutnant [illegible] 18. Sept. 1917

Mitgliedsnummer der Partei vor dem 9. 11. 23: Nr.

Mitgliedsnummer der Partei nach dem 9. 11. 23: Nr.

[illegible] der Ortsgruppe:

[illegible]strafen: a) zivil: keine

b) politisch: keine

(Obf-Abschnitt) I

(Standarte) 1

(Sturmbann) II

(Sturm) 1

Zur Aufnahme nicht geeignet

[illegible]grund: Nach Angabe

[Mili]tärpapiere eingesehen und in [O]rdnung:

[A]bmeldung liegt bei.

[...]schein liegt bei.

[Gesu]ndheitsattest liegt bei.

nicht bekannt

RFSS. SS-Staf.

Die obigen Angaben nach bestem Wissen und Gewissen gemacht zu haben bescheinigt

29. Okt. 1931

München 27, den 27. Okt. 1931

Karl Wolff

Unterschrift

Kurzer Lebenslauf:

Am 13.6.00 zu Darmstadt als Sohn des Landgerichtsrates Dr. Carl Wolff geb
am 27.4.17 Notabitur am Ludwig-Georgs-Gymnasium zu Darmstadt bestanden.
Herbst 1914 bis April 1917 freiwillig am Militärischen Vorbereitungsdien
für die Jugend regelmässig (in Darmstadt) teilgenommen, am 29.4.17 kriegsf
willig als Fahnenjunker im Grossh. Hess. Leibgarde-Infanterie-Regiment Nr
eingetreten, vom 5. Sept. 1917 bis 20. Dez. 1918 als Fahnenjunker, Unteroffi
Fähnrich und Leutnant mit kurzer Unterbrechung durch einen Fahnenjunker-
sus im Feld gewesen. bis 31.5.1920 als aktiver Leutnant bei der Reichswe
geblieben, dann infolge Heeresverminderung auf Grund des Versailler Vert
ausgeschieden.
Vom 15.7.1920 bis 15.9.1922 als Lehrling und Angestellter beim Bankhaus
Gebr. Bethmann zu Frankfurt a.M., vom 1.10.1922 bis 30.6.1923 als kaufm
nischer Angestellter bei der Trickzellstoff G.m.b.H. zu Kehl a.Rh., vom
1.7.1923 bis 30.6.1924 als Bankbeamter bei der Deutschen Bank, Abtlg. Ne
[illegible]str., München. ab 3.7.1924 bis 30.6.1925 als Geschäftsführer der
Annoncen-Expedition Walther von Danckelman, Filiale München, ab 1.7.192
selbständig als Inhaber der Annoncen-Expedition Karl Wolff -von Römheld

Als Bürgen gebe ich folgende Personen an:

1. [illegible] in [illegible]
2. [illegible] in [illegible]

	Eingelaufen (Datum)	Geprüft (Handzeichen)	Weitergeleitet (Datum)
Sturmf	25.10.	[illegible]	29.10.
Staf	26.10	[illegible]	27.10
Brif	27.10.	[illegible]	27.10
Obf	27/X	[illegible]	27/X
RFSS	28. Okt. 1931		28. Okt. 1931

Schutzstaffel der N.S.D.A.P.
Reichsführung

Verpflichtung

Ich verpflichte mich, für die Idee Adolf Hitlers mich einzu
strengste Parteidisziplin zu wahren und die Anordnungen der
führung der Schutzstaffeln und der Parteileitung gewissenhaf
zuführen.

Ich bin Deutscher, bin arischer Abstammung, gehöre keiner
maurerloge und keinem Geheimbunde an und verspreche, die Bew
mit allen Kräften zu fördern.

München, den 7. Okt. 1931

Karl Wolff
(Unterschrift)

Personal-Bericht und Beurteilung

22 ~~21~~.

des S. S. Sturmführer (Dienstgrad) Karl Wolff (Vor- und Zuname) Sturmbann Adjud. [illegible] (Dienststellung und Formation)

Geburtstag, Geburtsort (Kreis, Provinz, Land) 13. 5. 1900 in Darmstadt (Hessen)

Beruf: 1. erlernter Kaufmann 2. jetziger Inh. Annoncen Exped.

Wohnort München Straße Am Priel Nr. 10.

Verheiratet? ja Kinder? 1. Konfession evang.

Seit wann in der Dienststellung 28. 9. 32. Patent letzter Dienstgrad 18. 2. 32.

Beurteilung:

Nationalsozialistische Weltanschauung W. ist überzeugter Nationalsoz[ialist]

Charaktereigenschaften W. ist ein verträglicher, freundlicher Charakter, ferner zu sehen ist sein Verständnis für die Nöten des einzelnen S. S. Mannes. W. ist daher bei seinen Jungen sehr beliebt.

Geistige Frische gut.

Körperliche Rüstigkeit gut.

Besondere Kenntnisse Ausgebildeter Inf. Lt. a. D. im Großherz. hess. Inf. Regt.

Auftreten in und außer Dienst einwandfrei.

Auftreten vor der Front gut.

Leistungen im Unterricht besonders Erziehung im nationalsozialistischen Sinne. ein guter Arbeiter.

1. Verhältnis zu seinen Untergebenen als Vorgesetzter gut.
2. Verhälinis zu seinen Untergebenen als Kamerad sehr gut.

Familienverhältnisse geordnet.

Wirtschaftliche Verhältnisse W. ist Inhaber der Annoncen-Expedition Karl Wolff u. Rünschild München.

Vorstrafen Keine

Erlittene Verletzungen, Verfolgungen und Strafen im Kampfe für die Bewegung —

Hat Führerschule oder Ausbildungskurse besucht. Wann? Wo? Reichsführerschule 1.–21. V. 32.

Zur Beförderung geeignet? zum Sturmhauptführer

München den 26. 1. 1933 Unterschrift H. Höflich

Dienstgrad Standartenführer Dienststellung Führer der 1. SS Standarte

Stellungnahme der vorgesetzten Dienststellen:

Wolff ist ein ruhiger und sicherer Führer mit gutem und taktischem Benehmen, der seinen Dienst als Adjutant bisher unter oft schwierigen Verhältnissen mit großem Geschick versieht. Seine Beförderung wird daher befürwortet.

Frhr. v. Malsen-Ponickau
SS-Oberführer u. Führer d. SS-Abschnitts I.

Die Beförderung von Wolf zum Sturmhauptführer wird gerne befürwortet. W. verdient diese Anerkennung, als Sold. u. Kamerad, in vollem Masse.

Nationalsoz. Deutsche Arbeiter-Partei SS-Gruppe Süd

Hildebrandt
SS-Oberführer

SS-Stammrollen-Auszug des Wolff Karl

Formation: Stab RFSS — Stammrollen-Nummer: [illegible] / 10

1 — Eintritt in die SS / Beförderungen / Datum

- SS-Nr.: 14 235
- SS-Anwärter: 7.10.31
- SS-Mann: 29.10.31
- Scharführer: 11.12.31
- Truppführer: 19.1.32
- Haupttruppführer: ./.
- Sturmführer: 18.4.32
- Sturmhauptführer: 30.1.33
- Sturmbannführer: 9.11.33
- Standartenführer: 20.4.34
- Oberf. 4.VII.34
- Brigf. 9.11.35
- [illegible] 30.I.37

2 — Personalien

- Name: Wolff
- Vorname: Karl
- Erlernter Beruf: [illegible]
- Jetziger Beruf: SS-Führer
- Geburtsdatum: 13.5.1900
- Geburtsort: Darmstadt
- Religion: ~~[illegible]~~ [illegible]
- Wohnort: München
- Wohnung: [illegible] 10
- Stand: ledig / verh. / verw. / gesch.
- Zahl der Kinder: männl. — weibl. 1 2
- Alter: von 3 bis
- Körperlänge: 1.83 cm
- Schuh-Nr.: 43
- Kopfweite: 58
- Sonstiges (Vorstrafen usw.): keine Vorstrafen.

3 — Militärdienst

- Friedens- oder Heimat-Truppe: Leibgarde-Inf.-Regt. (1. Großh. Hess.) Nr. 115, von 29.4.13 – [illegible] bis [illegible]
- Feld-Truppe: Leibgarde-Inf.-Regt. (1. Großh. Hess.) Nr. 115, von 31.8.1917 bis 20.12.1918
- Freikorps: Hess. Freikorps [illegible], von 10.3.19 bis 27.4.19
- Reichswehr: Reichswehr Schützen Regt. 35, von 28.4.19 bis 31.5.20
- Polizei oder Gendarmerie: ./. von — bis —
- Letzter Dienstgrad: Seit wann? Leutnant [illegible] 14.4.18 [illegible] 1917
- Orden und Ehrenzeichen: E.K. I + II
- Sonder-Ausbildung:
- Verwundungen: ./.
- Kriegsbeschädigt: ./. %
- Führerschein: III b seit 31.5.1928
- Sonstiges:

4 — Partei-Verhältnis

- Eingetreten am: 7.10.1931
- Mitglieds-Nr.: 695 131
- Teilnahme an Aufmärschen usw.:
- Sonstiges: Reichsführer-Schule, [illegible] 1. SS-Lehrgang 30.I. – 20.II.32

5 — Bemerkungen (Verwendung, Versetzungen, Ausscheiden)

- 19.I.32 – 17.9.32 Führer des SS-Sturmes [illegible]
- 17.9.32 – 13.3.33 Adjutant d. Sturmbanns II/1
- 13.3.33 – 15.6.33 " d. General von Epp
- ab 15.6.33 1. " d. Reichsführers-SS

Führung:

Strafen:

München, den 17. Januar 1934

Unterschrift: Karl Wolff

Dienstgrad: SS-Sturmbannführer

Dienststellung: Adjutant des Reichsführers-SS

Dienstgrad	Bef.-Dat.	Dienststellung	von bis	h'amtl.
U'Stuf.	18.2.32			
O'Stuf.				
Hpt'Stuf.	30.1.33	Fhr. [illegible] Adj. [illegible]	19.2.32 – 9.11.32 9.11.32 – 21.8.33	
Stubaf.	9.11.33	Adj. z. Reichsstatthalter [illegible] Adj. z. Stab RFSS	14.3.33 – 18.6.33 18.6.33 – 21.8.33	
O'Stubaf.	30.1.34	Chef d. Stab RFSS Adj. RFSS	21.8.33 – 1.9.33 1.9.33 – 4.4.34	
Staf.	20.4.34	1. Adj. RFSS Chef Adj. RFSS	4.4.34 – 9.11.35 9.11.35 – 9.11.36	
Oberf.	4.7.34	Chef d. pers. Stabes RFSS u. Amtchef u. Chef H.Amt Pers. Stab 9.11.36	9.11.36	
Brif.	9.11.35			*
Gruf.	30.1.37	Generalleutnant d. V.T.		
General O'Gruf. u. W-SS	30.1.42			

13.10.31 14 235
1.11.31 695 131
13. 5.00

Karl Wolff

Größe: 183 Geburtsort: Darmstadt

SS-Z.A. * silber	SA-Sportabzeichen * br. 3 A Olympia-Orden 1. Klasse (1936)
Coburger Abzeichen	Reitersportabzeichen
Blutorden	Reichssportabzeichen * silb.
Gold. Parteiabzeichen * 30.1.39	
Totenkopfring *	
Ehrendegen *	
Julleuchter *	

Dienststellung	von bis	h'amtl.
Brigadef. *		

Ziv.-Strafen: ST

SS-Strafen:

+ 3 Kinder aus 2. Ehe

Familienstand: vh. gesch. verh. 20.8.23 (45.) 3.43.

Ehefrau: 1937 Gräfin [illegible]
Mädchenname — Geburtstag und -ort

Parteigenossin: * 935 743
Tätigkeit in Partei:

Religion: (ev) gottgl.
K.A.: 21.2.0[illegible] 24.36

Kinder: m. w.

m.		w.	
1. * 1936	4.	1. * 1930	4.
2. 23.3.38	5.	2. * 1934	5.
3.	6.	3.	6.

Nationalpol. Erziehungsanstalt für Kinder:

Beruf: Offizier u. Bankbeamter — erlernt; SS-Führer — jetzt

Arbeitgeber:

Volksschule * 2 ½
Fach-od. Gew.-Schule
Handelsschule

Höhere Schule * Abitur
Technikum
Hochschule

Fachrichtung: Jura [illegible]

Sprachen:

Führerscheine: * III

Ahnennachweis: Lebensborn *

Parteitätigkeit:

[illegible]

Stellung im Staat (Gemeinde, Behörde, Polizei, Industrie)
M.d.R. [illegible] 1. Schul d. Kongr. [illegible]
[illegible] Pol. Präs. [illegible] durch Erlass des Führers zum Sonderberater für polizeiliche Angelegenheiten bei der Italienisch-Faschistischen Nationalregierung bestellt. [illegible]

3199 36 II D

Freikorps: * Hess. Freikorps von 1919 bis

Stahlhelm:

Jungdo.:

HJ.:

SA.:

SA.-Res.:

NSKK:

Ordensburgen:

Alte Armee: * Hess. Infanteriereg. 116

Front: * "

Dienstgrad: Leutnant 14.9.18, Patent 18.9.17 a.D.

Gefangenschaft:

Orden und Ehrenzeichen: EK I. u. II., Ek.f.Fr.
(Zivil offiziell) Gross-Offz.-Kr. des Ord. d. Krone v. Italien (37)
Commendatore d. Heil. Mauritius u. Lazarus
Gross-Kreuz d. Ord. d. Krone v. Italien (8.10.38)
Östr. Med. u. Sud. med.
Gr. Kr. d. Ord. v. hl. Saba; Ehrz. f. D. Volkspflege
gr. Kr. d. Ord. d. finn. weißen Rose m. Schw.; 1. Stufe
Spange EK I II; Dt. Kreuz i. Gold (W)

Verw.-Abzeichen:

Kriegsbeschädigt %:

Auslandtätigkeit:

Deutsche Kolonien:

Besond. sportl. Leistungen:

SS-Schulen: von bis

Tölz

Braunschweig

Berne

Forst

Reichswehr: * Schütz. Rgt. 35 bis 1920 (Inf.)

Polizei:

Dienstgrad: Leutnant

Reichsheer:

Dienstgrad:

Kriegsbeorderung

Aufmärsche:

Sonstiges:

Jugendkompagnie Nr. 509-512
in Darmstadt

Bescheinigung.

Nr. 852
Eingang 25. IV. 1917
Bearbeitet 25. 4. 1917.
Erledigt 25. 4. 1917.

Dem Jungmann Karl Wolff

geb. 13. 5. 1900 zu Darmstadt, Kreis Darmstadt,

wird hierdurch bescheinigt, daß er vom Herbst 1914 bis jetzt April 1917

an den auf Grund des kriegsministeriellen Erlasses vom 19. 8. 1914 Nr. 869/8. 14. C 1 II. Ang.

abgehaltenen Uebungen zur militärischen Vorbereitung der Jugend regelmäßig teilgenommen hat.

Besondere Fähigkeiten: W. ist guter Entfernungsschätzer, sportlich sehr gut ausgebildet, geeignet zum Gruppenführer u. Patrouillendienst.

Darmstadt, den 25. April 1917.

Militärische Vorbereitung der Jugend.
Der Vertrauensmann der Großh. Hess. Regierung.
J. Hartmann

Der Reichsführer-SS.

München, den 10. Mai 1933

Der Reichsstatthalter in Bayern

01112 12 MAI 1933

........Beilagen

An den

Herrn Staatssekretär R ö h m

M ü n c h e n

Ich bitte gehorsamst, den SS-Sturmhauptführer Wolff, der als Adjutant für den Herrn Reichsstatthalter im März zur Verfügung gestellt wurde, wenn es möglich ist, der SS wieder zur Verfügung zu stellen, da Wolff wieder gebraucht wird.

Die SS hat z.Zt. einen ziemlich grossen Führermangel. Ich bitte daher, meine Bitte aus diesem Grunde heraus zu würdigen und dem Herrn Reichsstatthalter vorzulegen.

Der Reichsführer SS.

Der Reichsführer-SS
Der Chef
des
Persönlichen Stabes
Tgb.Nr. A/44/V/41
Scha/Pi.

Berlin SW 11, den 31. Dez.36

An den
Chef des Rasse- und Siedlungshauptamtes-SS
SS-Obergruppenführer R.W. D a r r é

B e r l i n

Rasse- u. Siedlungs-Hauptamt SS
Nr. .... 7. Jan. 1937

Briefbogen mit eingepresstem Hoheitsabzeichen und SS-Spruch "Meine Ehre heisst Treue" bittet der Reichsführer-SS nicht mehr zu benutzen, da er sich diese Bogen zur persönlichen Verwendung vorbehält.

Wolff.
SS-Brigadeführer.

Dem Chef
des R.u.S.Hauptamtes
vorzulegen
Nr 716/37

8/I 37

PERSONALIEN DES VATERS DES PATENKINDES:

Vor- und Zuname: W o l f f, Karl, ...

Dienstgrad oder Beruf: . ᛋᛋ-Obergruppenführer, ...

Wohnort und Strasse: E g e r n / Tegernsee, Haus am Schorn. . . . .

PERSONALIEN DES PATENKINDES:

S O H N - ~~T O C H T E R~~

geboren am: . 14. 1. 1936 . . . .

N a m e : . Karl-Heinz . . . .

Konto bei der Sparkasse: . . . .

J a h r	Geschenke wurden gegeben :		
	Geburtstag :	Weihnachten :	Bemerkungen :
1935			Armreifen
1936		Silb.Schieber	Silb.Becher
1937	Weisser Bär	Walzenspiel	
1938	Wagen m.Holztieren	Gr.Leiterwagen m. Pferden.	
1939	Holzauto m.Klötzen	Trommel.	
1940	Pferd m.Wagen	Tierlotto.	

	Geschenke wurden gegeben :		
J a h r	Geburtstag :	Weihnachten :	Bemerkungen :
1941	Soldaten	Panzer.	
1942	Holzpferd	Schiff,Gewehr.	
1943	Spielze ug	Europa-Spiel König z.laufen.	
1944	Buch:Robinson Schokolade.	Till Eulenspiegel Schokol.Bonbons.	
1945	Laubsägekasten, Schokolade.		
1946			
1947			
1948			
1949			
1950			
1951			
1952			
1953			

PERSONALIEN DES VATERS DES PATENKINDES:

Vor- und Zuname: SS-Obergruppenführer W o l f f, Karl, ...

Dienstgrad oder Beruf: . . . .

Wohnort und Strasse: Wolfgang am See, Schloss Scheidt. . . . .

PERSONALIEN DES PATENKINDES:

S O H N - [illegible]

geboren am: 23.12.1937 . . . .

N a m e : W i d u k i n d . . . .

Konto bei der Sparkasse: . . . .

J a h r	Geschenke wurden gegeben :		Bemerkungen :
	Geburtstag :	Weihnachten :	
1935			
1936			Armreif
1937			
1938			
1939		Holzfiguren	
1940		Silb.Becher	"Widukind" 24.12.40.

	Geschenke wurden gegeben :		
J a h r	Geburtstag :	Weihnachten :	Bemerkungen :
1941		Eisenbahn Dampfwalze Panzer.	
1942	Luftgewehr Baukasten(Tiere) " " (Häuser)	Silb.Löffel,Gabel, Serviettenring Mundharmonika.	graviert:23.12.42.
1943	Kegelspiel	Pumpbrunnen.	
1944	Bild RFSS, Till Eulenspiegel.	Der Tierspiegel, Schokolade.	Mai:Feigen,Rosinen, Schokol.
1945			
1946			
1947			
1948			
1949			
1950			
1951			
1952			
1953			

117

z. Zt. Führerhauptquartier

Der Reichsführer-SS
Der Chef des Pers. Stabes
Tgb.Nr. 17.
Scha/Rd

Berlin, den 13.9. 1939

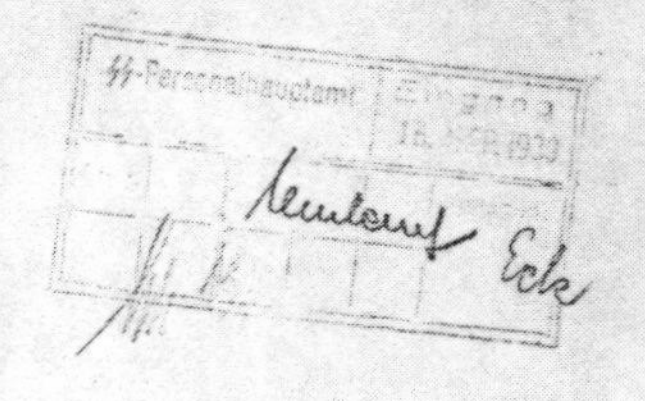

An das
SS-Personalhauptamt

Berlin

Zur Beiheftung zu meiner Personalakte melde ich, daß mir durch die Präsidialkanzlei des Führers verliehen wurden:

1) die Erinnerungsmedaille anläßlich Wiedervereinigung Österreichs mit Deutschland;

2) die Erinnerungsmedaille anläßlich Wiedervereinigung des Sudetengaues mit Deutschland.

Des weiteren wurde mir am 13.X. 1938 das Groß~~offiziers~~-kreuz mit Band des Ordens der Krone von Italien und anläßlich des Staatsbesuches des Prinzregenten Paul von Jugoslawien das Groß~~offiziers~~kreuz des Ordens vom heiligen Saba verliehen.

Wolff.

SS-Gruppenführer

ADOLF HITLER

BERLIN, DEN 3. V. 1940.

SS-Gruppenführer Karl W o l f f

erhält mit dem heutigen Tage die Dienststellung eines Generalleutnants mit den entsprechenden Rangabzeichen.

Der Reichsführer-SS
Der Chef des Persönlichen Stabes

Tgb.-Nr.
Bei Antwortschreiben bitte Tagebuch-Nummer angeben

z. Zt. Führerhauptquartier
Berlin SW 11, den 17.6. 1940.
Prinz-Albrecht-Straße 8

Mein lieber H i l d e b r a n d t !

Du nimmst es mir hoffentlich nicht übel, daß ich erst heute dazu komme, Dir für Deine Glückwünsche zu meinem Geburtstage herzlich zu danken. Meine Tätigkeit im Führer-Hauptquartier und verschiedene längere Frontfahrten, die ich in Begleitung des Reichsführer-SS unternommen habe, ließen mich jedoch nicht eher dazu kommen. Ich darf Deiner lieben Frau und Dir daher nachträglich vielmals für Euer Gedenken danken, insbesondere auch für das Buch, mit dem Du mir eine große Freude gemacht hast und das ich in hoffentlich nicht mehr allzu fernen Friedenszeiten einmal in Ruhe lesen kann. - Gleichzeitig möchte ich Dir bestens für Deine Glückwünsche anläßlich meiner Ernennung zum Generalleutnant danken. -

So groß an sich die Ehre ist, ständig in unmittelbarer Umgebung des Führers im Führer-Hauptquartier weilen zu dürfen, so sehr möchte ich Dich eigentlich beneiden um Deine Einberufung als Batterie-Führer nach Berlin. Du hast so doch eher Gelegenheit, einmal richtige Frontluft zu atmen, indem Du doch gewiß bald ein Frontkommando bekommen wirst.

Ich wünsche Dir jedenfalls herzlichst alles Gute für die kommende Zeit und bin mit den herzlichsten Grüßen von Haus zu Haus und mit

H e i l H i t l e r !

Dein alter

Wolff[?]

XI a/18

z.Zt. Führerhauptquartier,
--------- den 22.4.1941

9.4.3.41 Geh.Ks.

Sehr geehrter, lieber Parteigenosse Schwarz !

Erst heute im Führerhauptquartier, an einem freien Abend, komme ich dazu, Ihren Brief vom 4.3.41 betr. den Verband sozialer Baubetriebe G.m.b.H. und das Landhaus Wolff, Tegernsee, zu beantworten.

Ich bin Ihnen sehr dankbar, dass Sie ℌ-Gruppenführer Wolff, der durch einen Gauner namens Anton K a r l in schmählicher Weise sowohl im Voranschlag als auch im Inkasso hereingelegt wurde, aus dieser scheußlichen Situation befreit haben. Mir selbst haben Sie damit einen sehr grossen Gefallen erwiesen, da ich ℌ-Gruppenführer Wolff, dessen lauteren und untadeligen Charakter ich in acht Jahren täglich und stündlich immer wieder kennenlernte, als einen meiner wertvollsten Mitarbeiter hoch schätze und menschlich als Freund liebgewonnen habe.

Ihrem Vorschlag entsprechend habe ich mich entschlossen, von dem Betrag von RM 21 500.-- einen Teil als Zuschuss und den Rest darlehnsweise aus einem mir zur Verfügung stehenden Sonderfonds an ℌ-Gruppenführer Wolff zu geben.

H e i l H i t l e r !

I h r

HH

Der Chef der Sicherheitspolizei und des SD

- IV C 4 b - B.Nr. 12/42 g.Rs. -

Bitte in der Antwort vorstehendes Geschäftszeichen u. Datum anzugeben

Berlin SW 11, den 19. Oktober 1942.
Prinz-Albrecht-Straße 8
Fernsprecher: 12 00 40

XIIa/200

Geheime Reichssache!

An

SS-Obergruppenführer W o l f f
- Persönlicher Stab des Reichsführers-SS -

Nach einem Bericht der SD-Hauptaussenstelle Chemnitz vom 27.9.1941 hatte der SS-Scharführer Dr. phil. Kurt M ö c k e l , Chemiker, geb. am 19.7.1901 in Zwickau, dort wohnhaft, einem SS-Führer u.a. erzählt, von Frau B e c h s t e i n , Berlin, gehört zu haben, SS-Gruppenführer W o l f f im Stabe des Reichsführers-SS habe ein Verhältnis mit einer Jüdin und könne auch trotz Ermahnungen davon nicht lassen.

M ö c k e l , der daraufhin vernommen wurde, gab den Sachverhalt zu. Nach seiner Darstellung hat die mit seinen Eltern befreundete Frau Bechstein im Jahre 1937 oder früher im Kreise der Familie M ö c k e l den erwähnten Vorwurf erhoben. Auf die Entgegnung M ö c k e l 's, dass man hiergegen etwas unternehmen müsse, habe Frau Bechstein erwidert, es sei schon alles versucht worden, jedoch ohne Erfolg.

Da die Angelegenheit zu Weiterungen nicht geführt h[illegible] und bereits erhe[illegible] [illegible] Zeit zu[illegible]liegt, h[illegible]ich [illegible] veranlasst, den SS-Scharführer M ö c k e l eindringlich zu belehren, sich in Zukunft der Weitergabe derartiger Gerüchte zu enthalten und im vorkommenden Falle nur seiner vorgesetzten Dienststelle Meldung zu erstatten.

Im Auftrage des verstorbenen SS-Obergruppenführers H e y d r i c h gebe ich von dem Sachverhalt Kenntnis.

Heil Hitler !

Ihr [Unterschrift]

Der Reichsführer-SS

Tgb.Nr.
RF/V.

Feld-Kommandostelle
12.III.1943

An alle SS-Obergruppenführer und SS-Gruppenführer.

In Ergänzung meines Befehls, daß ich wegen der Erkrankung des SS-Obergruppenführers Wolff die Führung des Hauptamtes Persönlicher Stab bis auf weiteres selbst übernommen habe, teile ich allen SS-Obergruppenführern und SS-Gruppenführern mit, daß unser Kamerad Wolff sich leider einer schweren Nierenstein-Operation unterziehen mußte.

In den Tagen vor der Operation wurde die Ehe des SS-Obergruppenführers Wolff mit Genehmigung des Führers geschieden. Er hat sich im Lazarett in Hohenlychen in aller Stille mit der verwitweten Gräfin Bernstoff wiederverheiratet.

Die Ärzte bitten, in Anbetracht der Schwere der Operation und Krankheit von Besuchen, Anrufen und Glückwünschen bis auf weiteres abzusehen.

gez. H. Himmler

Ich bestelle den SS-Obergruppenführer und General der Waffen-SS

Karl W o l f f

zum Sonderberater für polizeiliche Angelegenheiten bei der Italienischen Faschistischen Nationalregierung.

Führer-Hauptquartier,
den 11.Oktober 1943

D e r F ü h r e r

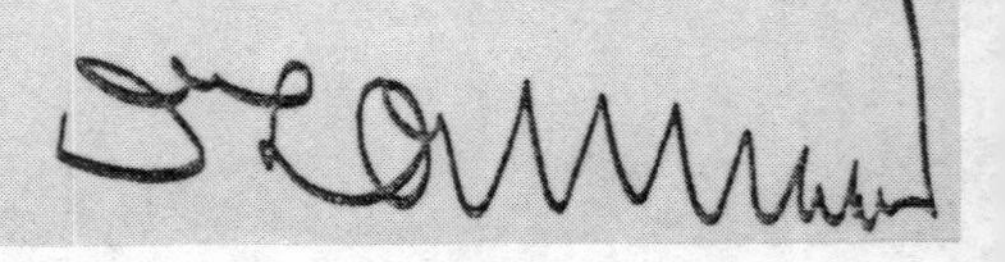

Eilboten

Generalfeldmarschall Göring

Berlin, den 29.November 1938.

Rasse- u. Siedlungs-Hauptamt SS
Nr. 30.XI.1938

Oberst a.D. v. T h a d d e n , Weimar, hat sich an mich gewandt mit der Bitte, ~~ihm~~ bezüglich der Abstammung seines Sohnes, Assessor Dr. Eberhard v. Thadden, SS-Untersturmführer, Aufschluss zu geben. Sie haben festgestellt, dass der Ururgroßvater Ludwig Epenstein, geb. 1776, im Alter von 32 Jahren von der mosaischen zur evangelischen Religion übergetreten ist. Nun steht fest, dass der Thadden von diesem Ludwig Epenstein jedoch nicht abstammt, sein Urgroßvater, der angebliche Sohn des Ludwig Epenstein, ist vielmehr, wie urkundlich zweifelsfrei feststeht, von einer Julie Riedel (arisch) unehelich geboren worden. Wie allgemein in der Familie bekannt ist, stammt das Kind von einer hochgestellten Persönlichkeit, wahrscheinlich von dem russischen Fürsten Balaschoff, von welchem sich noch einige wertvolle Geschenke in der Familie erhalten haben. Ludwig Epenstein (Jude) hat später die Julie Riedel geheiratet und sich, um den Makel zu verschleiern, als Vater nachträglich in das Kirchenbuch eintragen lassen. Dass das Kind nicht von diesem stammt, ist wiederholt von der Familie glaubwürdig versichert worden. Der Großonkel des

An

das Rasse- und Siedlungsamt,

B e r l i n SW,

Hedemannstr. 24.

Thadden, Dr. Ritter Hermann von Epenstein, hat lange bevor es eine Judenfrage gab, d.h. schon vor dem Weltkriege, mir selbst sowie auch meiner Familie wiederholt darüber Mitteilung gemacht. Diesen Dr. Hermann von Epenstein kenne ich persönlich sehr genau. Er ist vor 2 Jahren (8o Jahre alt) gestorben. Er verkehrte sehr viel in unserer Familie. Es lag also keinerlei Grund vor, in der damaligen Zeit irgendwie von dieser jüdischen Abstammung, falls sie gegeben gewesen wäre, Notiz zu nehmen, da vor dem Weltkriege in unseren Kreisen eine jüdische Frage garnicht existierte. Es war in der ganzen Familie Epenstein nicht der geringste Zweifel vorhanden, dass die Angelegenheit sich so verhielt.

Ich bin also in der Lage zu versichern, dass ich unbedingt von der Wahrheit überzeugt bin, zumal es urkundlich feststeht, dass die Julie Riedel ihren Sohn zunächst unehelich geboren hat und dass die Vaterschaft erst nach der Ehe von dem Epenstein anerkannt wurde, ein Vorgang, wie er sehr häufig ist. Ich werde noch selbst mit dem Reichsführer SS über die Angelegenheit sprechen. Somit kann nach meiner festen Überzeugung an der arischen Abstammung der Mutter des Thadden, der geb. Epenstein, und von ihm selbst kein Zweifel sein.

Heil Hitler !

Der Regierungspräsident
Tgb. Nr. o.
Fernruf 1411

Minden (Westf.), den 20. November 1940.

Lieber Herr Wolff !

Von Nachfolgendem bitte ich dem Reichsführer ᛋᛋ in geeigneter Weise Kenntnis geben zu wollen :

In die Angelegenheit, die sich mit den vegetierenden Geisteskranken befaßt, bin ich einbezogen worden dadurch, daß die Anstalt Bethel in meinem Bezirk liegt. Gemeinsam mit dem vom Gauleiter Dr. Meyer beauftragten Gaupersonalamtsleiter Beyer bin ich vom Reichsleiter Bouhler empfangen worden. Dieser hat mich zusammen mit Dr. Brandt am 27. September in der Reichskanzlei unterrichtet und mir seine und Dr. Brandt's Auffassung dahin auseinander gesetzt, daß es sich ~~um~~ nur um die Obengenannten handeln solle. Von dem ~~ihnen~~ gewordenen Auftrage bin ich durch Einsichtnahme ebenfalls unterrichtet. Dadurch, daß die Ausführungen weiterhin betrauter Organe mit der eindeutigen Erklärung des Reichsleiters vielfach sich nicht in Einklang bringen lassen, erwachsen mancherlei Schwierigkeiten. Insbesondere wird die Angelegenheit vielfach schon in der Öffentlichkeit diskutiert; sie ist sogar von amerikanischen und schwedischen Journalisten aufgegriffen, was im Widerspruch zu den ursprünglichen Intentionen zu stehen scheint.

Meine Stellung ist erschwert dadurch, daß ich im Auftrage des Reichsleiters Bouhler, ~~daß ich~~ einigen Stellen, die sich an mich als Regierungspräsident gewandt hatten, die mir in Berlin als bindend erklärte Auffassung bekanntgegeben habe, und daß im Gegensatz hierzu nachgeordnete Stellen den gleichen Fragestellern wesentlich andere,

zum

zum Teil gänzlich widerstreitende Mitteilungen machen und von diesen Handlungen verlangen.

Es liegt mir daran, daß der Reichsführer SS über meine Einspannung in die Angelegenheit unterrichtet ist. Falls er es für nötig hält, würde ich mündlich berichten.

Der Reichsminister Frick hat die Ober- und Regierungspräsidenten etc. zum 3. Dezember nach Berlin in das Haus der Flieger zu einer Tagung in Kriegsverwaltungsangelegenheiten eingeladen. Jch werde am Montag, den 2. Dezember zwischen 2 und 3 Uhr in Berlin eintreffen (Hotel Fürstenhof) und stehe am Nachmittag, bezw. am nächsten Nachmittag zur Verfügung.

Mit freundlichen Grüßen von Haus zu Haus und mit

Heil Hitler !

Jhr

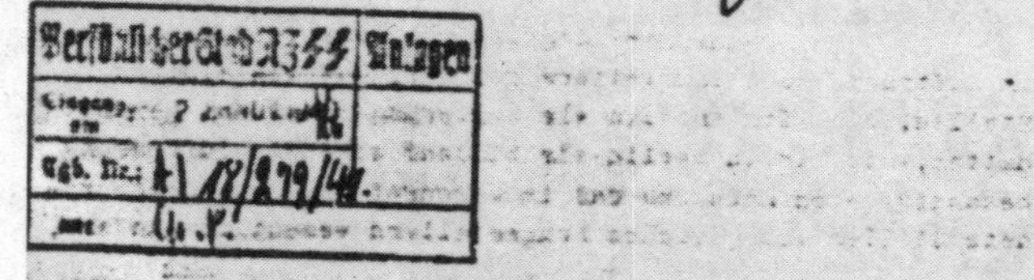

Persönl. Stab RF SS	Anlagen
Eingang am 2 ...	
Tgb. Nr.: A/18/279/40	

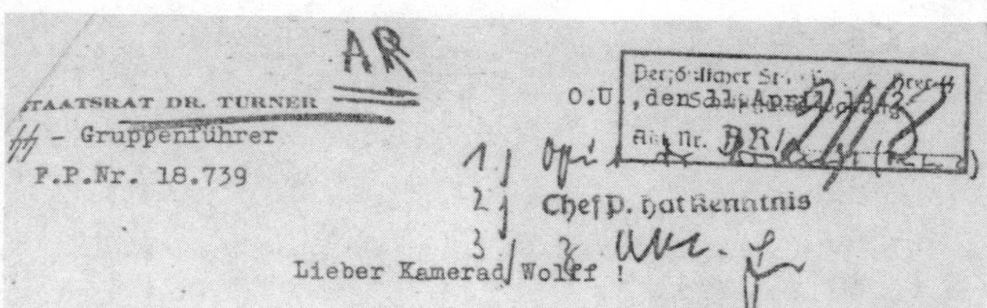

AR

STAATSRAT DR. TURNER
SS - Gruppenführer
F.P.Nr. 18.739

O.U., den 11. April 1943

Persönlicher Stab Reichsführer-SS
Schriftgutverwaltung
Akt. Nr. AR/ 2118

1.) Ogi ...
2.) Chef P. hat Kenntnis
3.) z. Akt.

Lieber Kamerad Wolff !

Nachdem nunmehr die Entscheidung zu meinen Gunsten ergangen ist, möchte ich nicht verfehlen – da ich überzeugt bin, dass das ganz einzig und allein Ihrem Einfluß und Ihrer unermüdlichen Tätigkeit zu verdanken ist – Ihnen meinen kameradschaftlichsten und herzlichsten Dank auf diesem Wege zu übermitteln.

Ich kann auch heute wieder, zumal Sie mich ja gut genug kennen, nur noch einmal wiederholen, es hat sich nicht um meine Person bei der Sache gehandelt – der Betreffende hätte ebenso gut einen anderen Namen haben können – sondern um einen notwendig durchzufechtenden Kampf gegen einseitige Wehrmachtsinteressen, bei denen unausgesprochen letzten Endes der SS-Führer, damit auch die SS und im weiteren auch die Beamtenschaft getroffen werden sollte.

Der beste Beweis hierfür ist einmal in einem offiziellen Schreiben von WB Südost die hineingewobene Bemerkung " die Einsetzung des Höheren SS-und Polizeiführers, die nicht auf hiesigen Antrag erfolgt ist" oder so ähnlich im Wortlaut, zum anderen die Bemerkung des Chefs des Generalstabes WB Südost nach dem Eingang der für mich günstigen Entscheidung " damit hätte die Wehrmacht eine Schlacht verloren".

Jedenfalls herrscht hier in allen Kreisen selbst der Wehrmacht, die diesen Kampf irgendwie verfolgt haben, eitel Freude über diesen Sieg und diese Freude haben Sie al -

. :. .

. . . .

lein ,wie ich glaube,allen diesen Menschen bereitet .
Dafür meinen Dank !

Darf ich diese Gelegenheit benutzen, um Ihnen anliegend die Abschrift eines Briefes von mir an den Reichsführer vom 15.Januar 1942 zu übersenden, auf den ich bis heute ohne Antwort geblieben bin.Ich möchte nicht erinnern, weil solche Dinge wie ich weiss Zeit brauchen und ich mich nicht für berechtigt halte, den Reichsführer an die Erledigung einer Sache zu erinnern. Immerhin weiss ich,dass Sie für diese Dinge Interesse haben und warum ich Sie jetzt darauf aufmerksam mache, hat einfach seinen Grund darin, dass demnächst diese Frage mehr als akut wird . Schon vor Monaten habe ich alles an Juden im hiesigen Lande greifbare erschissen und sämtliche Judenfrauen und=Kinder in einem Lager konzentrieren lassen und zugleich mit Hilfe des SD einen " Entlausungswagen " angeschafft,der nun in etwa 14 Tagen bis 4 Wochen auch die Räumung des Lagers endgültig durchgeführt haben wird,was allerdings seit Eintreffen von Meyssner und Übergabe dieser Lagerdinge an ihn, von ihm weitergeführt worden ist. Dann ist der Augenblick gekommen, in dem die unter der Genfer Konvention im Kriegsgefangenenlager bef[illegible]lichen jüdischen Offiziere nolens volens hinter die nicht mehr vorhandenen Angehörigen kommen und das dürfte immerhin leicht zu Komplikationen führen .

Werden nun die Betreffenden entlassen, so werden sie im Augenblick der Ankunft ihre endgültige Freiheit haben, aber wie ihre Rassegenossen nicht allzulange und damit dürfte dann diese ganze Frage endgültig erledigt sein. Das einzigste Bedenken könnten Rückwirkungen auf unsere Gefangenen in Canada sein, falls herauskommt, dass die Freigelassenen hier nicht frei herumlaufen... ich persönlich teile diese Bedenken nicht.

Mit den besten Wünschen für Ihr persönliches Wohlergehen, besten Grüssen und

H e i l H i t l e r !

bin ich wie stets

Ihr getreuer

Ab. Pradel · b-17-14

II D 3 a (9) Nr. 214/42 g.Rs.

Berlin, den 5. Juni 1942

Einzigste Ausfertigung.

Geheime Reichssache!

I. Vermerk:

Betrifft: Technische Abänderungen an den im Betrieb eingesetzten und an den sich in Herstellung befindlichen Spezialwagen.

Seit Dezember 1941 wurden beispielsweise mit 3 eingesetzten Wagen 97 000 verarbeitet, ohne daß Mängel an den Fahrzeugen auftraten. Die bekannte Explosion in Kulmhof ist als Einzelfall zu bewerten. Ihre Ursache ist auf einen Bedienungsfehler zurückzuführen. Zur Vermeidung von derartigen Unfällen ergingen an die betroffenen Dienststellen besondere Anweisungen. Die Anweisungen wurden so gehalten, daß der Sicherheitsgrad erheblich heraufgesetzt wurde.

Die sonstigen bisher gemachten Erfahrungen lassen folgende technische Abänderungen zweckmäßig erscheinen:

1.) Um ein schnelles Einströmen des CO unter Vermeidung von Überdrucken zu ermöglichen, sind an der oberen Rückwand zwei offene Schlitze von 10 x 1 cm lichter Weite anzubringen. Dieselben sind außen mit leicht beweglichen Scharnierblechklappen zu versehen, damit ein Ausgleich des evtl. eintretenden Überdruckes selbsttätig erfolgt.

2.) Die Beschickung der Wagen beträgt normalerweise 9 – 10 pro m^2. Bei den großräumigen Saurer-Spezialwagen ist eine Ausnutzung in dieser Form nicht möglich, weil dadurch zwar

keine

- 2 -

keine Überlastung eintritt, jedoch die Geländegängigkeit sehr herabgemindert wird. Eine Verkleinerung der Ladefläche erscheint notwendig. Sie wird erreicht durch Verkürzung des Aufbaues um ca. 1 m. Vorstehende Schwierigkeit ist nicht, wie bisher, dadurch abzustellen, daß man die Stückzahl bei der Beschickung vermindert. Bei einer Verminderung der Stückzahl wird nämlich eine längere Betriebsdauer notwendig, weil die freien Räume auch mit CO angefüllt werden müssen. Dagegen reicht bei einer verkleinerten Ladefläche und vollständig ausgefülltem Laderaum eine erheblich kürzere Betriebsdauer aus, weil freie Räume fehlen.

In einer Besprechung mit der Herstellerfirma wurde von dieser Seite darauf hingewiesen, daß eine Verkürzung des Kastenaufbaues eine ungünstige Gewichtsverlagerung nach sich zieht. Es wurde betont, daß eine Überlastung der Vorderachse eintritt. Tatsächlich findet aber ungewollt ein Ausgleich in der Gewichtsverteilung dadruch statt, daß das Ladegut beim Betrieb in dem Streben nach der hinteren Tür immer vorwiegend dort liegt. Hierdurch tritt eine zusätzliche Belastung der Vorderachse nicht ein.

3.) Die Verbindungsschläuche zwischen Auspuff und Wagen rosten des öfteren durch, da sie im Innern durch anfallende Flüssigkeiten zerfressen werden. Um dieses zu vermeiden, ist der Einfüllstutzen nunmehr so zu verlegen, daß eine Einführung von oben nach unten erfolgt. Dadurch wird ein Einfliessen von Flüssigkeiten vermieden.

4.)

- 3 -

4.) Um eine handliche Säuberung des Fahrzeuges vornehmen zu können, ist der Boden in der Mitte mit einer dicht verschließbaren Abflußöffnung zu versehen. Der Abflußdeckel mit etwa 200 bis 300 mm Ø erhält einen Syphonkrümmer, sodaß dünne Flüssigkeit auch während des Betriebes ablaufen kann. Zur Vermeidung von Verstopfungen ist der Krümmer oben mit einem Sieb zu versehen. Dicker Schmutz kann bei der Reinigung des Wagens durch die große Abflußöffnung fortgespült werden. Der Boden des Fahrzeuges ist zur Abflußöffnung leicht zu neigen. Hierdurch soll erreicht werden, daß alle Flüssigkeiten unmittelbar zur Mitte abfliessen. Ein Eindringen der Flüssigkeiten in die Röhren wird somit weitgehendst unterbunden.

5.) Die bisher angebrachten Beobachtungsfenster können entfallen, da sie praktisch nie benutzt werden. Bei der Fertigung weiterer Fahrzeuge wird durch den Fortfall der Fenster mit Bezug auf die schwierige Anbringung und dichte Abschließung derselben erhebliche Arbeitszeit eingespart.

6.) Die Beleuchtungskörper sind stärker als bisher gegen Zerstörungen zu sichern. Das Eisengitterwerk ist so hoch gewölbt über den Lampen anzubringen, daß eine Beschädigung der Lampenfenster nicht mehr möglich ist. Aus der Praxis wurde vorgeschlagen, die Lampen entfallen zu lassen, da sie angeblich nie gebraucht werden. Es wurde aber in Erfahrung gebracht, daß beim Schließen der hinteren Tür und somit bei eintretender Dunkelheit immer ein starkes

Drängen

- 4 -

Drängen der Ladung nach der Tür erfolgte. Dieses ist darauf zurückzuführen, daß die Ladung bei eintretender Dunkelheit sich nach dem Licht drängt. Es erschwert das Einklinken der Tür. Ferner wurde festgestellt, daß der auftretende Lärm wohl mit Bezug auf die Unheimlichkeit des Dunkels immer dann einsetzt, wenn sich die Türen schließen. Es ist deshalb zweckmäßig, daß die Beleuchtung vor und während der ersten Minuten des Betriebes eingeschaltet wird. Auch ist die Beleuchtung bei Nachtbetrieb und beim Reinigen des Wageninnern von Vorteil.

7.) Um eine schnelle und leichte Entladung des Fahrzeuges zu erreichen, ist ein ausfahrbarer Rost anzubringen. Er ist auf kleinen Rädern in U-Eisen-Schienen zu führen. Das Aus- und Einfahren hat mit einer unter dem Wagen angebrachten Drahtseilzugwinde zu geschehen. Die mit der Anbringung beauftragte Firma hält diese Ausführungsart wegen Kräfte- und Materialmangel z.Zt. für undurchführbar. Die Ausführung ist bei einer anderen Firma anzuregen.

Vorstehende technische Abänderungen sind an den im Betrieb befindlichen Fahrzeugen nur dann nachträglich auszuführen, wenn jeweils ein Fahrzeug einer anderen größeren Reparatur unterzogen werden muß. An den in Auftrag gegebenen 10 Saurer-Fahrgestellen sind die vorstehenden Abänderungen so weit als möglich zu berücksichtigen. Da die Herstellerfirma gelegentlich einer Rücksprache betonte, daß konstruktive Abänderungen z.Zt. nicht oder nur für kleinste Abänderungen möglich sind, ist bei einer anderen Firma der Versuch zu unternehmen, mindestens

eines

- 5 -

eines dieser 10 Fahrzeuge mit allen Neuerungen und Abänderungen, die sich bisher aus der Praxis ergaben, auszustatten. Ich schlage vor, die Firma in Hohenmauth mit der Einzelausführung zu beauftragen.

Nach den Umständen ist bei diesem Fahrzeug mit einer späteren Fertigstellung zu rechnen. Es ist dann nicht nur als Muster-, sondern auch als Reserve-Fahrzeug bereitzuhalten bzw. einzusetzen. Bei Bewährung sind die übrigen Fahrzeuge nacheinander aus dem Betrieb zu ziehen und dem Musterfahrzeug entsprechend umzubauen.

II. Gruppenleiter II D
ᛋᛋ-Obersturmbannführer R a u f f

mit der Bitte um Kenntnisnahme und Entscheidung vorgelegt.

R 10/6

I. A.
Just

Sü 4/6.
WR

Geh./

Anlässlich einer Besprechung zwischen dem Gauleiter und Reichsstatthalter Albert F o r s t e r mit Gauamtsleiter L a n d m a n n und Regierungsrat Dr. G i l l h o f f etwa anfangs November 1942 im Gebäude Jopengasse 11 äusserte der Gauleiter bei der Erörterung verschiedener Volkstumsfragen

" wenn ich so aussehen würde wie der Himmler, würde ich nicht von Rasse reden."

Diese Bemerkung des Gauleiters wurde ausgelöst durch ein vorangegangenes Gespräch, in welchem die rassische Musterung der Angehörigen der Abteilung 3 der Deutschen Volksliste behandelt wurde und in welchem die Frage diskutiert wurde, ob die Aufnahme in die Deutsche Volksliste von einer rassischen Würdigkeit abhängig gemacht werden darf. Dabei vertrat der Gauleiter auch den Standpunkt, dass er, wenn er schon eine solche Überprüfung durchführen würde, ausschliesslich eine Kommission der Staatlichen Gesundheitsämter befürworten würde, wobei er das Hauptgewicht auf die Teilnahme von Ärzten innerhalb dieser Kommission legte.

Diese Unterredung des Gauleiters mit Gauamtsleiter Landmann und Regierungsrat Dr. Gillhoff war einige Tage später Anlass eines Tischgespräches im Schützenhaus.

Sinngemäss hat mir gegenüber Gauamtsleiter Landmann anläßlich einer Sitzung der Bezirksstelle der DVL. das Gleiche erzählt.

Danzig, den 7. Januar 1943

Der Höhere SS-u. Polizeiführer Danzig-Westpreußen
Abt.-3. .... Nr. ....
Eing. 7. JAN. 1943
Abfg.

Der Reichsstatthalter
im Reichsgau Wartheland

Posen, den 1. Mai 1942.
Schloßfreiheit 13
Fernsprecher Nr. 1823 24

P. 802/42.

Geheime Reichssache!

Persönlich!

An

Reichsführer-SS Heinrich H i m m l e r,
Führerhauptquartier.

Reichsführer!

Die von Ihnen im Einvernehmen mit dem Chef des Reichssicherheitshauptamtes SS-Obergruppenführer Heydrich genehmigte Aktion der Sonderbehandlung von rund 100.000 Juden in meinem Gaugebiet wird in den nächsten 2 - 3 Monaten abgeschlossen werden können. Ich bitte Sie um die Genehmigung, mit dem vorhandenen und eingearbeiteten Sonderkommando im Anschluß an die Judenaktion den Gau von einer Gefahr befreien zu dürfen, die mit jeder Woche katastrophalere Formen annimmt.

Es befinden sich im Gaugebiet ca. 230.000 bisher erkannte Tbc-Kranke polnischer Volkszugehörigkeit. Von diesen wird die Zahl der mit offener Tuberkulose behafteter Polen auf ca. 35.000 geschätzt. Diese Tatsache hat in immer erschreckenderem Maße dazu geführt, daß Deutsche, welche vollkommen gesund in den Warthegau gekommen sind, sich angesteckt haben. Insbesondere wird auch die Ansteckungsgefahr bei deutschen Kindern mit immer größerer Wirkung gemeldet. Eine ganze Reihe namhafter führender Männer, insbesondere auch aus der Polizei, sind in der letzten Zeit angesteckt worden und fallen durch die notwendig gewordene Behandlung für den Kriegseinsatz aus. Die effektiv immer größer werdenden Gefahrenmomente sind auch von dem Stellvertreter des Reichsgesundheitsführers Pg. Professor Dr. Blome sowie von dem Führer Ihres Röntgen-Sturmbanns, SS-Standartenführer Professor Dr. Hohlfelder erkannt und gewürdigt worden.

Wenngleich

Wenngleich auch im Altreich mit entspre= chend drakonischen Maßnahmen gegenüber dieser Volks= pest nicht durchgegriffen werden kann, glaube ich es doch verantworten zu können, Ihnen vorzuschlagen, hier im Warthegau die Fälle der offenen Tbc. innerhalb des polnischen Volkstums ausmerzen zu lassen. Selbstver= ständlich dürfte nur derjenige Pole einer solchen Aktion überstellt werden, bei dem amtsärztlich nicht nur die offene Tuberkulose, sondern auch deren Un= heilbarkeit festgestellt und bescheinigt worden ist.

Bei der Dringlichkeit dieses Vorhabens bit= te ich möglichst schnell um Ihre grundsätzliche Geneh= migung, damit jetzt während der ablaufenden Aktion gegen die Juden bereits die Vorbereitungen zum an= schließenden Anlaufen der Aktion gegenüber dem offen mit Tbc. behafteten Polen mit allen Vorsichtsmaßnah= men getroffen werden können.

Heil Hitler!

Greiser

M

Der Höhere SS- u. Polizeiführer
beim Reichsstatthalter in Posen
im Wehrkreis XXI

Posen, den 3. M a i 1942.
Fritz-Reuter-Straße 2a
Fernsprecher 6561-65

Tgb.-Nr.: 132/42 g

G e h e i m !

An den
Reichsführer-SS, Persönlicher Stab
z.Hd.von SS-O'stubaf. B r a n d t

B e r l i n SW 11

Prinz-Albrecht Str. 8.

Betr.: An Tbc. erkrankte Polen.

Lieber Kamerad Brandt !

Ich bitte, dem Reichsführer-SS folgendes vorzutragen :

Der Gauleiter wird in Kürze den Reichsführer-SS um die Genehmigung bitten, dass diejenigen Polen, die nachweislich an einer offenen Tbc. erkrankt sind, dem Kommando Lange zur Sonderbehandlung zugeführt werden. Dieser Wunsch entspringt einer ernsten und verständlichen Sorge des Gauleiters um das gesundheitliche Wohl der hiesigen deutschen Menschen. Im Gau leben nämlich ungefähr 20-25 000 Polen, die nach ärztlichen Gutachten als unheilbar lungenkrank anzusprechen sind und nicht wieder arbeitseinsatzfähig werden. Diese Polen bilden mit Rücksicht darauf, dass sie insbesondere in den Städten sehr eng zusammengedrängt werden mussten und andererseits mit der deutschen Bevölkerung ständig in Berührung kommen, einen ungeheuer grossen Ansteckungsherd, der schnellstens eingedämmt werden muss. Im anderen Falle ist damit zu rechnen, dass zahlreiche Deutsche infiziert werden und schwerste gesundheitliche Schädigungen unter der deutschen Bevölkerung eintreten. Bereits heute mehren sich die Fälle, dass Deutsche, darunter auch Angehörige der Polizei, von Polen infiziert wurden und an der Tbc. erkrankten.

Ich halte bei dieser Sachlage die vom Gauleiter angestrebte

./.

NS-Druck Wartheland 6031941

Lösung als die einzig mögliche und bitte, dem Reichsführer-SS entsprechend zu berichten.

Mit kameradschaftlichen Grüssen und

Heil Hitler

Ihr

W. Kuppe

RF AR 31/11

Der Reichsführer-SS

Tgb.Nr. 1247/42

Bezug: Dort.v.1.5.1942 P 802/42

Bra/V.

Führer-Hauptquartier
27 Juli 42

XTR/47 23

Geheim

Reichsstatthalter SS-Obergruppenführer Greiser, Posen

1.) Lieber Parteigenosse G r e i s e r !

Es ist mir leider erst heute möglich, abschliesend auf Ihren Brief vom 1.5.1942 zu antworten.

Ich habe keine Bedenken dagegen, daß die im Gebiet des Reichsgaues Wartheland lebenden, mit offener Tuberkulose behafteten Schutzangehörigen und Staatenlosen polnischen Volkstums, soweit ihre Krankheit nach amtsärztlicher Feststellung unheilbar ist, der Sonderbehandlung im Sinne Ihres Vorschlages unterzogen werden. Ich würde jedoch bitten, das die einzelnen Maßnahmen vorher mit der Sicherheitspolizei eingehend besprochen werden, damit die Durchführung möglichst unauffällig erfolgen kann.

H e i l H i t l e r !
I h r
gez. H. Himmler

2.) SS-Obergruppenführer Koppe

3.) Reichssicherheitshauptamt

durchschriftlich mit der Bitte um Kenntnisnahme übersandt.

I.A.
[signature]
SS-Obersturmbannführer

26

Der Reichsstatthalter
im Reichsgau Wartheland

Posen, den 21. November 1942.
Schloßfreiheit 13
Fernsprecher Nr. 1823/24

A.Z.: P. 802/42.
(In der Antwort anzugeben)

Geheime Reichssache!

An

Reichsführer-SS Heinrich H i m m l e r,

B e r l i n SW 11.

Prinz-Albrecht-Straße 8.

Reichsführer!

Mit Ihrem Schreiben vom 27. Juni 1942 - Tgb.Nr. 1247/42 G.R. - gaben Sie mir die Genehmigung, diejenigen Angehörigen des polnischen Volkstums, die nachweisbar mit einer offenen und deshalb nihht mehr heilbaren Lungentuberkulose behaftet sind, einer Sonderbehandlung zuzuführen. Diese Sonderbehandlung der Schwerkranken kann natürlich erst stattfinden, wenn die gesamte Bevölkerung meines Gaugebietes daraufhin untersucht worden ist, wer heilbar und wer nicht heilbar ist. Die Untersuchungen werden nach dem Verfahren des Professors Dr. Hohlfelder, der mit seinem Röntgensturmbann in diesen Wochen hier im Gau eingesetzt wird, demnächst anlaufen. Die erste Auswertung dieses Verfahrens wird schätzungsweise in einem halben Jahr möglich sein.

In diesem Stadium des Anlaufs erhebt nunmehr Herr Professor Dr. Blome in seiner Eigenschaft als stellvertretender Leiter des Hauptamtes für Volksgesundheit der NSDAP. Bedenken bezüglich der Durchführung, die er mir in einem Schreiben vom 18. November zu Papier gebracht hat. Diese Bedenken kommen erst jetzt zum Ausdruck, trotzdem ich mit Herrn Dr. Blome ebenso wie mit Herrn Professor Hohlfelder den gesamten Verfahrensweg in monatelanger Vorarbeit geprüft, geklärt und geebnet hatte.

Ich erlaube mir, Ihnen eine Abschrift des Blome'

schen

Saplerdruck-Posen

schen Briefes vom 18. November zur gefl. Kenntnisnahme zu übersenden mit der Bitte, insbesondere die Seiten 3, 3a und 4 zu lesen und mir alsdann mitteilen zu wollen, ob Sie es für nötig halten, den Führer über diesen Stand des Verfahrens zu unterrichten und evtl. zu befragen, oder ob ein solches Vorgehen verneint werden muß.

Ich für meine Person glaube nicht, daß der Führer in dieser Angelegenheit noch einmal befragt werden muß umso mehr, als er mir bei der letzten Rücksprache erst bezüglich der Juden gesagt hat, ich möchte mit diesen nach eigenem Ermessen verfahren.

Ich bitte Sie, Reichsführer, mir alsbald Ihre Stellungnahme zu übermitteln, damit das zum Anlaufen gekommene Verfahren keine unnötige Verzögerung erhält.

Heil Hitler!

Persönlicher Stab Reichsführer-SS

Tgb.-Nr. 1347/42 — Anlagen -1-

An: RF

Abschrift.

Dr. Wilhelm H a g e n
Stadtmedizinalrat
Amtsarzt der Stadt Warschau
Bezirksleiter des Reichs-
tuberkulose-Ausschusses im GG.

Warschau, den 7. Dezember 1942
Brieffach54.
bis 27.XII. Anschrift:
Augsburg, Zeugplatz 7.

An den

Führer des Großdeutschen Reiches

A D O L F H I T L E R.

Mein Führer!

Nach Beratung mit einem langjährigen Freunde Friedrich W e b e r, "Oberlandweber" – einem Manne, dessen Ergebenheit zu Ihnen, meinem Führer, außer allem Zweifel steht, bitte ich Sie, mich in folgender Sache zu hören, da Weber selbst durch Krankheit verhindert ist, die Vermittlung zu übernehmen:

Bei einer Regierungsbesprechung über die Tuberkulosebekämpfung wurde uns von dem Leiter der Abteilung Bevölkerungswesen und Fürsorge, Oberverwaltungsrat W e i r a u c h als geheime Reichssache mitgeteilt, es sei beabsichtigt oder werde erwogen, bei der Umsiedlung von 200.000 Polen im Osten des Generalgouvernements zwecks Ansiedlung deutscher Wehrbauern, mit einem Drittel der Polen – 70 000 alten Leuten und Kindern unter 10 Jahren so zu verfahren, wie mit den Juden, daß heißt, sie zu töten.

Wenn diese Mitteilung nicht dienstlich erfolgt wäre, so würde ich sie in das Reich der Fabel verweisen. Ich weiß auch nicht, inwieweit dieser Gedanke schon der Ausführung genähert wurde. Andererseits habe ich in den 2 Jahren meiner Tätigkeit im Generalgouvernement allzuviele Fehler untergeordneter Stellen miterlebt, um eine solche Mitteilung als Phantasiegebilde leicht nehmen zu können. Auch ist die Zahl der Menschen, die davon reden, jetzt schon zu groß und hat den Kreis berechtigter Mitwisser weit überschritten.

Ich halte die Folgen einer solchen Tat für so schwer und weiß mich darin mit Friedrich Weber einig, daß ich Sie, mein Führer, zur Entscheidung anrufe. Ein dienstlicher Weg steht mir bei dem nur informatorischen Charakter der Mitteilung in einer Sache, die nicht zu meinen unmittelbaren Dienstaufgaben gehört, nicht offen.

Der

- 2 -

Der Gedanke eines solchen Vorgehens gegen die Polen ist wohl dadurch entstanden, daß im Augenblick für die auszusiedelnden Polen kein Raum vorhanden scheint, soweit sie nicht direkt in Rüstungsarbeit eingesetzt werden können. Die Folgen aber scheinen mir nicht durchdacht.

1. Militärisch-politisch hätte eine raffinierte Feindpropaganda wohl nichts erfinden können, was das stets schwelende Feuer der polnischen Widerstandsbewegung mehr anfachen könnte, als ein solches Gerücht oder eine solche Tat. Unsere Verbindungen sind durch Banden und Partisanen schon so sehr gestört, daß ein Stärkerwerden dieser Terrorgruppen die Nachschublinien zur Front ernstlich gefährden würde. Falls wir gegen eine größere Gruppe der Polen aber mit Gewalt vorgehen, werden die Banden ungeheuren Zustrom erhalten. Der Pole folgt stets gerne dem Ruf zum Aufstand. Sein Charakter, in dem sich slawische Tücke mit germanischem Jähzorn, getreu seiner Blutmischung paart, neigt zu jeglicher sinnloser Gewalttätigkeit. Wir wollen auch nicht vergessen, was wir selbst in einem solchen Falle im besetzten Rheinland getan hätten. In "MEIN KAMPF" aber steht, daß ein Gegner, der nicht völlig vernichtet wird, - wie sollte das bei 15 Millionen polen möglich sein - durch Unterdrückung und Märtyrertum nur stärker wird.
2. Außenpolitisch wäre den Gegnern ein Agitationsstoff von ungeheurer Schlagkraft gegeben und der beginnende Durchbruch des Europagedankens schwer gefährdet. Alle anderen Nationen sind gewohnt, Polen als ein gleichberechtigtes Volk anzusehen. Sie würden sein Schicksal als Beispiel für die eigene Zukunft betrachten.
3. Bevölkerungspolitisch haben mich eingehende Überlegungen, welche im Einzelnen hier zu weit führen würden, dem ich aber dem Reichsgesundheitsführer als Material vorgetragen habe, zu der Überzeugung gebracht, daß wir kein Interesse an der Verringerung der polnischen Volkszahl oder der Zerstörung ihres Bevölkerungsauftriebes haben. Von allen Fremdarbeitern ist rassisch der Pole als ein uns nahestehendes Element zu betrachten und sehr viel weniger gefährlich als die Rassen im Südosten, deren Bevölkerungsdruck wir auf die Dauer aus eigener Kraft nicht standhalten können.

Das

- 3 -

Das Bild, welches Polizei und SD von Polen entwerfen, ist vielleicht allzu einseitig. Mancher Ansatz zur Einordnung, der sich auf polnischer Seite in den letzten Jahren zeigte, ist unter diesem polizeilichen Gesichtspunkt nicht ernst genommen und wieder verschüttet worden. Die Mehrzahl des Volkes ist sehr müde und elend und sucht den Frieden auch mit uns. 10 Unruhestifter aber machen den guten Willen von Hunderten zu nichte. Die deutschen Fachleute, welche aus Polen wichtige Arbeitsleistung für den deutschen Sieg herausholen, urteilen in manchen Dingen anders als die Männer, welche gegen die Unterwelt der Widerstandsbewegung kämpfen müssen. Aus beiden Anschauungen zusammen ergibt sich ein richtiges Bild. Hören Sie, mein Führer, deshalb die Männer der Rüstungskommandos und der Industrie, sowie der Landwirtschaft. Und lassen Sie sich vortragen vom Geopolitiker, vom Bevölkerungspolitiker, ja vielleicht vom Psychologen und vom Arzt.

Dann entscheiden S I E , mein Führer, über das Schicksal Polens und seiner Menschen. Hier im Generalgouvernement soll ein Lebensraum Großdeutschlands sein, der langsam mit dem Mutterlande verwächst. Als leergebrannte Öde wird dieses Land eine solche Aufgabe in Jahrzehnten nicht erfüllen. Polen braucht eine harte Hand, aber nicht in der Zerstörung, sondern im Aufbau. Wir haben Millionen Polen im Reich eingedeutscht. Wir werden das auch im Warthegau leisten und es ist nicht unmöglich, den Polen des Generalgouvernements zum loyalen Mitarbeiter zu erziehen. Aber vergessen wir nicht, daß eine der wenigen sympatischen Eigenschaften der Polen die Liebe zum Kinde ist und daß wir mit dem Leben polnischer Kinder den letzten Funken von Verständigungsbereitschaft auslöschen würden. Zugleich aber würden wir die willigen Arbeitskräfte vernichten, die wir in den kommenden Jahrzehnten brauchen werden.

Allzulange hat unsere Arbeit im Generalgouvernement unter der Unsicherheit eines klaren Zieles gelitten. Wir erbitten von Ihnen, mein Führer, diese Richtschnur unseres Handelns und erwarten vertrauensvoll Ihre Entscheidung.

H e i l H i t l e r !

gez. Dr. Wilhelm H a g e n .

Persönlicher Stab Reichsführer-SS
Schriftgutverwaltung
Akt. Nr. ....

Der Reichsgesundheitsführer

Berlin W 35, den 31.3.43
Tiergartenstr.15
Fernruf 21 9o ol
Tgb.Nr. G 1ol/43 Dr.C/Me.

G e h e i m

SS-Obersturmbannführer
R. B r a n d t
Persönlicher Stab des Reichsführers SS
B e r l i n Sw 11
Prinz Albrecht-Str.8

Betr: Ihr Schreiben vom 29.3.43 - 11/26/43 g

Lieber Kamerad Brandt!

Dr. med. Wilhelm H a g e n ist aus jeglicher Tätigkeit im öffentlichen Gesundheitsdienst entfernt und sein Verhalten schärfstens gerügt worden. Als Entschuldigung führt er selber an, daß ihm in der Kanzlei des Führers der Ratschlag erteilt worden wäre, diesen Brief zu schreiben. Dr. Hagen ist nach Ansicht des Brigeführer Pg. Weber (Oberlandweber), der ihn von früher her kennt, ein Idealist, der sich in diesem unmöglichen Brief verrannt hat.

Nach meiner Ansicht kann man, nach der erfolgten Maßregelung mit weiteren Maßnahmen nachsichtig sein und Dr. Hagen, der zu praktischer ärztlicher Tätigkeit im Altreich notdienstbeordert worden ist, damit seine Arbeitskraft ausgenutzt wird, in dieser für die Allgemeinheit wertvollen Tätigkeit belassen.

Heil Hitler!

L. Conti

Persönlicher Stab RF-SS	Anlagen
Eingang: 3. APR.1943	
Tgb. Nr.: 11/26/43 g	

XIV/67

Der Chef der Sicherheitspolizei und des SD

IV B 4 1470/42 g

Bitte in der Antwort vorstehendes Geschäftszeichen u. Datum anzugeben

Berlin SW 11, den 17. September 1942
Prinz-Albrecht-Straße 8
Fernsprecher: Ortsverkehr 12 00 40 · Fernverkehr 12 64 21

Geheim

An den

Chef des Persönlichen Stabes RF-ℌ
ℌ-Obergruppenführer General der Waffen-ℌ Wolff

B e r l i n .

Betrifft: Lösung der Judenfrage im Generalgouvernement.

Im Anschluß an Ihre fernmündliche Mitteilung bezüglich der Evakuierung von Juden, die z.Zt. als Arbeiter bei der Beskiden-Erdölgesellschaft tätig sind, habe ich den Befehlshaber der Sicherheitspolizei und des SD in Krakau anweisen lassen, die Evakuierung dieser Juden nur in solchem Ausmaß vorzunehmen, als Ersatzkräfte eingesetzt werden können.

In Vertretung:

Der Reichsführer-SS Feld-Kommandostelle, 1.1943

Tgb.Nr.38/22/43 g
RF/V.

Betr.: Bericht über die Rohstofflage auf dem Spinnstoff- und Ledergebiet.
Bezug: Dort v.9.1.1943 Geh.Tgb.Nr.44/43

1.)

Mein lieber P o h l !

Ich habe Ihren Bericht über die Rohstofflage auf dem Spinnstoff- und Ledergebiet voll und ganz, aber ohne jedes Erstaunen gelesen.

Ich bin sehr einverstanden, wenn Sie mir einen solchen Befehl, der gut ausgearbeitet sein muß und nicht zu kurz sein darf, um den Einheitsführern die Dinge tatsächlich klarzulegen, zur Unterschrift übersenden.

Wieviel an Textilien haben wir eigentlich durch die Judenumsiedlung dem Reichswirtschaftsminister geliefert ?

H e i l H i t l e r !

Ihr

2.) SS-Obergruppenführer W o l f f

durchschriftlich mit der Bitte um Kenntnisnahme übersandt.

i.A.

W.v. 31.1.43 bei SS- Ostubaf.Dr.Brandt

SS-Obersturmführer.

289

Fernschreiben

Persönlicher Stab Reichsführer-SS
Schriftgutverwaltung
Akt. Nr. Geh. / -

An den
Höchsten SS- und Polizeiführer Italien
SS-Obergruppenführer Wolff

Ich bitte Sie, dem Professor Marcello P e t a c c i , Schildhof Meran, den Eingang seines Briefes an den Führer zu bestätigen. Der Führer selbst ist verständlicherweise bei der heutigen zeitlichen Beanspruchung nicht in der Lage, Herrn Petacci zu empfangen.

Ich bitte jedoch Sie, liebes Wölffchen, mir Nachricht zu geben, um was es sich handelt bei der Arbeit des Ingenierus G r o s s i . Petacci schreibt, er soll ein grosser Erfinder sein.

Wenn es wichtig ist, bin ich bereit, ihn zu empfangen oder durch einen guten Fachmann empfangen zu lassen.

Heil Hitler!
Ihr
gez.: H. Himmler

15.9.44 RF/M.

Internat. Militär-Tribunal Nürnberg

Prozeß gegen Oswald Pohl

1947 4. Juni---K-1-Seefried
Gericht Nr. II, Fall IV

F = Frage (Ankläger)

A = Antwort (Zeuge)

F: Und sind Sie auch gegen die zwangsweise Herausschaffung von Juden aus dem Warschauer Ghetto unter Waffengewalt?

A: Selbstverstaendlich.

F: Und Sie sind auch gegen die Einsperrung von Menschen in Konzentrationslagern eingestellt, die kein anderes Verbrechen begangen haben, als dass sie Juden oder Polen waren?

A: Jawohl. Ich bin ueberhaupt aus eigenster bitterster Erfahrung gegen das Prinzip der Konzentrationslager.

F: Und was die Verschleppung von Leuten aus dem Warschauer Ghetto betrifft, wussten Sie Bescheid ueber die Einzelheiten der Aktion Reinhardt?

A: Nein.

F: Sie wussten nicht, dass die Juden aus Warschau nach Treblinka und Lublin und in andere Vernichtungslager verschleppt wurden?

A: Nein.

F: General, Sie haben Ihre Haltung durch Ihre Aussage hier aufrechterhalten. Ich moechte Ihnen nun ein Dokument zeigen und ich glaube, das wir Ihr Gedaechtnis ueber diesen Punkt weitgehend auffrischen. Das ist ein Brief, der an Sie gerichtet ist, nicht wahr? Erkennen Sie diesen Brief, General?

A: Ich habe erst den ersten Brief gelesen. Darf ich die Anlage auch noch lesen, den zweiten Brief?

F: Ja, bitte. Das ist Ihre Antwort darauf. Ich moechte gerne einen Teil des ersten Briefes hier verlesen, eines Briefes von Ganzenmueller, Staatssekretaer im Reichsverkehrsministerium, der an Sie gerichtet ist. Er ist datiert vom 28. Juli 1942. Es heisst hier:

"Unter Bezugnahme auf unser Ferngespraech vom 16. Juli teile ich Ihnen folgende Meldung meiner Generaldirektion der Ostbahnen in Krakau zu Ihrer gefaelligen Unterrichtung mit:"

Ich zitiere:

"Seit dem 22.7. faehrt taeglich ein Zug mit je 5 000 Juden von Warschau ueber Malkinia nach Treblinka, ausserdem zwei-

4.Juni-A-HK-2-3 Efris
Gericht Nr.II, Fall IV

"mal woechentlich ein Zug mit 5 000 Juden von Przemysl nach Belzek. Gedob steht in staendiger Fuehlung mit dem Sicherheitsdienst in Krakau. Dieser ist damit einverstanden, dass die Transporte von Warschau ueber Lublin nach Sobibor (bei Lublin) solange ruhen, wie die Umarbeiten auf dieser Strecke diese Transporte unmoeglich machen (ungefaehr Oktober 1942.)"

Und darauf antworteten Sie einige Tage spaeter, am 13. August 1942:

"Lieber Parteigenosse Ganzenmueller!
Fuer Ihr Schreiben vom 28.Juli 1942 danke ich Ihnen – auch im Namen des Reichsfuehrers SS – herzlich. Mit besonderer Freude habe ich von Ihrer Mitteilung Kenntnis genommen, dass nun schon seit 14 Tagen taeglich ein Zug mit je 5 000 Angehoerigen des auserwaehlten Volkes nach Treblinka faehrt und wir doch auf diese Weise in die Lage versetzt sind, diese Bevoelkerungsbewegung in einem beschleunigten Tempo durchzufuehren. Ich habe von mir aus mit den beteiligten Stellen Fuehlung aufgenommen, so dass eine reibungslose Durchfuehrung der gesamten Massnahmen gewaehrleistet erscheint."

Frischt das Ihr Gedaechtnis auf, Herr General?

A: Jawohl, der Brief ist ein Originalbrief des Staatssekretaers Ganzenmueller an mich, der auch mein persoenliches Handzeichen traegt, dessen Echtheit ausser jedem Zweifel steht, genau so, wie der Inhalt des Beantwortungsschreibens.

F: Wollen Sie bitte dem Gericht die handgeschriebenen Randnotizen auf dem Original vorlesen? Ich glaube nicht, dass sie auf unserer Kopie erscheinen.

A: Jawohl, gewiss: "Herzlichen Dank! – Abschrift an Dr. Brandt, Brigadefuehrer Globocnik und Obergruppenfuehrer Krueger. 2. August."
Und mein Handzeichen "W".

2185

LIEBER HERR H U S M A N N ,

IM NACHGANG ZU MEINEM SCHREIBEN VOM 27.11.47 GEBE ICH IHNEN NACHSTEHEND EINEN AUSZUG AUS EINEM BRIEF INGE VOM 3.12. ZUR KENNTNIS. INGE SCHREIBT UNTER ANDEREM :

,, BEIDE AERZTE VERORDNEN RUHE, INNEREN FRIEDEN, GUTE PFLEGE UND ZUR VORBEUGUNG DER GEFAHR EINER WIEDERHOLUNG DER BLUTUNG DAS MEDIKAMENT ,, PROLUTON '' (NUR IM AUSLAND ZU HABEN) . NEUERLICHE SEELISCHE BELASTUBGEN KOENNEN ZUM LANG SAMEN AUSLOESCHEN FUEHREN, ES HAT KEINEN XXXXX SINN, DIR DAS LAENGER ZU VERHEIMLICHEN. DU BRAUCHST NICHT ERSCHRECKEN, ICH NEHME DIESE AUESSERUNG DER AERZTE NICHT TRAGISCH. ICH HABE SIE UM OFFENHEIT GEBETEN, UND DA ICH MICH VERZEHRE NACH RUHE FRIEDEN UND HARMONIE, UND ES MIR NICHT AUF DIESER WELT BE- SCHIEDEN SEIN SOLLTE, SO ERWARTET ES MICH GANZ SICHER IN DER ANDEREN WELT. ''

UNGLUECKLICHERWEISE IST MEIN GESUCH UM DRING- LICHKEITS- BEZW. WEIHNACHTS-URLAUB, WELCHES ICH UNTERM 1.12. AN HERRN GENERAL TAYLOR GERICHTET HATTE, ABGELEHNT WORDEN. DIE ENTTAEUSCHUNG MEINER FRAU DARUEBER, DIE SEIT UEBER 3 MO- NATEN EBENSO WIE ICH VERGEBLICH AUF DIE ENDLICHE EINLOESUNG DER UNBESTREITBAREN ANGLO-AMERIKANISCHEN VERSPRECHUNGEN WAR- TET, WIRD UNGEHEUER SEIN UND DIE GEFAHR EINES NEUERLICHEN KRANKHEITSRUECKFALLES wird DADURCH/ UNNOETIG HERAUFBESCHWOREN. DARF ICH SIE DAHER INSTAENDIG BITTEN, MEINER FRAU SCHNELLSTENS EINE ENTSPRECHENDE DOSIS ,, PROLUTON '' ZUGEHEN ZU LASSEN. IHRE AUSLAGEN WERDE ICH IHNEN SELBSTVERSTAENDLICH BALDMOEGLICHST ERSETZEN. FALLS MEINER ARMEN FRAU INFOLGE DER FORTGESETZTEN RUECKSICHTSLOSIGKEIT ETWAS ERNSTLICHES ZUSTOSSEN SOLLTE, SO WUERDE DAS DEN OEFFENTLICHEN BANKEROTT IHRER GARANTIE-VER- PFLICHTUNG SOWIE DER SEINERZEITIGEN VERSPRECHUNGEN BEDEUTEN. BITTE HELFEN SIE DOCH, DAS ZU VERMEIDEN SOWIE NUN ENDLICH EI- NE ABSOLUTE, AUCH TERMINMAESSIGE KLARHEIT UEBER DIE EINLOESUN DER VERSPRECHEN HERBEIZUFUEHREN.

MIT FREUNDLICHEN GRUESSEN

Vortragsnotizen
des Reichsführers SS Heinrich Himmler
für Besprechungen mit Hitler

zu 17. 11. 39

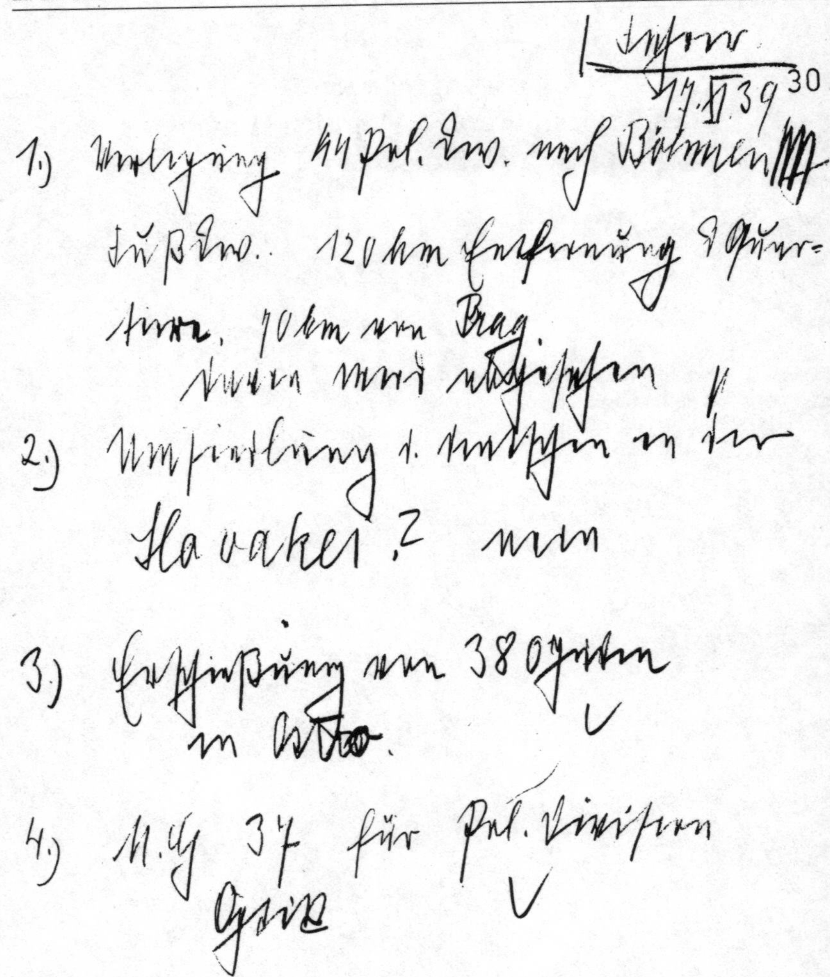

Führer
17.XI.39 30

1.) Verlegung SS Pol. Div. nach Böhmen
Trüb.Pl. 120 km Entfernung d. Quartiere. 70 km von Prag
davon wird abgesehen
2.) Unterstellung d. Deutschen in der Slowakei? nein
3.) Erschießung von 380 Juden in Ostrau.
4.) M.G. 37 für Pol. Division
[illegible]

Punkt 1.) und 2.) »davon wird abgesehen« und »nein« sind Antworten von Hitler, aber von Himmler notiert

zu 24. 6. 40

24. VI. 40 **Führer** 47

1.) Exekution [illegible]
wird d. Gr. F. Wolff d. Führer
z. Entscheidung vorgelegt.

HH

Punkt 1.) unterstreicht die Bedeutung Wolffs als Vertreter Himmlers. Wolff wird die Exekution mit Hitler besprechen.

zu 10. 12. 42

10.12.42.

II. Angelegenheiten des SD u. Polizei

1. Weygand. – Aufenthaltsort nicht Schloß Itter sondern am Millstätter See-Kärnten brief an d. Führer einverstanden

2. Verhaftung weiterer führender Franzosen. Gamelin, Blum, Daladier u.s.w. ✓

3. Juden in Frankreich 600–700 000 ✓ abschaffen. sonstige Feinde.

4. Sonderlager für Juden mit Anhang in Amerika. ✓ ✓

Punkt 3.) Antwort Hitler: »abschaffen«
Punkt 2.) 1 Haken bedeutet »wird erledigt«
Punkt 4.) 2 Haken bedeutet »dringend«

Vortrag beim Führer.

Wolfsschanze, Sonntag, 6.XII.1942.

I. Beförderungen, Stellenbesetzung.

~~1.~~ Beförderungen z. 1.XII.1942.

von Herff z. SS-Gruf., Jüttner u. Simon z. SS-Brigf. ✓ ✓ ✓

~~2.~~ Jungmann Maitla.-Beurteilung. ✓

3. Auszeichnungen für die Angehörigen des Reichssicherheitsdienstes ✓ u. Flugbesatzungen. Wolff Schmundt

4. Le Suire Beförderung z. General ✓ Schmundt.

zu 29. 8. 43

Vortrag am 29. VIII 43 Führer.
Wolfsschanze 23 30

1. Abmeldung Wolff ja

2. Meldung Ricci. ✓ ja

3. Mitteilung [illegible] ja

4. Anweisung für [illegible]
besprochen

Punkt 1.) Hitlers »ja« bedeutet, daß Wolff sich bei ihm abmelden kann.

Archive und Dokumente

Archive:

Document Center, Berlin.
Bundesarchiv Koblenz und Kornelimünster.
National Archives, Washington.
Ministery of war, London.
Imperial war museum, London.
Public record office, London.

Dokumente:

Anklageschrift gegen Karl Wolff, Schwurgericht München.
Urteil des Schwurgerichts München gegen Karl Wolff.
Akten der Entnazifizierungskammer, Hamburg-Bergedorf.
Akten des Internationalen Militär-Tribunals Nürnberg.

Verzeichnis der vom Autor befragten Personen

Axmann, Artur: Führer der Hitler-Jugend mit dem Titel »Reichsjugendführer«
Bormann, Albert: NSKK-Gruppenführer, Adjutant Hitlers und Bruder Martin Bormanns
Dietrich, Sepp: SS-Oberstgruppenführer und 1. Kommandeur der »Leibstandarte Adolf Hitler«
Dönitz, Karl: Großadmiral und testamentarischer Nachfolger Hitlers als Reichspräsident
Halder, Franz: Generaloberst und Chef des Generalstabs
Hoffmann, Heinrich jun.: Sohn des Hitler-Fotografen Heinrich Hoffmann
Kempner, Robert M. W.: Stellvertreter des amerikanischen Chefanklägers beim Internationalen Militärgerichtshof in Nürnberg
Linge, Heinz: SS-Hauptsturmführer und Diener Hitlers
Mohnke, Wilhelm: SS-Brigadeführer
Naumann, Werner: Staatssekretär im Reichspropagandaministerium
Puttkamer, Karl Jesko von: Konteradmiral und Marineadjutant Hitlers
Schirach, Baldur von: Reichsjugendführer, Reichsstatthalter und Gauleiter von Wien
Schulze-Kossens, Richard: Hitler-Adjutant
Schwerin von Krosigk, Lutz Graf: Reichsfinanzminister
Skorzeny, Otto: SS-Sturmbannführer und Mussolini-Befreier
Speer, Albert: Minister für Rüstung und Kriegsproduktion
Steiner, Felix: SS-Obergruppenführer
Streckenbach, Bruno: SS-Gruppenführer
Wenck, Walther: General der Panzertruppen, Armeeoberbefehlshaber der 12. Armee
Wolff, Karl: SS-Obergruppenführer und Chef des persönlichen Stabes von Heinrich Himmler
Zander, Wilhelm: SS-Standartenführer und persönlicher Referent von Martin Bormann

Literaturverzeichnis

Ackermann, Josef: Himmler als Ideologe. Musterschmidt, Göttingen 1970.
Anders, Karl: Im Nürnberger Irrgarten. Nest-Verlag, Nürnberg 1948.
Armstrong, Anne: Bedingungslose Kapitulation. Molden, Wien 1961.
Aronsen, Shlomo: Reinhard Heydrich und die Frühgeschichte von Gestapo und SD. dva, Stuttgart 1971.
Auerbach, Hellmuth: Hitlers politische Lehrjahre und die Münchner Gesellschaft. dva, Vierteljahreshefte für Zeitgeschichte 1/1972.
Bayern, Konstantin Prinz von: Der Papst. Kindler und Schiermeyer, Bad Wörishofen 1952.
Below, Nicolaus von: Als Hitlers Adjutant. Hase & Koehler, Mainz 1980.
Besymenski, Lew: Die letzten Notizen von Martin Bormann. dva, Stuttgart 1974.
Biss, Andreas: Der Stop der Endlösung. Seewald, Stuttgart 1966.
Boberach, Heinz: Meldungen aus dem Reich. Luchterhand, 1965.
Buchheim, Karl: Die Weimarer Republik. Kösel, München 1977.
Buchheim, Hans: Die höheren SS- und Polizeiführer. Vierteljahreshefte für Zeitgeschichte. dva 4/1963.
Buchheim, Hans, Martin Broszat, Hans Adolf Jacobsen, Helmut Krausnick: Anatomie des SS-Staates. Walter-Verlag, Olten 1965.
Bundeszentrale für politische Bildung, Bonn 1964: 20. Juli 1944.
Burckhardt, Carl J.: Meine Danziger Mission. Callwey, München 1960.
Churchill, Winston: Memoiren. Scherz, Bern 1954.
Darré, R. Walther: Um Blut und Boden. Eher-Verlag, München 1940.
Deschner, Günther: Reinhard Heydrich. Bechtle, Esslingen 1977.
Diels, Rudolf: Luzifer ante portas. dva, Stuttgart 1950.
Dietrich, Otto: Auf den Straßen des Sieges. Eher, München 1939.
Dietrich, Otto: Zwölf Jahre mit Hitler. Isar-Verlag, München 1955.
Domarus, Max: Hitler. Süddeutscher Verlag, München 1965.
Dulles, Allen W.: Verschwörung in Deutschland. Europa-Verlag, Zürich.
Dulles, Allen W./Gero von Gaevernitz: Unternehmen Sunrise. Econ, Düsseldorf 1967.
Engel, Gerhard: Aufzeichnungen des Majors E. dva, Stuttgart 1974.
Fest, J. C.: Das Gesicht des Dritten Reiches. Piper & Co., München 1964.
Fleming, Gerald: Hitler und die Endlösung. Limes, Wiesbaden 1982.
Fraenkel/Manvell: Himmler. Ullstein, Berlin 1965.
Gaevernitz, Gero von, Fabian von Schlabrendorff: Offiziere gegen Hitler. Europa-Verlag, Zürich.
Gilbert, G. M.: Nürnberger Tagebuch. Fischer, Frankfurt 1962.
Goebbels, Joseph: Tagebücher 1945. Hoffmann & Campe, Hamburg 1977.
Halder, Franz: Kriegstagebuch. Kohlhammer, Stuttgart 1962.
Haffner, Sebastian: Anmerkungen zu Hitler. Kindler, München 1978.
Hausser, Paul: Waffen-SS im Einsatz. Plesse/Schütz, Göttingen 1953.
Heiber, Helmut: Die Republik von Weimar. dtv, München 1966.
Heiber, Helmut: Reichsführer, Briefe. dva, Stuttgart 1968.

Heiber, Helmut: Lagebesprechungen im Führerhauptquartier. dva, Stuttgart 1962.
Heydrich, Lina: Leben mit einem Kriegsverbrecher. Verlag W. Ludwig, Pfaffenhofen 1976.
Hill, Leonidas: Die Weizsäcker-Papiere. Propyläen, Berlin.
Hillel, Marc: Lebensborn e. V. Zsolnay, Wien 1975.
Himmler, Heinrich: Geheimreden. Propyläen/Ullstein, Berlin 1974.
Höhne, Heinz: Der Orden unter dem Totenkopf. Verlag Der Spiegel, Hamburg 1966.
Hofer, Walther: Der Nationalsozialismus. Dokumente. Fischer, Frankfurt 1957.
Hüser, Karl: Wewelsburg 1933–1945. Bonifatius-Druckerei, Paderborn 1982.
Hüttenberger, Peter: Die Gauleiter. dva, Stuttgart 1969.
Irving, David: Hitlers Weg zum Krieg. Herbig, München 1979.
Irving, David: Hitler und seine Feldherren. Ullstein, Frankfurt 1975.
Irving, David: Rommel. Hoffmann & Campe, Hamburg 1978.
Irving, David: Wie krank war Hitler wirklich? Heyne, München 1980.
Kater, Michael H.: Das Ahnenerbe der SS. dva, Stuttgart 1974.
Keegan, John: Die Waffen-SS. Moevig, München 1981.
Kempner, Robert: Der SS-Staat. Kindler, München 1950.
Kempner, Robert: Eichmann und Komplizen. Europa-Verlag, Zürich 1961.
Kesselring, Albert: Soldat bis zum letzten Tag. Athenäum, Bonn 1953.
Kielmansegg, Graf: Der Fritschprozeß. Hoffmann & Campe, Hamburg 1949.
Kimche, Jon: General Guisans Zweifrontenkrieg. Ullstein, Berlin 1961.
Kordt, Erich: Wahn und Wirklichkeit. dva, Stuttgart 1947.
Kuby, Erich: Verrat auf deutsch. Hoffmann & Campe, Hamburg 1982.
Kuby, Erich: Der Fall »Stern«. konkret Literatur 1983.
Kurzman: Fällt Rom? Bertelsmann, München 1978.
Lang, Jochen von: Hitlers Tischgespräche im Bild. Herbig, München.
Lang, Jochen von: Adolf Hitler, Gesichter eines Diktators. Herbig, München.
Lang, Jochen von: Der Sekretär, Martin Bormann: Der Mann, der Hitler beherrschte. dva, Stuttgart 1977.
Lang, Jochen von: Das Eichmann-Protokoll. Severin & Siedler, Berlin 1982.
Leber, Annedore: Das Gewissen steht auf. Mosaik-Verlag, Berlin 1954.
Ludendorff, Erich: Meine Kriegserinnerungen. Mittler & Sohn, Berlin 1919.
Maier, Hedwig: Die SS und der 20. Juli 1944. dva, Vierteljahreshefte für Zeitgeschichte 3/1966, Stuttgart.
Martin, Bernd: Friedensinitiativen und Machtpolitik. Droste, Düsseldorf 1974.
Maser, Werner: Adolf Hitler. Bechtle, Esslingen 1971.
Maser, Werner: Nürnberg. Econ, Düsseldorf.
Meier-Beneckenstein: Das Dritte Reich im Aufbau. Junker & Dünnhaupt, Berlin 1939.
Mitscherlich/Mielke: Medizin ohne Menschlichkeit. Fischer, Frankfurt 1949.
Moellhausen, Eitel Friedrich: Die gebrochene Achse. Alpha-Verlag.
Mollo, Andrew: A pictorial history of the SS. MacDonald and Jane's Publishers Ltd., London 1976.
Mosley, Leonard: Dulles. Dial Press, New York 1978.
Mussolini, Rachele: Mussolini ohne Maske. dva, Stuttgart 1974.
Papen, Franz von: Der Wahrheit eine Gasse. List, München 1952.
Pendorf, Robert: Mörder und Ermordete. Rütten & Loening, Hamburg 1961.
Picker, Henry: Hitlers Tischgespräche. Seewald, Stuttgart 1963.
Rahn, Rudolf: Ruheloses Leben. Europäischer Buchklub, Stuttgart/Zürich.
Rosen, Edgar R.: Viktor Emanuel III. und die Innenpolitik des ersten Kabinetts Badoglio. dva Vierteljahreshefte für Zeitgeschichte 1/1964, Stuttgart.
Rothfels, Hans: Die deutsche Opposition gegen Hitler. Fischer, Frankfurt 1958.
Schellenberg, Walter: Memoiren. Verlag für Politik und Wirtschaft, Köln 1956.
Schmidt, Paul: Statist auf diplomatischer Bühne. Athenäum, Bonn 1949.

Schwarz, Urs: Vom Sturm umbrandet. Verlag Huber, Frauenfeld 1981.
Skorzeny, Otto: Wir kämpften, wir verloren. Ring-Verlag, Siegburg 1962.
Smith, Arthur: Churchills deutsche Armee. Bastei Lübbe, 1978.
Speer, Albert: Der Sklavenstaat. dva, Stuttgart 1981.
Speer, Albert: Erinnerungen. Ullstein, 1969.
Tippelskirch, Kurt von: Geschichte des II. Weltkriegs, Athenäum, Bonn 1959.
Toland, John: Das Finale. Droemer, München 1968.
Toland, John: Adolf Hitler. Bastei/Lübbe, 1977.
Theil, Edmund: Kampf um Italien. Langen-Müller, Wien 1983.
Vogelsang, Reinhard: Der Freundeskreis Himmler. Musterschmidt, Göttingen 1972.
Wegner, Bernd: Hitlers politische Soldaten. Schöning, Paderborn 1982.
Weizsäcker, Ernst von: Erinnerungen. List, München.

Register